Né en 1975, Julien Suaudeau vit à Philadelphie. *Dawa* est son premier roman.

Robert Laffont

TEXTE INTÉGRAL

ISBN 978-2-7578-4643-8
(ISBN 978-2-221-14072-7, 1re publication)

Ange plein de bonté, connaissez-vous la haine,
Les poings crispés dans l'ombre et les larmes de fiel,
Quand la Vengeance bat son infernal rappel,
Et de nos facultés se fait le capitaine ?
Ange plein de bonté, connaissez-vous la haine ?

Charles Baudelaire, « Réversibilité »

You can crush us, you can bruise us
But you'll have to answer to – the guns of Brixton

The Clash, « The Guns of Brixton »

I

Le vent fauve ne souffle pas dans ce pays.

Un jour pâle et bleuté entre dans la chambre, la lumière douce de la fin de l'hiver. Paoli se retourne dans un demi-sommeil épaissi par les quatre bourbons de la veille. Les bruits familiers du petit matin normand vont et viennent derrière les volets entrouverts, mais c'est toujours le même cauchemar qui le retient dans sa nuit, intact, juste avant le réveil. Il le sait, pourtant, que le vent d'Adrar n'Awras souffle loin d'ici. Il entend la clochette vibrer sur la porte d'entrée du bar-tabac, la machine agricole à l'autre bout du village, les chiens qui aboient au passage du car scolaire, le piaillement des mésanges sur les branches de ses pommiers. En bas, les braises du feu qu'il a allumé avant de monter se coucher crépitent encore ; le tic-tac feutré de la pendule se confond avec le tintement de l'eau qui suinte de la gouttière percée, sur le parterre en brique. La radio s'est mise en marche et diffuse dans l'air humide les notes d'une Gnossienne qu'il connaît par cœur.

Il suffirait d'ouvrir les yeux, mais le vent du passé l'emporte ce matin encore vers les Aurès, dans les pas du garçon de onze ans parti à la chasse au lion sur les chemins de Batna. Un été de pierres et de poussière. L'ombre maigre du pin d'Alep. Les empreintes de lynx et de chacal, les glands de chêne vert qui craquent sous la semelle. Son père lui raconte depuis qu'il est tout petit que le dernier lion a été chassé sur les hauteurs d'Arris du vivant d'Abd el-Kader. Un siècle. Chaque fois que le vent descend des montagnes, il sent revivre le temps épique des guerriers, de l'émirat. Le dernier lion l'appelle, vestige imaginaire de ce temps-là.

Le canon de la carabine serré dans son poing, il court le long de l'oued tuer l'ennui d'une enfance solitaire, rythmée par les travaux de la ferme, les dictées et les versions latines. La guerre qui continue tout près d'ici, plus de cent ans après, il la subit sans la voir. Il sait qu'il faudra bientôt partir, quitter cette montagne où il est né pour une autre qu'il ne connaît pas. La photo du village corse où l'attendent ses cousins, encadrée sur la commode du salon, lui apparaît comme une copie dégradée de sa réalité à lui. Quand il verra les couleurs, le bleu des golfes surtout, ce sera différent, lui a dit sa mère : peu importe où se tourne le regard, là-bas, il y a ce bleu sans fin de tous les côtés. Chaque fois qu'elle parle de la sorte, il entend l'accent frelaté du mensonge et du renoncement dans cette voix qu'il a toujours associée à ce qui est vrai dans le monde ; pire encore, ces mots accusent comme une ruse infantile de ses parents pour tromper leurs propres angoisses à l'idée de cet exil devenu inéluctable au fil des derniers mois. Bien sûr qu'il s'ennuie dans sa montagne, mais il aime les rêves et la soif d'ailleurs que la monotonie des jours algériens fait naître en lui, comme un prisonnier plus épris du parfum de l'air libre derrière les barreaux de sa fenêtre que de la liberté elle-même. Quand il faudra partir, parce que l'Algérie ne sera plus la France, il redoute que ses rêves restent accrochés aux murs de la maison ; il ne veut pas d'une liberté sans évasion.

Le garçon s'agenouille un instant au bord de la rivière, la gorge et les lèvres desséchées par la poussière, mais quelque chose le retient de plonger la tête dans l'eau fraîche que tous ses sens réclament. Un oiseau de proie tourne en silence au-dessus de l'oued, trop haut pour qu'il puisse l'identifier. Le soleil de midi brille comme une pièce de bronze dans le ciel nu. Entre les taches de lumière que les rayons sèment dans ses yeux, il jurerait que le rapace vole la tête en bas, ailes battues vers le sol, suspendu à un fil invisible. Dans les bosquets, les grillons se sont tus. Le vent est tombé d'un seul coup, et l'air a pris une gravité qui lui comprime les poumons.

Il se redresse, les oreilles bourdonnantes, les cheveux collés par la sueur. D'instinct, il jette son regard en direction de la ferme, vers l'ouest, là-bas derrière les cèdres. Une nuée de corbeaux affolés s'envole et passe comme une ombre au-dessus de lui. L'onde du coup de feu qui a effrayé les oiseaux, d'abord étouffée par la frondaison, vient rebondir contre la roche de l'oued – un claquement mat bientôt absorbé par le silence, mais lourd de désastres et d'irréversible.

Aulnay, pense Assan au moment où il pousse la porte de la petite chambre, Aulnay est aussi désespérant par ce matin clair que tous les jours de pluie.

– Quel jour c'est, fils ? demande Al-Mansour, allongé sur un matelas posé à même la moquette, ses jambes décharnées prisonnières de la couverture.

– Lundi, répond Assan en tirant les rideaux.

– La date, fils. Je veux que tu me dises la date.

– Lundi 23.

– Il viendra peut-être aujourd'hui, inch'Allah.

– Inch'Allah, répète mécaniquement Assan, tout en libérant ses jambes de la couverture. Remonte la tête sur l'oreiller, s'il te plaît. Comme ça. Il fait beau, ça serait bien qu'on sorte faire un tour avant que je parte. Je vais déplier le fauteuil.

– Je ne peux pas sortir. Il faut que je reste ici au cas où il viendrait. Je vais rester ici et attendre.

– Attendre, attendre ! Sais-tu encore faire autre chose ?

Le visage flétri du vieillard lui fait baisser la voix.

– S'il te plaît. Ça te ferait du bien de sortir un peu.

– Assan, mon fils, n'insiste pas. C'est un grand péché de faire perdre son temps à un homme qui n'en a plus beaucoup.

Sur le chemin du RER défilent des dizaines de pavillons identiques au sien et, ce matin, en plein soleil, Assan trouve leur uniformité plus infâme que d'habitude, plus humiliante aussi. Ces villages entiers arrachés à leur sol dans les années soixante, tous ces morceaux de bled recollés en vrac, d'abord dans la Zone, puis tout autour de Paris, ces milliers de familles venues bâtir la banlieue, finalement démolies par elle. Cinquante ans après, derrière ce crépi fissuré et moisi, que reste-t-il des espoirs de la première génération ? Soixante-dix mètres carrés de photos jaunies dans des cadres bon marché, qu'on ressort comme des reliques à chaque anniversaire, la nostalgie pitoyable de là-bas qui n'est jamais assez impérieuse pour se donner le courage d'y retourner. Ils en parlent tous, du pays, les jeunes nés ici comme les vieux avec leurs poumons bouffés par l'amiante et les Gitanes maïs, ils n'ont que ça à la bouche dès qu'ils se retrouvent autour d'une table ou sur le canapé du salon devant Al-Jazeera, mais le fait est qu'ils n'en feront jamais rien et qu'ils ne savent pas qui ils sont, ni français ni algériens, ni même un peu des deux. Et pas un seul n'a le cran de se l'avouer.

Son père crèvera ici comme tous les autres qu'on a installés à leur retraite dans un réduit au bout du couloir, avec vue sur ces jardins dont ils devaient être si fiers au moment d'emménager, symboles ultimes de leur accession au sous-sol de la classe moyenne, où s'entassent aujourd'hui des monceaux d'ordures et de pièces détachées. Est-ce que cela change quelque chose, à l'arrivée, qu'il n'ait rien voulu de cette vie-là ? Qu'il ait consacré la sienne à se battre contre les servitudes postcoloniales, du moins doit-il encore le croire, à sa dérisoire échelle de soldat perdu ? Toutes ces illusions enragées, cet œil crevé, tous ces morts pour finir dans la peau d'un infirme croûteux aux frais de la Sécu, son Algérie fantôme et son panarabisme enfouis quelque part entre ses remords et ses regrets, et la conscience diffuse d'avoir contribué à empirer les choses… Al-Mansour, le Victorieux, le fellaga terrible, a tout perdu. Assan le hait de les avoir entraînés Kader et lui dans ce destin dont un homme digne de ce nom aurait dû choisir de préserver ses fils, ne pouvant ignorer dès le départ ce qu'il leur en coûterait de marcher sur ses traces.

On ne revient pas en arrière sur les chemins de la vengeance, fils.

Vraiment ? Contrairement à son frère, Dieu ait son âme, il a toujours considéré les ruminations sentencieuses d'Al-Mansour comme le moyen le plus sûr d'avoir une vie trop courte et de mourir pour rien. Mais quel genre d'homme est-il, alors, lui qui sait reconnaître cette fausse monnaie intellectuelle et morale au premier coup d'œil, s'il en est aujourd'hui à s'abriter derrière les mêmes foutaises, mektoub et liens du sang, à reprendre les mêmes sermons boursouflés pour se donner du cœur à l'ouvrage et justifier face à son miroir les horreurs qu'il se prépare à mettre en route ?

Le centre-ville et ses rues bordées de petits immeubles en brique bruissent comme tous les jours de mille sons familiers, dont la somme est pour lui le bruit de l'habitude, de l'empressement au travail. En traversant pour rejoindre la gare, il jette un coup d'œil en arrière, vers le nord. L'énorme silhouette des 3000 se dresse comme un paquebot ensablé au-dessus de la zone pavillonnaire – trois mille familles de galériens parquées là-dedans comme de la volaille industrielle, à dix dans un T2. La « Rose des Vents », avec deux majuscules, c'est ainsi que les architectes avaient osé baptiser leur épouvantable création, l'un de ces monstres de béton qu'on appelait plus pudiquement, à l'époque, les grands ensembles. Cité de l'Europe, Ambourget, le Gros Saule. Un tiers de la population cantonné à la verticale, dans les quartiers nord de la ville. Le décalage entre la joliesse des noms et la laideur de la réalité est si grotesque que plus personne ici n'y prête attention.

Depuis qu'il a déménagé dans son pavillon, la perspective lui procure toujours un sentiment de malaise dont la cause ne lui est que trop familière. Si tout se passe comme prévu, songe-t-il en s'engouffrant dans le RER, il n'y aura plus beaucoup de matins comme celui-ci.

Le souffle rauque et les yeux brûlés par le sel, le garçon se faufile dans la cour devant la longue maison en pierre. Cinq Arabes sont là, en cercle face à la porte d'entrée. Il ne voit pas leurs visages, mais il reconnaît le port martial des gens du FLN, cette tension menaçante de tous les nerfs qu'il a vue un jour sur une bande d'actualités, au cinéma de Constantine. Il sait qu'il ne faut pas faire de bruit.

Peut-être que ses parents ont eu le temps de partir avant leur arrivée, et qu'ils attendent son retour, cachés derrière un buisson. Peut-être que son père a tiré tout à l'heure pour le prévenir du danger. De nouveau le vent se lève, sans dissiper le bourdonnement dans ses oreilles. Il entend un des hommes rire, aussitôt rappelé à l'ordre par celui qui se tient au milieu, le dos plus large, les épaules plus imposantes que les autres. Ils ne le verront pas s'il fait demi-tour maintenant. Qu'est-ce qu'ils attendent pour piller la maison ? Leur camionnette est garée sur la colline aux figuiers. Ils ont dû repérer l'écurie en arrivant, être surpris de n'y trouver qu'un vieil âne – le dernier cheval a été vendu l'année dernière. C'est étrange, pense-t-il, qu'on n'entende pas les poules. À cette heure-ci, elles devraient être dehors.

Le bourdonnement se fait plus profond, une brûlure perçante, comme si on lui raclait l'intérieur du crâne avec un tison ardent. Il s'approche malgré la peur, attiré par cette forme claire qu'il entrevoit au pied des Arabes. Une bourrasque fait grincer le portail mal huilé de la clôture derrière lui, et l'homme du milieu tourne la tête dans sa direction. Un bandeau noir couvre son œil droit ; sa barbe touffue lui donne l'air d'une bête sauvage. Un instant, le portrait d'Abd el-Kader se superpose à cette face animale dans le regard du garçon. Il entend les paroles de son père tandis qu'il s'avance vers l'homme, en se cramponnant à la carabine : « C'est leur terre, fils. Tôt ou tard ils viendront nous la reprendre, et ce sera justice. »

– Vous n'avez pas le droit d'être ici. Cette ferme appartient à ma famille.

Il a prononcé les mots en arabe, sans hésitation. Tous les muscles du visage tendus, sur un ton qui laisse entendre l'immensité de la terreur qu'il voudrait masquer, bien sûr, mais aussi une maîtrise de soi étrangère à son âge. Lentement, le borgne vient à sa rencontre, après avoir fait signe à ses hommes de rester en place. Il y a comme un éclat d'admiration au fond de sa pupille noire, et l'étonnement donne une expression presque humaine à sa figure de fauve.

– Tu parles arabe, fils ?

– J'aimerais mieux être un bâtard de mille chiennes plutôt que ton fils. Toi et tes hommes, vous feriez mieux de partir avant que mes parents reviennent.

Le borgne s'immobilise, un sourire aux lèvres. De la main, il l'invite à s'approcher de la maison, puis, d'un geste vif, lui arrache sa carabine. Il reprend en français :

– Ton papa et ta maman t'attendent, fils.

Les autres s'écartent sur son passage, révélant un corps de femme plié en deux contre le mur. Le garçon accourt et attrape à pleines mains le visage déjà refroidi, pour le couvrir de baisers et de larmes. Comment croire à ce froid qui a envahi toutes ses fibres, effacé toute trace d'émotion, ce froid qui se confond avec ce qu'elle est maintenant ? à ces mouches qui se posent sur sa peau comme si elle n'était qu'un morceau de matière comme tous les autres ? La réalité fond sur ses sensations comme une avalanche de mille choses encore évidentes il y a une heure, et désormais impossibles.

Ses yeux ne le regarderont plus.

Sa voix ne l'appellera plus.

Ses bras ne le serreront plus.

Elle est aussi morte que la poussière qui vole dans l'air. Que la pierre dont sont faits les murs. Que le bois de la porte.

La mort a sa propre logique que la vie ne comprend pas. Une voix familière mais assourdie par la douleur lui fait relever la tête. Son père est agenouillé juste derrière lui, les deux mains pressées sur l'auréole noirâtre qui souille sa chemise, de plus en plus large. Un peu à droite, légèrement au-dessous des côtes.

Le foie, c'est fatal.

Il le revoit penché au-dessus de la grande table de la cuisine, il n'y a pas si longtemps, quand le dépeçage magique du gibier se terminait en cours d'anatomie et que les noms d'organes prenaient un tour banal, sans mystère, révélés sur un ton presque désinvolte. Aujourd'hui il n'y a pas de désinvolture dans ses yeux. Ils sont remplis de pleurs et de regrets, et semblent implorer son pardon avec le peu de vie qui leur reste.

– Ne pleure pas devant ton fils, dit le borgne. Ça n'est pas rien, la façon dont on meurt.

– Ce n'est qu'un enfant, Al-Mansour. Tu sais qu'il n'a pas choisi de vivre ici.

Il a déjà entendu ce nom qui le terrorise, comme tous les enfants redoutent le croquemitaine, l'ogre, la sorcière. Le borgne s'accroupit à côté de son père, passe le bras derrière son dos dans un mouvement empreint de douceur, comme pour le réconforter, et, le temps d'un regard, le garçon croit lire un sourire sur ses lèvres blanches. Il a peut-être changé d'avis, pense-t-il en fixant le guerrier du FLN, non sans en concevoir aussitôt une honte atroce, pour la repoussante faiblesse morale que cette hypothèse trahit. La vie n'a plus lieu d'être ici. Seule la mort est vraie, seule la mort est logique : bientôt le corps de son père se raidit à son tour, comme sous le coup d'une décharge électrique, puis ses muscles se relâchent un à un, par vagues de spasmes, et sa tête finit par s'affaisser sur sa poitrine.

– Mais moi je ne suis pas Dieu pour décider ainsi qui doit vivre ou mourir, dit Al-Mansour en retirant sa lame de la chair béante, cette fois-ci à hauteur de l'estomac, et prononçant ces mots à voix basse, avec une nuance réprobatrice où une oreille plus mûre aurait pu deviner la marque d'un certain dégoût de soi.

– Al Djazaïr ! crient ses hommes en chœur.

Avec une précaution qui est tout ce qui tient encore debout dans son monde en ruines, le garçon pose la nuque de sa mère sur l'épaule de son père, puis se tourne vers l'homme en train d'essuyer son couteau.

– Si tu ne me tues pas maintenant, je jure que je te tuerai un jour.

– Tu n'as pas envie de vivre ?

– Je vivrai pour te tuer, et j'aimerai le seul jour de ta mort.

Al-Mansour s'approche et lui colle la pointe de la lame encore humide sous la gorge.

– Tu as la vie devant toi pour y penser, fils. Souviens-toi de mon nom.

Les yeux dans l'œil borgne du dernier lion, le petit garçon ne voit pas venir le coup de crosse qui lui écrase la tempe. Plus de vie ni de mort, de lumière aveuglante ni de chaleur ; plus de bourdonnement : une obscurité reposante et sans mémoire, vierge de désolation.

Comme toujours et pour une raison oubliée depuis longtemps par les gens d'ici, le carillon du clocher sonne sept heures avec dix minutes de retard. Paoli ouvre les yeux. D'un geste machinal, sa main gauche passe sur la petite cicatrice logée comme un secret sous ses cheveux gris, un centimètre en retrait de l'arcade sourcilière. Une veine gonflée traverse la tempe, remontant en virgule vers le front.

Peu après, il termine son petit-déjeuner sans appétit et sans intérêt pour le journal du matin, qui pourrait aussi bien être celui de la veille ou du lendemain. Plans sociaux, pouvoir d'achat, sécurité routière, Euro Millions, alerte orange dans le Sud-Est, francs-maçons, comptes en Suisse et politiciens sans couilles, néanmoins sucés dans les palaces. Des escort-girls, du malaise masculin et du mal de dos à volonté : l'ADN rabougri d'une grande puissance en bout de course, où l'inconséquence se pratique avec l'intensité d'un sport national.

Pauvres de nous, pense-t-il en vidant sa tasse de thé, avant d'éteindre la radio et de fermer la maison en vitesse. L'air est frais et la pelouse luit sous la rosée. Une heure et demie jusqu'à Levallois s'il n'y a pas d'accident en chemin. En route.

Encore une année creuse dans l'histoire de France.

« Larbi Ferhaoui, c'est l'imam qu'il nous faut », aurait dit le président de la République à ses conseillers. Vraie ou fausse, cette indiscrétion publiée voilà quelques jours amuse beaucoup Assan, tandis qu'il observe du fond de la vieille caserne la vedette de la soirée répondre avec appétit aux questions des journalistes.

Derrière Ferhaoui, sur l'estrade, se tient Alexandre Marion, le directeur de cabinet du ministre de l'Intérieur, qui a fait savoir opportunément qu'il était retenu ailleurs. Son visage vaniteux a à peine vieilli depuis le temps où il le croisait dans la Péniche, à Sciences Po, Marion en prép ENA et lui en deuxième année ; seule une ride au coin des yeux laisse deviner le passage du temps et le poids des responsabilités. Le corps est plus sec qu'il y a seize ans, purgé de la graisse des études supérieures, quand il devait ingurgiter de la jurisprudence administrative matin, midi et soir, et qu'il s'angoissait déjà en pensant à son rang de sortie. Jamais, à l'époque, Assan n'aurait imaginé un type comme ça dans les hautes sphères de l'Intérieur. L'Inspection des finances, le Trésor, la Cour des comptes – il avait déjà les manières, et le physique de l'emploi. Mais la place Beauvau, ce monde balzacien où il vaut mieux connaître un peu les hommes et leurs ressorts, où il faut tenir tête à des syndicats rugueux tout en essuyant la critique permanente des belles âmes, où la virilité compte autant que l'intellect, il ne l'en pensait pas capable.

À la droite de Ferhaoui, l'adjoint au maire du XVIIIe est sous le charme ; à sa gauche, le représentant de la préfecture n'a pas l'air tout à fait heureux d'être là, dans l'obligation de sourire à propos, tout en écoutant l'imam dérouler ses éléments de langage aussi hypocrites que suffisants sur la nécessité de marcher main dans la main avec l'État pour encadrer le développement de l'islam de France. L'homme, il est vrai, a tout pour plaire aux éditorialistes bien-pensants et à l'esprit ouvert qui se creusent la tête pour réconcilier « l'islam », comme si c'était un monolithe, avec leur cher esprit des Lumières, moderne et laïque, leur France sécularisée (ce qui d'ailleurs ne les empêche nullement une fois sortis de leurs salles de rédaction de ressentir un mélange pas très net d'agacement et de rejet si d'aventure une petite Arabe veut emprunter la pelle de ce cher Gabin dans le bac à sable).

D'une rondeur douce et joviale, aussi spirituel qu'inoffensif, l'imam Ferhaoui incarne tout le contraire de ces spectres sataniques, hâves et barbus, produits dérivés de la marque Ben Laden qu'on a pris l'habitude de voir vilipender l'Occident sur les chaînes d'information, le doigt levé en signe de magistère moral, Al-Qaida, AQMI, etc., sans pour autant avoir la moindre idée de qui ils peuvent être, ni des raisons de leur sainte colère. Les catholiques lui donneraient le bon Dieu sans confession, s'est dit Assan la première fois qu'il est sorti de son cours de prépa à l'agrégation, voilà six ou sept ans ; donc, il a un agenda secret. Depuis, Ferhaoui lui a toujours paru tranquillement indifférent aux reproches de mollesse que lui adressent régulièrement les « durs » de la mosquée. Parmi tous ces branquignols fichés depuis des lustres par les services et qui se donnent la chair de poule à l'idée de planquer deux flingues enrayés dans leur garage, combien savent que cet homme bien sous tous rapports est en réalité une fabrication, un personnage destiné à endormir la vigilance du maître des lieux, jusqu'à ce que les clés tombent de sa main et que la porte de la maison France s'ouvre en grand ?

L'adjoint au maire prend la parole, encore tout ronronnant après les compliments de Ferhaoui sur sa gestion des négociations et son esprit d'intégration. Il dit sa grande fierté d'avoir aidé, modestement il est vrai, à la recherche et l'ouverture d'une salle de prière pour les musulmans de l'arrondissement et du nord de Paris, regrettant juste qu'un lieu n'ait pu être trouvé plus tôt durant l'hiver, ce qui aurait permis d'éviter l'hospitalisation en urgence de ce Tunisien foudroyé par une pneumonie sur son tapis de rue (et toute la mauvaise presse qui a suivi pour les services municipaux). Au fil de sa métamorphose en mosquée à l'occidentale, la caserne de pompiers s'est vu refaire une beauté aux frais des administrés, dont le sens de l'hospitalité est une vertu rare en ces temps de crise et de repli sur soi. Nouvelle isolation, nouveau chauffage, nouvelles toilettes : la mairie n'a reculé devant aucune dépense pour faire étalage de son islamophilie, qui n'est qu'une expression parmi d'autres de son humanisme, cela va de soi.

En écoutant l'homme de la préfecture, nettement plus lapidaire dans son intervention, Assan se demande s'il se doute que les salamalecs de l'imam ne sont qu'un rideau de fumée pour les beaux yeux des journalistes et du personnel politique ici présent. Les services de renseignement ont une nuée d'informateurs dans les hautes sphères du Conseil français du culte musulman comme au sein de sa mosquée, mais comment pourraient-ils avoir deviné ce que tous les djihadistes en herbe ignorent, à savoir que Larbi Ferhaoui est depuis trois ans le poisson pilote du Qatar dans son entreprise de coloniser l'économie, la société et la politique françaises, du

Royal Monceau et des hôtels particuliers de l'île Saint-Louis au 93, en passant par les doudous présidentiels du PSG et les antichambres de la République ?

Les prières de rue, dit l'envoyé du préfet, feront désormais l'objet d'une interpellation et d'une procédure en comparution immédiate. En contrepartie de l'ouverture de cette mosquée, il faut bien comprendre que c'est la tolérance zéro qui sera appliquée sur la voie publique.

Assan esquisse un sourire intérieur, toujours le même chaque fois qu'il entend le baratin inflexible du droit administratif. Le pauvre homme n'a rien compris. Comme tous les défenseurs de l'ordre républicain, les obsédés de la laïcité, il court après le grand méchant loup sans voir que le vrai danger pour leur sacro-sainte sécurité nationale a le visage rassurant d'un médecin de famille.

Devant l'ancienne caserne, les camions régie quittent l'un après l'autre leur place de parking, et la petite assistance se disperse sur le trottoir. Assan frissonne en écoutant d'une oreille polie les observations de Sélim Arif, le jeune secrétaire de l'imam, sans trouver le moyen d'écourter la conversation. Avec ses vingt-neuf ans et son accent moyen-oriental, Sélim a fait beaucoup de jaloux et d'étonnés quand Ferhaoui l'a choisi pour organiser son temps et sa vie publique, en dépit du fait qu'il soit d'origine irakienne, et chiite ; à l'heure où des bombes sectaires explosaient en série dans les mosquées de Bagdad et de Kirkouk, les salafistes qui fréquentent ses prêches n'ont pas compris la leçon de tolérance qu'a voulu donner l'imam en le plaçant si près de lui. En privé, il se murmure que leur relation dépasserait le simple cadre professionnel. Assan s'en moque, mais il y a quelque chose chez ce jeune homme qui lui déplaît depuis leur première rencontre, peut-être une excessive familiarité.

– Deux mille cinq cents euros par mois pour six cents mètres carrés, ça n'est pas mal joué quand même… On aurait pu gratter dix ou douze pour cent en moins, mais l'imam ne voulait pas que les laïcards tombent sur le deal avec la loi de 1905. Enfin bref… Tout ça, c'est pour amuser la galerie, dit Sélim en s'approchant d'Assan comme pour lui faire une confidence. Toi et moi, mon frère, on sait bien que la vraie question, c'est si sa stratégie de contamination peut fonctionner à long terme ou pas.

Assan a du mal à masquer sa surprise. Comme il ne répond pas, l'autre s'enhardit et s'approche un peu plus, avec un air de conspirateur romain.

– Tu sais ce qu'il me dit l'autre jour ? « L'art de la guerre, c'est de soumettre l'ennemi sans combattre. » Il cite Sun Tsu pour parler des investissements de l'émir ! « La société française doit être conquise en douceur, pas par la confrontation. L'action violente, c'est une ruine du siècle dernier. »

– Et alors ? Le rapprochement te paraît mal choisi ?

Assan sent que la sécheresse de sa remarque a désemparé Sélim. Il aurait dû y mettre plus de formes.

– Je voudrais juste être sûr qu'on n'est pas en train d'aider ce pays à remettre son économie debout au lieu de l'achever au moment où tout fout le camp. Je suis un soldat, moi, pas un joueur de dames.

Il marque une pause, comme s'il hésitait à dire le fond de sa pensée.

– Ni un psychopathe qui flingue des gosses derrière son casque. Je suis un vrai de vrai, comme les mecs de Grenoble et de Mulhouse, OK ?

– J'espère pour toi que ta guerre connaîtra une issue plus heureuse…

Sélim sourit et cherche son paquet de cigarettes dans la poche de sa veste. Vide. Assan lui allume une des siennes, et tire dessus assez longtemps avant de la lui tendre, à l'affût d'une réaction. L'allusion aux réseaux de 1995 et 1996 peut être accidentelle, c'est possible, mais alors pourquoi cette impression que Sélim a voulu y glisser un message ? une offre de service ? Il se sent brusquement pris de court, vulnérable. Quand a-t-il baissé la garde ? Comment cet étranger peut-il savoir que Kader, mort avec trois autres membres de son gang le 29 mars 1996 dans l'incendie du 39, rue Henri Langlois à Mulhouse, était son demi-frère ? Et si lui sait, qui d'autre est au courant ? Les questions le prennent en tenaille, mais le passage d'une ambulance lui offre l'occasion de se ressaisir, au bluff :

– Ces mecs-là, c'étaient des têtes brûlées en mal d'aventures. Les camps bosniaques, la Tchétchénie. Ils n'ont rien fait bouger, et regarde comment ils ont fini.

Si Sélim connaît vraiment sa parenté avec Kader, il n'aura pas la maturité de le dissimuler plus longtemps, après une invitation si tentante à abattre ses cartes.

La porte de la caserne s'ouvre et Ferhaoui apparaît, accompagné de ses conseillers et d'une poignée d'élus grisés par le champagne et leur belle démonstration de tolérance. L'imam leur adresse un franc salut de la main, à l'un comme à l'autre, avant de quitter les lieux.

– Tu as raison, dit Sélim en empoignant la main d'Assan. J'ai du mal à voir plus loin que le coup d'après, parfois. Mais pense à ce que je t'ai dit. La France ne se laissera pas qatariser comme ça. Tôt ou tard, il y aura un retour de bâton, et il faudra repartir de zéro.

Il emboîte le pas à son patron et se retourne.

– Je te dois une cigarette, mon frère.

Il est déjà loin, mais ses derniers mots tanguent encore dans le roulement de la nuit. À moitié rassuré, Assan le regarde devenir un point flou sous les lampadaires de la

Goutte-d'Or, et il décide que Sélim en a trop dit pour savoir quoi que ce soit.

Ils n'ont aucune idée – lui, Ferhaoui, et tous les autres aveugles de cette ville piégée, ceux qui la défendent et ceux qui veulent la prendre, ceux qui dorment sur leurs deux oreilles, les coupables comme les innocents –, ils ne peuvent pas se douter de ce qui les attend.

La rive droite s'efface dans le rétroviseur du taxi moto. Le vent froid cingle sous la veste d'Alex, sa cravate gifle la visière du casque.

La manière dont Ferhaoui est venu le trouver avant-hier soir à la caserne alors qu'il s'apprêtait à quitter le cocktail d'inauguration ne manque pas d'originalité.

– Monsieur le directeur de cabinet, j'ai un problème avec un de mes coreligionnaires. Je crois que vos services devraient se pencher sur son cas, a-t-il dit d'une voix claire, sans nervosité, saturée par une neutralité qui ne pouvait qu'être construite, pour cacher l'intention derrière son aparté.

Durant les derniers mois, même si Alex avait suivi de près le dossier de la rénovation de la caserne et du bail octroyé à l'association de Ferhaoui, Islam bleu blanc rouge, sur l'injonction de son ministre, leurs échanges n'avaient jamais dépassé le strict cadre de la négociation. L'imam lui avait exprimé maintes fois sa reconnaissance pour avoir bousculé la bureaucratie et les réticences de la préfecture, sans savoir qu'il n'y était pour rien : c'est le maire de Paris, bien appuyé par le ministre de l'Intérieur, qui avait forcé la main du préfet de police.

– Un problème ?

– Vous comprendrez que ce n'est ni l'endroit ni le moment de vous en dire plus, a ajouté Ferhaoui en sondant le périmètre d'un air soucieux. Mon secrétaire vous transmettra un document à l'endroit que vous voudrez bien lui faire connaître.

– Mais d'où tenez-vous vos informations ?

– Êtes-vous intéressé, ou faut-il que je me tourne vers le cabinet du préfet ?

– Selon ce qu'il y a dans ce document, oui, évidemment.

– Voyez le dossier, a-t-il dit en lui serrant la main, avant de s'éloigner vers un groupe de convives.

En toute logique, Alex aurait dû transmettre à la section antiterroriste du parquet, ou directement aux hommes de Paoli à la DGSI, ex-DCRI – plus aucun flic du service ne sait où il habite ni comment il s'appelle depuis la grande réforme du renseignement intérieur. Mais le frisson téméraire qu'il a ressenti sur le moment ne s'est pas dissipé au fil de la nuit, et ce matin à la première heure il a appelé Sélim Arif, le secrétaire personnel de l'imam.

C'est une entorse sérieuse à la distribution des rôles au sein de son administration que d'avoir donné rendez-vous lui-même et, au-delà du danger toujours possible, il sait qu'on ne manquera pas de le lui reprocher si d'aventure quelque chose tournait mal. Mais combien de fois depuis sa nomination a-t-il eu l'occasion de descendre dans la réalité qu'on appelle la France, cet épais magma de forces contradictoires, hirsutes ? Douze ans après sa sortie de l'ENA, l'Intérieur reste pour lui une vaste abstraction faite de circulaires, d'arrêtés et de listes préfectorales – une abstraction dont il connaît les moindres rouages et l'anatomie invisible.

Cheville ouvrière de l'équipe précédente, il a été approché par le nouveau ministre en mai 2012, alors qu'il se préparait tristement à un retour au Conseil d'État. L'homme ne lui inspirait guère plus confiance alors qu'aujourd'hui, avec sa gravitas de beau gosse viril mais correct, matois et ramenard, sa kippa sur la tête le matin et son dégommage du foulard l'après-midi, sa clique très Deep State de criminologues et de superflics qui voient loin, son accent de titi parisien pour arracher les dernières voix indécises sur les marchés à la veille d'un scrutin. On sentait déjà qu'il ferait la loi dans son gouvernement de besogneux et qu'il était affligé d'une forte propension à se croire la figure de proue de ce nouveau PS chaque jour plus honteux de son S – socialisme dont il entendait bien racheter le laxisme historique en matière de sécurité et d'ordre public, la mollesse incarnée par les traits fuyants du président élu, et la bonne vieille stratégie mitterrandienne de laisser monter le FN pour siphonner les voix de la droite de gouvernement. Alex avait beau le trouver habile, l'éducation rad-soc et la religion de l'État que ses parents lui avaient inculquées, renforcées par le romantisme qu'il cultivait en secret, l'empêchaient d'absoudre cette façon que le ministre avait d'occuper le terrain en repeignant la gauche aux couleurs de l'autorité et du réel, celle de ses yeux cobalt et intransigeants. Pour les journalistes sous le charme, en revanche, il était le réaliste qui allait abandonner les territoires du rêve et des bons sentiments aux obsessions doctrinaires de la garde des Sceaux, et sauver par sa manière forte le pays d'une majorité permanente de nationaux-populistes, marinée dans le jus de la crise économique, d'un taux de chômage à deux chiffres, du rejet de la politique traditionnelle par les braves gens, et du sentiment diffus, tout en bas de la France, qu'on n'était plus vraiment chez soi, ni très rassurés d'en sortir une fois la nuit tombée.

Ce qui avait commencé après la victoire à la présidentielle comme un simple jeu de rôle, un théâtre d'ombres animées par le PR pour complaire aux deux franges de son électorat, tout cela avait bien vite incité le nouvel homme fort du gouvernement, sur fond de cotes de popularité en berne, de crise de légitimité et de ras-le-bol national, à se poser en recours, laissant dire dans les dîners off, mezzo voce, qu'il serait plus à sa place à Matignon, trop sûr de son destin présidentiel pour imaginer qu'il pourrait s'y brûler les ailes, comme tant d'autres ambitieux avant lui. De Gaulle lui-même ne disait-il pas qu'il y a toujours un chef socialiste pour se voir en Napoléon ? C'est ce côté bonapartiste qui déplaisait le plus à Alex et qui l'avait amené à réserver sa réponse initiale, non par réticence idéologique – il espérait bien, sans en être tout à fait sûr, avoir passé l'âge de ce genre de bêtises –, mais parce qu'il pensait que cette posture, perçue comme pragmatique et de nature à reprendre le vote populaire capté par l'extrême droite et ses agents dormants à l'UMP, était une tactique à front renversé plus qu'un Bad Godesberg durable pour la gauche. En économie comme sur les questions de société, la droite serait toujours plus qualifiée pour mener une politique de droite, et il était trop tard maintenant pour que le PS ramène dans ses filets ceux qu'il avait sciemment laissés sur le carreau, les prolétaires aigris et les fils d'immigrés. Alex avait néanmoins fini par accepter, parce qu'on ne sert pas l'État ou la France, pensait-il, mais d'abord celui qui y exerce le pouvoir.

Aussitôt, un observateur de l'univers feutré de la Place Beauvau avait vu en lui le couteau suisse de l'Intérieur, et l'expression était restée : un modèle de haut fonctionnaire, sans allégeance partisane, qui savait tout faire et tout arranger avec un art consommé de la discrétion. Il avait beau demeurer inconnu du grand public, sa réputation était fermement établie dans tous les cercles politiques et de police. Au fond de lui, pourtant, Alex supportait de plus en plus mal que sa discrète empreinte de clerc sur le cours des choses soit éclipsée par le bruit et les moulinets du ministre, et le mépris qui affleurait parfois dans ses yeux d'élu revenu de toutes les batailles sur le pavé de la politique locale.

– Mais ça fait vingt ans que je gagne des élections, moi, mon pote ! disait-il quand Alex avait le malheur de ne pas souscrire sur-le-champ à l'une de ses inspirations géniales. Et c'est toi qui vas me dire comment il faut les prendre, les Français ? Par-derrière, sans vaseline, voilà comment !

Lassé de sa rudesse et de ces gifles, administrées le plus souvent en public, Alex avait fini par prendre le parti de se taire, d'exécuter et de ne plus proposer. Sans sourciller, ni faire remarquer qu'il avait parfois l'impression d'avoir été renvoyé dans le camp d'en face, cinq ans en arrière, il avait transmis aux préfets les ordres d'évacuation et d'expulsion de Roms, réécrit des textes assommants sur le pacte national contre le trafic de drogue, déshabillé Paul pour habiller Pierre en envoyant les policiers de Seine-Saint-Denis à Marseille, l'homme malade de la France, organisé des tables rondes en veux-tu en voilà, applaudi au nouveau nom du service de sécurité intérieure, comme si les remontées d'information allaient soudain devenir plus fluides au sein de cette usine à gaz, du seul fait qu'elle n'était plus « centrale », mais « générale », et il avait laissé le ministre fredonner sa petite musique sur le thème de l'islam, dont les plus belles notes, l'ennemi de l'intérieur, la peur qui doit changer de camp, l'immigration cheval de Troie du terrorisme radical, n'étaient pas sans rappeler la phraséologie de son prédécesseur – en pire. Récupérer, sans en penser le premier mot, le langage de la droite pour faire son trou au centre gauche, tout en l'accusant d'avoir fait sauter toutes les digues républicaines avec le FN, la recette pouvait paraître éculée et par trop cynique ; elle n'en avait pas moins fait de lui l'homme politique favori des Français, et surtout des Françaises, qui se languissaient de le voir donner sa pleine mesure à la tête du pays.

Tandis qu'il s'ingéniait à transformer cette brutalité stratégique en actes, muré dans le silence où il avait remisé les convictions inscrites au patrimoine familial, Alex avait commencé à s'intéresser aux visiteurs du soir, en provenance de l'ambassade du Qatar, que l'entourage solférinien du ministre recevait une fois par mois dans un restaurant à proximité de l'hôtel de Beauvau, à ces menues faveurs qui ne mangeaient pas de pain et dont la mosquée généreusement concédée à Ferhaoui n'était que la dernière illustration en date. Ami inconditionnel d'Israël, en affaires avec Doha : son nouveau maître était en fait, avec quinze ans de retard, la réincarnation franchouillarde du courant néo-conservateur américain. Qu'y avait-il en retour, quelles enveloppes sonnantes et trébuchantes pour quels bénéficiaires ? Paoli, à Levallois, travaillait sur le même dossier, Alex en avait eu vent, mais la froideur entre les deux hommes rendait délicate une mise en commun de leurs découvertes, à ce stade du moins. Il recueillait donc les éléments dans son coin, en faisant semblant de n'y voir que du feu, il additionnait les preuves de cette affaire d'État en train de prendre forme dans cette étrange zone grise où les renvois d'ascenseur ne sont pas nécessairement synonymes de corruption et où les petits arrangements d'un futur présidentiable avec une puissance étrangère ont quelque chose de suspect sans être toujours répréhensibles. En attendant le bon moment pour révéler son jeu, il relisait Fouché pour se convaincre qu'on peut tenir entre ses mains le fléau de la balance sans pour autant ôter son masque de technocrate : la confidence de Ferhaoui était sa chance de diriger enfin un acte de la pièce, d'être vraiment utile à son pays tout en restant caché derrière le rideau.

La séance de M. Arkadin a commencé depuis une vingtaine de minutes, et Van Stratten pourrait encore tourner les talons. Il pourrait refuser le marché, il sait que cela serait plus sage, mais il sait aussi qu'il va l'accepter.

Dans son château en Espagne, la nuit du bal masqué, Arkadin raconte à ses invités la fable de la grenouille et du scorpion. Le scorpion veut traverser la rivière et demande à la grenouille de le prendre sur son dos.

– Il n'en est pas question, répond la grenouille. Si je te laisse monter sur mon dos, tu me piqueras pour me tuer.

– Réfléchis, dit le scorpion. Si je te pique, je mourrai noyé.

La grenouille finit par accepter. Au milieu du gué, elle sent une douleur terrible dans son dos.

– Mais qu'as-tu fait ? s'écrie-t-elle. Maintenant, tu vas mourir toi aussi.

– Je n'y peux rien, dit le scorpion. C'est ma nature.

Sélim Arif arrive pendant la scène parisienne avec Suzanne Flon. Après avoir pris place devant lui, conformément à ses instructions, il patiente un instant, puis glisse la main dans la poche de sa veste et en sort une clé USB, qu'il lui tend sans se retourner. Alex hésite, il s'attendait à pouvoir juger sur pièces. Il fixe cette main suspendue au-dessus du dossier, que la perspective rend aussi grande que le visage en gros plan d'Orson Welles. La grenouille, le scorpion. Il y a comme un avertissement dans cette superposition. Un avertissement, ou une invitation ? Après tout, dans la vraie vie on peut être une grenouille avec du caractère ; on peut aussi être un scorpion qui sait nager.

Quelques secondes plus tard, la clé en poche, il remonte la rue des Écoles d'un pas vif, tous ses nerfs vibrant sous le coup de l'adrénaline.

Sur la dizaine de photos que contient la clé USB, on voit un homme maghrébin, trente-cinq ans environ, en discussion avec une jeune fille pas forcément majeure, une petite brune à la peau pâle, sur le perron d'un pavillon de banlieue. L'homme a les traits fins, presque féminins, et il est de taille moyenne, bien mis, très élégant même. Le seul autre fichier enregistré sur la clé, un document Word d'une demi-page, est une note de dénonciation non signée comme les services de renseignement en reçoivent quinze par jour rien qu'en provenance des mosquées d'Île-de-France. Outre l'identité de l'homme et de la jeune fille, elle précise que celle-ci, Française de souche, a grandi dans les foyers de la DDASS avant d'être placée en famille d'accueil, à la cité des 3000 à Aulnay-sous-Bois. Elle s'est récemment convertie à l'islam et, d'après la note, fait partie d'une cellule radicale dont l'homme recruterait sur place les membres – à l'écart de toute congrégation religieuse. Lui, il s'appelle Assan Bakiri et enseigne depuis 2005 à Paris VIII-Saint-Denis.

Dans l'entourage de Ferhaoui, selon les informations compilées par le service recherches de la DGSI et transmises dans l'après-midi à Alex, on dit qu'il mène une vie tranquille aux Étangs, quelques centaines de pavillons construits à la va-vite, à l'ombre de la cité ; que c'est un mandarin brillant, aux habitudes ascétiques ; sans enfant non plus, célibataire, mais avec un grabataire à charge, borgne. Inconnu des services de police. Administrativement, on sait qu'il est né à Grenoble en 1977, et c'est à peu près tout jusqu'à son entrée à Sciences Po vingt ans plus tard. Ensuite, son itinéraire devient une vraie propagande pour la méritocratie républicaine : diplôme de l'IEP en section internationale, DEA et doctorat à l'INALCO, puis troisième place à l'agrégation d'arabe. À partir des renseignements recoupés, on ne peut que spéculer sur sa place et son influence au sein de la nébuleuse intégriste qui gravite autour de l'imam. Idem au CFCM, ou ce qu'il en reste : Assan Bakiri est inconnu au bataillon.

Alex referme la biographie maison et inspecte à nouveau les photos qu'un faux journaliste du service a prises hier soir à l'inauguration de la mosquée, à la recherche d'un détail qui lui aurait échappé au premier passage. Il est assis les jambes croisées sur le canapé de son bureau, pendant que Paoli, le grand patron du renseignement intérieur, spécialiste ès barbus, arabophone hors pair, examine le contenu de la clé USB sur un ordinateur portable, le front soucieux. Ils se sont rencontrés voilà six ans, place Beauvau, quand Paoli a été intronisé sur les cendres de la DST, où il occupait un poste moins exposé aux foudres et aux vicissitudes du pouvoir politique. Autour d'une coupe de champagne, ils se sont découvert bien peu de choses en commun à part une inimitié mutuelle. Depuis ce soir-là, ils se voient une fois par semaine, au gré des briefings de routine et des réunions de crise, sans que la force de l'habitude ait rien entamé des réserves que le flic a envers le légalisme étriqué du sherpa, et le sherpa envers la brutalité impatiente du flic.

Sur tous les clichés de l'inauguration, remarque Alex, Assan Bakiri apparaît à la marge, comme s'il se tenait volontairement à distance de l'imam et de sa cour.

– Sélim Arif, souffle Paoli, c'est ma source. Qu'est-ce que c'est que cette façon de faire ?

– Ferhaoui ne m'a pas laissé le choix. C'était moi ou la préfecture.

Paoli hausse les épaules.

— On n'en fait plus beaucoup, vous savez, des appréhensions préventives dans les mosquées. Je ne parle pas des excités qui ont le verbe fleuri et radical mais les actions minuscules. Les quidams qui sont vraiment prêts à passer à l'acte, ou bien ils se font tout petits en arrivant juste à l'heure de la prière et en rentrant chez eux sans un mot plus haut que l'autre, ou bien ils se tiennent à l'écart, et personne ne les connaît. L'un ou l'autre, ils savent qu'un tapis sur deux nous parle. Quand on sur-infiltre, comme le veut notre concept de sécurité intérieure depuis six ou sept ans, il faut s'attendre à ce qu'on n'attrape plus que le menu fretin.

– Justement, objecte Marion en désignant l'une des photos de Bakiri avec la jeune fille. Son champ d'action se situe complètement en dehors des cercles fondamentalistes affiliés à la mosquée. À votre avis, dans une cité comme les 3000, combien y a-t-il de gamins perdus qui ne demandent qu'à faire brûler le monde où ils vivent ?

– Où ils ne vivent pas, vous voulez dire.

– Vous avez vu les chiffres sur les néoconvertis ? Le nombre de mosquées en construction rien qu'en Île-de-France ?

– Beaucoup de sauce, peu de lapin, comme on dit chez moi. J'ai toujours trouvé qu'il y avait trop d'églises dans ce pays. Plus un seul calvaire sur les routes de campagne, c'est la France dont je rêve.

– Vous pouvez rire, mais savez-vous quel est le groupe de mots qui a généré le plus de recherches Google l'an dernier ? « Début du ramadan ».

– Vous savez très bien que ce pays a un problème avec les Arabes, pas avec leur religion. Ne vous racontez pas d'histoires. La guerre d'Algérie n'est pas terminée.

Il a raison, pense Alex. Et c'est un pied-noir qui le dit.

– Qu'est-ce que vous voulez, au juste ? reprend Paoli. Le ministre déclare la guerre aux dealers des cités, la police fait le ménage pour les salafistes, les salafistes assurent le lien social là où les services de l'État ne veulent plus mettre les pieds. C'est le gagnant-gagnant au sens solférinien, non ?

– Vous êtes tout de même bien placé pour savoir que la lutte contre l'islam radical est une priorité du gouvernement.

– Mais oui, et Ferhaoui aussi le sait : il veut montrer patte blanche en chargeant la mule de quelqu'un d'autre. Il fait le ménage, en républicain modèle, histoire qu'on n'aille pas l'enquiquiner sur ses affaires.

Alex hésite un instant à ouvrir une parenthèse sur les relations de l'imam avec la mairie. Non, à la réflexion, il vaut mieux que Paoli ne sache pas qu'il sait, pas pour le moment. Il se frotte le front, et part à la recherche d'un nouvel angle d'attaque.

– Je ne remets pas en cause le bien-fondé de vos investigations sur Ferhaoui, encore que j'aie des doutes, mais je ne vois pas en quoi ça le disqualifie comme source. Qu'est-ce que ça vous coûte de vérifier ?

– Et moi, dit Paoli, je ne vois pas les raisons qu'a un homme comme cet Assan Bakiri d'être en colère contre un pays où il a réussi un parcours exemplaire. Il a bien le droit de se taper une petite jeune sans être accusé de prosélytisme, non ? Ou alors il faut transférer le dossier à la brigade des mineurs.

– Lui, corrige Alex de sa voix la plus sereine, on le place sous surveillance. On arrête la gamine et on va vérifier ce qu'il y a chez elle. S'il y a quelque chose, on demande à Bakiri de s'expliquer. S'il n'y a rien, on la renvoie à la maison avec les plates excuses de la République, et on ferme le ban. Pas de scandale, la réputation du professeur est intacte. La gamine sera la star de son quartier pendant une semaine, les médias parleront d'arrestation arbitraire pendant trois jours, et tout le monde passera à autre chose.

Paoli éjecte la clé du portable.

– Comme vous voudrez, dit-il en enfilant son pardessus. Je fais le nécessaire avec l'antiterrorisme pour l'interception, et je vais voir combien de temps le parquet est prêt à nous la laisser en garde à vue. Mais ne sous-estimez pas le choc en retour d'une perquisition dans la cité.

– Et la surveillance sur Bakiri ?

– Je ne vous promets rien avant le début de la semaine prochaine. Depuis les coupes budgétaires, mes hommes tournent à soixante heures par semaine, parfois davantage. Si le ministre veut une politique préventive à base de surveillances, il faudra qu'il négocie mieux l'enveloppe lors du prochain collectif.

Il ouvre la porte, sans voir l'approbation d'Alex.

– Je peux vous demander quelque chose, en attendant ?

Alex lève la tête d'un air interrogatif.

– Bakiri n'a pas de crédit immobilier, pas de dettes. Autant qu'on sache, il n'a pas de dépenses ni d'addiction coûteuse, à part peut-être ses fringues. Demandez-vous un peu ce qu'il a dans la tête, si ça ne vous intéresse pas de savoir pourquoi Ferhaoui veut se débarrasser de lui.

– Arkadin, dit Alex comme s'il n'avait pas écouté.

– Vous souffrez du syndrome de Tourette ?

– On va l'appeler comme ça pour éviter les fuites. Moins le ministre en saura, mieux je me porterai, ajoute-t-il d'un sourire complaisant, pour flatter l'hostilité bien connue de Paoli envers son patron.

– Très joli. Je vois qu'on a révisé ses classiques.

Gagné, pense-t-il, avant de repousser comme un sentiment puéril la satisfaction qui se diffuse en lui. Paoli disparaît dans le couloir, le laissant seul avec son excitation et le flou de ses souvenirs. Il a beau fouiller sa mémoire à la recherche d'une scène commune à Sciences Po, le nom et le visage d'Assan Bakiri ne lui disent rien, et du reste ce ne sont pas ses motivations qui le préoccupent. Ce qu'il n'arrive pas à s'expliquer, non sans noter l'analogie avec sa situation personnelle, c'est pourquoi, avec sa réussite sociale et la sécurité de l'emploi, un type comme lui n'a pas d'autre famille qu'un vieillard impotent.

Dans la chambre du fond, Al-Mansour dort, les mains glacées. Assan remonte la couverture sur le torse du vieil homme et passe la main sur les sillons de son visage. Son âme doit être en sang. Comment peut-il dormir aussi calmement avec toutes ces meurtrissures au fond de lui, subies et infligées ? La puissance de la maladie est une chose stupéfiante.

Le goût de la cigarette dans l'air vif de la nuit lui fait du bien, une fois dissipée la présence étouffante de son père et des spectres qui font le siège de son sommeil. Pas de lumière dans la rue ; on entend le bruit blanc de l'A1 et de l'A3 dans le lointain. En avisant au loin le vaisseau fantôme des 3000, il se met à penser à Zohra, Zohra et sa fille, les yeux insomniaques dans leur bloc de misère. Il l'imagine brosser ses longs cheveux noirs libérés du foulard, avec cette grâce hautaine et lumineuse qui le ravageait jadis, lorsque Kader l'avait présentée à la famille. Deux ans seulement les séparaient. Kader l'avait choisie jeune, vingt ans à peine, pour qu'elle lui donne quatre ou cinq garçons qu'il aurait dressés à son image, comme leur père les avait dressés à la sienne. Mais de tous les comploteurs, Allah seul a la certitude de réaliser son plan. Ils avaient essayé, sans avoir eu le temps de se marier, et Kader était parti dans ses camps d'entraînement, puis il était mort. C'est seulement après que Zohra avait compris qu'elle était enceinte.

Leïla est née sept mois après la mort de Kader, le 12 octobre 1996. Pour la famille de Zohra, en ce temps-là à Belfort, il n'était pas question que cet enfant n'ait pas de père devant Dieu. Et lui, Assan, il n'avait peut-être que dix-neuf ans et il était le demi-frère de Kader, mais il n'y avait personne d'autre. Sans passage préalable devant le maire, le Nikâh avait été célébré à la fin du mois d'août, suivi d'une fête dont la pauvreté disait en quelle estime on tenait cette union chez les Maktouf, une lignée de ferrailleurs installée dans le Haut-Rhin depuis l'entre-deux-guerres et qui avait désormais pignon sur rue. Du côté du marié, seule sa mère avait fait le déplacement de Grenoble avec Assan. On avait attendu en vain Al-Mansour, introuvable depuis la mort très médiatisée de son fils aîné.

Quelques mois à peine après la naissance de Leïla, qu'Assan n'avait pu se résoudre à reconnaître et à qui on avait donc donné le nom de sa mère, les époux avaient fui en banlieue parisienne la réprobation communautaire qu'ils continuaient à subir dans l'est de la France, même si les apparences étaient sauves. Aulnay était aussi lugubre à l'époque qu'aujourd'hui, mais ils n'avaient pas à se plaindre. Calfeutré dans le deux-pièces qu'ils avaient trouvé aux 3000, Assan étudiait l'arabe et préparait le concours de Sciences Po le jour ; la nuit, grâce au permis de conduire, il travaillait comme jockey chez Avis, à convoyer des voitures de location entre Roissy et Orly. Comme il ne rechignait pas à garder le bébé, Zohra avait obtenu un poste d'assistante maternelle à mi-temps dans une garderie de Gonesse. Avec leurs deux salaires, ils arrivaient sans trop de difficultés à payer le loyer et assurer le quotidien.

Leïla allait sur ses quatre ans quand Assan était sorti de Sciences Po, déjà tourné vers les concours de l'enseignement supérieur. Elle l'appelait papa, inconsciente de l'absence totale d'intimité entre sa mère et lui. Ensemble, ils avaient décidé de ne rien lui expliquer jusqu'à ce qu'elle soit en âge de comprendre et d'encaisser le choc d'une telle révélation, un non-dit qu'Assan avait commencé par redouter mais qu'il chérissait à présent chaque fois qu'il l'emmenait en promenade à Paris, au manège ou au parc, parce que cet état de fait lui donnait l'impression qu'il avait le droit de se voir comme son père et comme le mari de Zohra sans pour autant trahir Kader.

Ces dix années-là, pendant lesquelles il avait fait sa thèse à l'INALCO et été reçu à l'agrégation, où il avait commencé à enseigner à Saint-Denis en gagnant correctement sa vie, c'était ce qu'il avait connu de plus semblable au vrai bonheur de la vie familiale, même si la distance entre lui et Zohra était intacte. Comme tous les mariages blancs, pensait-il, le leur avait fossilisé les choses dans l'état où elles se trouvaient à la mort de Kader : une amitié chaste, faite de confiance et de respect mutuels, dont la genèse même empêchait la reconnaissance de sentiments plus complexes. Muette par devoir, solitaire par la force des choses, la passion qu'il avait pour elle augmentait avec le temps, mais il avait appris à dissimuler ses tourments intérieurs sous le masque d'un adulte pragmatique, peu intéressé par les transports de l'âme. Quant à l'amour physique, tout se passait comme si Zohra en avait oublié l'existence dans le deuil et dans sa grossesse, une amnésie que les tâches maternelles et domestiques avaient perpétuée. En dehors du travail, elle passait presque tout son temps à la maison ; il ne l'imaginait pas avoir une liaison secrète.

De son côté, la promiscuité n'avait fait qu'accroître ce vide charnel qui le faisait souffrir depuis le début. Deux ou trois nuits par mois, le contact des filles qu'il payait lui procurait un soulagement fugitif dont les effets s'évanouissaient au plus tard le lendemain matin, sitôt qu'il la voyait dans la cuisine. Leur vie était ainsi faite : il était son mari sans avoir son amour, et sans la posséder. Il n'y avait pourtant pas lieu de s'en plaindre, aussi longtemps que Leïla n'en souffrait pas.

En 2005, quand un trois-pièces s'était libéré à l'autre bout de la cité, son allocation de recherche leur avait permis de déménager, et ils continuaient d'y faire chambre à part, sans que la fillette s'en étonne. Il lui arrivait parfois de poser une question, si par exemple Assan dormait encore sur le canapé-lit du salon le matin quand elle se levait, mais ce genre d'épisodes était à présent si ancré dans la routine de leur foyer, dans ce qu'elle croyait être la normalité d'une famille française issue de l'immigration, qu'ils étaient convaincus de pouvoir prolonger indéfiniment et sans dommages le bail de leur omission.

Aussi, lorsque Al-Mansour avait fait irruption en octobre 2009 pour ses treize ans, n'étaient-ils en rien préparés au cataclysme que son retour devait provoquer. La mère d'Assan connaissait les risques mais avait cru bien faire en lui donnant leur adresse, parce qu'il avait réussi à susciter chez elle un élan de pitié. Voilà quelques semaines, lui avait-il confié, un neurologue lui avait appris qu'il était atteint d'Alzheimer ; la maladie en était déjà à un stade avancé, il était trop tard à présent pour entraver sa progression. D'ici trois, quatre ans tout au plus, il ne resterait strictement rien de lui, rien de cohérent, ni ses souvenirs ni sa personnalité. Il voulait passer le peu de temps qu'il avait encore devant lui en compagnie de sa petite-fille.

Assan et Zohra étaient terrorisés à l'idée que son père détruise leur bulle domestique. Au bout de quelques jours, néanmoins, il leur avait bien fallu reconnaître qu'Al-Mansour était venu avec des intentions pacifiques, puisqu'il ne leur avait reproché ni la relation filiale entre Assan et Leïla, ni leur mariage de convenance, ni l'oubli dans lequel semblait être tombé Kader au sein de leur foyer. C'est deux semaines après son arrivée, le vendredi où avait commencé la démolition des tours de la cité, que l'incident s'était produit. Zohra et lui avaient beaucoup à faire, et ils avaient omis de prendre connaissance des devoirs que Leïla avait rapportés à la maison ce week-end-là, notamment une rédaction sur le thème des origines que le professeur de français attendait pour le vendredi suivant. En leur absence, Al-Mansour lui avait proposé de lire un premier brouillon. Quand il lui avait rendu l'ordinateur portable, elle lui avait demandé pourquoi le prénom de son père avait disparu de la partie consacrée à sa famille, et quel était cet autre prénom qu'il avait tapé à la place.

– Kader, ton père s'appelait Kader. Tu ne l'as pas connu.

Internet avait fait le reste, surtout cette photo où la ressemblance se passait de commentaire. Assan lui aussi ressemblait à son frère, ils avaient tous les deux le front proéminent et les yeux écartés d'Al-Mansour, mais ses traits étaient aussi doux que ceux de Kader étaient faits pour exprimer la colère et toutes sortes de sentiments extrêmes.

À leur retour, Leïla était en train de manger un bol de corn-flakes, calme, les yeux secs. Son ordinateur ouvert sur la table du salon avait attiré l'œil d'Assan, qui avait compris instantanément. Il s'était tourné vers Al-Mansour qui regardait les environs d'un air absent, debout à la fenêtre, et l'idée qu'il ne pourrait jamais savoir si sa confidence fatale était le fait d'une crise de démence ou d'un acte délibéré était montée en lui brutalement, avec la force d'une nausée. La discussion avec Zohra avait été brève, et les deux hommes étaient partis à l'hôtel le soir même. Une semaine plus tard, Assan avait pris possession du petit pavillon de plain-pied aux Étangs, soixante-dix mètres carrés en location-accession découpés en trois petites chambres, dont une pour Al-Mansour.

L'état de son père se dégradait de jour en jour, comme si les quelques mots qui lui avaient suffi pour démolir la vie de Leïla avaient, en retour, fait sauter les gonds de sa raison. Il avait refait surface pour connaître sa petite-fille, et elle ne voulait plus le voir – personne n'aime les messagers porteurs de mauvaises nouvelles. Il connaissait encore des plages de lucidité, bien plus longues qu'aujourd'hui, mais son attention commençait à se montrer défaillante, et soutenir une conversation se révélait déjà pour lui un exercice délicat. Il s'éloignait un peu plus chaque jour du rivage lumineux de la raison, sans voir qu'il n'y avait plus qu'Assan pour l'aimer et le comprendre, pour démêler comme il pouvait les nœuds de sa confusion.

Si Assan lui en voulait, c'était moins pour son dernier coup d'éclat que pour l'ensemble de son œuvre, ce prêchi-prêcha de polygame où la religiosité paysanne se mélangeait aux dogmes de la libération nationale, le plus souvent à des fins de glorification personnelle. Dans les années cinquante, jusqu'en 1962, Al-Mansour avait été l'une des grandes figures du combat pour l'indépendance ; non pas l'une de ses têtes pensantes à Alger ou Oran, ni l'un de ses financiers en exil, mais un général sans merci dont les offensives téméraires avaient maintes fois mis en déroute les compagnies françaises qui se trouvaient sur son chemin, et un terroriste dont les campagnes sanglantes restaient gravées dans la mémoire des Aurès. Sa bravoure et la cruauté que lui prêtait la geste indépendantiste avaient fait de lui un héros populaire bien au-delà des frontières de sa région natale, partout en Algérie et jusque dans l'ouest de la Tunisie.

Hélas, comme nombre de résistants qui ont eu le malheur de ne pas mourir l'arme à la main, il avait survécu au départ de l'occupant et s'était retrouvé bien démuni une fois retombé le fracas de la guerre. Dans leur magnanimité, les hautes autorités du FLN lui avaient confié le commandement de la frontière sud, au fin fond de ce désert où il passait son temps à se languir du vert de l'oued en attendant un ennemi touareg connu pour ne jamais se montrer. La mort dans l'âme, il avait fini par démissionner de l'armée et il était parti en France à la poursuite d'on ne sait quel fantasme de batailles, noyé dans la diaspora de ceux qui s'y rendaient dans l'espoir d'une vie meilleure, d'ores et déjà revenus de leurs illusions anticoloniales. Kader était né là, en 1967, fruit d'une amourette qu'Al-Mansour avait eue avec une danseuse de Pigalle connue des amateurs sous le nom de Charlotte et tombée sous le charme de son œil de pirate. Quand Charlotte était partie un an plus tard, en ne laissant rien d'autre que le bébé et assez de couches pour trois jours, il avait pris le tout sous le bras et il avait traversé l'Europe, puis la Méditerranée, pour répondre à l'appel de la révolution libyenne, alors aussi balbutiante que son fils.

C'était, aux yeux d'Assan, la chose qui rachetait tous les péchés de son père : malgré les causes perdues – Libye, Égypte, Syrie – où l'avaient précipité dans les années soixante-dix son amour du danger et une version très personnelle de la chasse au bonheur, ces nobles causes que la bonne volonté de leurs partisans allait bientôt transformer en potentats sanguinaires, il ne s'était pas dérobé devant sa responsabilité et ses devoirs paternels. Après la naissance d'Assan, en 1977, Al-Mansour n'avait pas vécu beaucoup plus longtemps avec sa mère – les offres de travail pour les mercenaires ne manquaient pas à l'époque dans le monde arabo-musulman – et c'est elle qui l'avait élevé. Mais jusqu'à la mort de Kader il n'avait jamais oublié un seul de leurs anniversaires, et il leur avait fait passer assez de temps ensemble pour que se nouent entre eux de solides liens fraternels, et pour que le fils aîné soit le dépositaire légitime de son autorité et de sa ferveur auprès du fils cadet. Aden un peu trop près du cœur, Al-Mansour rêvait de libérer le Proche et le Moyen-Orient tout en faisant l'éducation de ses petits guerriers ; si sur le plan géopolitique il avait échoué comme tant d'autres pour des raisons qui le dépassaient, dans le cercle familial il fallait bien reconnaître sa réussite, consentie ou non.

La transmission avait infusé naturellement chez Kader, comme l'Histoire pouvait malheureusement en témoigner. Assan, en revanche, s'était toujours senti en porte-à-faux vis-à-vis du ressentiment paternel, vaguement coupable de son insouciance, mais assez mûr pour deviner d'instinct que l'herbe n'était pas plus verte sur les sentiers de la guerre. Il n'avait rien contre la France, même s'il ne se sentait pas particulièrement français, et même si Grenoble n'était pas la plus riante des villes ; dès l'enfance, le mode de vie lui avait paru plus libre et plus plaisant ici qu'au pays ou n'importe où au Maghreb, et il ne voyait aucune raison valable d'y renoncer. Il écoutait les sermons de son père d'une oreille attentive, parce qu'ils contenaient en creux une multitude de détails à mémoriser, des dates, des batailles, des noms de lieux et de personnes. Cependant, les idées qu'ils véhiculaient restaient sans effet sur lui : sans la mort de son frère, sans l'imagination de ce qu'il avait dû endurer juste avant de mourir, leur écho se serait sans doute perdu dans les profondeurs de sa mémoire, comme, tôt ou tard, tous ses souvenirs d'enfance. Mais, plus que le deuil et le sentiment d'injustice qui en était né, c'est bien la séparation de Leïla qui avait transformé cette rhétorique flétrie en quelque chose d'affectif, quelque chose qu'il éprouvait maintenant jusque dans ses os et qui ressemblait à un puissant appétit de vengeance, aiguisé par la tristesse et la colère.

Peu après leur installation dans le pavillon, fin 2009, il avait senti monter en lui une étrange confusion entre le besoin de se faire pardonner d'elle et le désir de meurtrir ce pays qui avait tué Kader : pour redevenir le père qu'il avait été pour Leïla depuis sa naissance jusqu'au retour désastreux d'Al-Mansour, il fallait se racheter en accomplissant un exploit dont le retentissement surpasserait ces faits d'armes que la vulgate des chapelles et des sites djihadistes attribuait à son père biologique, dont elle connaissait sûrement, désormais, la légende sur le bout des doigts.

C'est à cette époque qu'il avait commencé à fréquenter le cercle de l'imam Ferhaoui, son ancien professeur d'agrégation, moins dans l'espoir d'y trouver une réponse religieuse à son malheur que par fascination intellectuelle, et à la recherche d'un plan. Ferhaoui, il l'avait vu tout de suite, savait garder ses distances avec les éléments les plus radicaux de son entourage ; il avait compris plus tard que c'était dans le but de protéger le travail de sape qu'il effectuait pour le compte de Doha, dont la famille régnante était alors reçue en grande pompe à l'Élysée. Lui, il s'était patiemment fondu dans le décor, les lèvres scellées et les oreilles grandes ouvertes, et en écoutant les conversations subversives de ces hommes qui voulaient la ruine de la France et de l'Occident, en vampirisant leurs idées, il avait peu à peu échafaudé une opération dont le but ultime était d'anéantir tout ce qui lui restait en travers de la gorge, les dettes anciennes comme les plus récentes : la sienne envers Leïla, et celle de la France envers sa famille. Et qu'y avait-il de plus énorme, de plus sidérant, pour solder les comptes, que six attentats simultanés dans les six gares de Paris, perpétrés par six enfants de la République, petits Français de souche ou issus de l'immigration comme lui, résolus à dévorer le sein maternel de leur mâchoire carnassière ?

Dawa, c'est le nom de code qu'il avait choisi d'emblée, Dawa al-Islamiya – da'wa pour les puristes de la translittération. Le mot était un beau bras d'honneur au rigorisme sunnite de son père, il sonnait bien, en français comme en arabe, cri du peuple envahi jadis enkysté dans la langue de l'envahisseur, et il voulait tout dire – le grand chaos, le vrai de son nouvel instinct de mort contre la France, et le faux religieux par lequel il espérait embobiner ses futures recrues tout en jetant l'opinion dans la panique.

Il avait d'abord pensé, comme tous les djihadistes 2.0, aux attaques individuelles à l'arme blanche ou à l'arme de poing. Elles n'exigeaient aucune logistique, elles étaient moins risquées, mais leur dimension low cost et foutraque lui déplaisait d'instinct. Pas de rationalité, pas de maîtrise : on était là aux confins du terrorisme et de la psychiatrie. Il avait imaginé ensuite des voitures-suicides, sur les nationales ou à contresens sur l'autoroute. Le principe de cette justice aveugle était déjà beaucoup plus séduisant, dans la mesure où les victimes resteraient anonymes et indistinctes, hélas son exécution manquait de précision, elle était fatalement plus douloureuse qu'une bombe pour le kamikaze, donc plus source de tergiversations, et à l'arrivée on ne pouvait jamais être sûr de faire mouche.

Non, pour frapper l'imagination, rester dans les mémoires, il fallait quelque chose de soigné et de spectaculaire. Et en la matière, il n'y avait pas mieux que les modèles classiques, New York 2001, Madrid 2004, Londres 2005.

Paris 1995. Kader. Paris, ici et maintenant, avait-il pensé à voix haute.

Montparnasse. Austerlitz. Saint-Lazare. Gare du Nord, gare de l'Est, gare de Lyon. Cinq kilos de Semtex à chaque fois, soit une cinquantaine de morts garantis, estimation basse. Trois cents morts au total, en un temps mille fois moins long qu'une respiration. Toute une nation saisie de terreur et tremblant sur son fondement. Lui, délivré enfin de ce fardeau sans nom, du fantôme cramoisi de son frère agrippé à son dos depuis toutes ces années. C'était le grand chelem du terrorisme hexagonal, un Everest auquel même Kader n'aurait pas osé rêver et qui ne serait sans doute jamais égalé. Six bombes – et le septième jour, se disait-il parfois, le cœur affamé de néant, le diable pourrait chômer.

De l'idée directrice aux dernières modalités d'exécution, il lui avait fallu presque quatre ans pour mûrir son projet, et dans les nombreux moments de découragement qu'il avait traversés, seule l'avait poussé à persévérer l'avidité de regagner le cœur de Leïla et de prouver à Zohra qu'il valait bien son mari, mort héroïquement au combat. Le problème, c'est qu'il ne serait plus là pour qu'elle le lui dise en face, car il s'était réservé le morceau de choix – l'interconnexion de la gare du Nord. Elle apprendrait comme tout un chacun qui était l'architecte des attentats, le noble motif derrière le sang versé, elle penserait peut-être même qu'ils auraient pu avoir une vie ensemble, mais lui, il ne la verrait pas au moment où ces regrets lui transperceraient le cœur. Dieu, s'il existait, ce dont il doutait de plus en plus insidieusement malgré le socle religieux de son éducation et les consolations dont il remplissait désormais les esprits faibles de ses cinq disciples, Ali, Driss, Bruno, Karim et la petite Audrey, Dieu ne le laisserait pas jouir dans la mort de ce qui aurait dû lui revenir dans la vie.

S'il voulait la reconnaissance de Zohra, à défaut de son amour, il lui fallait l'obtenir ici et maintenant.

Il y avait eu foule de détails à régler, à commencer par le ciblage de ses recrues, loin des mosquées infestées d'informateurs et des chat rooms où on ne sait jamais si un officier de renseignement ne se cache pas derrière un alias emprunté à un vénérable docteur de la foi, ou un héros de la résistance aux croisades. Il avait posé des annonces à l'ancienne, un peu partout dans le centre-ville, sur les panneaux de la maison de quartier des 3000, dans les cafés en face du lycée, au parc interdépartemental des ports : cours d'arabe, tous niveaux, GRATUITS. Entre les petits Rebeus et les Ouest-Africains assoiffés de reculturation et les Gaulois soucieux de ne pas être traités en étrangers dans la cité, les demandes avaient été légion, et il avait fallu faire le tri, en se méfiant de tous ceux qui avaient l'air un peu trop vieux pour être honnêtes. Leur dévoiler la vérité de ses desseins n'avait pas été le plus difficile, loin s'en faut, car les cinq gamins qu'il avait choisis étaient déjà tombés si loin dans le chaos intime, la haine de ce monde marchand qui ne voulait pas d'eux, la victimisation culturelle et l'appropriation littérale d'un islam illettré, celui des blogs et des fréquences cathodiques venues de loin, des vauriens et des desperados, que nul lavage de cerveau, nulle diatribe sépulcrale n'avait été nécessaire à leur embrigadement. Ils faisaient ce qu'il attendait d'eux, sans demander leur reste. Du coup, son influence se limitait le plus souvent à stimuler leurs mécanismes d'autosuggestion, de fixation identitaire : ils vivaient dans un état de panique perpétuelle, assignés à résidence dans un vide propice à toutes les barbaries, à toutes les illuminations, et il n'y avait qu'à leur peindre les paysages d'une contre-société rebelle, d'une guerre civile au carburant ethnique et religieux, pour entretenir le feu de leur colère. Il ne leur parlait pas d'un champ de bataille mondial, comme les textes fondateurs d'Al-Qaida, mais d'une révolution localisée, de basse intensité, un duel au couteau avec cet État oppresseur de leur façon de vivre, le voile, le niqab, les prières, la viande, et cette société islamophobe qui les cantonne dans un statut d'étranger, de sous-citoyen, comme jadis elle refoulait les fous dans ses prisons.

En même temps, pensait souvent Assan, si la culture du djihad fait son lit dans le ressentiment et la détresse sociale, c'est quelque chose de plus profond, de plus ancré dans l'histoire personnelle qui définit le kamikaze et sa psychologie spécifique. Pour en arriver à la décision du suicide, car le fait du martyr est tout sauf une pulsion, l'amertume de l'exclu ne suffit pas – sans quoi il y a longtemps que ce pays aurait été rayé de la mappemonde. Il fallait une force plus puissante, qui avait sa source dans la soif d'aventure, de discipline, et le désir d'accomplir des actes héroïques, de transgresser les interdits tout en servant une cause plus grande que soi. Comme chez les cœurs révoltés de 1848, il y avait tout cela chez ses jeunes recrues des 3000, le mal du siècle et l'intention épique, et Assan connaissait les mots exacts pour magnifier leur quête et substituer au réel la mythologie de la guerre sainte.

Ensemble, ils avaient étudié les cibles et les dispositifs de sécurité, l'emplacement des caméras de surveillance, les astuces pour se soustraire à une filature, quoi faire en cas d'arrestation, le circuit du détonateur à la charge. Ils avaient choisi une date – vendredi 13 – qui parlait à la sous-culture imbécile dans laquelle ils baignaient depuis la naissance. Lui, il avait effectué tous ces réglages minutieusement, en bon horloger, s'assurant que chacun d'entre eux avait assimilé ses informations, les encourageant à retourner en repérage si quelque chose n'était pas clair, et il ne cessait de leur rabâcher, outre la consigne de silence absolu, de ne pas avoir d'habitudes susceptibles de rendre leurs faits et gestes prévisibles aux yeux d'un observateur extérieur, tout en menant une vie sage et en gardant leurs distances avec les réseaux sociaux et ce qui pouvait ressembler de près ou de loin aux salafistes qui tissaient leur toile pseudo- philantropique dans la cité. Si malgré ces précautions l'un d'entre eux était pris, et si on lui demandait ce qu'il ou elle fabriquait avec un certain Assan Bakiri, il faudrait parler des cours d'arabe sans évoquer les autres. L'étanchéité, c'était son maître mot.

– Mais pour éviter d'en arriver là, leur disait-il à la fin de chacune de leurs réunions, pas de mosquée, jamais. Si vous voulez éviter que votre famille soit fichée sur trois générations, priez chez vous.

– Et vous, monsieur ? avait demandé Audrey une fois.

– Moi, c'est si je n'y allais plus que je deviendrais suspect.

Enfin, il avait décidé que la manière la plus sûre de se procurer trente kilos d'explosifs était de passer par Brahim, le copain d'Assan qui avait recyclé ses talents comme artificier dans une carrière de calcaire à une heure et demie de Paris. Il ne s'était pas trompé. Son livret A avait fait les frais de la transaction, vidé au compte-goutte, cent euros par-ci, deux cents par-là, pour éviter les gros retraits suspects – Brahim était le plus accommodant des revendeurs. Le banquier d'Assan, lui, était fort mécontent, hélas on pouvait difficilement expliquer au brave homme que l'épargne n'est pas nécessairement la meilleure façon d'envisager l'avenir quand on a l'intention de se faire sauter le caisson à très brève échéance.

Nous y sommes presque, pense Assan en se couchant, et ce pays est sur le point de devenir fou. Son excitation est grande ; sa peur aussi. Il ressent comme une jouissance perverse, parce que pleine de répulsion envers lui-même, à se dire que le produit de son imagination va prendre corps et devenir réalité, la réalité quotidienne de soixante-cinq millions d'individus qui se lèveront et s'endormiront avec la conscience de cette menace toujours nichée dans un coin de la tête. D'ici quelques jours, quand le mot « Dawa » aura envahi les chaînes d'information continue et les réseaux sociaux, les experts en terrorisme, les yeux rivés sur le grand théâtre géopolitique, émettront de savantes hypothèses pour expliquer dans quel but des avatars biscornus d'Al-Qaida ont choisi de frapper la France. Ils parleront d'un complot fondamentaliste, transfrontalier ? D'une bande d'illuminés rêvant d'imposer la charia au pays de la loi de 1905 ? Qui sait, de restaurer le califat ? Au moment de l'autopsie, ils se retrouveront les bras ballants devant une TPE d'artisan. Mais entre-temps, pendant que la terreur achèvera de corrompre ce qu'il subsiste de bon et de noble dans cette République gangrenée, lui, il marchera au grand jour vers sa mort et sa vengeance, sans que nul prête attention à son chemin. Il passera près du lycée de Leïla à l'heure de la sortie, et il retiendra ses larmes en la voyant heureuse au milieu de ses copains, fantôme anonyme, comme il le fait chaque semaine depuis près de quatre ans, puis il ira regarder Zohra dans la cour de récréation de son école, entourée d'enfants, seule avec ses pensées. Il verra tout ce qui aurait dû être ; il se dira qu'elle sait, elle aussi, qui est derrière ce mot, Dawa, et ce sera suffisant pour trouver la force de repartir avant qu'elle tourne la tête dans sa direction.

Quand tout sera fini, Assan voudrait qu'elles le voient autrement qu'en simple instrument de la revanche familiale contre ce pays de mort, mais il n'est pas sûr malgré les circonstances qu'on puisse éprouver un quelconque sentiment envers un homme dont il ne leur restera aucun souvenir intime, peut-être pas même une photo personnelle, rien si ce n'est la lecture des articles idolâtres qui fleuriront sur les sites islamistes comme ceux rédigés en leur temps à la gloire de Kader, cet inconnu.

Ça ne fait pas un père, ni un mari.

Juste avant de s'endormir, lui revient brusquement en mémoire un baiser qu'il avait surpris entre Kader et Zohra au printemps 1995, et il sent un engourdissement mortel monter de ses entrailles. Kader, cela fait dix-huit ans que sa mort empêche tout le monde de vivre. Mais si la vie ne continue pas, qu'y a-t-il d'autre à faire pour ceux qui sont encore là, ni morts ni vivants ?

Ils sont nés de mères différentes, c'est vrai. Kader s'appelait Arrache, le nom d'Al-Mansour ; lui porte le nom de sa mère, Bakiri. Mais au-delà du nom de famille, avec un père pareil, comment échapper au fatum de la génétique ?

On ne revient pas en arrière sur les chemins de la vengeance.

II

– Le gars, il tient la baraque, et regarde comme il orchestre tout de l'arrière. Roulette pour mettre l'avant-centre dans le vent, transversale qui va bien pour orienter le jeu… Et sur nos corners ! Premier poteau, premier servi !

– Tu t'enflammes. Attends un peu que le reste de l'équipe ait un coup de moins bien. On verra ce qu'il vaut vraiment, ton Brésilien.

La conversation des deux gardiens de la paix postés devant la terrasse du café n'aide pas sa migraine, mais Franck aime encore mieux qu'ils refassent le derby de la veille plutôt que les généralités qu'ils débitaient à l'instant sur le marché immobilier. Leurs voix se détachent au-dessus de tous les bruits qui coagulent dans le bouillonnement matinal, occultées de temps à autres par un moteur de scooter, un coup de klaxon, ou la sonnerie de recul d'un camion de livraison. Ils font leurs contrôles d'identité comme des machines, sans perdre le fil de leurs arguments, et sans le moindre filtre d'âge, de race ou de sexe. Un passant sur douze, treize, la bonne vieille technique décimale ; avec eux, au moins, on ne risque pas le délit de faciès.

La fille se tient un peu en retrait, à l'angle du boulevard Magenta, comme pour mettre une distance professionnelle entre elle et ses collègues. Comment s'appelle-t-elle, déjà ? Il rouvre ses états de service, posés à côté de son verre de Perrier : Delphine Martinez, commissariat central du Xe, candidate à un transfert à Levallois, dans le saint des saints. Installé en face de lui, faussement plongé dans la page 5 de *L'Équipe*, Paoli est vraiment un salopard de lui avoir mis ça sur le dos ce matin, alors qu'il sait que la petite est chez lui pour la semaine. Il avait promis de descendre lui acheter une viennoise au chocolat, puis il devait l'emmener à l'école sur la moto. À l'heure qu'il est, Zoé est chez la voisine du dessous, probablement en train de vider le pot de Nutella en regardant son crétin de fils s'esquinter un peu plus le cerveau devant un jeu vidéo.

– On en a encore pour longtemps ?

– Tu dis ? répond Paoli en repliant consciencieusement son journal.

– Tu peux m'expliquer ce qu'on fout ici ? On ne va quand même pas recruter cette fille en fonction de son talent pour vérifier les cartes d'identité ! Ils sont à la masse aux RH, ou quoi ?

Le portable de Paoli se met à vibrer sur la table.

– Parfois je me demande si je ne me suis pas trompé sur ton compte. Ouvre l'œil, s'il te plaît. Je vais dire un mot au patron.

Il se lève, en répondant à son appel.

Des correspondants qui lui racontent ce qu'il faut savoir, Paoli en a dans tous les bistrots de la capitale. Depuis qu'il est flic, quelle quantité de renseignements a-t-il pu recouper ainsi, avec sa mine affable et son air d'entendre les choses pour la première fois ? On a spontanément envie de tout lui dire, avec son visage buriné de vieux bûcheron, ses yeux gris bienveillants et ses épaules larges comme un chêne. Voilà pourquoi il est là où il est aujourd'hui. Trente-cinq ans dans les services, RG en province puis Paris, DST, et l'aboutissement d'une carrière pleine de victoires et de défaites, ces deux mirages comme il les appelle, à la tête du renseignement intérieur. Paoli est un salopard, mais Paoli lui a tout appris, il ne se planque pas dans son bureau, et Franck prendrait une balle pour lui, sans hésiter. Quand il est arrivé sous ses ordres, il avait encore l'assurance naturelle et les complexes du petit lascar de Vitry. Avec patience, Paoli a poli le foutoir qui lui tenait lieu de personnalité pour en faire un petit bijou de flic, à son image. Quand il fume, ou plutôt quand il fumait, avant que son pneumologue le menace d'internement en clinique, Franck sentait l'odeur de son père, qui aimait les mêmes cigarettes de banlieusard.

Paoli est un salopard qui boit trop, mais c'est lui qui l'a tiré des pattes de l'IGS il y a cinq ans, à l'époque où il travaillait aux stups. La nuit, dans ses cauchemars, il lui arrive encore d'entendre les coups sur la porte à six heures du matin ; il revoit Zoé en pyjama accrochée à son cou pendant que les deux bleus mettent le salon sens dessus dessous, sa terreur quand ils finissent par trouver la coke et qu'il doit la laisser dans les bras d'une auxiliaire qui n'a jamais porté un enfant de sa vie. Laurence est partie en reportage, jusqu'à la fin de la semaine ; ses parents n'arriveront pas avant une heure, au mieux. Sans l'intervention de Paoli, qui a court-circuité l'affaire pendant la garde à vue, dieu sait combien d'années il aurait récoltées. Un petit inspecteur braque un dealer après lui avoir fracassé le portrait ? Le proc et les journaux se seraient régalés, pour l'exemple. Avec le recul, il y a plus cher payé qu'un divorce, surtout quand la séparation qu'il entérine était devenue inévitable depuis des mois.

Est-ce que les choses ont vraiment changé depuis ? Après tout, il est arrivé aux portes de l'âge mûr, non sans une certaine angoisse. Enfin, mûr, raisonnable, posé, c'est une façon de parler. Un sale gosse, voilà ce qu'il est. À trente-huit ans, il n'éprouve ni le calme ni la satisfaction qu'il espérait comme le salut en entrant dans la police. Conscient de sa force, mais incertain de son bonheur et de son pouvoir de préserver le peu qui en soit réel, il n'a pas trouvé en lui cette assise, ce sol ferme dont sont faits les hommes qu'il admire, Paoli le premier. Il a le courage, mais sans la robustesse souriante qui frappe tout de suite à son contact. Il aimerait comme lui se moquer du regard des autres, mais il ne peut pas ; être impitoyable, froidement, avec tous ces connards qui font les importants. Dès qu'il y a plus de trois personnes dans une pièce, sa timidité le fait disparaître, ou elle le charge au contraire d'une agressivité qu'il a peine à contenir. Il redoute qu'on le perce à jour, qu'on s'aperçoive que sous ses airs coriaces il n'a pas de colonne vertébrale. En fin de compte, il ne s'épanouit que dans le drame ou la confrontation. Du moins le sait-il, et il ne cherche plus à se le cacher.

L'éducation accélérée de Paoli lui a mis du plomb dans la cervelle ; la peur de perdre Zoé, aussi. Franck est obsédé par la mortalité de sa fille, incrustée dans les détails les plus microscopiques du quotidien. Dans un moment de faiblesse, une dent de lait qui tombe suffit à le mettre au désespoir, parce qu'il y voit le début de la décadence que cette vie, engendrée par lui et si pleine de sève aujourd'hui, connaîtra tôt ou tard. Elle a la vie devant elle, mais un jour, comme tout le monde, la mort la renversera comme une cible en carton sur un stand de tir. C'est une pensée impensable, quand on est parent. Laurence elle aussi sait tout cela ; elle n'a pas cherché à l'enfoncer quand ils ont négocié la garde. La semaine qui lui a été accordée correspond au maximum de temps pendant lequel il est capable d'être un vrai père chaque mois. Et un vrai mari ? Les trois semaines où elle n'est pas avec lui, sa fille reste sa fille. Mais sa femme… Cinq ans après, il ne supporte pas l'idée qu'un autre homme la touche, l'embrasse, la lèche, la baise. La vision, même anonyme, le rend fou. Laurence sera toujours sa femme, divorcés ou pas. Quand elle lui a déposé Zoé dimanche soir, il a cru qu'elle portait son alliance – pas sur le moment, mais plus tard dans la soirée, en se remémorant la scène sur le palier – avant de se persuader que ce devait être un mirage. Lui, par orgueil puéril ou refus de se rendre à l'évidence, ce qui somme toute revient au même, il n'a jamais enlevé la sienne.

Franck vide son verre et paye l'addition.

– La capuche blanche à trois heures, dit Paoli qui est revenu dans son dos. Je t'avais dit d'ouvrir l'œil.

Tout est fluide dans la rue, sur le trottoir, sauf cette tache blanche à la lisière de son champ de vision, à une vingtaine de mètres du contrôle. Un point fixe au milieu du flot de marcheurs qui se hâtent vers la gare de l'Est, une anomalie qui ne part pas travailler et ne rentre pas se coucher : il se méfie des choses sans fonction ou inadéquates, surtout à proximité d'un contrôle de police auquel on peut avoir toutes sortes de raisons d'échapper. Et si Paoli le lui a signalé, pense-t-il, c'est qu'il y en a une bonne, qui est aussi celle de leur présence ici. Il fait signe à la fille de le rejoindre sur le trottoir d'en face, sans se préoccuper des deux autres gardiens de la paix en train de faire leur chiffre. Le trafic est dense dans les deux sens, mais il parvient en traversant à jeter un regard plus précis sur l'objet de son attention, toujours figé dans une posture d'animal aux aguets, et ne cessant de se retourner, comme si un prédateur était à sa poursuite. Des yeux sombres sous un hoodie blanc XXL, et un je-ne-sais-quoi de fragile qui vient nuancer sa première impression, comme si cette immobilité était une défense plutôt qu'une menace.

Delphine comprend tout de suite où il faut regarder.

– Quel âge il a, à ton avis ? demande Franck.

– Dix-huit ou dix-neuf, répond-elle. Mineur, peut-être bien.

– Putain ! Excuse-moi. Bon. On va s'en occuper juste toi et moi, mais il faut que tu fasses exactement ce que je te dis.

Elle hoche la tête, mal à l'aise sous sa casquette bleu foncé.

– Je vais vous gêner, comme ça.

– Ne t'inquiète pas pour ta pelure, dit-il avec un sourire un peu forcé. C'est la dernière fois que tu la portes. Et puis oublie tes manières. Je m'appelle Franck.

Ils se rapprochent lentement sur le même trottoir, Delphine derrière lui, jusqu'à ce qu'ils se retrouvent à la perpendiculaire de leur objectif, encore plus immobile et encore plus blanc vu d'ici. Franck désigne un platane à une dizaine de mètres devant eux.

– Tu vas traverser là-bas pour lui couper la route s'il me grille. Quoi qu'il arrive, tu restes calme, OK ?

– OK.

– On y va.

Le hoodie blanc comme un halo droit devant lui, Franck redescend sur la chaussée, en surveillant du coin de l'œil le déplacement de Delphine, sa façon d'exploiter les informations disponibles autour d'elle – cette fille a ça en elle, c'est manifeste. Il se faufile entre les voitures, vaguement oppressé, en proie à un désagréable pressentiment, prend une longue inspiration et se concentre sur le poids rassurant du Sig Sauer sous son blouson. Encore sept ou huit pas. Six, cinq…

Un coup de klaxon troue le brouhaha, épais comme la sirène d'un paquebot, aussitôt redoublé par des crissements de pneus : le bus a stoppé à moins d'un mètre sur sa gauche. En toute logique, se dit Franck, il devrait être mort. Mais s'il était mort, il ne verrait pas le visage pétrifié du chauffeur derrière son volant, il ne sentirait pas la chaleur de la carrosserie sous la paume de sa main, ni l'odeur brûlée de l'asphalte jusque dans ses bronches. Le mouvement perpétuel de la rue paraît en suspens, et si le bus l'avait renversé il ne se rendrait pas compte qu'il est le centre de gravité de cette interruption.

Les yeux noirs, le hoodie blanc.

Les yeux noirs le fixent avec effroi. Il porte la main à son holster, sans apaiser en rien cette sensation d'être à découvert qui le tourmente. Qu'est-ce qu'il fout, à la fin, ce môme ? Il y a un flingue, sous ce hoodie trop fois trop grand pour lui ? Les questions tournent et se cognent dans sa tête comme une guêpe contre le pare-brise d'une bagnole.

– Police !

Delphine arrive sur sa droite, d'un pas prudent. Dieu merci, se dit Franck, elle n'a pas sorti son arme. Elle demande à voir les papiers, avec un peu de fébrilité au fond de la gorge.

Indifférents à tout le reste, les yeux noirs continuent à fixer Franck, avec cette expression de panique qui n'augure rien de bon. Puis, soudain, le môme fait demi-tour et s'élance à toute vitesse dans la direction opposée à la gare. Mauvais choix, songe-t-il en courant à sa poursuite. Une soixantaine de mètres plus loin, se sentant rattrapé, le fuyard tourne brusquement à gauche pour s'engouffrer sous une porte cochère, que le concierge a laissée entrouverte pour rentrer les poubelles. Aucune issue de l'autre côté de l'immeuble ; la course se termine dans une minuscule arrière-cour, où sont alignés les bacs à ordures. À bout de souffle il va se serrer dans un coin de mur, les mains dans la poche unique de son hoodie.

– Je ne te le demanderai pas une deuxième fois, souffle Franck. Tu sors gentiment les mains de tes poches, tu baisses ta putain de capuche, et tu te tournes vers moi.

Maintenant qu'il n'a plus nulle part où se dérober, dépossédé de l'énergie qui l'animait dans la fuite, ce corps immobile devant lui retrouve la fragilité qui avait frappé Franck tout à l'heure, son allure de petit animal blessé. Des bruits de pas se font entendre dans le couloir, tandis qu'au loin se rapprochent les deux-tons des renforts. C'est Delphine qui le rejoint, suivie de Paoli.

Lentement, le corps pivote pour leur faire face ; la tête reste cachée sous la capuche, mais les mains sortent de la poche du hoodie pour se poser le long des cuisses. Franck s'approche et rabat la capuche d'un coup sec, découvrant de longues mèches brunes qui tombent en cascade sur un visage encore enfantin, mouillé par les larmes.

– Merde…

La jeune fille qui pleure en silence a dix-huit ans à tout casser. Franck regarde Paoli, béant.

– C'est quoi ce bordel ?

Pour toute réponse, Paoli tourne les talons et disparaît à l'intérieur, faisant place à trois molosses de l'antiterrorisme qui repartent avec la gamine sous le bras, hostiles et muets.

– Merci, les gars. C'était sympa de vous voir aussi.

La porte cochère claque lourdement à l'autre bout du couloir. Franck met la main sur l'épaule de Delphine, qui cherche à reprendre son souffle.

– Bienvenue dans la maison.

L'air du bureau est froid et humide. Ces cons nous ont encore coupé le chauffage trop tôt, pense Paoli en regardant Franck parcourir le dossier transmis par Ferhaoui avec sa tête des mauvais jours.

– Je n'y comprends rien, dit Franck en refermant le dossier. Pourquoi cette mise en scène avec les deux bras cassés de la PN alors qu'on aurait pu choper la gamine n'importe où ?

– Ça n'était pas une mise en scène. C'était l'examen de passage de Delphine. Un test grandeur nature.

– Tu as monté tout ce cirque rien que pour la mettre en situation ? Et si elle avait paniqué ?

— Pourquoi crois-tu que je t'ai réveillé en pleine nuit pour te demander de venir ? Les gars de l'antiterro ventousaient Audrey depuis qu'elle était sortie de sa cité. Pour éviter une intifada là-bas, ils avaient prévu de la cueillir à la descente du RER, mais elle leur a filé entre les doigts. Peut-être par hasard, peut-être parce qu'elle a l'œil. Ils l'ont rabattue en direction du contrôle improvisé. Tu te rappelles le coup de fil que j'ai reçu ? J'aurais bien aimé voir leurs tronches quand tu es entré dans la danse.

– J'en ai eu une petite idée, merci.

– Écoute. Le dir cab du ministre est venu me voir hier après-midi avec ses renseignements, le parquet a signé la commission rogatoire dans la foulée. On avait peu de temps : il a fallu être créatif. Quand on a acquis la certitude qu'elle était seule, je me suis dit que ça serait le test idéal pour Delphine. S'il y avait eu un pépin, au pire, les trois autres étaient là pour fermer la porte derrière. Il n'y avait pas d'issue. On sait ce qu'elle vaut, maintenant.

Franck se lève et jette un coup d'œil à travers les persiennes.

– Je ne sais pas, Daniel. Je croyais qu'on était sur Ferhaoui. Et maintenant, Ferhaoui veut qu'on l'aide à nettoyer sa mosquée ?

– On va bien voir ce qu'ils trouvent chez la fille, dit Paoli en regardant sa montre. Les mecs du RAID y seront dans un quart d'heure.

– Le RAID aux 3000 ? ricane Franck en se retournant. Tu voulais éviter l'intifada, c'est ça ?

Paoli s'assoit à son bureau. Il sort une cigarette qu'il pose sur le dossier de Ferhaoui.

– Je croyais que tu avais arrêté.

– Tu sais qu'on est sur la même longueur d'onde au sujet de Ferhaoui, dit-il sans allumer la cigarette. Mais s'il y a des biscuits là-dedans, je ne pourrai pas empêcher l'ouverture d'une instruction.

— Les seuls biscuits qui m'intéressent, c'est ceux qu'on a ramassés avec le pôle financier. Ferhaoui fait le ménage pour se débarrasser des fanatiques qui lui font une mauvaise presse et avoir les coudées franches avec le Qatar. On ne va quand même pas rentrer dans son jeu !

Paoli est d'accord avec Franck et, d'un côté, il se sent fier de lui avoir transmis la finesse de ses décryptages policiers, sa capacité d'anticiper les coups avant qu'ils partent. De l'autre, sa rusticité politique l'afflige et, comme tous les lascars et les péquenauds entrés dans la police, ceux du SPHP notamment, le Service de protection des hautes personnalités, il a tendance à parler un peu trop fort de ses obsessions de classe : les liaisons dangereuses entre Israël, le Qatar et les élites françaises, l'entregent de Ferhaoui, sa cote médiatique, tout cela le met en rogne, et il le montre un peu trop, comme quand il fait semblant de téléphoner le jour où le ministre débarque à Levallois pour serrer les mains des agents du service. En continuant sur la même pente, il sera encore sur le terrain à soixante ans, et pendant qu'il poursuivra ses moulins à vent, d'autres plus malins que lui, moins instinctifs mais plus industrieux, se partageront les joyaux de la couronne. Des gens comme Alexandre Marion, par exemple.

– Tu files au sous-sol et tu me la mets à table, reprend-il. Doucement, hein ! On a un peu de temps devant nous. Le proc nous a fait un report – pas d'avocat jusqu'à 23 heures. Bonnet est en route, mais c'est pour me voir. Il ne la récupère pas avant demain. On aura quarante-huit heures de plus s'il le faut. Alors si elle veut dormir, si elle a besoin d'un moment seule, tu la laisses respirer. N'oublie pas qu'elle est mineure.

Franck acquiesce en silence, le regard dans le vague.

– Tu vas finir tard. Tu as fait le nécessaire pour ta fille ?

– Du moment que Laurence n'apprend pas que je l'ai fait garder.

– Ton blouson !

Quelle tête de pioche, pense-t-il avec mélancolie, tandis que Franck s'éclipse derrière la porte.

– Rien de rien, dit Bonnet en regardant Marion avec l'irritation d'un maître d'école devant les caprices de son meilleur élève. Pas la moindre carte SIM dans ses tiroirs. Rien sur son disque dur, et Paoli me dit qu'elle ne parle pas. Je n'ai rien qui puisse constituer un délit ni justifier la mise en examen. Alors un placement en préventive, n'y pensons même pas ! Vous voulez que j'entre dans les détails ?

Alain Bonnet, juge d'instruction à la section antiterroriste du parquet de Paris, est une vieille connaissance du temps de la DST et un bon connaisseur des réseaux djihadistes en Europe. Depuis sa nomination, Paoli n'a jamais eu à s'en plaindre ; il n'est pas mécontent que le procureur l'ait choisi pour diriger l'enquête préliminaire. L'information circule bien entre leurs services respectifs, Bonnet faisant preuve d'une vanité relativement supportable pour un magistrat de son envergure. Son image est bonne à Levallois, car ses instructions se déroulent en règle générale avec plus de considération que celles de ses collègues envers le travail policier, et plutôt moins de fuites dans les médias. Contrairement à d'autres, il ne se fait pas de publicité personnelle avec les affaires qu'il suit, et on ne lui connaît ni couleur politique ni ambition, à part d'hypothétiques vues sur le Conseil supérieur de la magistrature.

Ce qui intrigue Paoli, c'est la présence à ses côtés du directeur de cabinet du ministre, qu'il voit un peu trop souvent ces jours-ci. Celui-là, avec sa trogne de tiers provisionnel, son menton fuyant et son corps de cierge ramolli sous la flamme, il ne l'a jamais apprécié, sans avoir d'ailleurs quoi que ce soit à lui reprocher sur un plan professionnel. Il le connaît mal, mais son physique desséché de coureur de fond et la froideur de ses manières lui déplaisent. Le sec et le mou, ensemble, il n'y a rien de pire. Si cette gêne n'est pas étrangère au stéréotype de l'énarque vu par l'homme de terrain – une grosse tête pâle, à la calvitie naissante, vissée sur un corps sans muscles –, elle s'enracine plus en profondeur, comme s'il y avait quelque chose de pervers dans l'incarnation incomplète de Marion, dans son absence de vices et de passions. Un homme sans appétit, dit-on, ni pour les femmes ni pour l'argent, qui ne boit pas et ne fume pas, que peut-il désirer au point que ce désir oblitère tout ce qui fait tourner le monde ? Le pouvoir, bien sûr, serait une évidence, si seulement Paoli ne lui trouvait pas l'humeur trop triste pour en avoir l'écorce. Ses visites sont extrêmement rares, tout comme ses interventions dans les affaires internes.

– Le ministre est à Madrid pour une réunion du G4, dit Marion. Il veut un compte-rendu dans l'heure.

– C'est votre problème, répond Bonnet. Vous auriez dû attendre avant de faire remonter l'information. À moins que le but de la manœuvre n'ait été de montrer les muscles devant l'opinion, avec un joli coup de filet à l'appui. C'est une tentation fréquente place Beauvau.

– La fille a cherché à fuir quand elle a vu le contrôle, et elle a faussé compagnie à deux officiers. Cherchez mieux. Pourquoi pas une perquisition directement chez Arkadin ?

– Et sous quels chefs, je vous prie ?

– La ville est très agitée depuis l'intervention du RAID, dit Paoli. Trois voitures ont déjà brûlé, et des groupes de gosses sont en train de monter des barricades autour de la cité. Qu'est-ce que vous voulez ? On a le droit de revenir bredouilles, mais on n'est pas obligés d'inciter aux émeutes quand la jacquerie identitaire et le réflexe d'autodéfense sont à bloc dans tous les gisements d'intégrisme du pays. Ces gamins ont beau parler arabe et connaître le Coran aussi mal que vous, ils sont persuadés qu'il y a une réprobation antimusulmane en France, qu'on ne veut pas les laisser vivre comme ils l'entendent, qu'on les montre du doigt et qu'on les agresse, et d'ailleurs ils n'ont pas entièrement tort. Dites au ministre qu'il n'y a que des coups à prendre là-bas.

Marion s'enfonce dans un silence réprobateur.

– À toutes fins utiles, j'aimerais bien entendre le secrétaire de l'imam, reprend Bonnet en remettant à

Paoli un mandat à en-tête du ministère de la Justice. Je ne me fais pas d'illusions : on ne me laissera pas approcher de Ferhaoui.

– Sélim Arif ? s'étonne Paoli. Tu veux entendre Sélim Arif ?

Il jette un coup d'œil à Marion, puis considère un moment le juge, quelque peu déçu par son manque de clairvoyance. Avec son homologue du pôle financier, il est l'un des seuls magistrats du parquet à être au courant du travail accompli pour mettre au jour le circuit de comptes écrans reliant Ferhaoui au Qatar.

– Sélim Arif est l'une de nos sources les plus productives et les mieux placées au sein de la mouvance radicale en région parisienne. Contrairement aux excités qui gravitent autour de Ferhaoui, il a la tête sur les épaules et il y a moyen de discuter avec lui. Une audition le mettrait en danger, et avec lui bon nombre des recherches en cours, dit-il sur un ton sans appel.

– Si je comprends bien, glisse Marion, vous jugez superflu d'approfondir l'enquête, et en même temps vous n'avez pas non plus envie de savoir pourquoi ils nous ont refilé un tuyau percé. C'est pour le moins paradoxal.

– Jeune homme, reprend Paoli, il me semble que vous et moi avons eu la même conversation pas plus tard qu'hier. Connaissez-vous l'histoire de l'ivrogne qui cherche ses clés de voiture sous un lampadaire parce que c'est le seul endroit éclairé de la rue ?

– Je ne suis pas un grand amateur de paraboles, dit Marion.

— Grâce aux informations qu'Arif nous fournit depuis un an, nous savons que Larbi Ferhaoui est le fer de lance de la politique d'investissement tous azimuts du Qatar, dans nos banlieues et ailleurs – avec l'aide opérationnelle, du moins il semblerait, d'un homme d'affaires franco-brésilien qui a ses entrées à Doha. Yann Valente, son nom ne vous est pas inconnu puisque vous avez lu mes notes. Nous savons aussi que les associations salafistes que Ferhaoui contrôle en sous-main ont mis en place un système de protection sociale alternatif dans les cités, et que ce système a évincé le réseau concurrent bâti par les missionnaires du Tabligh à la fin des années quatre-vingt. Vous vous doutez que ces luttes de pouvoir au sein de l'islam français n'ont pas une finalité humanitaire. Ferhaoui et le Qatar s'inscrivent dans une stratégie de conquête à très long terme. Leur but n'est pas de convertir la France, mais de l'annexer à la fois par ses centres de décision et par ses marges que l'action publique a délaissées. En toute légalité, bien sûr – la loi n'interdit pas les cadeaux empoisonnés. Et pour des raisons financières autant que religieuses : ils anticipent sur l'épuisement de leurs réserves de gaz. Une stratégie de substitution, en quelque sorte, pour assurer leur avenir. N'oubliez pas que nous parlons d'un tout petit pays, une péninsule de la taille de la Corse, et atteint d'une paranoïa sans limites envers les chiites, Iran en tête.

– Et ces brillantes conjectures sont étayées par des faits, naturellement ? Pour ma part je les trouve dignes de ces théories du complot que nous fabriquent à intervalles réguliers nos chers journalistes d'investigation.

– Voilà, dit Paoli. Dès qu'on a le malheur de regretter l'alignement de ce pays sur la politique américaine au Proche-Orient, avec les conséquences domestiques que l'on connaît, on est sûr de se retrouver au nombre des antisémites et des conspirationnistes.

– La France rachetée par le Qatar, on a vu ça cinquante fois à la une. Rien de nouveau sous le soleil !

Pourquoi cette remarque antipathique, se demande Paoli, l'idiome dédaigneux de l'oligarchie républicaine, la violence dialectique de ces jeunes gens à chevalière qui n'ont jamais eu à subir les conséquences physiques de leurs airs supérieurs ? Marion ne lui aurait jamais parlé ainsi en tête-à-tête ; vu le poste qu'il occupe et le maître qu'il sert, il ne peut avoir prononcé de bonne foi ces paroles indignes de son intelligence.

Il sourit.

— Ce n'est pas parce que les journaux le disent que c'est faux – pas toujours. La brigade financière travaille avec l'un de mes hommes à établir le lien à partir d'importants mouvements de fonds en provenance de Doha sur des comptes établis à Jersey. On soupçonne que tout ou partie de cet argent a été redistribué sur divers projets d'infrastructures en Seine-Saint-Denis. Des écoles coraniques, un supermarché halal, une clinique privée… Les rachats d'entreprises et de grandes marques par le Qatar sont un fait connu, vous avez raison. Mais il n'y a pas que cela. C'est la partie invisible de cette stratégie d'investissement qui doit nous préoccuper, l'emprise que le Qatar est en train de se fabriquer, d'une part sur la jeunesse issue de l'immigration, plus généralement sur tout ce qui est misérable et en colère en France, et d'autre part sur nos décideurs, locaux et nationaux. S'agissant de ce dernier aspect, on n'est plus dans ce que j'appellerais le strict cadre de la légalité, même si, avec la multiplication des sociétés écrans, les élus et les responsables concernés ne savent pas forcément d'où tombe cette manne providentielle qui contente les administrés et fait gagner les élections. Moi, je veux bien croire à leur bonne foi : conscients ou pas, le fait est qu'on est en présence d'un système de pots-de-vin à très grande échelle, et je m'étonne qu'avec votre sens de l'observation vous ne vous en soyez pas aperçu.

Bien sûr qu'il s'en est aperçu, pense Paoli. Mais Marion a aussi quelque raison de croire que ce savoir a de la valeur, alors il joue la comédie, en attendant de trouver preneur.

– Je dois être au Palais dans vingt minutes, coupe Bonnet. Vous m'excuserez de vous imposer un compromis, disons, un peu artificiel, mais je veux avoir les mains libres jusqu'à ce qu'un accord plus durable soit trouvé.

Il marque une pause, purement oratoire. Thèse antithèse synthèse, pense Paoli. La pensée ENM a toujours le dernier mot.

– Vos arguments à l'un et à l'autre sont légitimes. Le problème est qu'ils s'inscrivent dans des temporalités conflictuelles. Voilà donc ce que je vous propose pour traiter les affaires courantes sans insulter l'avenir, et pour que ce petit hiatus ne donne pas lieu à une grande paralysie. Je te laisse la fille jusqu'à demain matin, dit-il à Paoli. En l'absence d'aveux ou d'éléments plus significatifs, je la remets en liberté. Nous sommes d'accord jusqu'ici ?

Bonnet croise les bras et rentre la tête dans les épaules, comme s'il anticipait tout à coup une alliance tactique entre ses deux interlocuteurs, mais Paoli et Marion acquiescent l'un et l'autre.

– Tu as un mois pour clore vos investigations financières, continue Bonnet, après quoi je me réserve la possibilité d'entendre Arif. D'ici là, ou jusqu'à ce que le dossier prenne une tournure judiciaire, tes hommes tâchent d'en apprendre plus aux 3000 et sur Arkadin. Vu les circonstances, je suis de l'avis qu'il ne faut pas jeter de l'huile sur le feu avec une procédure pénale. Mais gardez-le dans votre viseur.

– La surveillance sera en place lundi, dit Paoli. Avec des mailles grosses comme ma main, mais elle sera en place.

– Serre les fesses, mon vieux. C'est la crise : on en est tous là.

– Et la fille ? demande Marion. On ne la suit pas un tout petit peu ?

– Si vous savez comment monter des filatures efficaces dans une cité aussi volatile, dit Paoli, je vous laisse volontiers le gouvernail.

– Je crois qu'on se contentera des communications, tranche Bonnet. Par acquit de conscience.

Cela fait trois heures qu'ils sont face à face, et elle ne parle toujours pas.

Deux heures cet après-midi avec un adjoint de Bonnet à ses côtés, une heure ce soir en tête à tête. Dans l'intervalle, Paoli l'a prévenu que le RAID n'avait rien trouvé chez elle, et Franck est remonté dîner à la cantine, le temps de lire la bio succincte que le service recherches a mise en circulation à l'heure de l'apéro. Née et abandonnée à Drancy en 1997. Le foyer départemental de l'enfance à Villepinte jusqu'au CP et son adoption par un couple sans enfants – malgré la bonne impression que les époux avaient produite à l'entretien avec la DDASS, le mari a plié les gaules deux ans plus tard. Depuis, douze ans dans la cage bétonnée des 3000, les minuscules bonheurs sans lendemain, à trente-cinq euros pour tenir la semaine, le sentiment d'abandon, la rage qui enfle comme un cancer contre tout ce qui s'achète et qu'on ne peut pas avoir, les pulsions de plus en plus puissantes contre ceux qui en profitent, qui ne peuvent être que les grands ordonnateurs de cette pénurie et des salaires de misère dont crèvent les galériens d'ici.

Quand Franck est revenu dans la salle d'audition, elle n'avait pas touché à son repas. Il y avait un verre d'eau presque vide devant elle – la seule intention, le seul désir qu'elle ait exprimé depuis le début de sa garde à vue. Elle l'attendait, assise les bras le long du corps et les épaules relâchées, enveloppée dans le silence épais où il l'a trouvée ce matin après leur cavalcade dans le Xe.

– Je peux te garder encore trois jours si ça me chante. Tu es embarquée dans une procédure d'exception, tu comprends ce que ça veut dire ? Le juge d'instruction a autorisé la prolongation de ta garde à vue et la mise à l'écart de ton avocate jusqu'à samedi matin.

Paoli trouvera sûrement à y redire, Bonnet aussi au cas où elle se plaindrait, mais avant de rentrer chez lui il a décidé de faire comme si la perquisition avait été fructueuse.

– Que tu te décides ou non à me parler, le parquet te récupère à l'arrivée. Fais-moi confiance, avec ce qu'ils ont ramassé dans ta chambre cet après-midi, les charges sont déjà prêtes. Dimanche soir, tu dormiras à Porcheville. Tu connais Porcheville ? Audrey ! Oh, je te parle !

Elle regarde par-dessus son épaule, fuyante, et acquiesce d'un hochement de tête presque imperceptible. Aucun des stimuli habituels ne semble avoir prise sur elle. Elle ne répond à rien, ni aux menaces ni aux incitations, ni à la brutalité ni à la gentillesse. Plusieurs fois il s'est fait la remarque qu'une autiste ne se comporterait pas autrement, mais il sait que le mur entre elle et lui est tout sauf pathologique. Il en a vu passer, à l'époque des stups, des orphelins et des abandonnés qui pensaient avoir tout vécu, que rien de pire ne pouvait leur arriver. Ils ont la cuirasse épaisse et la certitude d'être à l'abri de tout secours ; on ne sait jamais quelle ruse est la meilleure pour les faire craquer. Il faut parler dans le vide, parler, parler jusqu'à ce que quelque chose en eux se ramollisse et qu'ils finissent par répondre, sans que l'on comprenne ce qui a provoqué le déclic. La garde à vue, tout le monde le sait, c'est fait pour attendrir la viande.

– Si tu me disais un peu ce que tu fabriques pour de vrai avec ce Bakiri. Tu as dix-sept ans, tu n'as pas de casier, tu t'es laissé embarquer dans un truc dont tu n'imaginais pas l'ampleur. Le juge sera compréhensif si tu coopères avec nous, mais arrête deux minutes avec tes cours d'arabe. Il faut que tu me laisses t'aider.

– Je prends des cours de soutien, répond-elle pour la vingt-cinquième fois, toujours sur le même ton. C'est ma deuxième langue au lycée. J'ai fait de gros progrès grâce à lui, vous pouvez regarder mes notes depuis le début de l'année.

– Et ses autres élèves ? Il y en a dans ta classe ?

– Non. Je crois que je suis la seule. M. Bakiri n'a pas le temps, avec ses cours à la fac. En tout cas, je n'ai jamais croisé personne, dit-elle en tirant sa chaise en arrière. Je voudrais aller aux toilettes, s'il vous plaît.

Comme tout à l'heure quand elle a demandé un verre d'eau, la voix est douce mais hermétique, à l'image de tout le reste. En fouillant ses souvenirs, il ne croit pas avoir jamais vu une dualité pareille chez un mineur : fragile et incassable, juvénile et minérale. Audrey parle poliment, sans l'accent et les intonations agressives des filles de la cité, sur un ton d'enfant sage, presque docile. Chez elle, à défaut de pièces à conviction, on a retrouvé des livres et des bonnes notes, des posters et des MP3 de son âge – rien de nature à dresser le portrait d'une tête vide ou mal dans sa peau.

Il avale un Doliprane 1000 et repense à une vieille phrase de Paoli à la fin d'un séminaire interne : « C'est de la pisse de chat, tous ces profils criminologiques. Le kamikaze, il se cache derrière n'importe quel visage, n'importe quel nom, n'importe quelle histoire, n'importe quel âge. Ça peut être lui, vous, moi.

Abdel, Arnaud, Marie-France… OK, peut-être pas Marie-France. Mais Marie ou France, quand vous voulez. »

Audrey revient, escortée par deux bricards, et il perçoit quelque chose de mécanique, ou plutôt de stoïque, dans sa démarche et sa façon de reprendre place face à lui. Dix-sept ans, c'est trop jeune pour que le ressort psychologique de ce comportement soit un fatalisme pur et dur : il y a autre chose en elle que de la résilience formée par les cicatrices de la vie. De la maîtrise de soi, avec un professeur hors pair et beaucoup d'entraînement ? L'idée que quelqu'un ait intérêt à transformer un gamin en pareille machine lui fait froid dans le dos, et pourtant il ne peut réprimer un mouvement d'admiration pour son aplomb silencieux. Elle a du cran, à son âge et dans la situation de stress où elle se trouve, de paraître aussi détachée.

– Il y a deux façons dont je peux te rendre service, et elles ne sont pas incompatibles. Dans l'immédiat, on peut s'arranger avec le JLD pour que ton séjour à Porcheville ne soit pas un enfer. Le JLD, c'est le juge de la liberté et de la détention. Je ne te fais pas un dessin, tu prends le plus sordide que tu as entendu sur la prison, et tu imagines cent fois pire. La tête du lit à trente centimètres de la cuvette des chiottes, sans oreiller. Les fils électriques dénudés pour faire de l'eau chaude. Les gardiennes gouines qui te palpent matin, midi et soir.

Pas la moindre réaction, comme s'il lui parlait d'un film qui vient de sortir. D'un côté, il ne voit pas comment une fille aussi butée et aussi impénétrable a pu tomber sous la coupe d'un beau parleur – Arkadin ou consorts. De l'autre, s'il se trouve qu'il a tort, elle a le calme et le silence dont sont faits ces monstres malheureux qui se suicident dans le seul but de faire partager leur souffrance au reste du monde.

C'est cela qu'il faut lui dire : qu'il a deviné la fin, que ni lui ni personne n'a aucun doute sur ses intentions, et que son cas est désespéré.

– Mais les conditions d'hébergement, c'est un tout petit souci à côté de ce qui t'attend avec le procureur si tu continues sur ta lancée. Il y a deux domaines dans lesquels le parquet aime taper fort au moment du réquisitoire : la pédophilie et le terrorisme. Toute la société veut la tête de l'accusé, et les juges savent qu'ils ont l'appui de la chancellerie. En général, ça donne des peines très lourdes, suivant les chefs d'inculpation. Vu que tu es mineure et que ton cas est une première, je suis obligé de spéculer un peu, mais, comme on est partis, je ne te vois pas t'en sortir avec moins de vingt ans. Tu me diras, de ton point de vue, ça n'est jamais que vingt ans de rab par rapport à ce qui te restait si on ne t'avait pas attrapée. Tu te trompes. D'une, c'est trois de plus que ton âge. Et si tu n'aimais déjà pas la vie et tes semblables au point de vouloir te faire sauter la tronche et la leur par la même occasion, j'ai du mal à comprendre par quel miracle ça pourrait mieux se passer au placard. Mais supposons quand même, juste pour les besoins du raisonnement. Dans le meilleur des cas, si tu te tiens à carreau, tu auras trente piges quand tu ressortiras. En réalité, avec ce que tu auras vécu dedans, la surpopulation, les viols, les cassages de gueule, les humiliations et la peur de t'endormir, tu auras tellement de haine de toi et il te restera tellement peu d'estime (je ne parle même pas d'espoir) que tu auras mille ans dans ta tête et le cœur complètement pourri. Il n'y a pas de nouveau départ quand on sort au bout d'une longue peine. La prison, c'est le premier cercle de l'enfer. Tu comprends ? Les matins où tu te réveilles avec les idées noires, en pensant à ta maman et ton papa qui t'ont abandonnée, tu te racontes peut-être que l'existence est un truc glauque, comme dans tes bouquins de Sartre et de Camus. Laisse-moi te dire une chose : ces gars-là, ils n'avaient même pas idée des horreurs que le système carcéral engendre. Ça n'est pas une détresse philosophique, qui se dit avec des phrases bien tournées ; ça n'est pas pour de faux. C'est un enfer où chaque seconde va durer une heure, parce que le gros rat immonde du dégoût de tout te bouffera le cerveau et le foie jusqu'à ce qu'il ne te reste plus assez de force pour en finir. Si tu veux une chance de retrouver ta vie à la sortie, il faut que tu me parles. Je te le demande pour la dernière fois : explique-moi ce qui s'est passé.

Il y a un petit moment qu'elle le regarde avec la pupille dilatée par la peur, la bouche entrouverte. Durant quelques secondes il se dit qu'elle va plier et tout lui mettre sur la table. Ça serait les plus beaux aveux de sa carrière, loin devant les repentirs pittoresques de toutes les petites frappes qu'il a pu serrer à l'époque des stups.

Mais non. Il la voit qui reprend le dessus et il comprend qu'elle ne lui expliquera rien du tout. Le mur est intact et, la secousse de l'hésitation passée, elle se rencogne dans sa posture initiale, contente d'attendre que ça se passe, ses pensées hors d'atteinte.

– Je suis fatiguée, monsieur.

Il devine comme un sourire à la commissure de ses lèvres, puis elle ferme les yeux et pose la tête sur ses avant-bras. Sa fille utilise la même douceur impérieuse pour mettre un terme aux discussions qui lui déplaisent. Une bouffée de tendresse l'envahit et étouffe un instant sa frustration, sans qu'il sache bien si elle est destinée à Zoé ou à cette gamine mal embarquée dans la vie, mais qui lui tient tête.

– Je te laisserai l'argent sur la commode demain, dit-il à la baby-sitter. Je suis désolé.

Il referme la porte, pas très fier de lui. Elle a l'habitude qu'il n'ait pas assez de liquide sous la main, cinq ou six euros pour faire le compte, mais là, c'est autre chose. Il est rentré trois heures plus tard que prévu, sans rien dans les poches. Et pas moyen de courir à la tirette – il a laissé son portefeuille à Levallois. Si ça se trouve, elle pense qu'il a menti parce qu'il est à sec ; et elle ne serait pas loin de la vérité. Il remplit un verre d'eau et jette un coup d'œil coupable à l'horloge du four. Minuit passé. Trois heures et demie de retard et une ardoise de soixante-dix euros auprès d'une lycéenne qui va dormir en cours toute la journée demain. Ces derniers temps, son absence de contrôle sur les choses du quotidien vire au pathétique.

La porte de la chambre de Zoé entrouverte laisse passer la lumière bleue de sa loupiote dans le couloir. Il écoute sa respiration calme et profonde avant d'entrer. Quelles que soient les angoisses qui polluent ses pensées à la fin de la journée, ce bruit a le pouvoir magique de faire le vide en lui, de désarmer par le seul fait de son existence tous les démons qui le tourmentent. Il ne lui prête pas de sentiments, il n'y cherche aucune consolation, il ne croit pas entendre à travers lui que tout ira bien. Il se contente de savoir que cette respiration est là, et il a tout l'or du monde entre ses mains.

Zoé dort sur le dos, les membres détendus, paisible. Il la regarde, ravi qu'elle ait si bien grandi, et devant ses yeux clos il se demande ce qu'elle peut bien savoir de la vie. Il se rappelle l'époque lointaine où elle n'était qu'un nourrisson au visage plissé et aux poings serrés dans le creux de son bras, quand elle ne connaissait rien d'autre que la sensation de la faim et de la fatigue. Comment, huit ans plus tard, elle peut avoir été si peu abîmée par la déroute de son univers familier, il ne se l'explique pas. De quoi se souvient-elle de la vie d'avant, quand tout le monde habitait ensemble ? Elle n'en parle jamais, elle ne se plaint pas, comme si, d'eux trois, elle était la seule à en avoir pris son parti. Depuis toute petite, Zoé a son quant-à-soi, une vie intérieure qui le subjugue et lui rappelle les absences de Laurence. Elle a une âme riche et des yeux grand ouverts, de grands yeux inquiets qui regardaient déjà dans les siens, même vagues, le jour où elle est née.

D'une main légère, il caresse ses longs cheveux bruns, puis dépose un baiser sur sa joue, attendri par la rondeur de ses paupières et la courbe de ses cils, comme s'il découvrait son visage, qu'il ne l'avait pas vu depuis des mois. En sortant, comme tous les soirs quand elle dort chez lui l'hiver, il passe la main sur le contour de sa fenêtre pour en vérifier le joint. Il est là pour la protéger, il ne s'est jamais demandé si c'était bien ou mal, machiste ou réac, et c'est à peu près la seule chose qu'il est sûr de faire comme il faut.

Il se ressert un verre d'eau et s'assoit dans la pénombre du salon. À côté de lui, il y a le P-V de l'audition et une feuille de papier – sûrement un dessin. Il n'a pas le courage de relire maintenant. Il pose l'un et l'autre sur la table basse et s'enfonce dans le canapé ; ses yeux se ferment tout seuls.

En se réveillant un peu plus tard, il voit le dessin à côté du P-V sur la table ; il ne se rappelle plus s'il l'a regardé avant de s'endormir.

Il allume la lumière.

C'est un grand immeuble ancien au-dessus d'un marché – celui d'avant le divorce. Au dernier étage, le leur, trois fenêtres ; lui avec ses cheveux ras dans la première, Laurence avec un de ses T-shirts punks dans celle d'à côté. Ils regardent les gens qui font la queue en bas devant les étalages de fruits et légumes. Derrière la troisième fenêtre, une toute petite fille dort dans son couffin.

Ce n'est qu'un bébé, mais elle a de longs cheveux bruns.

Allez.

Un dernier whisky, pas trop dense, histoire de faire tomber la nuit.

Assis dans le bureau de son quatre-pièces de la rue Saint-Jacques, Paoli fixe sans la voir l'une de ses aquarelles naïves de l'oued. Avant sa nomination à la tête du renseignement intérieur, il peignait régulièrement, un tableau tous les deux ou trois mois. Comme un dentiste. S'il finissait par dire oui aux chasseurs de têtes du privé, il gagnerait cinq fois plus en travaillant cinq fois moins, et il pourrait s'y remettre. Consultant sécurité, peintre du dimanche. La fin du parcours, à six mois de sa retraite de commissaire, a quelque chose d'enviable quand on l'envisage sous cet angle.

La ressemblance est là, plus remarquable que dans le bureau de Marion hier, mais il ne saurait être absolument certain. Ce serait improbable ; pas incohérent. Sur l'écran de son ordinateur portable, l'une des photos d'Arkadin est ouverte en vis-à-vis du portrait de Kader Arrache publié dans *Le Monde* le 30 mars 1996, au lendemain de l'incendie à Mulhouse, où ils avaient trouvé la mort, lui et sa bande de desperados armés par les islamistes algériens. Il n'est pas sûr, et pourtant il sent au fond de son estomac ce même écrasement qu'il y a un peu plus de dix-huit ans, lorsque aux premiers téléobjectifs de Kader s'était superposé dans sa mémoire le visage animal d'Al-Mansour.

À l'époque, quand Kader n'était pas occupé à mettre des cocottes-minute remplies de clous sous les sièges du RER, il voyait une fille, une Algérienne de Belfort, avec qui il lui arrivait de partager un appartement pendant ses séjours en France. Les notes de surveillance, qu'il a conservées par-devers lui, la décrivent comme intime, avec un point d'interrogation sur leur degré d'intimité. La belle Zohra. Zohra Maktouf. Une semaine après l'incendie, une fois les autopsies effectuées, elle était venue à Colmar chercher ce qui restait du corps, dans une annexe discrète de la préfecture. Paoli était là, parce que c'était son enquête, et il l'avait trouvée splendide sous son voile. Un garçon un peu effacé l'accompagnait, un frère ou un ami – Assan Bakiri. L'air de famille ne l'avait pas frappé alors, sûrement parce que les proches survivants, dans les jours et les semaines qui suivent un décès, ressemblent moins au mort qu'à tous ceux qui portent son deuil. Ils avaient regardé le cercueil un long moment, la tête baissée. Puis, en se redressant, la femme avait adressé la parole aux fonctionnaires de police présents, en arabe.

– Cause toujours, avait ricané Richard, son adjoint. Ton gars, il est dans la boîte.

– Son sang retombera sur vous, avait soufflé Paoli.

– Pardon ?

– Son sang retombera sur vous. Elle répète ça comme un refrain.

Le cercueil refermé, il n'y avait aucune raison de continuer à les surveiller, elle et son accompagnateur. Le fils était mort ; il pouvait repartir à la chasse du père. Aucun renseignement en sa possession ne laissait supposer alors que Kader avait un frère – on ne suit jamais les gens assez longtemps, ni assez attentivement. L'essentiel, à ses yeux, était qu'Al-Mansour partageait désormais la douleur qu'il lui avait mise dans la peau et dans les os, qui faisait éclater son cœur chaque fois qu'il repensait au corps effondré de sa mère et à la voix mourante de son père devant la maison des Aurès. Des parents ou un fils, la différence était symbolique s'il y en avait une. Quel que soit l'endroit aride où Al-Mansour se terrait à présent, il savait avec certitude que la chair de sa chair avait péri de la façon la plus épouvantable qu'on puisse concevoir, et c'était là une avance conséquente sur le prix de sa vengeance.

Quelque temps après, cependant, les collègues de Paoli à la DST avaient été stupéfaits de voir ce dévoreur de tartares devenir végétarien. Sa femme, Luce, était trop loin dans son cancer pour s'en apercevoir, puisqu'elle vivait dorénavant à Cochin et qu'ils ne partageaient plus leurs repas. Toutes sortes de rumeurs avaient couru, personne n'arrivant à s'expliquer pourquoi la seule vue de la viande suffisait à le rendre malade, et comment un tel changement physiologique avait pu être aussi soudain. Les gens demandaient à Richard, qui l'avait accompagné sur le site de l'incendie pour identifier les quatre membres du gang, si la vue des corps calcinés pouvait en être à l'origine.

– Non, répondait invariablement Richard. Il a traversé la scène comme s'il allait acheter du pain.

Ce qu'ils ignoraient, lui et les autres, c'est que Paoli avait garé une fourgonnette de récup, bourrée de jerricanes de sans plomb 95, dans le parking sous la planque de Kader et de ses copains, et qu'il y avait jeté une allumette. L'immeuble était en béton, mais isolé à l'amiante, et les câblages électriques apparents. Le feu avait pris comme sur un fétu de paille.

Puis il était sorti par un escalier communiquant avec l'immeuble voisin, et il avait regagné l'appartement où planquait son équipe de surveillance.

Après l'intervention du RAID, l'enquête avait conclu que les forcenés avaient voulu mettre le feu au parking pour couvrir leur fuite, mais la thèse du suicide collectif n'était pas écartée. Après tout, ces jeunes gens étaient des fous de Dieu, oui ou non ?

Il se ressert un verre.

S'il est là, se dit-il en faisant défiler les photos du pavillon d'Aulnay, le malt roulant sur sa langue et la silhouette borgne et poussiéreuse d'Al-Mansour dressée devant ses yeux, indifférent à la réalité de ce vieil homme malade et dépendant que décrit le rapport.

Si c'est lui, avec son deuxième fils. Bien sûr que c'est lui : qui d'autre ? L'Est de la France. La ressemblance avec Kader. Le jeune homme près du cercueil.

Il ne l'a jamais senti si proche de lui, à bout portant. Une fois, au milieu des années quatre-vingt, il a pensé toucher au but. C'était une fausse piste. Puis une autre, deux ou trois ans avant Kader, il a su par un concours de circonstances qu'Al-Mansour se trouvait dans la banlieue sud de Paris, dans l'Essonne, mais il est arrivé vingt-quatre heures trop tard. Après les événements de 1996, il s'est remis à le guetter, patiemment. Les années ont passé sans qu'il perçoive plus aucun signe de vie, nulle part. Il a fini par se rendre à l'évidence : Al-Mansour devait être mort de vieillesse, et il lui faudrait désormais vivre avec ses souvenirs et ses cauchemars, sans l'espoir de s'en libérer jamais.

Le whisky a endormi le mal, un peu, la paix qu'il trouve en Normandie aussi. Jusqu'à ce jour. Quels que soient les desseins absurdes que Bakiri a en tête, ou que Ferhaoui lui prête à tort, il ne faut pas qu'il se laisse devancer par son propre service, comme il y a dix-sept ans. La justice de ce pays n'a ni à juger ni à sauver le meurtrier de ses parents et sa descendance bâtarde. La justice, si l'homme auquel il n'a cessé de penser depuis un demi-siècle vit bien dans ces murs, c'est à leur fils unique qu'il revient de la rendre.

Il n'est pas l'un de ces pieds-noirs haineux, ces réfugiés pour qui la guerre continue, plus de cinquante ans après, contre tous les Arabes qu'ils croisent au supermarché, dans leur infâme périphérie urbaine de PACA.

Il n'en hait qu'un seul, mais celui-là, il aura sa peau.

III

Il faisait encore nuit quand Assan est arrivé à Garonor, le parc industriel à cheval sur Aulnay et Le Blanc-Mesnil, et il a attendu une demi-heure, deux fois plus longtemps que d'habitude, que les autres le rejoignent. Chaque fois qu'ils se retrouvent au hangar, le jeudi soir ou pour une réunion exceptionnelle comme ce matin, c'est le même manège : la D115 jusqu'à l'A86, sortie 11, Saint-Denis centre, La Courneuve, Saint-Denis université, l'embranchement de la D30 juste devant le siège de l'UOIF, puis la N2. Le trajet lui prendrait cinq minutes en tout et pour tout s'il se contentait de descendre la N2 dans l'autre sens depuis les Étangs, mais il n'a pas trouvé plus sûr que ces arabesques pour vérifier l'absence de filature. Vu les circonstances, a-t-il songé en coupant le moteur, la précaution n'a rien de superflu.

Driss et Ali sont arrivés peu après le lever du soleil, à cinq minutes d'intervalle. Puis Karim. Bruno était en retard, ce qui ne se produit jamais, et Audrey, évidemment, n'était toujours pas là.

Toute la journée d'hier, après avoir appris la nouvelle en écoutant la radio au petit-déjeuner, il s'est rongé les sangs à l'idée que ça ne pouvait être qu'elle, la mineure dont l'arrestation avait entraîné les émeutes aux 3000, deux nuits de bagarre avec les CRS à coups de cocktails molotov et d'armes semi-automatiques. La confirmation rapide de sa remise en liberté à l'issue de la garde à vue n'a pas apaisé son angoisse, d'autant qu'une source policière a fait savoir que l'interpellation avait eu lieu non loin de la gare de l'Est. Audrey avait-elle éveillé les soupçons d'une patrouille en traînant aux abords de l'objectif qui lui a été attribué ? Et que faisait-elle là-bas, sans l'avoir mis au courant de son intention d'y effectuer un nouveau repérage ? Quand l'identité de la jeune fille a finalement été révélée en milieu d'après-midi par un journaliste de *L'Huma*, il est resté à l'écart de la cité malgré le besoin d'entendre ses explications, tenaillé par la peur d'être découvert, les tempes migraineuses, guettant les passages de voitures derrière sa fenêtre, convaincu que c'était là ce qu'il avait de mieux à faire en attendant d'en savoir plus le lendemain, à l'enregistrement de la vidéo.

La nuit est tombée sans que la police soit venue le chercher, et la panique a fini par se dissiper.

– J'étais sûr qu'elle nous foutrait dans la merde, a dit Bruno en arrivant sur le parking, une enveloppe encore scellée à la main.

Assan a pris l'enveloppe et résisté à l'envie de le corriger. Ils sont entrés sans plus attendre, pour ne pas attirer l'attention. Le bâtiment est l'un des seuls sans système de vidéosurveillance. Il l'a choisi pour cette raison, mais il ne faut pas trop forcer sa chance.

Une fois dans le local, les quatre garçons se sont mis à installer l'équipement pendant qu'il découvrait ce qui était arrivé à Audrey.

– On est prêts, Moudir.

Ali l'appelle ainsi depuis que l'équipe est au complet. Patron, Chef, Boss, ce n'est pas comme ça qu'Assan se voit, mais il n'a jamais rien dit. Il vérifie l'installation d'un rapide coup d'œil : la caméra est en place, le décor aussi, les pains de plastic bien en évidence sur la table à côté des détonateurs, et la bannière DAWA AL-ISLAMIYA déployée au mur en version originale. Lettres arabes, effet garanti à la télévision.

– Mettez-vous en tenue. On commence dans cinq minutes.

Il essaie de se ressaisir en relisant la lettre encore une fois, de ne rien leur laisser paraître de son émoi et de son anxiété. L'écriture est ronde, les lettres excessivement bombées des jeunes filles d'aujourd'hui, mais sans faute d'orthographe. Conformément à ses instructions, Audrey a glissé l'enveloppe dans le menu dépliant du Palais Céleste, un fast-food du centre-ville, et l'a déposée dans leur boîte à lettres morte du bâtiment B, où habite Bruno. La dernière locataire du logement correspondant a déménagé depuis plus de six mois ; les prospectus et les rappels d'impayés s'entassent dans sa boîte sans que cela dérange le bailleur social qui ne dépêche ses agents de maintenance sur place qu'en cas de force majeure. Bien qu'ils n'aient jamais eu à s'en servir jusqu'à présent, Bruno y relève le courrier tous les jours : c'est l'outil de communication idéal quand on s'interdit comme eux l'usage du téléphone, des messageries instantanées et des e-mails. Même avec les cartes SIM volées, les portables antiques qu'utilisent les dealers, ou les messages codés qu'on laisse sur un forum à gros trafic, Monsieur Bricolage ou la FFF, la probabilité a beau être infime, il y a toujours un risque d'interception. Mais la boîte à lettres de Mme Fatou N'Diaye, le Ciel la préserve, aucun flic ne viendra jamais fourrer son nez dedans.

Sur ce bout de papier arraché à un cahier scolaire, Audrey raconte les circonstances de son arrestation, le sentiment d'avoir été suivie dans le RER, le barrage de police et le contrôle d'identité boulevard Magenta. La bonne nouvelle, a tout de suite pensé Assan, c'est qu'ils ne l'ont pas prise la main dans le sac ; en revanche, si elle était bel et bien l'objet d'une filature, que savent d'autre les flics, et comment l'ont-ils appris ? Sont-ils après lui aussi ? Après un des garçons ? Il n'a vu personne ce matin en chemin et en attendant sur le parking, il en est sûr, mais que faut-il en déduire ?

La suite de la lettre, consacrée aux deux interrogatoires auxquels a été soumise Audrey, lui a donné toutes les réponses, et une certitude atterrante, dont il ne parvient toujours pas à prendre la mesure. C'est bien sur lui que se renseignent les services. Audrey dit qu'elle n'a pas parlé : il la croit. Elle dit aussi qu'il n'a jamais été fait mention des autres, et que les questions qu'on lui a posées étaient floues. On se renseigne donc sur lui sans avoir d'éléments matériels à lui reprocher ; disons qu'on le soupçonne. Audrey, se demande-t-il, a-t-elle été remise en liberté faute de preuves, ou dans l'espoir qu'elle les conduise à lui ?

Peu importe, conclut-elle en substance : elle a décidé de renoncer. Elle dit qu'elle peut continuer à venir chez lui, une fois par semaine, comme si de rien n'était, comme s'il était toujours le professeur qui lui dispense des cours de soutien gratuits en arabe. Brave petite, et belle présence d'esprit. Elle n'a rien dit à la police, mais elle ne veut plus en être, et elle pense que sa présence mettrait en danger l'opération. Elle termine sa lettre en leur souhaitant bonne chance.

– Moudir ?

Il prend son briquet et brûle le morceau de papier, conservant soigneusement les cendres pour les jeter dans les toilettes quand il rentrera chez lui.

À côté de l'angoisse, immense, qui cogne dans ses nerfs comme une fracture à l'os, il ne peut s'empêcher de ressentir un certain soulagement de savoir qu'Audrey s'en sortira saine et sauve. Il aimait l'avoir à ses côtés dans cette entreprise, par transfert, parce qu'elle lui rappelait Leïla ; la pensée qu'elle allait mourir, elle aussi, autant que les autres et de la même façon, il s'en préservait comme il pouvait, par des subterfuges mentaux dont l'effet ne durait jamais bien longtemps. Mais la certitude qu'elle va vivre le réjouit, comme si elle lui donnait la garantie qu'il y aura encore un monde après leurs attaques.

– Moudir, il est presque huit heures.

Les quatre garçons le fixent, dans leur djellaba blanche et sous leur cagoule de fortune. Par les trous qu'ils ont découpés dans la laine, il voit leurs yeux noirs qui brillent de la même ardeur, de la même fière affirmation de soi, de la même revanche collective sur le fait de n'être rien en France.

Il s'habille à son tour, lance l'enregistrement sur la caméra, et s'assoit à gauche de Karim, devant le drap noir aux lettres peintes en blanc. De l'autre côté, Ali est le plus à droite, puis Driss, puis Bruno, au milieu, qui commence à lire le texte qu'Assan a rédigé la semaine dernière.

Bruno, il l'a choisi envers et contre tout, malgré ce tic qui lui fait hocher la tête pour souligner les arguments qui lui tiennent plus à cœur que les autres, malgré ses insupportables poses de petit dur et son job de mulet à mi-temps pour le compte du Tchétchène, le parrain de la cité, parce que sa voix est typiquement francilienne, au-delà des inflexions dont elle se colore dès qu'il entend exprimer des sentiments forts, l'enthousiasme comme la colère. Les gens reconnaîtront bien évidemment l'accent et la syntaxe du lascar, ils se diront que la voix du texte ne peut être la sienne, mais ils n'auront aucun doute sur l'origine française de son timbre. Avec les trois autres et leurs intonations à couper au couteau, la réaction première aurait été un sentiment de déjà-vu : encore des métèques. Lui, sa diction a beau avoir quelque chose d'à la fois hésitant et emprunté, typique de leur génération de grandes gueules qui chassent en meute et perdent tous leurs moyens dès qu'on leur demande de se comporter en individus, il est le messager idéal pour la petite apocalypse de sa fabrication : une France à feu et à sang, ébouillantée par les attaques, après lesquelles même les petits Blancs auront à subir la loi non écrite du délit de faciès.

À ce stade de la préparation, il n'a même pas à les mettre en condition pour la prise : la religiosité s'entretient désormais toute seule chez eux, autoréalisatrice, et elle diffuse dans la pièce une tension radicale et solennelle, une aura de puissance chaotique dont il se surprend à redouter lui-même les effets. Ses créatures ont échappé à son contrôle, pense-t-il, et rien ni personne ne les arrêtera plus.

Tout se déroule comme prévu, malgré l'arrestation d'Audrey. Un rapide toilettage sur Quicktime, et la vidéo sera publiée sur un site peu fréquenté, hébergé en Allemagne, dont il enverra le lien à l'AFP. La terreur sans la publicité est inutile, aurait dit Robespierre s'il avait connu Ben Laden, Al-Zawahiri et les autres. Demain, ne cesse-t-il de se répéter pour chasser les pensées qui l'affaiblissent – l'amour de la vie et de Zohra, l'éventualité effroyable qu'il soit découvert –, demain à l'heure de « Téléfoot » et du « Jour du Seigneur », la France assise devant le poste apprendra le peu de temps qu'il lui reste à vivre dans son confort maussade de grande nation en déclin.

Le sable humide de la futaie s'enfonce sous sa foulée. Il y a plus d'une heure qu'il est parti et Alex attend toujours l'explosion des endorphines dans son cerveau et dans ses fibres. Il se sent vaguement impatient, agacé par cette gêne sans objet qu'il éprouve comme un picotement nerveux dans sa nuque, mais il ne pense à rien. Tout doit être sensation quand il court. Le contact régulier de ses semelles avec la terre et les pierres du sentier. La chaleur de son corps qui fume dans l'air froid. Le bruissement de la forêt et les branches qui craquent sur son passage. Les vagues de bleu, de gris et de vert, l'ocre du grès. Une odeur de fumée au loin, les émanations de résine, la promesse du printemps dans le pépiement des oiseaux et la lumière plus dense. De temps à autre il se grise à imaginer que l'océan et les beaux jours sont là, étalés juste derrière une chaîne de rochers ou une pente de sable, à portée de sa volonté.

Courir dans les bois lui apporte les seuls vrais moments de plénitude dont il se sait capable, parce que rien ne lui passe par la tête dans ces moments-là que le fait même de courir. Tout ce qu'il désire, c'est se sentir aussi pur et stupide que l'âme d'un nourrisson quand il revient à sa voiture, lavé des préoccupations qui l'assaillaient en arrivant. C'est son rite de purification, du temps volé tous les matins à la marche du monde et à ses propres desseins, car seule la chimie particulière de la course sait dissoudre la toile dans laquelle il se tient lui-même prisonnier, ce nœud de stratagèmes et de calculs si imbriqués dans son quotidien qu'ils se confondent désormais avec le fil de son existence.

À Beauvau, les anciens jouent au squash ou au tennis, plus rarement au golf – des sports de droite, onéreux et individualistes, pour un ministère de droite quelle que soit la majorité au pouvoir. Les membres du cabinet, plus jeunes, préfèrent les salles de gym des grands hôtels autour de l'Étoile, parce qu'on y est entre soi et qu'on peut indifféremment y draguer ou entretenir ses réseaux, selon la nécessité du moment. Ceux qui courent pour de vrai s'en tiennent aux rues ou aux parcs de Paris. Ici, à Fontainebleau, il est sûr de ne jamais croiser personne ; ce désert est le cadre qu'exige sa catharsis. Ces sables sont là depuis trente-cinq millions d'années, à l'époque où la forêt était encore une mer, bien avant que les hommes inventent la politique et les manœuvres dont il redevient le praticien une fois passé le péage de l'A6. Tout est une question de perspective : quand les affaires le privent de sommeil et tordent son estomac, Alex aime se rappeler ici le caractère dérisoire et futile de ses décisions, aussi importantes et graves qu'elles puissent lui paraître à Paris. Les tumultes de la Ve République ont quelque chose d'epsilon à l'échelle de la géologie, au milieu des vestiges de l'oligocène.

Même tôt, en ce dernier samedi de février, trois ou quatre alertes ont déjà fait vibrer son téléphone. Il ferme son esprit aux informations qu'elles sont susceptibles de contenir, refuse de se perdre en conjectures, mais le retard des endorphines rend sa progression plus pénible qu'à l'accoutumée, et il sent que la frustration prend le dessus, aiguisée par cette vague appréhension qui ne le quitte pas depuis tout à l'heure. Ce matin, il y a autre chose dans l'air de la forêt que la jouissance de la dépense physique – une lourdeur qui n'est pas là d'ordinaire, et dont son inquiétude est comme l'écho diffus en lui, le parasite qui dérange les lois élémentaires de son organisme.

Il stoppe, et se met à marcher les mains sur les hanches, le temps de reprendre son souffle. Les trois messages proviennent de la cellule de crise mise en place à la préfecture pour coordonner la réponse aux émeutes d'Aulnay. Après deux nuits d'affrontements et de saccages aux 3000, une vingtaine d'arrestations pour vandalisme, trois unités de la BAC viennent d'y être envoyées en renfort. Alex avait conseillé au ministre d'en dissuader le préfet, mais il semble que le retentissement médiatique de ce désordre ait changé la donne. La gamine, pourtant, est rentrée chez elle depuis presque vingt-quatre heures : à quoi bon poursuivre les hostilités dans ces conditions ? Vingt-quatre heures, de nos jours, c'est de l'histoire ancienne, et plus personne ne doit se rappeler le casus belli. Ce sont les hommes de Paoli qui doivent être contents, à enquêter au milieu de cette pagaille.

Le dernier événement sur la liste est un appel de Ferhaoui. Il n'a pas laissé de message, préférant sûrement lui signifier de vive voix tout le mécontentement que lui inspirent la remise en liberté d'Audrey Deville et la décision du juge de ne pas inquiéter Arkadin, pour le moment. Il serait bien le seul, puisque le reste du monde a l'air de penser que c'est une honte, un scandale, lit-on un peu partout, d'avoir mis une mineure en garde à vue sur la foi de simples ragots. Ce vieux renard de Paoli avait vu juste, comme d'habitude. Face à lui, il ne pourra pas jouer les imbéciles heureux très longtemps, au sujet de Ferhaoui et du Qatar.

Le soleil filtre à travers les feuillages naissants. Une légère brise s'est levée ; il fait bon. Un peu apaisé par la perspective de son retour prochain aux réalités parisiennes, il plie la jambe gauche derrière les fesses et attrape son cou-de-pied pour étirer le quadriceps, les doigts sur le morceau de caoutchouc au bout de sa chaussure. Dans dix minutes il sera sur l'autoroute. C'est en se mettant une poignée de secondes en apnée, à l'écoute du silence épais qui règne sous les arbres, qu'il comprend enfin l'origine de son malaise : quelque chose bouge sous le grand pin dont les branches couvertes de lichens s'étendent au-dessus de la barrière. Un homme massif, à en juger par le dérangement des buissons. Un coureur égaré ? Non, on l'a suivi jusqu'ici. Les brutes de l'antiterrorisme, que le ministre lui aura envoyées pour le faire renoncer à son dossier secret ? Ou l'une des ouailles fanatisées de Ferhaoui, qui aurait eu vent de son rendez-vous avec Sélim Arif ?

Alex se remet en marche, en s'efforçant de regarder devant lui. Sa voiture est garée trop loin pour tenter la fuite. Il s'attend, à chaque instant, à voir un canon de fusil luire entre les feuilles, mais bizarrement la peur qu'il devrait ressentir dans toutes ses terminaisons nerveuses reste circonscrite à son esprit. Son cœur bat lentement. Il ne tremble pas. La salve à contretemps des endorphines, se dit-il au moment où les branches s'écartent devant lui.

L'animal apparaît, comme une créature céleste. Ses bois incurvés comme des mains implorantes, tenant un globe invisible. Ses yeux extraordinairement latéraux, que sépare un large front indistinct de son museau. Sa robe pourpre dans la lumière du matin, aux nuances de marron et d'orange. Alex se sent envahi par une émotion dont le sens le dépasse. La peur s'est totalement estompée, pour faire place à la contemplation de cette beauté majestueuse. C'est la première fois qu'il voit un cerf en chair et en os, et ils sont là à se regarder, immobiles, une énigme l'un pour l'autre.

Plus tard, sur l'autoroute, quand il se demandera combien de secondes a pu durer cette vision, il n'aura pour souvenir qu'un vide lumineux.

Est-ce le noble maintien du cerf ? Son air de descendre d'un monde supérieur, où tout est droiture et dignité ?

Le moment est venu, pense Alex sans être sûr de quelles ténèbres a pu surgir cette idée, de rendre une visite de courtoisie à la tsarine de Courbevoie.

Paoli a décidé de venir à pied au rendez-vous, poussé par l'air printanier et curieux de voir lesquels de ses repères il retrouverait le long de l'avenue René-Coty. Le trajet Denfert-Montsouris en ligne droite n'a rien de remarquable, mais c'était leur promenade, avec Luce, sur les coups de dix heures, les week-ends où le travail les empêchait de partir en Normandie : ils allaient au parc, comme d'autres vont à l'église ou au marché. La dernière fois qu'ils avaient descendu le terre-plein central, il lui semble que c'était après l'arrêt de la chimio. Il était venu la chercher à Cochin un matin de vent et de crachin, et ils avaient marché lentement, blottis l'un contre l'autre comme des petits vieux, en faisant étape sur les bancs publics. Ils avaient beaucoup ri en chemin, un rire rempli de la tendresse pudique qu'ils avaient l'un pour l'autre, et qui était leur ultime barrage contre la réalité de la maladie. Une fois devant les grilles du parc, au pied de sa colline, elle avait insisté pour monter jusqu'à l'observatoire malgré sa faiblesse et la pluie qui redoublait. Là-haut, à l'abri sous un arbre, ils s'étaient installés sur un dernier banc, orienté vers les toits de la ville, et ils avaient passé l'après-midi comme ça, main dans la main, à regarder les chiens et les enfants en K-Way dévaler la grande pelouse, la pluie qui tombait drue, aussi insouciants en apparence que si le temps ne leur avait pas été compté, ou précisément pour suspendre la conscience que les heures qu'ils passaient ensemble étaient presque épuisées. Au fond de lui, pourtant, il savait bien que ces heures n'était pas arrachées au cancer plus que les autres heures, et que le cancer continuait son avancée dans les tissus cellulaires de sa femme même quand rien ne signalait sa présence, même quand on regarde les enfants et les chiens courir sous la pluie, que l'on se sent encore plein de vie et qu'il est impensable que le haut du sablier se vide complètement. Elle, toute silencieuse et souriante qu'elle était, devait bien sentir que la poursuite d'Al-Mansour n'avait pas complètement quitté les pensées de son mari, alors il détournait les yeux de honte chaque fois qu'elle le regardait avec cette bonté et cette patience qui la définissaient, d'un air qui semblait lui dire qu'il n'y en avait plus pour longtemps, qu'il serait bientôt libre de reprendre sa chasse sans la contrainte des visites à l'hôpital et des discussions terminales avec l'oncologue.

Le quartier a peu changé depuis, contrairement à d'autres endroits de Paris : ce n'est toujours pas un quartier, plutôt un couloir de transit nord-sud, une succession erratique de bistrots surannés, de petits commerces d'alimentation et de magasins de vêtements pour vieilles dames. Les gens du coin n'ont pas de visage, pas de style ; plus on s'enfonce dans les profondeurs du XIVe, par ici, ou du côté de Didot, de Pernéty, plus les tribus néoparisiennes laissent place aux résidus populaires de la ville d'antan, enrichis des familles immigrées qui sont arrivées ces vingt dernières années. Il en va de même dans tous les arrondissements périphériques : Paris est encore Paris dans ses marges, loin de son noyau stérilisé, embaumé, standardisé. Il se sent chez lui dans ces rues.

Sélim Arif l'attend comme convenu au sommet des escaliers menant à la rue des Artistes, accoudé à la rambarde comme un homme qui ne sait pas quoi faire de son temps.

C'est Franck qui l'a recruté il y a un an lorsque les indices sur les opérations financières de Ferhaoui ont commencé à converger et qu'ils ont décidé de cibler son entourage. Il n'a pas été difficile à approcher, non qu'il ait l'âme d'un traître ou la fibre républicaine plus coriace que son allégeance religieuse, mais parce que leurs intérêts respectifs justifiaient une alliance tactique de nature à conduire à la chute de l'imam et au dévoilement de la main invisible de Doha au-dessus de sa tête : du côté policier, Franck n'est pas tout seul à s'énerver contre la likoudisation de la politique de sécurité descendue de la place Beauvau ; quant à Arif, sous ses dehors juvéniles et inconsistants, c'est un chiite de la vieille école, bien plus hostile à l'impérialisme qatari qu'à la civilisation occidentale. À la mosquée, s'il proclame qu'il veut la guerre et la terreur, c'est pour que les salafistes le traitent comme l'un des leurs malgré sa confession, et pour rester au plus près de Ferhaoui, qui aime s'entourer de zélés aussi vitupérants qu'inoffensifs, dont le bruit couvre le murmure de ses manœuvres souterraines.

– Je suis très déçu, attaque Paoli en lui serrant la main. Moi qui croyais être ton seul confident.

– C'est l'imam qui a eu l'idée. Si vous pensez que j'étais pour…

La position d'un informateur est toujours précaire et source d'angoisse, c'est une banalité quelle que soit l'organisation sur le compte de laquelle il renseigne les autorités, mais en remarquant le teint cireux d'Arif, les palpitations de son œil, les pellicules sur ses épaules, Paoli comprend d'emblée que le jour est mal choisi pour tirer sur la corde.

– Qu'est-ce que tu as d'intéressant à me dire sur Bakiri ? C'est ton patron qui fait sa grande lessive et qui nous fait gaspiller l'argent du contribuable, ou il y a de vraies raisons qu'on s'intéresse à lui ?

– Avez-vous idée de la merde dans laquelle je suis ?

– Je t'écoute, dit Paoli en étouffant comme il peut son impatience.

– Je ne sais pas comment, mais je pense que Ferhaoui a compris que je vous parle. Il ne me délègue plus rien depuis un mois. C'est pour ça qu'il m'a envoyé à la mort avec le directeur de cabinet du ministre. Si vous arrêtez Bakiri, il fera courir le bruit que c'est moi qui l'ai balancé à la mosquée. Devinez qui on croira.

– Ça ne ferait pas plaisir à tes petits copains salafistes, c'est sûr.

– Il se débarrasse de moi et il leur montre qu'il sait être dur. C'est tout bénéfice pour lui.

– Admettons. Mais pourquoi nuire à ce type ? Tu ne nous as jamais parlé de lutte de pouvoir à la mosquée.

– Parce qu'il n'y en a jamais eu. Les djihadistes ont beau se plaindre de l'option diplomatique de Ferhaoui, ils lui mangent tous dans la main. Il a l'argent et le soutien de Doha. Il faudrait être fou pour contester son autorité.

– Ou chiite.

– Bakiri n'est pas chiite, dit Arif sans sourire, mais il est au courant pour la filière qatarie, et il ne montre pas beaucoup d'enthousiasme. C'est une raison suffisante pour se débarrasser de lui aussi.

Paoli le prend par le bras et ils se mettent à marcher sur le pavé, les pentes herbues du réservoir en ligne de mire. Certains flics se concentrent sur les yeux : Franck, par exemple. Lui, ce sont la poigne et le toucher qui lui révèlent si son interlocuteur ment ou dit la vérité.

– Tu ne m'as pas répondu, relance Paoli.

– À propos de quoi ? répond Arif en libérant son bras pour allumer une cigarette.

– Est-ce qu'il a monté une cellule aux 3000 ?

– Le deal, c'est que je vous renseigne sur Ferhaoui. Éventuellement sur ce qui se passe à la mosquée.

Il tire sur sa cigarette comme un asthmatique sur son aérosol.

– Dis-moi ce que tu sais, et on diffusera des informations qui te disculperont.

– Je ne le connais pas bien, mais je ne vois pas Assan à la tête d'un commando.

– Et pourquoi donc ?

– Ferhaoui dit que c'est l'un des tout meilleurs étudiants qu'il a eus. Supérieurement intelligent, avec un don inné pour la traduction des textes théologiques, mais distrait et dépourvu de bon sens autant que de vision stratégique. Il y a des habitués de la mosquée qui ont bien plus que lui le profil de l'homme d'action.

– Et toi ? Qu'est-ce que tu penses de lui ?

– Vous avez regardé les photos. Vous avez vu la tristesse ? La douleur qu'il y a au fond de son regard ?

C'est la première chose qu'il a remarquée, oui, avant la ressemblance avec Kader et Al-Mansour, et c'est cette tristesse qui d'instinct lui a fait imaginer que cet homme-là avait des choses lourdes à cacher.

– Tu vois beaucoup de choses dans des yeux cernés, répond-il sur un ton délibérément obtus. Il avait peut-être juste mal dormi la veille.

– Ce n'est pas de la fatigue, mais quelque chose qu'il porte en lui et qui vient de loin.

– Quelque chose dans son passé, tu veux dire ? Avant qu'il arrive à Paris ?

– À la mosquée, vous ne trouverez personne qui sache d'où il vient. Assan est quelqu'un d'extrêmement réservé. Il ne se confie pas. Tout ce que je peux vous dire, c'est qu'il a une âme sombre, mais que ça n'en fait ni un tueur ni un terroriste.

Il ferme les yeux, et Paoli comprend qu'il est inutile d'attendre plus de précisions.

– Tu vas me rendre un service, et tu vas le faire sans me demander d'explications. On se comprend ? En échange, on va laisser entendre à qui de droit que tu es recherché par les gens de l'antiterrorisme. Je te garantis qu'il n'y aura plus personne pour douter de ta loyauté ensuite. Mais il faut que tu joues le jeu et que tu te fasses oublier le temps nécessaire.

– Dites toujours, fait Arif en jetant sa cigarette.

– Je veux que tu ailles voir Bakiri et que tu le préviennes qu'on l'a dans le collimateur. S'il te demande d'où tu tiens ton information, à toi de voir si tu veux lui parler de Ferhaoui. C'est tout.

Arif acquiesce en silence, un peu circonspect, désarçonné même, mais à mille lieues de se douter que l'officier traitant qui se trouve face à lui est en train d'exploiter sa position au sommet du renseignement intérieur et de détourner les moyens de l'État pour assouvir sa vendetta personnelle, comme à l'époque de Kader Arrache. Un passager clandestin sur le dos du Léviathan, pense Paoli, en souriant.

Il jette un coup d'œil à sa montre : il a vingt minutes pour se rendre à Orly Ouest, où l'attend l'A320 d'Air Corsica vers Figari et les quatre-vingt-treize ans de l'oncle Oscar, qui l'a élevé comme un fils à son arrivée d'Algérie.

Au moment où il tape sur l'épaule d'Arif pour prendre congé, un 4 × 4 gros comme le Ritz déboule de la rue qui longe le réservoir et vient leur barrer le passage. Un V12 immaculé, comme seuls les Américains peuvent en fabriquer et avoir envie d'en acheter, observe Paoli en notant aussi la peur de son informateur. Alan G. Pearson, le chef du bureau parisien de la CIA, vétéran des forces spéciales, descend à leur rencontre, le cou serré par son immuable nœud papillon, derrière un de ces jeunes marines nourris au grain, cheveux blonds coupés en brosse et visage de poupon mal embouché, que Langley récupère à la pelle pour ses opérations à l'étranger.

– Heureux de te revoir, Daniel, dit Pearson avec son accent bostonien, tandis que le blond joufflu embarque Arif à l'intérieur du 4 × 4. Il faudrait qu'on se parle plus souvent.

– Je croyais que c'était fini, les enlèvements sauvages ? À quoi ils servent, les satellites et les disques durs de la NSA, si vous devez encore vous emmerder à faire du renseignement humain ? Tu sais que je pourrais demander l'expulsion de cinq de tes agents, histoire de faire bonne mesure.

– Oui, tu pourrais.

Pearson a ce rire franc des forts qui concèdent l'ironie aux faibles, comme une marque de politesse, un lot de consolation. Avant d'être nommé à Paris, il arpentait le Sahel, de Tombouctou à Mogadiscio, avec ses manuels de contre-insurrection et son escouade de mercenaires – la guerre privatisée, invisible, tout le temps et partout sous le nez d'États « souverains », à l'américaine. On dit qu'il a commencé sa carrière dans le nord de l'Iran, dans les années quatre-vingt, au beau milieu de la guerre avec Bagdad. À la connaissance de Paoli, c'est l'un des seuls hauts responsables du renseignement américain à parler et l'arabe et le farsi.

– Il ne faut surtout pas t'inquiéter pour ta source, reprend-il sans se départir de son sourire. Nous aussi, cela fait longtemps que nous discutons avec lui. Personne ne lui veut de mal. Il y a juste un certain nombre de précautions à lui rappeler, de temps en temps.

– Des cow-boys. Vous ne serez jamais rien d'autre que des cow-boys.

– Je peux comprendre ton mécontentement, all right ? Mais je te donne un conseil, tout de même, de garçon de ferme à gentleman civilisé : laisse Ferhaoui et le Qatar tranquilles. Pour le moment. Quelques mois, le temps que les bonnes dispositions de Téhéran se confirment. On vous fera signe.

Alan G. Pearson dans le texte, se dit Paoli en regardant le 4×4 s'éloigner. G comme Go fuck yourself : on vous fera signe. Voilà l'impeccable mépris dans lequel ces gens nous tiennent – non, pas les Américains au sens large, le bon peuple qui vote sans se douter que son choix n'a aucune espèce d'incidence sur la façon dont est dirigé son pays et dont il se comporte dans le monde. Quels que soient le résultat du grand barnum électoral mis en scène tous les quatre ans et la bonne foi du vainqueur quand il prête serment, le vrai pouvoir de Washington demeure une machine tentaculaire, échappant à tout contrôle démocratique dans ses moyens comme dans ses fins, manœuvrée par des intérêts privés dont la cupidité et la volonté de puissance ne connaissent aucune limite. Cette pieuvre veut tout entendre, tout voir et tout savoir ? Elle étouffe quotidiennement Constitution, Bill of Rights et libertés individuelles en général ? Et alors ? Que demande le peuple ? Pourquoi se plaindre de la banalisation de l'emprisonnement arbitraire, de la torture, de la surveillance numérique généralisée, des drones, dommages collatéraux et autres cochonneries enfantées par la Guerre contre le Terrorisme (aux frais du contribuable !), pourquoi redouter d'être espionné en permanence et sous toutes les coutures, si on n'a rien à se reprocher ?

Le fait est que le conseil d'administration opaque qu'on nomme les États-Unis n'a pas d'alliés, en dehors des cousins britanniques et d'Israël – et encore, la chose peut se discuter. Vaste conglomérat de militaires et de barbouzes reconvertis en defense contractors, aux côtés de consultants, de financiers, d'avocats et d'industriels rompus à la maximisation du profit, ce régime souterrain prend et jette ses vassaux selon son bon plaisir.

Les Émirats et l'Arabie Saoudite hier, l'Iran et l'Asie-Pacifique aujourd'hui. Les Iraniens ne marcheront pas dans la combine. Mais nous ? Nous avons toujours deux wagons de retard, et de la crédulité à revendre. Obéissons donc au doigt et à l'œil, laissons faire le bossman quand il viole notre souveraineté comme la dernière des boniches, kidnappant un citoyen français devant nos yeux compréhensifs, ouvrons et fermons notre espace aérien avec le sourire quand il nous l'ordonne, si possible en le remerciant.

On nous fera signe : amen.

Il pleut toujours où c'est mouillé, pense Franck en suivant la descente indécise des gouttes sur le pare-brise. Au-dessus des immeubles, les nuages dérivent comme des bandes de terre sombres dans la nuit. Voilà près de sept heures qu'ils planquent dans leur camionnette sur une avenue déserte à un jet de pierre des 3000, et les sources de divertissement commencent à se faire rares. À l'arrière, casque sur les oreilles, Delphine prend des notes devant ses deux écrans de contrôle, où les images filmées par les caméras des CRS lui parviennent en une mosaïque de petits carrés noir et blanc. Farid, lui, progresse consciencieusement dans son carnet de sudoku, imperturbable, et Franck, donc, prend des paris mentaux sur le point d'arrivée des gouttes de pluie au bas du pare-brise, parce qu'il n'y a rien d'autre à faire qu'attendre, et que savoir ou ne pas savoir attendre fait souvent la différence entre un bon et un mauvais flic.

Il pleut toujours où c'est mouillé, aux 3000 et sur les autres terrains vagues de la République. Ça fait des années qu'il n'y a plus rien ici, plus un service public digne de ce nom, ni police, ni école, ni hôpital, ni transports en commun, et quand l'État réinvestit les lieux, c'est avec l'uniforme et la violence d'une armée d'occupation – des pauvres qui tapent sur des pauvres. Au nom de quoi, s'énerve-t-il tout seul, cette populace honnie de la France entière ne se jetterait-elle pas dans les bras d'une religion que ses Tartuffes aiment à présenter comme le sanctuaire de tous les laissés-pour-compte, tous les frustrés de la vie moderne ? L'islam est victimisé dans ce pays, ils sont persécutés, c'est donc qu'ils sont musulmans. Le syllogisme tient lieu de pensée aux ignares. Mais la réalité, contrairement à ce qu'ils se racontent, n'a rien à voir avec la stigmatisation de ce qu'ils revendiquent comme leur culture, le droit de pratiquer librement cette religion dont ils ne connaissent pas le premier mot. La réalité, c'est qu'il n'y a plus rien ici, et pourtant on continue à gratter la viande sur l'os. Les rejetons des gueux qui peuplent ces barres d'immeubles ne brûlent pas des bagnoles parce qu'en arrêtant une des leurs l'État s'obstine contre l'islam, ils mettent le feu pour laisser libre cours à la colère d'avoir été abandonnés par les dieux institutionnels. Encore que, pense-t-il, cela ne fait aucune différence au final : musulmans autosuggérés ou vrais miséreux, tôt ou tard les jets d'eau, les gaz, les matraques et les tasers de la force publique auront raison de leur turbulence belliqueuse, et les renverront à leur sort d'ordures pourrissant sur le bas-côté de la route.

On ne peut rien pour eux, piégés qu'ils sont à la naissance. Avec six balles dans le barillet, l'issue de la partie de roulette soulève peu de doutes. Les probabilités, le hasard n'existent pas ici : la cité, c'est le royaume de l'inexorable. La loi du plus fort, sans but, sans espérance, sans rien à attendre de la vie. L'affaire est réglée avant le coup d'envoi, et ce n'est pas une demi-douzaine de contre-exemples médiatiques qui y change quoi que ce soit, le mec qui a atterri dans une banque parce qu'il était surdoué en calcul mental ou cet autre qui a créé sa ligne de streetwear, pas plus que les trouvailles sociologiques sur l'émergence d'une bourgeoisie et d'un entreprenariat issus de l'immigration. Pour se sortir du talus, il restera toujours le basket, le rap et le foot, mais si on regarde les choses en face ce sont moins des débouchés pour la poignée d'heureux élus que des mythes émollients dont la masse des pouilleux est invitée à s'abreuver à l'envi pourvu qu'elle continue à crever sans trop importuner les honnêtes gens de l'autre côté du périph'.

La révolution n'aura pas lieu, ni aux 3000 ni ailleurs. Ils peuvent mettre le souk aussi longtemps qu'ils veulent, c'est leur propre maison qu'ils démolissent et que personne ne viendra réparer. Il n'y a qu'à écouter les ordres sur la radio de Delphine : la police est là pour tenir les barbares à distance de la grande ville civilisée, pour les contrôler au faciès dix fois par jour quand ils ont le malheur de s'y aventurer – certainement pas pour faire cesser l'état de barbarie. Un jour, lui arrive-t-il de songer, ils auront tellement la rage que le cordon sanitaire, ce *limes* des temps modernes, finira par céder. On ne peut pas l'exclure.

L'État dira : Vous ne pouvez pas entrer.

Ils répondront : On est là, pour tout casser.

Des hordes virulentes venues de Montfermeil et des Ulis envahiront Paris, comme dans cette chanson de Reggiani que ses parents passaient en boucle sur la route des grandes vacances. Les loups, hou ! Mais, contrairement à ce que prétendent certains oracles mal à l'aise dans leur immeuble en pierre de taille du VIe, on n'assistera pas ce jour-là à une insurrection, ni même à une petite révolte. Le grand embrasement, c'est une foutaise d'éditorialiste ou de prof de ZEP mal dans ses Puma. Il y aura des pillages et des carreaux cassés, sûrement quelques viols, un ou deux meurtres si les choses dégénèrent. Puis, au petit matin, les envahisseurs rentreront chez eux morts d'ennui et de sommeil, les vigies des grands terminaux RER téléphoneront à la préfecture pour dire qu'ils sont remontés dans leurs trains, et tout rentrera dans l'ordre. La racaille n'a pas de conscience de classe ; pas d'objectifs politiques. Son rôle dans la grande histoire de France, c'est d'épouvanter les bourgeois et de faire monter le prix du mètre carré dans les quartiers chics. Quand le sang coule dans la rue, investissez dans la pierre.

– Ce truc est vraiment immangeable, dit Franck en déposant son sandwich poulet-mayo sur l'accoudoir.

– Décide-toi, garçon. Tu n'arrêtes pas de te plaindre qu'on n'a jamais le temps de bouffer, ironise Farid.

– Si je démissionne un jour, tu peux être sûr que les paquets de chips et les sandwichs triangle y seront pour quelque chose.

– En attendant la retraite, tu seras gentil de m'essuyer un peu tes doigts. Je te préviens que je ne me taperai pas le dégraissage du volant et du tableau de bord comme l'autre fois dans le XIIe.

De mauvaise grâce, Franck attrape le paquet de lingettes que lui tend son adjoint.

– Je vais faire un tour.

– Et voilà, ça recommence, dit Farid.

– Vous allez quoi ? demande Delphine, incrédule.

– Je t'ai déjà dit de me tutoyer, coupe Franck en ouvrant la portière. Je ne suis pas ton prof. C'est à se cogner la tête contre les murs là-dedans, j'ai besoin de prendre l'air. On reste en liaison.

– Il faut que tu comprennes, reprend Farid, le gars vient de Vitry. Là-bas, ils disent qu'ils vont faire les cent pas. Il sort, il fait ses affaires, on ne sait jamais quand il revient. Tu t'habitueras.

Il descend sans leur laisser le temps de répondre. La pluie pétille sur le métal blanc du sous-marin – Morin Père & Fils, Artisans menuisiers. Portes, Fenêtres, Intérieurs. Il a toujours aimé ce logo, l'ironie discrète de sa couverture. Peu lui importe le protocole de sécurité. Il a passé la journée les tempes perforées par la migraine, les idées obscurcies par son rhume, perdu en suppositions stériles. Il n'y a que marcher dans le froid pour se remettre dans le coup.

– Vous me recevez, mademoiselle ?

Il fait face au capot, chambreur. L'intérieur du véhicule est totalement opaque de là où il se trouve, et il sait qu'eux non plus ne voient pas son sourire. Un crépitement se fait entendre dans l'oreillette.

– Elle dit que tu peux aller te faire voir chez les Grecs, dit la voix de Farid. Avec un tu majuscule.

– Bien parlé. Mais là je vais d'abord passer chez les Turcs.

Il rabat sa capuche jusque sur le haut du front, plonge les mains dans les poches de son blouson sans manches, et tourne les talons, épaules rentrées et menton contre la poitrine. La rumeur de l'émeute lui parvient depuis l'autre versant des immeubles, comme un fond sonore familier. Le bitume détrempé claque sous ses Caterpillar. Le danger est tout proche. Il se sent comme à la maison.

En traversant la place qui sépare l'avenue des premières barres de béton, il se remet en mémoire le plan de la cité, au cas où les circonstances l'obligeraient à ressortir par un autre endroit ; il a lu le fichier de chaque gamin des 3000 passé par le placard – autant dire qu'il y a passé la journée. Il n'y a que parmi eux, pense-t-il comme Paoli, ou plutôt avec son assentiment, qu'ils trouveront une source capable de les renseigner sur la nature du plat qu'Arkadin a sur le feu, et sur son délai de cuisson ; sur le papier, cette façon de faire lui semble nettement préférable à l'interpellation pure et simple, qui aurait pour effet immédiat de faire se volatiliser tous ceux qui l'aident en cuisine. Seulement, il y a deux obstacles à ce recrutement, un de nature opérationnelle, et un autre plus intuitif. D'une part, Delphine aura beau identifier sur son moniteur tous les lascars qu'ils ont présélectionnés, comment faire pour établir le contact dans un lieu où tout se sait instantanément ? Le gars sera grillé à la seconde où on lui adressera la parole. D'autre part, Franck n'est pas très enthousiaste à l'idée de s'en remettre à l'un de ces encagoulés moutonniers, pyromane de poubelles et sniper de CRS. Les vrais joueurs de la cité ont mieux à faire que de jouer à la guerre sous l'œil des télévisions : en général ceux qui savent quelque chose ne se montrent pas, et ceux qui se montrent ne savent rien.

– Tout va bien ? hasarde Delphine dans l'oreillette.

– Je suis dedans. Silence radio à partir de maintenant.

Toutes les fenêtres sont obscures au-dessus de la dalle. Il imagine les gens terrés dans leur cuisine, sans savoir qui ils doivent craindre le plus entre les Robocops dehors et les insurgés parmi eux. S'il poursuit tout droit sur une centaine de mètres, il débouchera sur la ligne de front, le parvis à l'entrée sud de la cité dont l'architecture et les dimensions rendent un hommage appuyé au style totalitaire. La tentation est grande d'aller observer de plus près les hostilités, mais il se raisonne et bifurque sur sa droite, entre deux immeubles de plus petite taille. Devant leur hall commun, il croise un groupe de lascars en train de préparer des cocktails molotov, une demi-douzaine de gars à la nuque épaisse d'amateurs de combat libre. Il est trop tard pour faire demi-tour, celui qui chouffe un peu à l'écart l'a déjà remarqué. Des situations comme ça, il en a traversé à la pelle à l'époque des stups : le meilleur moyen de ne pas se faire baguer, c'est de maintenir le un contre un le plus longtemps possible et de passer son chemin en donnant l'illusion que le rapport de force est en sa faveur. Dans la rue, si on veut durer, soit on parle, soit on frappe le premier.

– Baisse les yeux, pédé, dit Franck en poursuivant sa route, les coudes serrés sur ses côtes et les abdominaux contractés, prêt à recevoir l'assaut des autres.

– Sa mère la pute, se réveille l'offensé. Oh, les gars ! Les gars !

Par chance, Franck les a déjà dépassés quand ils relèvent la tête. Du coin de l'œil, il les voit partir dans l'autre direction, leurs bouteilles d'essence à la main, trop impatients d'aller en découdre avec les CRS pour prendre note de l'insulte.

Il accélère le pas, au cas où, traverse le hall, emprunte un escalier, redescend par un autre, change encore deux ou trois fois de cap une fois dehors et aboutit dans une sorte de cour intérieure, où des platanes chenus entourent une aire de jeux.

La chaîne rouillée de la balançoire grince dans le vent ; il n'a aucun souvenir d'un tel endroit sur le plan.

– Les cons, marmonne Al-Mansour en ricanant, son plateau-repas sur les genoux.

– Je vais te débarrasser, dit doucement Assan.

– Les pauvres cons…

Le JT a ouvert sur l'enfer des 3000, les flammes qui se dressent furibardes dans une obscurité épaisse et rougeoyante, les énormes carcasses des bus sur le flanc comme des mastodontes calcinés, le hurlement des sirènes, les damnés sans visage qui surgissent et s'éclipsent entre les ruines d'un paysage déserté par Dieu et par les hommes. Les démons hululent sous la lune morte, la France, à feu et à sang, tremble de tous les côtés de son hexagone, et le diable assis sur son trône se réjouit du tour qu'il est train de jouer, parce que du véritable enfer il ne s'agit là que d'un simulacre.

Qu'ils attendent donc demain matin, pense Assan tandis que les images dansent dans ses yeux, quand ils se réveilleront la bouche sèche et le crâne migraineux, avec le poison de sa vidéo inoculé sur leurs écrans, en multiplexe dans les tréfonds de l'imaginaire national. La terreur obéit aux mêmes lois de mise en scène, au même panoptique que leurs émissions bien-aimées de téléréalité. Ils n'en savent rien encore, pourtant l'effroi et la mort coulent déjà dans les veines de ce pays.

En rentrant chez lui ce soir, après avoir mis la vidéo en ligne dans un cybercafé de République, il s'est fait aborder à la sortie du RER par une équipe de télévision à la recherche de témoignages de riverains. Le reporter lui a sauté dessus, tout désespéré qu'il était à quelques dizaines de minutes du vingt heures de mettre la main sur son Arabe de service, son musulman habillé comme il faut et bien peigné, intégré, travailleur, en un mot le profil idoine pour que les millions de bons et loyaux sujets devant leur poste n'en arrivent pas à la conclusion hâtive que tous les gens d'ici sont des zombies islamisés et des casseurs nihilistes qui rêvent jour et nuit de boire leur sang. Même à Aulnay, doit-on avoir l'obligeance de penser si la chaîne veut éviter les persécutions des associations antiracistes, il y a une majorité silencieuse et respectueuse de la loi qui attend stoïquement que l'ordre revienne. Hélas pour le journaliste et les calculs de ses dirigeants, Assan a l'habitude de ce genre de sollicitations, et il a passé son chemin.

Ils verront bien demain matin, se répète-t-il avec une excitation triste.

– Mais quelle bande de cons ! insiste Al-Mansour.

Assan glisse un regard vers son père, dont l'œil vide ne quitte pas l'écran de télévision, où apparaît désormais en gros plan le visage dur et beau de la députée-maire de Courbevoie, à qui d'aucuns prédisent déjà un destin élyséen. Comme toujours, la colère fébrile de son père a fait place à une torpeur descendue dans tous les membres. Sans qu'il en ait conscience, ses lèvres molles recrachent des morceaux de pain qui retombent tantôt sur ses chaussons, tantôt sur la moquette.

Le vénérable et terrible Al-Mansour serait fier s'il avait la moindre idée de ce qui se trame dans ce pavillon qui est comme son tombeau. Mais du guerrier d'autrefois il ne reste qu'une enveloppe froissée, mûre pour le pilon. Assan le regarde et voit un mort à l'œil ouvert, un œil qui ne cligne plus depuis des mois. Sous la robe de chambre en éponge, il voit ses jambes osseuses qu'aucune couverture ne réchauffera plus. L'ironie de la situation est difficile à occulter : voilà l'homme qui est à l'origine de cette histoire, mais il n'en a aucun souvenir, et il n'en verra pas la fin.

En rangeant les assiettes et les couverts dans le lave-vaisselle, Assan repense à la discussion qu'il a eue avec les autres ce matin, juste avant de quitter l'entrepôt, quant à la nécessité de trouver un remplaçant à Audrey.

Ses quatre cavaliers de l'apocalypse étaient divisés : Driss et Karim ont dit qu'il fallait être cinq, six avec lui, pour que pas une gare de Paris ne soit épargnée le jour J. Ali et Bruno ont répondu qu'il y avait trop de risques à trouver quelqu'un maintenant.

– On a dit cinq bombes sur le message, parce que personne ne sait de quoi on parle. Mais il nous faut un sixième.

– Pas une fille, Moudir !

Il leur a dit qu'il allait y réfléchir, et de surtout ne rien entreprendre eux-mêmes.

C'est vrai que l'opération aura quelque chose de bancal s'il ne recrute personne pour remplacer Audrey. Pourquoi, se demandera-t-on, avoir épargné cette gare plutôt que les cinq autres ? Son chef-d'œuvre restera toujours entaché d'un soupçon d'incohérence ou d'échec, comme si une seule des tours jumelles était tombée le 11 septembre : on chercherait encore les raisons de ce choix, ou bien on aurait appris que l'équipe aux commandes du deuxième avion avait raté son coup.

Néanmoins, Ali et Bruno ont raison : le risque est colossal.

Ce qu'il ne leur a jamais dit, c'est qu'un dilemme semblable s'est imposé à lui voilà deux mois, quand il a eu l'idée de court-circuiter Driss, dont le tempérament colérique devenait par trop imprévisible, et de le remplacer par Souleymane Traoré, le grand Noir inscrit dans son cours de deuxième année à Saint-Denis. En l'observant depuis la rentrée, il avait senti chez ce bon élève un terrain favorable, un état de manque, et il avait commencé ses approches malgré la règle qu'il s'était donnée de ne pas recruter d'étudiants à lui. Il était différent des autres, comme Audrey, plus réfléchi et plus timide, pas lascar pour deux sous ; mais il laissait voir, sous une forme plus sophistiquée, la même nature romantique, éprise d'utopie. Devant son indifférence apparente, il avait même envisagé un moment de bloquer en sous-main son inscription en licence langues et civilisation, afin de provoquer par cette injustice le déclic qui ne lui venait pas de son propre fait. Il s'était introduit, un soir après les cours, dans les bureaux de l'administration, et il avait retiré son dossier en attente de traitement. C'est en le parcourant chez lui qu'il avait changé d'avis, mais la découverte de son parcours universitaire n'était pour rien dans ce revirement ; il savait déjà qu'il avait affaire à un excellent candidat pour la filière, et ses notes dans les autres matières n'avaient pas altéré son opinion à ce sujet. Seulement, il avait eu la faiblesse de lire la lettre de motivation rédigée par Traoré, où celui-ci décrivait dans des termes très précis et pas du tout emphatiques comment sa carrière dans l'Éducation nationale allait lui donner la vie que ses origines lui interdisaient a priori. À la fin de la lettre, son intention première était anéantie. Ce garçon était sûrement d'une nature malheureuse, mais il voulait aussi avoir une vie en France, une vie banale et parsemée de bons moments, et Assan ne se sentait pas le droit de lui enlever sa chance, comme l'obsession de son père et de son frère avait fini par le priver de la sienne. Le lendemain, il avait remis le dossier en place et renoncé à sa tentative de séduction. Il s'était reconnu en ce môme, c'était aussi simple que ça : quand tout est encore ouvert, quand les choix des autres qui tressent le fil de la fatalité ne vous ont pas encore mis dos au mur, il ne saurait être question d'en finir.

Dieu, qu'il aurait aimé se trouver à sa place, sans une Parque sadique au-dessus de sa tête.

La journaliste a du chien, des yeux clairs et intelligents. Dommage qu'elle s'exprime avec tous ces tics exécrables de la télévision et qu'elle se repose sur ces mines pénétrées quand elle écoute, au cas où le réalisateur déciderait de glisser un contrechamp dans son montage. Hélène a ce don rare de pouvoir jauger son interlocuteur tout en ayant la parole : elle est capable de mesurer l'impact de son discours à travers un battement de cils, des mains qui changent de position, une mèche remise en place. Mais ce soir, dans la tranche la plus regardée, face à l'animatrice de « La Semaine politique », la partie se révèle plus délicate. Laurence Leroy a beau lui rappeler les blondes à balayage des autres chaînes info par ses raccourcis et ses simplifications, sa façon de parler trop vite, son sourire à payer les factures, elle parvient à bloquer les coups de sonde d'Hélène par une sorte de minéralité que celle-ci n'a jamais vue chez un journaliste français, a fortiori chez une femme. En tout cas, se dit Hélène en ponctuant d'un sourire sa démolition fleurie de l'embourgeoisement de Paris depuis 2001, la soirée promet d'être moins ennuyeuse que d'habitude.

– Hélène Faure, serez-vous, oui ou non, candidate de la dernière heure aux municipales à la tête d'une liste de dissidents UMP, comme tous les commentateurs le pensent ?

– À les entendre, je ne suis pas toujours certaine que les commentateurs pensent. Mais c'est assez probable, en effet. Vous serez fixée dans les prochains jours.

– Si la réponse est oui, pourquoi ne pas l'annoncer clairement, dès ce soir ?

– Ôtez-moi d'un doute : vous m'avez invitée pour parler de mes idées, n'est-ce pas ? En aucune façon pour me soutirer un scoop ? Bien. Parlons donc du fond, si vous n'y voyez pas d'inconvénient. Chaque chose en son temps.

– Mais vous n'avez plus le temps : le premier tour est dans moins d'un mois, et la date limite pour le dépôt des candidatures, la semaine prochaine.

– C'est un fait que je ne conteste pas.

– Prenons le problème sous un autre angle, alors. Votre entrée en lice bouleverserait la donne en venant perturber le duel attendu entre les candidates de l'UMP et du PS. On peut conquérir Paris sans le soutien d'un grand parti ? Et qui seront vos têtes de liste dans les vingt arrondissements ?

– Si le parti en question a montré qu'il n'était plus qu'une planche pourrie, une machine à perdre étrangère dans son organisation interne à toute culture démocratique, mieux vaut peut-être ne pas être soutenue par lui. C'est le raisonnement que font les conseillers d'arrondissement et de Paris UMP qui m'ont fait savoir qu'ils me rejoindront – si je suis candidate.

– Au risque de se faire exclure de leur parti ?

– Il y a plus douloureux que d'être exclu de la fédération parisienne de l'UMP, qui n'est pas ce que j'appellerais une organisation politique avec le vent en poupe. Et vous verrez que la direction nationale saura se montrer très indulgente avec mes soutiens si je l'emporte. Quoi qu'il arrive, les oukases d'apparatchiks obsolètes importent peu aux électeurs, qui privilégient l'action de leurs élus sur le terrain.

– Pour autant, votre statut d'indépendante fait qu'on a du mal à vous situer sur l'échiquier politique. À l'Assemblée, vous vous présentez volontiers comme une conservatrice, une réactionnaire plus exactement. Votre tranchant pourrait embarrasser les conseillers centristes dont les voix vous seront nécessaires pour obtenir la majorité au conseil municipal, puis pour gouverner.

– Vous vous interrogez sur mon positionnement politique, mais avez-vous regardé le paysage actuel à droite ? Le FN monte en racontant n'importe quoi depuis trente ans, le centre se complaît dans une posture vertueuse qui fonctionne tant qu'il n'est pas au pouvoir et l'UMP passe l'essentiel de son temps à s'autodétruire, en se demandant si elle veut être proche du centre ou du FN. Difficile de définir un point d'ancrage en fonction de pareils repères. Cela dit, réactionnaire, je l'assume.

– De quand datez-vous le début du déclin français ?

– Si vous me demandez si j'ai la nostalgie de l'Ancien Régime, je vous rassure tout de suite, l'idée de rétablir les Bourbons sur le trône ne m'a jamais traversé l'esprit. Mais qui sommes-nous ? Qui voulons-nous être ? La situation dans laquelle nous sommes aujourd'hui est un affrontement entre deux France, deux forces que tout oppose : celle du passé contre celle de l'avenir. Je crois, moi, que l'avenir qu'on nous vend est un cul-de-sac, et que nous devons réinventer notre destin national sans oublier notre histoire.

– La dernière fois, les choses ne se sont pas très bien terminées pour les forces du passé.

– Elles se sont mal terminées pour tout le monde, en réalité.

– Mais quelles sont ces deux France ennemies ? Quand on vous écoute, il est difficile de ne pas penser à la France du terroir contre la France des zones urbaines, issue de l'immigration. Blancs d'un côté, Noirs et

Arabes de l'autre ; Occident chrétien contre islam, tout cela sur fond de retour à nos vraies valeurs…

– C'est un tout petit peu plus compliqué que cela. Ce que vous décrivez, c'est la vision binaire que certains ambitieux partagent, à droite comme à gauche, cyniques ou pas, mais avec laquelle je ne me sens aucune affinité. On a tout de même le droit de regarder la réalité en face, la réalité française et la réalité géopolitique, sans appartenir à cette clique grandissante de va-t-en-guerre qui pensent que les musulmans sont là pour nous balkaniser et qui souhaitent que la France se mette au garde-à-vous dès que les États-Unis s'inventent une nouvelle croisade ! Moi, ce n'est pas ma façon de voir. Le problème de fond, au-delà de toutes ces divisions superficielles, concerne la jeunesse de notre pays dans son ensemble, et la génération démissionnaire de baby-boomers qui l'a envoyée dans le mur par son laxisme et son égocentrisme. Je sais bien que le président de la République s'est fait élire sur ses promesses lénifiantes aux 18-35 ans, et ce mythe infantile du grand apaisement national. Regardez où il en est aujourd'hui. La réalité, c'est que la jeunesse française est notre problème à tous, certainement pas notre solution, du moins dans son état actuel.

– Votre analyse n'est-elle pas en décalage avec les préoccupations véritables des Français ? Le chômage, la fiscalité, le pouvoir d'achat, la désindustrialisation ?

– La négligence culturelle et civile est le poison qui rend notre pays inhabitable, voilà tout ce que je dis. Et ce mal n'a rien à voir ni avec les conditions économiques et sociales ni avec l'immigration.

– Pourtant, certaines de vos propositions de loi pour y remédier ciblent directement les familles les plus modestes, ou celles issues de la diversité. La suppression des aides sociales en cas d'absentéisme à l'école, par exemple.

– Entendez-vous souvent parler d'incivilités dans le VIe ? Avez-vous vu ce qui se passe à Aulnay, pendant que nous devisons tranquillement ici, entre gens de bonne compagnie ? La violence inouïe des émeutes qui s'y déroulent depuis quarante-huit heures, au nez et à la barbe des forces de l'ordre ? Quant à ce mot ridicule de diversité, comme si c'était grossier de dire Noir, Arabe ou Asiatique… Je vous répète que l'immigration, légale et illégale, ne fait pas partie de l'équation à mes yeux, pas plus que ce que les soi-disant gardiens de la laïcité appellent la dérive communautariste. Qu'on le déplore ou qu'on s'en félicite, la France est une terre d'immigration et une nation composite, c'est un fait accompli. Mais il faut être impitoyable avec l'irresponsabilité, le laisser-aller qui rend possibles l'abrutissement généralisé et la barbarie technologique dans laquelle nous sommes en train de sombrer.

– La barbarie technologique ? Quel est le rapport avec les enjeux que vous décriviez à l'instant ?

– Plus les téléphones sont intelligents, plus leurs utilisateurs sont bêtes. Je suis navrée qu'une journaliste aussi clairvoyante que vous ne voie pas le rapport. Passons.

– Mais qui décide de ce qui est bien ou mal élevé ? Pardonnez-moi, mais votre insistance sur les principes et sur l'éducation n'est-elle pas un peu déplacée dans la bouche d'une femme célibataire et sans enfants ? Vous devez bien vous attendre à ce que l'on vous reproche de faire la leçon sans savoir de quoi vous parlez.

– Je… Je ne crois pas qu'il faille toujours rassurer, consoler, materner. N'en déplaise à ce gouvernement de belles âmes, le consensus n'est pas un idéal en soi. Il y a des conflits intérieurs qui ne peuvent se résoudre sans une certaine violence… politique, bien sûr.

– Vous avez conscience que de tels propos, dans la mesure où ils sont pleinement assumés, peuvent choquer, voire nuire à votre image ? Diviser un peu plus le pays, aussi ?

– C'est un risque à courir. Tout est préférable au déni et à l'aveuglement volontaires, à la perte de crédibilité de la parole politique. Sauf si le but du jeu est de se retrouver avec des pitres populistes qui font la pluie et le beau temps, comme chez certains de nos voisins.

– Votre liberté de ton semble pour l'instant un atout aux yeux de l'opinion, mais ne pensez-vous pas que cette posture de franc-tireur puisse à la longue compromettre vos ambitions présidentielles, alors même que les dissensions au sein de la droite républicaine vous confortent dans votre autonomie et dans la crédibilité que celle-ci vous prête ?

– Je dis ce que je pense. Dans le monde à l'envers qui est le nôtre, je ne suis pas surprise que vous appeliez ça une posture. Pour le reste, 2017, la présidentielle, c'est encore loin.

– Pas les municipales.

– Vous vous répétez, mais votre maîtrise du calendrier électoral est admirable.

– Hélène Faure, je rappelle que vous êtes la députée de la troisième circonscription des Hauts-de-Seine. Merci de nous avoir reçus chez vous, à Courbevoie, pour cette édition de « La Semaine politique ».

Deux heures assise sans pouvoir se dégourdir les jambes ni étirer son dos : la fin du monde. La douleur dans sa hanche est si vive qu'Hélène a envie de vomir, mais la comédie n'est pas terminée. Les techniciens de la chaîne traînassent en remballant leur matériel, et Laurence Leroy l'épie du coin de l'œil en bavardant avec Rambert, son conseiller en communication. Il avait insisté pour qu'elle reçoive une injection de cortisone hier, comme avant chaque rendez-vous télé. Elle a répondu que les stéroïdes brouillent sa pensée et ralentissent son élocution – ce qui n'est pas faux même si ça n'est pas la raison pour laquelle elle a dit non. Maintenant, il faut attendre que ces gens soient partis pour ôter enfin son masque de femme de fer et laisser fondre sous la douche cette douleur qui transperce les tissus de son identité publique pour mordre ses nerfs et pétrifier son cerveau.

Rambert s'approche, suivi de la journaliste qui vient prendre congé.

– C'était un très bon entretien, dit-elle. Pas de langue de bois, enfin c'est un euphémisme… Vous avez le sentiment d'avoir dit tout ce que vous aviez à dire ?

Hélène hoche la tête avec un sourire las.

– Cela dit, vous jouez un jeu dangereux vu la structure de l'électorat parisien.

– Je me moque de ce qu'on pense dans les salles de fitness et les bars à vin. Ce sont les vrais Parisiens qui m'intéressent. Quoi que vous ayez l'air de croire, il doit quand même en rester quelques-uns au milieu de toute cette crétinerie festive.

– Qui sait ? s'amuse la journaliste. Vous avez regardé la proposition que je vous ai soumise pour mon documentaire ?

– C'est à l'étude, intervient Rambert. On vous contactera en temps utile.

– Je souhaite commencer à tourner le plus vite possible. Le jour où vous annoncerez votre candidature, par exemple.

– Je vous tiens au courant.

Il la raccompagne jusque dans le vestibule, et ferme la porte derrière lui en revenant.

– Les salles de fitness et les bars à vin ? La prochaine fois que tu veux ruer dans les brancards, même off, tu seras gentille de me prévenir, que je puisse avoir une chance de te dissuader.

– J'aurais pu faire bien pire, tu le sais parfaitement.

– Et toi, tu sais parfaitement que ce ne sont pas des choses à dire, surtout si tu les penses. C'est insensé, Hélène ! proteste-t-il en consultant son BlackBerry. Ta petite phrase sur les smartphones est retweetée des centaines de fois par minute en ce moment. On a un plan média, on s'y tient !

– Non seulement ils sont imbéciles, mais masochistes en plus…

– À onze heures du soir ! Et la plupart des retours sont favorables, très favorables même. C'était à quitte ou double, et dieu sait que je n'étais pas chaud, mais les gens se sont retrouvés dans ton coup de gueule.

– Eh bien, ils ne s'étonneront pas que j'aie un autre accès d'humeur. Et puis elle ne l'utilisera pas. Elle est trop maligne pour ça, dit-elle en fermant les yeux. Écoute-moi. Il faut que tu gardes un œil sur cette fille. Elle ne va pas nous lâcher. Je veux qu'on la tienne à distance.

– Qu'est-ce que tu veux qu'elle trouve ? À ce que je sache, tu n'as pas de compte en Suisse, tu n'emploies pas de clandestins. S'il y a une vidéo de toi au milieu d'une partouze de château dans les Yvelines, c'est le moment de me le dire. Sinon, on est peinards.

Elle ferme à nouveau les yeux, pour contenir en elle la douleur.

– Laisse-moi tranquille maintenant.

– Tu ne veux pas débriefer ?

– Encore un mot comme ça et je te vire.

– Où je suis, là ? demande Franck à voix basse dans le col de son blouson.

– En plein milieu du labyrinthe, vieux, répond Farid de sa voix joviale, où l'inquiétude perce néanmoins pour la première fois de la soirée. Tu ferais bien de retrouver ton fil avant le retour du Minotaure.

Ils sortent de la même promotion à l'école de police mais n'ont fait connaissance qu'à la DCRI, où Farid est arrivé quelques mois avant lui, en provenance de la PJ. Au début, le courant a eu du mal à passer entre eux. Franck voyait Farid comme un geek un peu arrogant, dont la sérénité affichée en toutes circonstances lui apparaissait comme une réprobation tacite de ses sautes d'humeur. Le fait qu'il parlait un arabe classique, appris dans les livres et au sein d'une famille instruite, n'arrangeait pas les choses. Le darija de Franck, ou plutôt son avatar urbain qui tenait lieu de vernaculaire dans le quartier de Vitry où il avait grandi, était une langue moins complexe et moins respectable, que même les dealers portugais du coin finissaient par décoder avec un tant soit peu d'efforts. Au bout de quelques mois, néanmoins, leurs rapports s'étaient réchauffés sous la tutelle attentive de Paoli, principalement parce que Franck avait moins de choses à prouver qu'à son entrée dans le service. La complicité avait grandi au fil du temps et de leurs tournées de nuiteux, désirée et entretenue de part et d'autre, mais voilée par la pudeur qui sous-tendait les plaisanteries de Farid autant que la réserve boudeuse de Franck.

– Cinq minutes, souffle-t-il.

Il regarde autour de lui. On ne l'a pas suivi, mais la présence des arbres l'empêche de retrouver les repères qu'il a pris tout à l'heure sur le haut des immeubles. Une sensation bizarre l'envahit à la vue des branches. En toute logique, si le vent souffle sur la balançoire, elles devraient bouger elles aussi. Or les arbres sont parfaitement immobiles. Il ne pleut plus.

Il y a quelqu'un près de la balançoire.

Il s'approche, en prenant soin de marcher entre les flaques pour ne pas attirer l'attention. La chaîne qui suspend le siège à l'arche métallique produit un son aigu lorsqu'elle part vers l'arrière, plus sourd lorsqu'elle revient en avant. Devant la balançoire, campée en position de garde sur une ligne perpendiculaire à sa structure, une silhouette se balance vers la gauche et vers la droite en cadence avec le mouvement du siège, et en la découvrant Franck comprend pourquoi le bruit qu'il a fait à son arrivée dans la cour est passé inaperçu.

Gauche-droite, avant-arrière. Esquive, remise, rotation du buste et direct pour enchaîner. Les combinaisons partent vite, presque toujours masquées par un déséquilibre de la ligne d'épaules. Le shadowboxing est limpide, simple et fluide comme une chorégraphie bien exécutée ; le gars est de taille moyenne, moins d'un mètre quatre-vingts, et on devine sous son survêt une musculature sèche, déliée, de welter. Il a des écouteurs dans les oreilles, pour faire bulle autour de lui et bloquer tous les bruits alentour, sauf le grincement de la balançoire qui lui sert d'adversaire fantôme. Il a dû monter le volume au maximum, car une rythmique reggae parvient jusqu'à Franck malgré le frottement continu de ses baskets sur le tartan mouillé et le tac-tac de ses expirations au moment des coups.

– Vous recevez ça ? murmure-t-il en filmant la scène avec son portable.

– Cinq sur cinq. Et nous qui croyions que tu étais parti bosser.

– On le connaît ?

– Si vous voulez une identification pas trop aléatoire, il nous faut un meilleur visuel, dit la voix de Delphine, calme et directive. Au moins un profil.

– J'ai la liste des candidats au casting devant moi, ajoute Farid. À toi de jouer, Scorsese.

Il traverse le terrain de jeux dos courbé et s'installe derrière une petite cabane en plastique, à cinq ou six mètres de la balançoire. Son zoom ne permet pas de cadrer en gros plan, mais il ne peut s'approcher davantage sans se découvrir. Le seul lampadaire en état de marche dans la cour est planté un peu plus loin, bien orienté. Le garçon se déplace en sautillant sur le pourtour du halo, comme au bout d'une corde imaginaire, et son visage ne cesse de passer de l'ombre à la lumière.

Deux minutes s'écoulent, peut-être trois. Il ne fait pas des rounds, pense Franck. Il peut continuer comme ça pendant un quart d'heure comme il peut s'arrêter d'une seconde à l'autre.

– Farid ?

– Une seconde, on a peut-être quelque chose.

– Non. Il faut qu'on se décide maintenant. Ça fait trop longtemps que je suis là. Donnez-moi un nom.

– C'est impossible d'être sûr à cent pour cent à cause du bruit de l'image, l'interrompt Delphine. Mais il ressemble beaucoup à un dénommé Mohamed Belkacem. Vingt-deux ans. Trois, non, quatre condamnations entre quatorze et dix-sept ans, la dernière en 2008. Vol avec destruction de véhicule ou dégradation en récidive. Il a fait six mois en centre fermé, puis la juge d'application des peines a commué la peine en TIG. Rien depuis qu'il est majeur.

– Le site de la fédération dit qu'il est champion en titre du 93, ajoute Farid. Travaux d'intérêt général, catégorie welters !

– Je décroche. Trouvez-moi l'adresse du club de boxe d'Aulnay, on va faire un passage à basse altitude. C'est un mec qui s'entraîne tous les jours, ça. Farid, tu contactes les gens de Bonnet, ou l'équipe du proc à Bobigny s'il n'est pas joignable. Dès qu'on a le feu vert, on préviendra nos amis de la BAC qu'il nous faut une équipe lundi matin à la première heure. On le chopera dans sa salle.

– Pourquoi tu veux qu'on se mette ces bourrins dans les pattes ? demande Farid. On n'a qu'à le serrer nous-mêmes.

– Parce que je ne veux pas qu'il sache qui je suis. J'ai envie d'essayer quelque chose, mais il faut qu'on fasse vite.

La dernière fois qu'il a mis les gants, c'était il y a deux ans, en demi-finale du tournoi de la police. Le type en face venait de la boxe pieds-poings, un brigadier d'Agen ; sa garde était trop basse. Franck l'avait mis KO avec un déluge de crochets au milieu de la troisième, et le toubib avait eu toutes les peines du monde à le ranimer. Il avait à nouveau perdu connaissance sur le chemin de l'hôpital. Fracture du sphénoïde, hémorragie cérébrale du fait des multiples lésions. Le coma avait duré toute la nuit, et l'hématome avait mis des semaines à dégonfler. Le chirurgien avait eu beau l'assurer que les séquelles à long terme se cantonneraient à des maux de tête et des troubles passagers de la vue, Franck était dévasté. Dans le couloir des urgences, ce matin-là, il avait croisé la femme du brigadier avec leurs trois mômes, et il n'avait pas eu le courage d'aller lui parler, ni même de la regarder dans les yeux. En rentrant chez lui, il s'était juré de ne plus jamais remonter sur un ring. Il avait rangé sa boxe bien-aimée dans un tiroir fermé à double tour, furieux d'avoir été l'instrument aveugle, le pantin de ses pulsions. Toutes les fables qui l'avaient amené au noble art, toutes ces belles paroles sur le respect de l'adversaire et l'école de la vie, tous ces racontars d'entraîneur sur la dimension éducative du sport de combat lui apparaissaient désormais dans leur fausseté intégrale, comme les masques de la seule vérité qui tienne : la boxe est une guerre et un exutoire, et lui, comme tous les vrais boxeurs, se battait non pas pour gagner un round ou un combat, mais pour castrer l'adversaire et établir sa domination, un empire de virilité remis en jeu à chaque face-à-face.

– Mais celui-là, je pourrais lui apprendre deux ou trois trucs, pense-t-il tout haut, remarquant qu'une pluie fine s'est remise à tomber.

Il sait qu'il est temps de s'éclipser, que le moment approche où le gamin va terminer sa danse de nuit, et pourtant il reste encore un peu, comme s'il cherchait à élucider la grâce mystérieuse qui se dégage de ses gestes. Il est pur mouvement, corps souverain, mémoire du muscle, absence de pensée. C'est un petit délinquant, si c'est bien le garçon du fichier, et pourtant ce n'est pas qu'un petit délinquant. Il y a chez lui une concentration, une obstination à produire le geste juste au moment opportun, une façon d'appartenir totalement à ce qu'il fait que Franck n'a jamais vues dans la rue, pas depuis très longtemps du moins.

Il s'éloigne à reculons, sans quitter la balançoire des yeux, décidé à emprunter le même chemin pour ressortir. On n'entend plus de déflagrations ni de sifflements par-delà les immeubles ; l'heure de la trêve nocturne a dû sonner sur le parvis. D'ici quelques minutes tout ce petit monde sera de retour à son poste, là où les uns et les autres ont l'habitude de tenir les murs. Il ne faut pas qu'il traîne. Sous la colonnade qui entoure l'aire de jeux, il jette un dernier regard entre les platanes. Le gamin danse et danse encore, indifférent au cours du monde extérieur.

Quelque chose attire soudain son attention, un je-ne-sais-quoi qui n'était pas là quand il est arrivé tout à l'heure, mais il n'a pas le temps de se demander quoi. Droite, gauche, droite, premier escalier, deuxième escalier ; le hall commun aux deux bâtiments. Un pincement de nervosité tend son estomac lorsqu'il repasse sur le terrain des apprentis artificiers.

Il n'y a personne.

Ce n'est que dehors, une fois le sous-marin en vue, qu'il prend conscience de ce que la précipitation l'a empêché d'identifier en quittant l'aire de jeux : il se dégage de son blouson un parfum d'eau de Cologne, le parfum qui flottait dans l'air sous la colonnade. De simples effluves portés par le vent pendant qu'il se trouvait près de la balançoire, ou l'odeur de quelqu'un qui a lui aussi des raisons de surveiller son boxeur, et qui était là, comme lui, recouvert par la pénombre ?

En remontant dans la camionnette, il pense à la salle de boxe, au juge et à la BAC, et il commence à tisser les fils de l'intox dont l'idée lui est venue sur l'aire de jeux. L'odeur est toujours là, et pourtant il l'a reléguée loin, très loin de ses préoccupations immédiates.

Depuis ce matin, le roulement continu de ses pensées a tendance à couvrir les bruits environnants, et il a fallu que Sélim Arif frappe plus fort à sa porte pour l'arracher à sa rêverie dans le salon. Pourquoi, s'est demandé Assan en découvrant le visage gris cendre de son visiteur nocturne, pourquoi venir le voir maintenant, si tard dans la soirée ? Peut-il être celui qui a rancardé les flics sur Audrey, ou sur lui ?

– Tu es sur le radar de l'antiterrorisme, dit Sélim sans autre forme de procès. Il faut que tu fasses attention, mon frère.

– Qu'est-ce que tu racontes ? répond-il sans le faire entrer, en espérant que sa stupeur s'entende davantage que son angoisse.

– J'ignore ce que tu as fait, et ce qu'ils croient que tu as fait, ou que tu as l'intention de faire, mais je te dis que tu es dans leur viseur. Ils estiment qu'il y a des raisons de te surveiller.

– D'où le sais-tu ?

– Là n'est pas la question, mon frère. La seule chose qui compte, crois-moi, c'est que je te dis la vérité.

De deux choses l'une, pense Assan en scrutant la rue déserte et obscure derrière lui. Soit il ment : dans quel but, il ne comprend pas, mais tout ce qui est incompréhensible n'est pas impossible. Soit il dit la vérité, et dans ce cas Sélim est une taupe de la police à la mosquée, ce qui signifie au passage que les services en savent beaucoup plus qu'il ne le pensait sur les filières clandestines qu'emprunte le Qatar pour s'implanter dans les banlieues. Mais il s'égare. Si Sélim ne ment pas, le fait est que les flics ne seront jamais loin derrière lui.

– Tu dois assurer chacun de tes pas, reprend-il. Ne leur laisse aucune prise.

– Je n'ai rien à cacher, coupe Assan. Ils peuvent m'entendre quand ils veulent s'ils ont des questions à me poser.

– Tant mieux, mon frère, tant mieux. Mais je vérifierais quand même le contenu de mes disques durs, à ta place. Il n'en faut pas beaucoup, ces temps-ci, pour être mis en examen.

Une perquisition ? Depuis le début, il a toujours pris soin de ne garder aucun élément incriminant chez lui. Tout le matériel est à l'entrepôt : l'informatique, les charges, les détonateurs. Le reste, ce qui concerne ses recrues, il l'a enregistré dans sa tête. Tant qu'ils ne trouvent pas le local, les flics n'ont rien de concret sur lui.

– Ceux qui parlent à la police sont des traîtres ou des envieux mécontents, dit-il. Qui me veut du mal ? Je ne fais d'ombre à personne ! Ferhaoui ?

– Sois prudent, et ne te pose pas de questions inutiles, ajoute Sélim.

La clé, se rappelle-t-il en glissant la main dans sa poche – la clé USB contient toujours le fichier de la vidéo. Il la fera disparaître sitôt que l'autre sera parti.

– Où est ton frère, fils ?

Al-Mansour a surgi derrière lui, sur le pas de la porte, le visage à moitié dans l'ombre, complètement égaré – un enfant encore sous le choc d'une terreur nocturne. Le ton est impérieux, comme toujours, mais son maintien est celui d'un être qui a perdu tous ses repères et s'obstine à chercher son chemin, se cognant de plus belle contre les murs de sa déraison. Assan ne lui a jamais vu l'œil aussi hagard.

– Où est ton frère ? répète-t-il en regardant Sélim d'un air absent. J'ai quelque chose d'important à lui demander.

– Rentre, papa. Il fait froid. Je te donnerai un verre d'eau dans une minute.

Le vieillard obéit, en grommelant. Personne, songe Assan, personne de la mosquée n'a jamais vu son père.

– Je suis désolé, dit-il. Il ne va pas bien.

– Tu n'as pas à t'excuser, fait Sélim. Je prierai pour lui.

– Merci. Pourquoi ?

– Mon frère, il faut s'entraider entre frères.

La porte refermée, Assan trouve son père dans le couloir, progressant au ralenti vers sa chambre. Il regarde son bras tâtonner devant lui, peut-être à la recherche d'un appui, peut-être pour l'inviter à le lui prendre, ou pour se débattre contre l'un des monstres qui assaillent sa mémoire. Comme il lui en veut de se montrer aussi faible. Son courage et son dévouement filial l'abandonnent, ses jambes ne lui obéissent plus. Au lieu de l'aider à regagner son lit, il se met à pleurer en silence, sans le quitter des yeux. Al-Mansour regarde un long moment dans le noir avec l'expression affolée d'un homme qui scrute l'infini.

– Ton frère, dit-il. Je ne me rappelle pas où est ton frère.

Ses pas s'éloignent tout doucement sur les carreaux du parquet vitrifié, de plus en plus légers, puis Assan n'entend plus rien.

Il y a dix-huit ans, un autre samedi dans les derniers jours de février, Kader était passé le voir après un match. Assan avait marqué deux buts du gauche et qualifié son équipe, c'était lui le héros du jour. En sortant du terrain, il avait aperçu la silhouette familière tout en haut des gradins, loin des autres spectateurs. Kader avait assisté à la fin de la rencontre et l'avait félicité pour ses dribbles, en lui conseillant d'en faire un peu moins s'il voulait franchir un palier et devenir vraiment bon. À l'époque, son visage était placardé dans tous les commissariats et gendarmeries, publié dans les journaux, exhibé à la télévision. La seule chose qu'Assan voulait savoir, inconscient des risques qu'il avait pris pour venir jusqu'à lui, c'est s'il était vraiment responsable des bains de sang à Paris l'été précédent, comme tout le monde le prétendait, y compris sa mère. Kader n'avait pas réagi, comme s'il n'avait pas entendu la question. Avant de partir, il lui avait simplement fait jurer de prendre soin de Zohra si jamais il lui arrivait malheur. C'était très important qu'il jure.

Assan avait juré, et il n'avait plus revu son frère.

La maison est vide, enfin. À pas lents, Hélène monte dans sa chambre, fâchée contre son pays. Depuis toujours, elle méprise la vulgarité suffisante des riches autant que la morne résignation des pauvres. Son père était ouvrier agricole dans les Deux-Sèvres, sa mère institutrice. L'absence d'élan vital de ses parents, leurs horizons étroits et leurs petits rêves, le refus de s'élever au-dessus de leur condition, elle ne les a jamais acceptés ; très tôt, elle en a conçu une aversion définitive pour tout ce qui ressemble à du fatalisme, dans lequel elle continue à voir une passion de la défaite, pourrie de médiocrité et d'apitoiement sur soi. Puis, montée à Paris pour y faire son droit, elle a découvert la satisfaction rance de ceux qui tirent les ficelles en ignorant le prix du ticket de métro, intellectuels comme industriels, politiques surtout, puis l'effroyable ennui de ces dîners mondains, peuplés de gens sûrs de leur fait sans avoir jamais mis les pieds dans le fumier du monde. La compagnie des puissants la désole ; le souvenir des soutiers lui fait honte. Hélène aime la France d'un amour platonique, mais le fait est qu'elle n'aime pas les Français.

Les journaux la comparent souvent à Margaret Thatcher, uniquement par pauvreté d'imagination – les origines modestes, l'ascension opiniâtre au sein d'une classe de notables masculins, la dureté cassante de la pierre. En réalité, Hélène est avant tout une jacobine, consternée par le recul de l'État et le prestige effondré de la France dans le monde. Durant sa jeunesse au RPR, elle faisait tellement d'ombre aux caciques qu'ils se sont entendus à deux reprises pour l'investir dans des circonscriptions ancrées à gauche depuis la IVe République et impossibles à conquérir. Elle a vite quitté le parti. Élue deux fois par la suite sous le label Divers droite, sans groupe parlementaire, elle doit sa percée dans les Hauts-de-Seine à un travail forcené sur le terrain, qui n'aurait pas payé sans la mise en examen du sortant, juste avant les législatives de 2002, à la suite d'une sombre affaire de trucage sur un appel d'offres. On la dit proche de la Droite forte et des avatars frontistes au sein de l'UMP, mais la démagogie en blaser de leurs jeunes porte-voix l'exaspère ; les phobies calculées des conservateurs l'écœurent autant que les sucreries bien-pensantes des sociaux-démocrates. La force solitaire d'Hélène vient de ce qu'elle s'est toujours tenue à distance des jeux d'appareil, son réseau survolant les lignes partisanes, en particulier dans les cercles policiers. Si l'influence qu'elle exerce sur les politiques de sécurité en tant que présidente de la délégation parlementaire au renseignement est difficile à mesurer, on lit souvent que ses positions iconoclastes s'accompagnent d'un pouvoir réel, ce qui la distingue des autres grandes gueules du Palais-Bourbon, qui aboient beaucoup mais n'ont pas de dents.

D'où vient ce goût de la bagarre, cette tendance naturelle à mettre hors jeu publiquement tout ce qui ne cadre pas avec son idée de la France ? Elle répondrait que c'est ça, la politique : affronter la réalité, et choisir. Les niaiseries catho-facho de l'extrême droite et sa mythologie charles-martelisée ne lui ont jamais parlé, pas plus que la fixation anticommunautariste de nos élites républicaines en général, les petits Napoléons du

Val-de-Marne, les Cassandre qui ont libre antenne sur France Culture et table ouverte dans les grands hebdomadaires, les aboyeuses aux seins nus et laïques, habitées par le devoir de libérer la femme musulmane. Il n'y a pas, selon elle, de péril islamo-arabe en France ; le vrai danger qui nous menace, bien que ce constat la rende solidaire des bougons professionnels qu'elle exècre, c'est cette bêtise dont le gène sommeille dans le crâne de tous les enfants de la démission, tous ces mutants blasés et à l'âme numérique, nés après 1980 du renoncement de leurs parents et du délitement de l'école.

La vapeur de la douche se dépose en buée sur le miroir. Elle a enlevé ses boucles d'oreilles et se regarde avec cet air empreint de déception qu'elle affiche malgré elle face à sa propre image. Non qu'elle se trouve laide ; elle n'ignore pas l'intelligence profonde de son regard, sa silhouette ferme de cavalière, et le blanc princier de sa peau, hérité de ses lointaines origines russes. Elle voit bien que sa physionomie altière impressionne les jeunes députés, qui la désirent et la craignent avec autant de ferveur. Mais elle n'accepte toujours pas, à cinquante ans passés, la sévérité de ses traits. Si seulement elle avait pu avoir une mâchoire moins anguleuse, des lèvres mieux dessinées, un nez plus court. La puérilité de ces regrets la fait sourire, même si elle ne sait pas comment les dissiper, ni ce soir ni jamais.

Une larme coule sur sa pommette. Elle se revoit il y a presque trente ans, l'année de son DEA à Assas ; enceinte. Une aventure avec un étudiant belge, qui ne se dérobe pas lorsqu'elle lui parle de garder le bébé. Il veut bien être le père, il fera ce que ses moyens lui permettront, mais il ne peut pas lui promettre qu'ils resteront ensemble. Le marché est honnête. Elle n'a rien contre l'avortement sur le principe, mais pas pour elle, et puis elle se sent prête malgré son âge et le caractère accidentel de la grossesse ; le temps pour écrire sa thèse, elle le trouvera bien d'une manière ou d'une autre, et sa bourse de recherche suffira les premières années. Trois mois s'écoulent. À la première échographie, une anomalie cardiaque est décelée, un petit saignement de l'aorte. Rien de grave. Hélène reste au lit pendant des semaines, avec ses cartons de jurisprudence administrative. Il n'y a qu'à se reposer, a dit le gynéco. Tout est entre ses mains. Une nuit de gel au début du cinquième mois, elle rêve qu'elle se vide de tout son sang. Un mal de ventre impensable la réveille. Son drap est maculé d'un rouge noirâtre, et elle est seule – l'étudiant belge est rentré chez lui pour les vacances d'hiver. Un taxi la dépose aux urgences de Broussais. Le cœur du bébé s'est arrêté, sans doute depuis une dizaine d'heures. On l'emmène au bloc, et elle ne comprend rien à ce que disent les internes. Le bébé doit être encore vivant, puisqu'on lui demande d'accoucher. Il ne bouge pas, pourtant, quand on le lui met dans les bras, si bleu et si petit. Il est 2 h 23, le 5 mars 1985, et l'enfant qu'elle a porté pendant vingt et une semaines vient de naître sans vie.

Hélène se déshabille et passe la main sous le jet d'eau brûlante de la douche. Personne n'en a jamais rien su, à part l'étudiant belge. L'été suivant, à Roanne, ses parents l'ont trouvée un peu triste et un peu plus pâle que d'habitude. Et la vie a continué, sans qu'elle parvienne à mettre un mot sur le morceau de mort qu'elle portait désormais en elle. La hernie discale est apparue à cette époque, seule trace extérieure de son ravage intime. Elle a fini sa thèse et n'est plus retombée enceinte. La rage noire contre tous ces sales gosses qui ignorent et insultent la chance qu'ils ont de vivre, même pas d'être en bonne santé mais simplement de vivre, elle est venue plus tard, tout doucement, un lent poison de l'âme. Les Arabes et les Noirs, les petits Blancs bien de chez nous, les fils de prolos comme les fils de bourgeois, tous possédés par cette bêtise ludique et agitée qui est le virus des civilisations modernes… Pourquoi sont-ils là, eux ? Qui leur a donné le droit de naître ? Et ces gougnafiers passeraient ensuite leur vie à jouer et à jouir en petits animaux sur le dos d'un État maternel, sans qu'on puisse les obliger à se comporter comme des hommes ?

Il y a au fond de sa vision du monde un sentiment d'injustice absolue, une pulsion viscérale, nourrie au feu de sa souffrance, et dont elle a fait le bois de tout jugement ; défendre la France, la sienne ou du moins ce qui en demeure à ses yeux l'essence par-delà les siècles et l'Histoire, c'est devenu au fil des ans sa façon de rester fidèle au souvenir de son bébé mort-né, de ne rien abandonner au cours du temps.

La richesse du passé contre la vacuité du présent, la mémoire contre l'instantané, le surplace contre la vitesse, la raideur contre l'avachissement général – Hélène est un anachronisme vivant, à qui un collègue moins sot que les autres a dit un jour qu'elle avait deux défauts impardonnables : être trop elle-même dans une époque sans caractère, et faire un métier dont le but ultime est de convaincre la majorité alors qu'elle méprise tout ce qui est grégaire.

La buée sur la glace a un peu adouci les contours de son visage. Apaisée à l'idée de la torpeur sur le point d'envahir son corps, elle ouvre l'armoire à pharmacie et en sort une petite boîte rectangulaire, en métal. La dose de morphine qu'elle s'injecte dans la fesse est la même tous les mauvais soirs depuis sept ans, et en quelques secondes elle sent sa jambe se relâcher, à mesure que le disque desserre son pincement sur le nerf sciatique. Sa candidature doit tout changer dans la course à la mairie de Paris, mais elle sait qu'elle ne pourra pas conquérir cette ville sans adopter une transparence absolue sur sa vie privée : comme on dit chez elle dans l'Ouest, pour monter au mât il faut avoir le cul propre. Or les terroristes de la vertu l'épouvantent. Elle a beau n'avoir rien à se reprocher que la loi réprouve, enfin, rien si ce n'est la morphine que lui procure cet ami chirurgien, directeur d'une clinique privée, elle ne supporte pas l'idée de devoir avouer que tout en elle a le goût de l'amertume, du ressentiment et du chagrin.

Cette journaliste. Hélène se sent vulnérable sous son regard, car elle ne veut pas voir ses entrailles mises à nu sur la place publique. Cette fille a senti quelque chose. Il faudra redire à Rambert de s'en méfier.

Le téléphone sonne dans la chambre, sa ligne fixe dont plus personne n'a le numéro. Le répondeur se déclenche sans qu'elle esquisse un geste, et elle reconnaît aussitôt le souffle neigeux à l'autre bout de la ligne, ce silence de l'inconnu qui a déjà appelé cinq fois ces dernières semaines. Il l'appelle toujours tard le soir et il ne dit rien, elle est sûre que c'est un homme, installé à sa fenêtre à en juger par la rumeur qu'elle distingue derrière lui, la rumeur d'une ville familière, puis il raccroche au bout d'une vingtaine de secondes. Que lui veut-il, puisqu'il ne parle pas et qu'il n'a jamais cherché à lui faire peur ? Ce soir, la morphine qui se dissout en elle la protège des questions que ses appels nocturnes ont soulevées les autres fois, et même l'image de la journaliste finit par s'estomper dans des brumes cotonneuses, rassurantes.

Hélène enjambe le rebord de la baignoire et s'installe sous le jet d'eau, tête contre le carrelage humide du mur. L'anxiété se liquéfie et se détache de sa peau en même temps que les souvenirs de la journée, les suffocations parisiennes. Elle est en larmes. Désespérée. Bienheureuse. Anéantie. Une serviette trempée et informe qu'une main ferme essorerait, avec des pressions de plus en plus intenses, jusqu'à ce qu'il ne reste plus rien, ni du désespoir ni de la douleur.

Paris luit devant eux comme une galaxie lointaine.

D'autres soirs, avec Soul, ils s'installent côté nord, pour regarder les lumières rouges des avions monter doucement dans le ciel de Roissy et imaginer vers quelles destinations ils s'envolent. Helsinki. New York. Buenos Aires. Nairobi. Singapour. C'est comme ça, nuit après nuit, que Soul lui a appris la géographie des cinq continents.

Paris, pense Momo en étirant ses muscles tendus par le shadowboxing. Paris est mille fois plus loin que toutes ces villes où ils n'iront jamais.

Tout a commencé à l'école primaire.

Ils avaient neuf ans tous les deux ; Soul était du mois de juin, lui de novembre. Un jour pendant la récréation, Momo avait balancé un caillou sur une fenêtre du préau, sans trop savoir pourquoi, juste pour voir. Les éclats de verre étaient tombés sur la tête d'une petite Albanaise arrivée quelques semaines auparavant, et qui passait son temps toute seule à l'intérieur pendant que les autres enfants se pourchassaient dans la cour. Une réfugiée, avait expliqué le directeur, sans que personne comprenne ; il fallait être gentil avec elle et parler lentement pour l'aider dans son apprentissage du français. L'ambulance l'avait emmenée à Ballanger, l'hôpital d'Aulnay, où ses parents l'avaient rejointe juste avant l'opération : treize points de suture au front, sur les paupières et sur la joue. D'après le chirurgien, les cicatrices s'effaceraient avec le temps, mais jusqu'aux grandes vacances toute l'école l'avait appelée Albator – ce coup-là, c'est elle qui n'avait pas compris, la pauvre.

L'affaire était remontée jusqu'au rectorat. L'administration voulait son coupable, vite. Momo avait beau être populaire auprès de ses camarades de classe, le garnement que de plus timorés aiment bien suivre en douce, vu les châtiments qu'on leur faisait miroiter ce n'était qu'une question de jours avant qu'un d'entre eux aille tout raconter au directeur. Il attendait donc sa mise à mort, conscient que son père allait tellement le démolir qu'on ne trouverait aucun nom de manga à lui donner, même en cherchant bien. Mais ce qui le tourmentait, au-delà de la punition physique, c'était que la famille le renverrait sûrement au bled jusqu'à la rentrée suivante, le temps que les choses se tassent et qu'on trouve une solution honorable avec les parents d'Albator.

La perspective de passer l'été à courir derrière les poules et à manger du tajine, sans console de jeux ni télévision, lui paraissait une sanction inhumaine, en tout cas d'une sévérité disproportionnée au regard de sa faute, et un soir sur le chemin de la cité il avait confié ses angoisses à Soul, qui ne connaissait pas encore le purgatoire de ces retours au pays, l'amertume des cousins aussi vicieux qu'attardés, l'odeur de légumes et de fruits pourris sur les trottoirs, l'impatience vaguement honteuse de revenir en France.

Le matin, Soul n'était pas en classe : il était monté directement chez le directeur pour se dénoncer, et il faut imaginer que M. Gomez était un homme plus subtil qu'il n'en avait l'air, puisqu'il ne lui avait infligé qu'une semaine d'exclusion, assortie d'un blâme. La facture du vitrier avait été payée par l'école, et les choses en étaient restées là sur le plan disciplinaire. On ne devait pas croire très fort à sa culpabilité, on avait entendu les bruits, mais mieux valait aux yeux de l'académie un bouc émissaire approximatif que pas de coupable du tout.

À la maison, c'était une autre histoire. Si Soul n'avait pas de père pour lui faire la peau comme Béchir aurait fait la peau à Momo, ses grands frères s'étaient chargés de la mise à l'amende, ni la première ni la dernière, au nom du chagrin et de la honte qu'il avait causés à leur mère. À son retour en classe, Momo lui avait donné une lettre dans laquelle il le remerciait et lui demandait pardon ; il lui jurait son amitié envers et contre tout, même si un jour venait où Soul ne voudrait plus être son ami. Il avait rédigé son texte sur une feuille A4 grands carreaux, et il y avait mis tout son cœur, comme si chaque mot écrit sur ce bout de papier correspondait à un devoir qu'il lui incombait désormais d'honorer jusqu'à la fin de ses jours.

– Et ces jours-ci, dit Momo en le regardant allumer son spliff, tu ne me facilites pas la tâche. C'est le troisième, gros ! Ça va bien, non ?

Pour toute réponse, Soul hausse les épaules et poursuit son chemin nocturne au milieu du béton hérissé de paraboles, comme s'il était seul, exhalant un peu de fumée qui reste suspendue dans l'air froid. Le bédo, c'est la seule entorse qu'il s'est jamais accordée, sa seule faiblesse. Avant, Momo le lui fournissait à l'œil. Maintenant, il tape ses frères.

Quels gros bâtards, ces deux-là, pense-t-il en plongeant son regard dans la nuit.

Paris est couché devant eux, à portée de main, mais inaccessible quand on vient des 3000.

S'il était resté avec le Tchétchène, qui sait ? S'il était resté dans cette vie de désolation et s'il avait vécu assez longtemps pour profiter de ce qu'il gagnait.

Mais plus probablement : mort, une balle dans la nuque quelque part en forêt ; fou, dévoré par la paranoïa et les coups de stress ; au placard pour vingt ans.

On n'en sort jamais, d'ailleurs. On croit qu'on raccroche, on a beau le faire savoir ; il ne suffit pas de rendre sa carte. Le business, c'est toute une vie qui ne veut pas mourir.

Il attendait Soul tout à l'heure devant le Palais Céleste, le fast-food chinois chez qui ils travaillent tous les deux comme livreurs.

– Oh, les gars, le roi du riz cantonais !

Momo n'a pas eu besoin de tourner la tête. Il a reconnu instantanément la voix cassée et le parfum à l'eau de Cologne de Carlos, le lieutenant balafré du Tchétchène, qui s'approchait avec ses deux gardes du corps, des Maliens de cent cinquante kilos avec qui il s'entendait plutôt bien quand il faisait partie de l'équipe.

– Sérieux, a dit Carlos, ça marche bien ton affaire. Dans deux, trois ans si tu t'y mets à fond, sûr qu'ils vont te faire passer chef de la logistique.

– Ou bien il peut se payer un barbecue et se mettre à la sortie du RER, a commenté le plus grand des deux golgoths. Chauffe les marrons, chauffe !

Momo a jeté un coup d'œil inquiet à l'intérieur du restaurant. Derrière sa caisse, la fille du patron faisait comme si de rien n'était.

– En tout cas, a repris Carlos, si un jour tu en as marre de jouer les larbins dans la restauration, le Tchétchène veut que tu saches que tu reviens quand tu veux. Bon, il faut d'abord que tu rendes la brique que tu as empruntée l'autre jour, ou que tu rembourses avec un tout petit peu d'intérêts si tu l'as déjà écoulée… Mais vous trouverez un arrangement, c'est sûr.

Il n'avait aucune idée de ce à quoi Carlos faisait allusion.

– Je lui dois rien à ton caïd de mes couilles, et il le sait très bien.

Le faux sourire s'est élargi un peu plus sous la balafre.

– Moi, à ta place, je ferais attention à mon vocabulaire. Il a les oreilles sensibles, le Tchétchène. Qu'est-ce qu'il disait l'autre soir ? À propos de la petite copine de Momo ?

– Sibylle ? a feint de demander l'autre Malien.

– Sibylle. Il a dit que ce serait dommage qu'elle finisse au fond d'une cave, à se faire tourner par des gars moins délicats que nous. Alors, comme je t'ai à la bonne, je te le dis franchement, surveille ton langage, et ne mets pas trop de temps à retrouver la mémoire.

Momo a armé son bras droit. Aussitôt, le grand Noir a sorti un Beretta, le même que le sien à l'époque, et le lui a collé contre la poitrine en secouant la tête.

– Une semaine, gros, a dit Carlos en s'éloignant.

Il n'a aucune idée de ce que lui reproche le Tchétchène, il n'a pas vu passer la moindre pilule ni le moindre gramme de coco depuis qu'il a raccroché. Mais il le connaît assez pour savoir qu'il y a lieu de s'inquiéter si Carlos est dépêché avec ses gros bras et un ultimatum.

Le Tchétchène a tout, et Carlos veut être le Tchétchène. Et lui, Momo, même s'il ne deale plus, en un sens il n'est pas différent. Pourquoi est-ce que les gars comme eux ne peuvent pas avoir ce que tout le monde a, et qui est là, sous leurs yeux ? Pourquoi est-ce qu'ils veulent tout ce qu'ils ne peuvent pas avoir ?

Une des rares choses qu'il aimait bien au collège, c'était les belles phrases des cours d'Histoire.

– Qu'est-ce que le tiers état ?

– Rien.

– Que veut-il ?

– Tout.

Un jour, sa mère lui a dit que les désirs sans limites n'attiraient que de la misère, qu'il fallait se contenter de ce qu'on a. Mais Soul a une toute petite chance d'y arriver, lui. Il faut qu'il s'accroche et qu'il reste sur son chemin, à la fac, sans écouter les sirènes de la cité. Il prendra des avions et il ira vivre loin. Il ne se souviendra de rien quand il regardera le ciel la nuit.

Momo se recule un peu sur le parapet et tend ses jambes lourdes au-dessus du vide.

En bas, du côté de Villepinte, une colonne de petits points bleus serpente en direction des 3000, et il se rappelle soudain ce qu'il a entendu hier à la salle. L'arrestation de la fille. La descente de keufs dans l'appartement où elle habite avec sa mère adoptive, quatre étages au-dessus de chez lui. Deux jours, songe-t-il. Deux jours et deux nuits que c'est le gros sbeul alors qu'elle est rentrée chez elle sans poursuites. Ces possédés du ramadan se montent la tête tout seuls et finissent par croire qu'ils sont persécutés, en tant que Rebeus et en tant que muslims. Zarma, on ne les laisse pas vivre leur religion, celle qu'ils ont découverte avant-hier sur la parabole ou sur Internet ! Mais eux, pendant ce temps-là, ils ne voient pas qu'ils font tout, la panoplie complète des provocations, pour s'attirer la haine des Gaulois qui les regardent à la télévision ?

– Un Renoi et un Rebeu sont dans une voiture, dit Soul en jetant son filtre dans la nuit. Qui est-ce qui conduit ?

– Un keuf. Je la connais par cœur, ta blague pourrie.

Tout ça finira mal ; il est tellement fatigué de vivre ici.

– Intéressant, dit Hélène Faure de sa voix grave, en continuant à regarder la pluie tomber sur la place de la Concorde, noire et déserte. Mais pourquoi vous, et pourquoi maintenant ?

Il est deux heures du matin, et il y a un moment qu'Alex observe sa silhouette longiligne et droite devant la fenêtre, sans trouver la source de la fragilité raide qui l'a toujours frappé dans la posture de cette femme. Des rendez-vous de travail impromptus et nocturnes, le directeur de cabinet du ministre de l'Intérieur et la présidente de la délégation parlementaire au renseignement en ont fréquemment, Place Beauvau ou ici, au Palais-Bourbon. Ce soir, il a dû insister pour l'obtenir à si brève échéance et la tirer de chez elle après son prime time, sur la base d'une déduction qu'il aurait dû faire depuis longtemps : mieux vaut servir une réac franche du collier et sûre de ses valeurs qu'un faux progressiste aux allégeances tarabiscotées. Mieux vaut trahir son maître que se compromettre en restant l'auxiliaire, à force de passivité, de son opportunisme.

– J'ai regardé votre interview. Vos idées, peu importe ce que j'en pense. Mais je suis convaincu qu'elles vous feront élire si vous vous présentez un jour à la présidentielle. Avec les Français, l'alternance se joue toujours entre le désir de correction paternelle et le besoin d'être maternés. Dans peu de temps, ils seront mûrs pour la mise au pas.

– Continuez, fait Hélène en se retournant, les deux mains à plat sur son bureau.

Elle ne s'assoit jamais, pense-t-il, et elle ne montre pas ses émotions. Ou bien elle ne sait pas les montrer. Voilà près de vingt minutes qu'il lui parle de l'accord secret entre l'actuel maire de Paris et Ferhaoui – une ligne de crédit virtuellement illimitée pour les dépenses de campagne de sa dauphine, ouverte par Doha en échange de la rénovation de la caserne rue de la Goutte-d'Or et de sa concession à un loyer très modéré, dans le cadre d'un bail de quatre-vingt-dix-neuf ans, et avec de nombreux autres bâtiments publics à l'avenant – et durant ce laps de temps il n'a pas senti chez elle un seul frémissement, le moindre indice de l'excitation affamée qu'aurait fait naître pareille révélation chez le plus stoïque des prétendants au pouvoir.

– La mairie, la garde rapprochée du ministre, ses affidés rue de Solférino, ils sont tous en affaires avec le Qatar. Ils font les fiers-à-bras, les sécuritaires devant les syndicats de policiers, mais ils ne disent pas que c'est Doha qui sponsorise leurs groupes de réflexion et finance les campagnes de leurs barons locaux aux municipales. Même chose à droite, dans les cercles restés fidèles à l'ancien président. Cela fait beaucoup, beaucoup de monde.

– Je vois que Daniel Paoli n'est pas le seul à avoir des idées fixes au sujet de la cinquième colonne sunnite en France.

– Si vous me permettez, dit-il en cherchant à se rappeler les mots de Paoli, l'expression ne me paraît pas être la plus appropriée. Les intentions des Qataris, c'est une chose, mais je ne crois pas que l'on puisse décrire les bénéficiaires de leurs largesses, la plupart du moins, comme des gens corrompus : ils prennent l'argent comme il vient, parce qu'ils voient là une solution de facilité dans des temps de disette et d'exaspération fiscale. Il y a une sorte de consentement aveugle de nos acteurs politiques à être l'objet de cette OPA. Comme dans les caisses noires des syndicats, on est entre deux eaux, à la fois dans la débrouille et le financement occulte. Cela dit, le consentement a beau être dicté par un besoin temporaire de trésorerie, plus que par je ne sais quelle avidité ou volonté de prédation, c'est une bombe qui explosera tôt ou tard, quand Paoli remettra les conclusions de son enquête, plus probablement dans la presse si quelqu'un du renseignement ou du parquet fuite des extraits avant, ou si les Américains, qui ont forcément ces informations, décident de les balancer au moment de laisser tomber leurs amis qataris. Rien ne dit, néanmoins, que l'explosion se produira d'ici les municipales. Si vous voulez l'emporter…

– À supposer que je sois intéressée…

Elle s'assoit enfin, les muscles du visage légèrement contractés – ce rictus qu'il a déjà vu chez les patients en rééducation.

– L'assurance d'un poste de haut conseiller à la sécurité intérieure en 2017 suffira à mon bonheur, dit Alex. Je me vois très bien vivre dans votre ombre si vous vous installez à l'Élysée.

– Et qu'est-ce qui vous fait penser que je voudrais tendre la main à un mercenaire qui m'apporte lui-même la preuve de son ingratitude envers ceux qu'il sert ? Même en ce qui vous concerne, le calcul est dangereux : on vous regardera comme un chasseur de maroquins jusqu'à la fin de votre carrière. Laissez les écologistes aller à la soupe, vous valez mieux que cela.

– Les jugements ne peuvent pas nuire, lorsqu'ils sont biaisés par le ressentiment ou des intérêts adverses. Vous me connaissez assez maintenant pour savoir que je n'ai jamais eu de carte, nulle part. Vous savez aussi que nul ne maîtrise mieux que moi les dossiers de l'Intérieur, et certainement pas le ministre, dont le plan de carrière est d'utiliser la Place Beauvau comme un tremplin vers Matignon, avant d'être le candidat du PS à la prochaine présidentielle. Je lui suis indispensable aujourd'hui, mais demain ? Nos relations n'ont rien d'amical. Je peux vous aider à prendre Paris, en échange de garanties que je continuerai à œuvrer là où je suis le plus utile, indépendamment des péripéties électorales et des scandales qui ne manqueront pas de secouer la République dans un futur proche.

– En somme, dit-elle, c'est l'intérêt supérieur du pays que de vous dire oui…

Son attachée parlementaire entre, les quotidiens du matin à la main. Faure n'a pas de parti, mais une petite équipe d'apôtres dévoués à sa cause dont seul Rambert, son spin doctor, a une véritable expérience des choses politiques : comme lui, il ne prend parti que quand la pièce retombe.

— *Le Parisien-Dimanche* a fait un sondage sur l'hypothèse de votre candidature. Les résultats vont vous faire plaisir. Bonne nuit, madame la députée.

– Une seconde, Camille, nous allons regarder ça ensemble. Notre ami était sur le point de partir.

Alex se lève. Il hésite une seconde à lui dire de se méfier de ce Rambert, puis renonce.

– Puis-je considérer que nous sommes d'accord ?

– Tenez-moi au courant de l'évolution du dossier, répond-elle en le raccompagnant. Charge à vous de me prouver que chacun de nous pourra y retrouver ses petits.

IV

Ce que Laurence supporte le moins dans la solitude qui est la sienne les semaines où Zoé habite chez Franck, c'est le calme des matins.

Les rêves racontés en chuchotant, dans le creux de son épaule. L'odeur du pain grillé qui la tire de son sommeil. Les entrechats devant le miroir juste avant de partir à l'école. Le tas de vêtements sur le lit quand elle rentre. Tout ce que fait sa fille lui manque, et la perspective de vivre sept jours sans elle la remplit d'ennui. Les enfants, pense-t-elle sans ouvrir encore les yeux, ont le don de faire exploser la vie dans n'importe quel lieu en y semant le chaos. Comment est-elle devenue si dépendante de cette présence dans la mesure de son propre bonheur ? Le mois prochain, Zoé aura neuf ans. Dans deux, trois ans tout au plus, tout ce qu'elle est aujourd'hui aura disparu à jamais.

Le temps s'enfuit à la vitesse d'un pur-sang au galop, et chaque jour sans elle est un jour perdu.

Dimanche. Elle pourrait se rendormir, une heure de plus, mais le silence contre-nature de l'appartement la tient en éveil. Elle pourrait aller à la piscine, mais le poids du temps qu'elle ne retrouvera plus plombe ses muscles et sa volonté. Retrouver sa vie et son corps d'avant, du temps rien que pour elle, toutes ces choses regrettées dans l'épuisement et les pleurs quand Zoé n'était qu'un nourrisson, toutes ces nuits sans sommeil qui ne sont plus qu'une nuit, une seule longue nuit dans sa mémoire – elle se sent si loin de ça à présent. Et qu'est-ce qu'elle en ferait, d'ailleurs ? Le temps seul ne vaut rien ; c'est le temps passé à élever sa fille qui l'a rendue heureuse, avant comme après le divorce. Après peut-être même plus qu'avant, si elle regarde la réalité en face. Non pas pour les marques d'affection, que Zoé a toujours distribuées équitablement entre elle et Franck, mais parce que depuis leur séparation elle a vu davantage, au jour le jour, se matérialiser le produit de ses seuls efforts.

Maman, disait-elle, tu es là ?

Maman, je veux que tu restes toujours avec moi.

Il y a longtemps qu'elle n'a plus entendu ces phrases magiques.

Où va l'âme d'une mère le jour où son enfant lui dit qu'il n'a plus besoin d'elle ? La question lui procure une angoisse infinie, sans commune mesure avec sa peur raisonnable de la mort – bien qu'il y ait dans son esprit une analogie entre les deux. Au travail, dans sa famille, toutes les femmes dont les enfants sont devenus adultes ont l'air aussi spectrales qu'Anticlée dans *L'Odyssée* illustrée de Zoé, quand Ulysse descend aux Enfers et y rencontre l'ombre de sa mère, morte de chagrin, d'avoir attendu trop longtemps son retour. Une femme de cinquante ans qui n'a pas eu d'enfants lui apparaîtra toujours plus énergique, plus lumineuse – parce qu'elle n'a pas en elle tout ce bonheur perdu. Hélène Faure, par exemple. Une femme comme elle n'aurait pas la même force motrice, le même élan vital, si elle avait un fils ou une fille dont elle regretterait l'enfance.

Le souvenir de l'interview et de son âpreté finit de la réveiller. Cette femme ne comprend rien à ce que c'est qu'être parent, mais il y a quelque chose de grand et de tragique dans son intransigeance : une résolution indomptable, anachronique. Nous sommes un vieux pays, c'est vrai après tout. Mais où puise-t-elle son courage, qui est une déraison, au fond de quel noir abîme ? Si elle échoue dans sa conquête du pouvoir, elle terminera comme tous les visionnaires qui ont vu trop tôt : lamentablement seule et incomprise, maudite par tous.

Peut-être est-ce ce qu'il nous faut, songe Laurence en ouvrant le carnet de notes qu'elle tient depuis qu'elle a eu l'idée de lui consacrer un portrait, peut-être avons-nous besoin d'un personnage prométhéen pour raviver la flamme de ce pays éteint, cette France qui s'enfonce doucement dans les vapeurs bileuses de la mélancolie, haine de soi, dépression, intolérance. Où brûle ce feu qui l'élève et qui nous manque ? Si Hélène Faure a un secret, elle ne laissera à personne d'autre le soin de le percer à jour.

Elle se lève et ouvre les rideaux. Son téléphone indique huit messages non lus : elle n'aurait jamais dû l'éteindre, regrette-t-elle en appuyant sur la touche correspondant au numéro de Franck.

Si jamais il est arrivé quelque chose.

Les sonneries sont longues et sourdes à son angoisse, et la voix claire de Franck ne la rassure pas. Un dimanche matin, il devrait encore être en train de dormir.

– Tout va bien ? dit-elle en serrant le boîtier du téléphone contre sa joue.

– Tu as écouté mes messages ?

– Je viens de me réveiller.

– Tu devrais peut-être allumer la télé.

Elle cherche la télécommande sous la couette.

– Où est Zoé ?

– Elle termine son petit-déjeuner. Dépêche-toi de venir, s'il te plaît. Je devrais être au bureau depuis une heure. Et appelle ta mère pour voir si elle peut la garder. Je pense que je ne suis pas le seul à avoir essayé de te joindre.

– Qu'est-ce qui se passe ?
– Allume la télé sur ta chaîne.
– À tout de suite.

Elle raccroche, soulagée, en continuant à chercher sa télécommande et en écoutant ses messages. Si rien n'est arrivé à sa fille, c'est que la Terre continue de tourner.

La télévision s'allume enfin, au moment où elle entend la voix de son rédacteur en chef lui dire de sauter dans le premier taxi.

– On va faire une spéciale pour décoder le contenu de la vidéo. Essaie de voir si ton ex peut nous envoyer quelqu'un du service.

Sur l'écran, il y a cinq hommes cagoulés assis en tailleur devant un mur où est accrochée une bannière en arabe. Des explosifs et des détonateurs sont posés, en vrac, sur une table basse. La mise en scène djihadiste lui fait penser à ces messages d'avertissement ou de représailles que Ben Laden et les autres leaders d'Al-Qaida envoyaient il y a une dizaine d'années depuis leurs montagnes pachtounes.

La prise de son est très mauvaise, et elle doit augmenter le volume pour entendre ce que déclare le porte-parole du groupe, qui a une drôle de façon de ponctuer ses phrases en hochant la tête sous sa cagoule.

– L'État français et la société française sont islamophobes. Notre religion est persécutée et opprimée en France, et nous n'avons pas d'autre choix que de nous défendre et de nous soulever. Aucune menace, aucune tentative de dialogue ne nous fera dévier de ce juste chemin, qui est le chemin du Seigneur, qu'Il soit loué et exalté ! Nous invitons nos frères musulmans et tous ceux qui veulent protéger leur famille à quitter Paris d'ici le vendredi 13 mars, après quoi, avec l'aide de Dieu, la ville connaîtra la souffrance et la désolation que vivent au quotidien nos frères et sœurs martyrisés par l'État athée. Nos bombes seront les premières salves de la révolution islamique en France. Louange au Seigneur, justice et liberté pour l'islam !

C'est un petit Blanc, pense-t-elle avec stupeur, une stupeur à double détente : stupeur que la voix n'ait pas l'accent qu'on s'attend à entendre dans ce décorum, et stupeur vis-à-vis de sa propre réaction, au fond de laquelle elle sent poindre une honteuse angoisse à l'idée que la France vient de basculer, irréversiblement, dans l'état sauvage, transformée en une nuit en un pays en guerre, qu'elle ne peut pas aimer. Ces cagoules, ce n'est plus la crise qui dure, l'affaissement indolore. C'est la guerre – tous dressés front contre front, l'index sur la détente et le pistolet sur la tempe de l'autre. L'ennemi intérieur. La guerre civile. La France, se répète-t-elle horrifiée, sans république et sans nation – une incantation désolée, un simple nom qui a lui seul ne pourra rien sauver.

Les messages suivants sur son portable, ceux de Franck et les autres que lui a laissés son rédac-chef, elle ne les écoute pas. Elle entend juste son père lui dire que lui et sa mère peuvent prendre Zoé chez eux si elle en a besoin.

Sur le plateau, le présentateur de la matinale souhaite la bienvenue à l'expert maison pour les questions de sécurité et de terrorisme, tandis qu'un bandeau au bas de l'écran rappelle, en boucle et en gros caractères, la nature de la menace.

TERRORISME : 5 ATTAQUES-SUICIDES ANNONCÉES D'ICI 15 JOURS. « IL FAUT DÉTRUIRE PARIS », PRÉVIENT LE COMMANDO DAWA.

Dawa, ou plus exactement da'wa, explique le jeune chercheur qu'on est allé trouver en vitesse pour grossir les rangs des spécialistes, signifie à l'origine « l'appel » – appel à répandre l'islam et invitation à rejoindre les enseignements du prophète. Dans la sourate 30, Allah réveille les morts le jour de la résurrection. Sur la base de son sens coranique, le mot désigne dans les premiers siècles de l'ère musulmane la technique de propagande utilisée par différentes sectes pour étendre leur aire d'influence parmi les populations infidèles. Par extension, il prend ensuite le sens dérivé d'appel à la subversion de l'ordre établi, dans le but ultime d'établir la charia. Dans l'argot d'aujourd'hui, conclut le pédant, pour les jeunes des banlieues comme les petits-bourgeois, la connotation religieuse s'efface derrière un nouveau sens, la manifestation d'une énergie spontanée, impossible à canaliser : dawa signifie la bringue, la fête sauvage, à fond les ballons, mais aussi la pagaille, le désordre, le grand bazar – à ce compte-là, pourquoi pas l'émeute ?

En trouvant sa rue, d'ordinaire si calme, en proie à une agitation fébrile sous le coup de la nouvelle, Laurence a l'impression qu'un astéroïde monstrueux est en route vers la Terre, et elle se dit qu'après tout, il n'y a pas que sa fille pour la faire sortir de son axe.

– Laurence Leroy ? demande un père de famille en jogging, son sac de croissants à la main. Je ne rate jamais votre émission, et quand on a un dîner je l'enregistre. Vous êtes la seule à tenir tête à ces charlatans. Une petite photo, s'il vous plaît ?

Elle pose de bonne grâce, dissimulant sous un sourire son empressement et son angoisse.

– Dites, hasarde l'homme d'un air soucieux. Vous qui devez être un peu au courant… Vous pensez qu'elles vont exploser où, ces bombes ?

– Nos linguistes s'accordent à dire que c'est un Français qui a entre dix-huit et vingt-cinq ans, un petit Francilien qui ânonne les mots de quelqu'un d'autre, vraisemblablement français lui aussi. La grammaire est correcte, sans être sophistiquée. Le niveau de langue est jugé neutre. Le vocabulaire regorge de références à la vulgate wahhabite d'il y a dix ans. Voilà pour le contenu. Une fois qu'on a dit ça, résume Paoli d'un air sombre, on est bien avancés.

Le Premier ministre, plus rincé que jamais, l'invite à poursuivre son exposé d'un geste amène. Il en va ainsi de toutes les réunions de crise, tous ces brainstormings antiterroristes, tous les conseils de sécurité intérieure à la veille de la dérouillée auxquels Paoli a participé depuis septembre 2001 : même s'il y a le feu au lac, la courtoisie républicaine prévaut, comme un signal bien compris de chacun des intervenants, quelles que soient la réalité et la gravité du péril, un code qu'on est prié d'avoir assimilé avant de ressortir dans la cour de Matignon, d'ici deux ou trois heures, en rangs compacts devant les caméras, et d'expliquer à la horde hystérique de journalistes que le bon peuple peut retourner sans crainte à sa léthargie dominicale.

Le sourire effaré de Paul Reynaud, sur les clichés pris pendant la Débâcle de 1940, se présente à son esprit ; la bonne composition de ce brave M. Necker, à la veille de 1789. C'est le luxe des vieilles nations que de pouvoir considérer leur déconfiture avec le flegme des musiciens du *Titanic*.

– L'adresse IP depuis laquelle la vidéo a été mise en ligne hier après-midi appartient à un cybercafé de République. La bande de surveillance de l'établissement vient de nous parvenir.

L'obscurité se fait dans la pièce, une petite salle de réunion coincée entre la cave et la salle de gym de Matignon, où se serrent ministres et hauts fonctionnaires compétents en matière de sécurité nationale. Sur l'écran installé en bout de table, face au Premier ministre, apparaît une image basse résolution, granuleuse et en noir et blanc. Le time code indique 15 h 43. Un client entre, deux autres sortent, sans que l'angle en forte plongée permette de distinguer leur visage. La porte du café s'ouvre à nouveau, et, au lieu de se rabattre, reste suspendue dans le cours gelé du temps.

Un murmure parcourt l'assemblée. L'arrêt sur image montre un homme coiffé d'une casquette du PSG, un sac en bandoulière. De larges lunettes de soleil abritent son regard. Il a le menton légèrement incliné vers l'avant, et en resserrant le cadre Paoli se surprend à espérer qu'Arif n'a pas traîné à prévenir Bakiri.

– Est-ce que c'est notre homme ? demande le ministre de l'Intérieur, avec son impatience de rustre. Arkadin ?

Paoli lit sous ses sourcils épais tout le profit politicien qu'il espère retirer de cette affaire – là où il y a une menace, il y a une opportunité. Cet ambitieux a déjà dû appeler le président pour lui demander l'autorisation d'exploiter le filon en vue des municipales, en expliquant que le parti tient là une occasion en or de minimiser la bérézina qui s'annonce partout sauf à Paris. Et si le président ne la lui donne pas – on dit que le pauvre homme, Bartleby de la politique, n'ose plus rien dire ou faire de peur de provoquer une nouvelle catastrophe –, il prendra tout de même les devants avec ses amis de la gauche néo-conservatrice, le ministre de la Défense qu'une grippe tardive a empêché d'être présent ce matin, le courant réformiste dont ils sont les inspirateurs, rue de Solférino et au sein du groupe parlementaire, et leur garde prétorienne à la SDAT, la sous-direction antiterroriste de la PJ, installée dans les mêmes locaux que sa sœur ennemie du renseignement intérieur, à Levallois. Il y a dix ans, jeunes loups de l'opposition, ces hommes n'avaient pas de mots assez durs pour la brutalité et l'imprudence de la junte Bush-Cheney-Rumsfeld ; d'où vient, aujourd'hui, qu'ils ont déclaré la guerre au trafic de drogue sur le territoire national et qu'ils veulent renverser tous les régimes parias, autrement dit chiites, du monde arabo-musulman ? Le fait que ces croisades insensées, toujours préventives, servent les intérêts de leurs mécènes qataris n'est sûrement pas étranger à l'affaire, et Alexandre Marion, impassible derrière son ministre, en sait beaucoup plus en la matière qu'il ne veut bien le dire.

– Possible, dit Paoli en faisant incorporer la photo du maître de conférences en médaillon. Vous pouvez dire que c'est lui, ou n'importe quel homme brun d'âge moyen et de taille moyenne. Regardez bien. Ça pourrait même être vous, autant que je sache.

Les pixels de la tour Eiffel et du berceau, le logo sur la casquette, scintillent comme une surface de verre sous le soleil.

– Ce que nous vous demandons, reprend le ministre sans relever la provocation, en appuyant la langue derrière sa lèvre inférieure pour donner un air encore plus viril à sa mâchoire, c'est s'il est possible que le niveau de français de la vidéo, construit ou effectif, soit celui d'un prof de fac.

– Est-ce que le texte a pu être rédigé dans l'intention de brouiller les cartes, pour qu'on ne sache pas qui parle ? Sans aucun doute. Mais je vous pose à mon tour une question : faut-il être prof de fac pour avoir ce genre d'idée et la mettre à exécution ?

– Vous conviendrez que nous avons eu tout à l'heure un panorama des plus limpides sur l'état de la menace terroriste, insiste l'autre en hochant la tête à l'intention de ses amis de la SDAT. Vous, vous nous dites que vous n'avez aucune certitude. Il y a des choses que vous savez ?

– Je partage l'analyse de mes collègues de la sécurité extérieure et de l'antiterrorisme, dit Paoli, de moins en moins maître de son agacement. Nous ne sommes pas du tout dans le modèle d'une cellule intégrée à une structure de commandement globale, avec des filières étrangères. C'est un terrorisme spontané, peu sophistiqué, donc très difficile à identifier et à infiltrer.

– Mais rassurez-nous, les pistes domestiques, a priori autoradicalisées, les loups solitaires, c'est bien votre domaine, non ?

– Monsieur le ministre, dit Paoli en reprenant place sur sa chaise, voilà presque deux ans que je fais mon possible pour supporter votre arrogance de paon et vos désolantes manières, parce que l'esprit des institutions m'y oblige. Vous êtes, il est vrai, mon ministre de tutelle, et j'ai à votre égard le respect et la loyauté que mon administration doit au pouvoir politique. Mais vous et moi, il n'est pas inutile de le rappeler, nous sommes aussi des hommes ou, si le mot ne vous dit rien, des êtres sujets à toutes sortes d'émotions, parmi lesquelles la colère, qui se trouve être celle que j'éprouve de façon très vive à vous écouter. Si vous ne voulez pas recevoir en dehors de ces murs une preuve plus tangible et plus douloureuse de mon humanité, je vous invite expressément à changer de ton, voire à vous taire, ce qui donnera l'occasion à d'autres esprits sûrement moins brillants que le vôtre la possibilité très démocratique de nous faire part de leurs vues.

– Messieurs, de grâce ! s'exclame le Premier ministre. Le moment n'est pas le mieux choisi pour ces enfantillages.

Belle endurance, songe Paoli en scrutant sa peau fine comme un parchemin, sous laquelle affleure l'épaisseur rougeaude du bourgmestre. Laissé pour mort, cent fois depuis sa nomination, par le chef de l'État, abandonné au front, vidé de son sang dans les tranchées du chômage, des déficits publics, de la réforme des retraites et des affaires, méprisé par sa majorité, sans autorité sur les factions et les egos surdimensionnés de son gouvernement, il a donné une dimension héroïque, surnaturelle pour ainsi dire, à l'image du fusible, qui est à son sujet une litote encore plus imbécile que pour tous ceux qui l'ont précédé sous la Ve République. Le ministre de l'Intérieur, c'est un secret de Polichinelle, convoite sa place et en héritera après les municipales ou les européennes – à ses propres dépens, peut-être. Chirac en 1988, Balladur en 1995, Jospin en 2002 : la liste est longue des Premiers ministres qui se sont vus président un peu trop tôt. En attendant, Paoli ne garderait pas les cochons avec l'actuel titulaire du poste mais, dans le navrant pêle-mêle de cette mandature, la compétence et le courage ayant été sacrifiés au jeu des équilibres politiciens, il lui inspire plus confiance que ses subordonnés prêts à lui planter leurs dagues entre les omoplates.

– Est-on sûr de leur détermination ? relance le Premier ministre. Doit-on absolument exclure qu'il s'agisse de crétins qui courent après leur quart d'heure de célébrité ?

– Je crois que nous aurions tort de les prendre à la légère.

– Mais que veulent-ils, alors ?

– Rien, vous les avez entendus. Ils n'ont rien à marchander. Leur but ultime, c'est l'insurrection islamiste partout en France. Le foutoir à tous les coins de rue.

– Bien. Les options, je vous prie. Succinctement.

– Déjà, dit le matamore de la Place Beauvau, je pense qu'il y a un consensus sur la mise en garde à vue d'Arkadin.

Toutes les têtes se tournent vers Paoli, dans l'attente d'une nouvelle passe d'armes, mais c'est le juge Bonnet, assis de l'autre côté de la table, qui saisit la balle au bond.

– En l'état actuel des choses, je ne vois aucune raison de signer un mandat de dépôt et de dévier de la ligne de conduite arrêtée la semaine dernière, quand nous avons reçu l'information concernant Arkadin. Une surveillance a été mise en place, il faut la laisser suivre son cours. S'il est derrière la vidéo et le projet des attaques, vous pensez bien qu'Arkadin ne s'en vantera pas en audition, et qu'il n'aura pas attendu qu'on perquisitionne chez lui pour faire le ménage. Par ailleurs, l'extrême volatilité de la cité depuis l'arrestation de la jeune fille doit nous inciter à la prudence. Nous n'avons pas besoin d'une petite Tchétchénie aux portes de Paris.

– Il ne vous a pas échappé, s'impatiente le ministre, que la menace à laquelle nous faisons face depuis ce matin est d'un tout autre ordre que les poussées de fièvre préprintanières de la banlieue nord.

– La diffusion de la vidéo ne change strictement rien du point de vue de l'enquête, lui répond placidement Bonnet, et ce point de vue est le seul dont j'ai le devoir de me préoccuper. En tant que magistrat instructeur, je me permets de vous rappeler que ce climat de stigmatisation et de guérilla urbaine n'est pas le plus propice à l'avancée de nos recherches. Pour autant, je vous le concède, il est indéniable que la vidéo pose un problème en termes de communication : l'opinion publique va vous mettre en demeure de présenter des résultats sans délais.

– Eh bien ?

– Laissez-nous faire notre travail pour que nous puissions vous les fournir au plus vite. Le plus grand service que vous puissiez rendre à ces gens-là, ajoute Bonnet en désignant la capture d'écran du commando Dawa qui orne la couverture du dossier posé devant lui, c'est d'ouvrir la porte à une chasse aux sorcières. Ils n'attendent que ça, car le chaos est leur meilleure cachette.

Paoli ne l'aurait pas mieux dit, et il se sent saisi par une gratitude qui efface la déception de leur dernière entrevue.

– Monsieur le directeur ? dit le Premier ministre en se tournant vers lui.

– Si Arkadin est le leader de ce commando et si nous l'arrêtons, lui seul, les quatre autres s'évanouiront aussitôt dans la nature. Dans ce type de cellules, les bras et les jambes continuent à fonctionner même quand on a coupé la tête.

– Mais bon Dieu, s'emporte le ministre de l'Intérieur, nous avons moins de deux semaines devant nous ! Avez-vous la moindre idée de l'urgence dans laquelle nous sommes ?

– Vous avez raison, dit Paoli, et c'est pourquoi il nous faut agir sans éveiller la méfiance du principal suspect. Nous allons intensifier la surveillance dont il fait l'objet, tout en nous appuyant sur les interceptions électroniques, les fadettes et l'analyse de ses données bancaires. Je ne crois pas à un complot importé, mais nous avons pris langue avec les services de Schengen afin d'effectuer toutes les vérifications qui s'imposent. J'ajoute que mes hommes sont d'ores et déjà à pied d'œuvre dans la cité, à la recherche d'une source qui nous permettra de confirmer ou d'infirmer les dires de Ferhaoui.

– Pardonnez-moi, mais est-ce que l'inimitié notoire que vous nourrissez pour l'imam Ferhaoui n'obscurcit pas votre jugement sur toute cette affaire ? Dites-nous le fond de votre pensée : vous croyez à l'implication d'Arkadin ?

– Je ne suis pas payé pour croire, monsieur le ministre. Moi, on me demande de trouver.

– Bien, tranche le Premier ministre en souriant. Maintenant que nous sommes rassurés de savoir le Picasso du renseignement parmi nous, il est temps d'accorder nos violons. La presse attend des réponses. Que dit le parquet ?

– L'ouverture d'une information judiciaire contre X pour association de malfaiteurs en relation avec une entreprise terroriste donnera à la police et au renseignement les moyens nécessaires. Pour le reste, dit Bonnet, tout est déjà en place.

– Et pendant ce temps, siffle le ministre de l'Intérieur, faisant comme si Paoli n'était pas là, j'imagine que vous ne voyez pas d'inconvénient à ce que les investigations en cours sur l'imam Ferhaoui soient suspendues jusqu'à nouvel ordre ? Nous devons établir un ordre de priorité.

Le coup de pied de l'âne, pense Paoli. Vu la leçon de realpolitik qu'ils viennent de recevoir, lui et ses alliés de la SDAT, et le temps qu'il a arraché à leur impétuosité calculatrice, ce revers n'est pas cher payé.

Bonnet acquiesce en silence.

– Le renseignement intérieur est-il d'accord ?

– Je suivrai les recommandations de l'instruction.

– Bien. Le ministère de l'Intérieur coordonnera l'information du public, conclut le Premier ministre, en guettant la naissance de la consternation sur le visage de l'intéressé.

– Naturellement, monsieur le Premier ministre.

– Les ressources du SIG sont à votre disposition – naturellement.

Si le service de propagande du gouvernement est de la partie, ricane Paoli, on peut dormir sur ses deux oreilles.

– Entre, dit Franck.

Il n'a pas dû beaucoup dormir ces derniers jours.

– Pas le temps. Toi non plus, j'imagine. Elle est prête ?

Laurence franchit tout de même le seuil. Zoé lit une bande dessinée sur le canapé du salon, encore en pyjama, pâlotte et les yeux cernés. Il y a moins de désordre que le mois dernier, mais en un coup d'œil Laurence a compris que cette fois encore sa fille a eu droit à toute la palette du laxisme paternel, les magazines à table, les DVD et les pizzas, sans oublier le coucher à pas d'heure, selon toute vraisemblance dans le lit de Franck. Elle scrute la pièce à la recherche de la tablette qu'il s'est offerte pour Noël, prête à lui rappeler sa promesse de ne jamais l'utiliser en présence de Zoé. Pas de tablette en vue : il l'aura planquée après avoir répondu à l'interphone. Et la télé est éteinte, heureusement. Zoé n'a pas besoin d'ajouter le chaos du monde à ses angoisses.

– Elle sait ? demande-t-elle à Franck, à voix basse, en vérifiant l'heure.

– Non. Je suis resté sur l'ordinateur.

– C'est sérieux ?

– Tu as vu leur bric-à-brac ? Ils ont au moins trente kilos de plastic, ces cons-là.

– On dirait que tu tombes des nues.

– On a reçu un élément la semaine dernière. On était en train de vérifier, mais tout est en stand-by depuis ce matin. C'est compliqué, avec ce bordel.

– La gamine des 3000 ? Tu me dis qu'elle est dans le coup ? Franck !

– Peut-être que c'est lié. Garde ça pour toi s'il te plaît.

Elle s'assoit sur l'accoudoir du canapé.

– Coucou, ma puce.

– Coucou, maman, dit Zoé en l'embrassant.

Le chien fait la fête à son maître quand il rentre le soir ; l'enfant, vous ne le voyez pas pendant une semaine, il vous fera comprendre qu'il est ravi de vous retrouver, mais que ça n'est pas une raison pour interrompre son occupation du moment.

– Elle a dormi toutes les nuits dans sa chambre, dit Franck. Sauf hier soir. Toujours le même cauchemar.

– Mais qu'est-ce que tu fais ? souffle-t-elle en l'entraînant dans le couloir, bien qu'elle soit consciente que son énervement et sa fébrilité ont une tout autre cause ce matin que l'indolence paternelle de Franck. Tu veux être son père, et tu te comportes comme un grand frère irresponsable.

– Irréprochable. Un grand frère irréprochable.

– Je ne comprends pas comment tu peux plaisanter un jour pareil.

– Elle dit qu'elle a mal au mollet depuis mercredi. Il n'y a pas de bleu, ni d'égratignure. Ça doit être une douleur de croissance. Tu devrais en parler au pédiatre.

– Le mercredi, c'est la danse, coupe-t-elle en regrettant aussitôt la dureté de son ton. Tu comptes assister au spectacle cette année, ou bien on aura droit aux excuses d'usage ?

– Tu sais très bien pourquoi je n'ai pas pu venir l'année dernière.

Ils repassent au salon. Le sac de Zoé trône sur la table basse. À l'intérieur, les habits sont sens dessus dessous.

– Elle n'a pas de linge propre ?

– Je vais voir.

– Laisse tomber.

– Maman, regarde ! s'écrie Zoé en bondissant sur le parquet pour faire ses pointes.

– Il faut qu'on y aille, ma puce. Je vais être en retard, dit-elle en regardant à nouveau sa montre.

– Juste une minute.

Et elle se met à papillonner entre les meubles, les jambes bien galbées et les bras gracieux au-dessus de la tête, dissipant avec une innocence désarmante la tension entre ses parents et chassant de la pièce, pour une minute ou deux, la réalité de la menace qui pèse désormais sur eux trois et le reste de la ville.

C'est fou, songe Laurence, elle a encore fait des progrès. Le ballet, à ses yeux de mère, c'est l'une des rares survivances de la culture classique qui ait un avenir : malgré toutes les idioties qui leur épongent la sensibilité, les jeunes filles de leur temps continuent à vouloir danser *Casse-Noisette* et *Le Lac des cygnes*. Et sa fille à elle, du haut de ses neuf ans, n'aime rien tant que les histoires du passé, les dynasties de rois et les révolutions. C'est réconfortant, en un sens, même si ce genre d'idée ne déplairait sans doute pas à quelqu'un comme Hélène Faure.

Elle attrape de quoi habiller Zoé, au hasard, en vérifiant juste que le T-shirt et la jupe sont à peu près présentables. Plus agaçant encore que la négligence de Franck, il y a les remarques de sa mère sur la négligence de Franck.

– Qu'est-ce que la gamine vous a raconté ?

– Rien. Elle n'a pas dit trois mots.

– Je suppose que vous allez retourner la voir.

– Aucune idée. Daniel est rentré en catastrophe de Corse pour un briefing à Matignon. On attend les instructions du parquet, mais qui sait la tournure que les choses vont prendre avec l'intervention du politique.

– Tu es inquiet ? demande-t-elle, cette fois-ci avec plus de tendresse qu'elle n'aurait souhaité y mettre.

– On n'enquête jamais bien avec les médias dans les pattes, un ministre qui attend des résultats pour les présenter tous les soirs au vingt heures, et soixante-cinq millions de badauds qui veulent tout savoir.

– Silence ! ordonne Zoé.

Dimanche dernier, avant de partir chez Franck, elle était tout près de réussir le grand écart. Voilà. Elle les regarde, radieuse, les muscles encore un peu tremblants, avec l'expression malicieuse qu'elle prend parfois pour dissimuler ses vraies émotions. L'hypothèse se loge aussitôt dans l'esprit de Laurence qu'elle maîtrise la figure depuis une semaine ou deux, sans avoir rien dit à personne. Simplement, se dit-elle en essayant de contenir cette idée qui lui fend le cœur, elle aura attendu qu'ils soient tous les trois réunis pour faire sa première démonstration : depuis le divorce, Zoé connaît la valeur de ces attentions délicates, et elle les a spontanément. Franck est tout chose, comme chaque fois que sa fille fait un pas de plus vers l'âge adulte. Il la félicite et il est fier d'elle, mais le désir fou de figer le temps se lit dans son regard. Au moins partagent-ils encore ce rêve paradoxal, cette mélancolie inhérente à la condition parentale – vouloir que leur petite fille grandisse du mieux qu'elle peut, qu'elle voie le monde et vive sa vie, mais qu'au bout du compte elle demeure quand même leur petite fille. Parce qu'ils n'en savent rien, ou qu'ils l'oublient facilement, les enfants plus que les adultes portent en eux la vie et la mort, la joie du présent et le temps qui ne reviendra plus, le cœur qui galope et le souffle qui s'amenuise.

Zoé enfile ses vêtements. Elle lui remet ses cheveux en place.

– Dis au revoir à papa.

Franck serre longuement Zoé sur le palier, encore plus longtemps que d'habitude. Cette séparation est le seul moment dont Laurence se passerait volontiers quand elle vient chercher sa fille, parce que les faits leur rappellent à tous les trois, malgré leurs efforts respectifs pour donner le change, que quelque chose de fondamentalement douloureux définit à présent le temps qu'ils passent ensemble.

– Je t'aime ma chérie, lance Franck à Zoé qui dévale déjà l'escalier.

Laurence va tourner les talons à son tour, mais il lui attrape le poignet, sûr de son fait, comme si c'était la chose la plus naturelle. Son geste la prend tellement au dépourvu qu'elle ne dit rien et reste devant lui, la bouche figée par un rictus stupide, priant pour qu'il ne remarque pas l'emballement de son pouls.

– Fais attention, dit-il en lâchant prise. Évitez de prendre le métro.

Il a envie de lui caresser le visage et de l'embrasser. Elle le sent, et recule d'un pas.

– Toi aussi, sois prudent. Et tâche de ne pas oublier le spectacle. S'il te plaît.

Elle essaie de ne pas se retourner en descendant, mais elle sent la brûlure de son regard sur sa nuque. Il n'y a pas assez de marches entre les deux étages pour savourer ce regain d'intimité entre eux.

Me voilà bien, pense Alex en poussant la double porte de la salle des archives. Le ministre, vexé comme un pou et fou de rage à la sortie de Matignon, l'a ramené avec lui sur la rive droite pour l'enrôler de force dans un blitzkrieg contre Paoli.

– Ce salopard veut la guerre ? Il va trouver à qui parler.

C'est ici, aux archives, qu'on déterre les haches. La salle, fraîche et sans fenêtres, somnole dans le ronron du dimanche après-midi, encore plus silencieuse et immobile qu'en semaine sous le poids de tout le passé crasseux qu'elle contient. Deux vétérans du ministère sont plongés dans la lecture des dossiers entassés devant eux : une brune d'une cinquantaine d'années, un peu désuète, au nez grec et à la peau diaphane d'actrice du cinéma muet, il croit se rappeler qu'elle travaille aux Affaires juridiques, et l'ancien numéro deux de la Protection civile, un préfet hors cadre qu'un faux pas ou l'ire du pouvoir politique de l'époque a fait atterrir dans les sous-sols d'où il n'est jamais ressorti. Le purgatoire dure, Place Beauvau, plus longtemps qu'ailleurs.

Ils étaient déjà là à son arrivée, et l'ont salué avec la même déférence jalouse quand il a pris place. Le préfet a tendu l'oreille, en vain, au moment où il a passé sa commande au documentaliste.

Certains surnomment l'endroit la cuisine, pour les casseroles qu'on vient y ramasser sur untel ou untel, et d'autres le placard, à cause des cadavres que les imprudents y ont oubliés dans leur retraite hâtive.

Mais sur lui, constate Alex, rien en magasin.

Après trois heures à survoler les comptes-rendus des opérations auxquelles Paoli a participé ou qu'il a dirigées au renseignement intérieur, Alex a compris qu'il ne fait pas partie de ceux qui se font rattraper par la patrouille des années après. Soit c'est un haut fonctionnaire de police irréprochable, ce qui est rare mais qu'on ne peut exclure, soit il a toujours eu trop de métier pour laisser des traces. À quelques exceptions près, les documents déclassifiés n'ont pas encore été numérisés et datent tous d'avant la chute du Mur. Des infiltrations de groupuscules gauchistes financés par l'Iran et les services est-allemands, dans la mouvance Action directe, jusqu'au milieu des années quatre-vingt, puis beaucoup d'antiterrorisme, encore et toujours, mais ciblant des organisations étrangères, avec un net tropisme proche et moyen-oriental – toute une époque.

Rien non plus dans les dossiers encore sous le sceau du secret, qu'il a ouverts du plus récent au plus ancien, en commençant par ceux de la DCRI, dont certains portent son paraphe de directeur de cabinet, avant de retomber à nouveau dans les opérations de la DST. Rien que du secret-défense, et rien d'anormal. Trois heures et demie gaspillées dans l'illusion que Daniel Paoli puisse avoir un talon d'Achille. Qu'est-ce qui lui a pris, au ministre, d'imaginer que cet homme soit autre chose qu'un grand scrupuleux ? La désinvolture n'existe pas chez les flics de son gabarit, ceux qui ont grenouillé aussi longtemps dans les eaux usées de la République. Il trouve son commanditaire bien naïf de s'être laissé aller à croire le contraire.

La lassitude rend son café, déjà froid et amer, encore plus imbuvable, et ses pensées, pour trouver un peu d'air, s'échappent un instant vers la bande de possédés dont la vidéo sature depuis ce matin les écrans de l'Hexagone. Des possédés ou des simples d'esprit persuadés d'entendre les trompettes de Jéricho ? L'idée que le fléau qu'ils promettent au pays n'est qu'un monumental canular l'effleure une seconde, mais il ne s'y arrête pas, l'œil soudain attiré par un nom surgi du passé : Kader Arrache/1995-1996, indique la couverture du dossier. Les attentats du RER. Les cocottes-minute bourrées de clous. L'incendie de Mulhouse. Ces mois d'angoisse et de traque télévisée lui reviennent sous une forme éparse, en bribes de sensations, par un étrange écho avec la situation présente. Avait-on assisté à l'époque à l'avènement du djihadisme planétaire, au prélude de la guerre des civilisations, ou aux derniers feux de la guerre d'Algérie ? Même avec le recul, presque vingt ans après, il n'arrive pas à trancher.

Il ne savait pas que Paoli avait tenu un rôle dans cette affaire.

– Pardonnez-moi, monsieur.

Le documentaliste se tient à côté de lui, une feuille jaunie et dactylographiée à la main.

– C'est un télégramme diplomatique qui était resté collé à l'intérieur de la boîte.

– Je vous remercie.

Le message, classé très secret, est daté du 12 février 1991 et provient du poste de Damas. Au commissaire-divisionnaire Daniel Paoli de la DST, l'attaché militaire confirme qu'Al-Mansour Arrache a bien fui l'Irak et se trouve en Syrie, sous la surveillance des services de Hafez el-Assad.

« Retour prochain en France suspecté », indique l'auteur, sans plus de précisions.

Dans Hypérion, la base de données numérique qui compile toutes les biographies produites depuis l'après-guerre par les différents services chargés du renseignement intérieur, il y a une ligne « Arrache, Abderrahmane, dit Al-Mansour (1930 ?- ?) », juste au-dessus de la ligne « Arrache, Kader (1967-1996) ». Alex clique sur le premier nom : l'entrée est vide. Pas de trace, non plus, d'un Al-Mansour sur la fiche de Kader.

Pourquoi, quatre ans avant les carnages de Saint-Michel et de Port-Royal, cet intérêt pour les allées et venues d'un fantôme dont le nom n'apparaît nulle part, et qui ne signifie rien si ce n'est par son homonymie, ou son lien de parenté, avec celui qui n'en avait même pas encore formé le projet ?

En revenant au dossier des attentats, il s'aperçoit que l'index de référence qui figure normalement à la fin est manquant : impossible de savoir s'il y a là tous les documents d'origine. La première partie, antérieure aux attaques de l'été 1995, comporte une dizaine de pièces émanant de la DGSE ou du renseignement militaire, à propos des séjours effectués par Kader Arrache dans les camps d'entraînement islamistes de Bosnie et de Tchétchénie. Un rapide survol ne lui révèle aucune anomalie majeure. Mais la suite, constituée des notes de surveillance rédigées une fois le fugitif localisé dans l'est de la France, à la mi-mars 1996, et qui devrait donc être beaucoup plus épaisse, il la trouve diablement squelettique. La semaine ayant précédé l'intervention du RAID et la mort d'Arrache, trois rapports d'une demi-page se battent en duel avec des notes de frais visées par Paoli. C'est quatre à cinq fois moins que la normale, sachant que les équipes au contact se relaient toutes les douze heures, et qu'elles sont tenues de consigner par écrit les événements survenus durant leur quart.

La voilà, se dit-il en relisant le nom de Paoli sur le télégramme diplomatique. La voilà, la faille dans la cuirasse.

Ce ne serait pas, il est vrai, la première opération dont les minutes se sont évanouies dans la nature. Mais tout de même : il y aurait une note de justification, un renvoi à d'autres documents, n'importe quoi de nature à rendre présentable l'entorse à la procédure et dissiper les questions que ce genre d'absences ne manque jamais de soulever.

Il n'y a rien, et quelqu'un a jugé bon de faire disparaître l'index. Paoli ? Il avait la haute main sur le volet policier de l'enquête, et sur le dispositif de surveillance. Selon toute vraisemblance, il était sur place, à Mulhouse, pour briefer l'équipe du RAID avant qu'elle pénètre dans l'immeuble. Au minimum, en fouillant bien, le ministre trouvera là matière à lui empoisonner ses derniers mois de service, à le rendre illégitime au moment où il s'apprête à se retirer avec les honneurs pour sa vénérable carrière, pourquoi pas avec une suspension à titre conservatoire, ou en le jetant dans le sombre mouroir où finissent les directeurs honoraires de la police nationale. Au minimum. Mais qui sait ? L'instinct d'Alex lui souffle qu'il pourrait y avoir bien plus sordide dans les trous de cette affaire.

Le numéro de Pelletier, un ancien commissaire de l'IGS désormais sous les ordres de Paoli à Levallois, il avait dû l'effacer par erreur de son répertoire et, dans l'apathie générale de cette fin de week-end, il a mis un certain temps à retrouver sa trace.

– Philippe ? Alexandre Marion à l'appareil.
– Alex ! Il y avait longtemps.
– J'ai un service à te demander.
– Dis toujours.
– Tu te rappelles l'enquête sur la mort de Kader Arrache ?

– Tu parles. On a fait les auditions à marche forcée, et les expertises… Les mecs étaient noirs et ratatinés comme du papier journal, les murs de leur appartement s'effondraient de partout, il y en avait pour des mois à recoller les morceaux. Mais l'ennemi public numéro un était hors d'état de nuire, et la façon dont lui et les autres avaient passé l'arme à gauche n'intéressait pas grand monde. On nous a fait comprendre gentiment que l'opinion avait besoin de passer à autre chose.

– J'ai relu la presse de l'époque. Même les habituels apôtres de la vérité ont accepté sans broncher le discours officiel.

– Tu ne dois pas te rappeler, mais je peux te dire que la campagne a été très convaincante.

– J'ai des raisons de penser qu'il faudrait rouvrir le dossier.

– Tu veux que je me retrouve à la retraite anticipée ou quoi ?

– C'est la retraite d'un autre que le ministre a en tête.

– Paoli ? Qu'est-ce qu'il a encore fait, le vieux ?

– En tout cas, j'en connais un certain nombre au gouvernement qui ne seraient pas fâchés de voir sa tête rouler dans la sciure, tout en jetant du sable dans les godasses des vieux ténors de la Chiraquie.

– Tu sais que Paoli n'est pas mon meilleur ami.

– Le mien non plus. Non, je ne savais pas.

– Il y a cinq ans, il a bloqué la procédure contre Franck Meyrieu, un stup chez qui on avait retrouvé de la cocaïne. C'est moi qui dirigeais l'enquête, et je l'ai mal pris. Il avait beau avoir raison, le type est devenu un as sous son aile, ça m'est resté en travers de la gorge.

– Je comprends.

– Mais Paoli a toujours été réglo avec moi depuis que j'ai rejoint la Maison. Je ne veux pas le flinguer. Surtout pour le compte de ton patron.

– Alors aide-moi à retrouver les biscuits avant que le ministre mette la main dessus grâce à quelqu'un d'autre. Il sera toujours temps, ensuite, d'aller monnayer la chose avec l'intéressé.

Hélène Faure, et maintenant Paoli. Même pour des raisons qu'on juge honorables, songe Alex en raccrochant, le chemin n'est pas long du haut fonctionnaire respectable au pourvoyeur à la sauvette de secrets d'État.

Les derniers rayons de soleil descendent à l'horizontale sur les toits gondolés de l'autre côté de la rue, et tout le quartier bruisse de la nouvelle qu'Assan a couvée, seul puis avec ses disciples, ces quatre dernières années.

Hayet, sa voisine palestinienne, est catastrophée. Sur le talk-show dominical d'Al-Jazeera, elle a entendu un éditorialiste très sûr de lui prédire que le ministère de l'Intérieur allait, dans les prochaines heures, donner des consignes de contrôle d'identité systématique sur les Maghrébins et tout ce qui ressemble, de près ou de loin, à un Arabe.

– Mais on ne sait même pas qui sont ces gens, lui répond-il par-dessus la haie. Si ça se trouve, ils sont tous d'ici ! Vous avez entendu la voix de leur porte-parole ?

– Ça ne change rien, s'écrie la voisine, puisqu'ils se réclament du Coran. Les fous ! Est-ce qu'ils se rendent compte du tort qu'ils nous font, à nous autres ? Moi, je vais au travail tous les jours en RER, comme toi. Qu'est-ce que je dirai à mon patron si la police m'empêche de passer et que j'arrive en retard ?

– Je ne pense pas que vous ayez le profil des gens à qui la police va faire des ennuis, dit-il en souriant. Quand bien même, vous leur présenterez les papiers avec le sourire, poliment, et tout se passera bien.

– Moi, je n'ai pas quitté Gaza pour vivre comme tous ces malheureux, à faire la queue des heures au poste-frontière, le matin et le soir, à redouter le feu d'un blindé chaque jour que Dieu fait. Et note que je ne leur donne pas tort, aux Français. Ils ne laissent pas mourir les femmes, eux, ni les vieux ni les enfants. Ils protègent leur pays, et il n'y a rien à leur reprocher.

Il l'aime bien, Hayet. Hayet et son bon sens, son esprit pratique. C'est une petite femme souriante qui lui rappelle les amies de sa mère à Grenoble. Tendre et moqueuse à la fois. Fortifiée par l'absence d'un homme à ses côtés. Les hommes partent ou meurent, ils ne savent rien faire d'autre ; elle a réglé le problème en décidant très jeune de ne pas se marier. Douée d'une solide intelligence de la vie, mais limitée par le manque d'amour-propre. Une Française à l'ancienne, en somme, comme toutes les institutrices et les infirmières de son enfance, sauf qu'elle est réfugiée politique, et arabe.

– Comment va ton père ?

– Il ne souffre pas trop, grâce à Dieu.

– Tu es un bon fils, Assan. Tu as réussi, tu as une situation solide, et tu n'as pas abandonné ta famille. Il y a peu de jeunes qui s'occupent comme toi des anciens.

– Ça n'est pas facile. Il faut pouvoir. Et puis, je ne suis plus si jeune.

– Non, fils, il faut la volonté, c'est tout. La volonté et le cœur. La paix sur toi, dit-elle en rentrant chez elle. Et ne tarde pas trop à te trouver une femme. Regarde-moi, toute seule à mon âge, si ça n'est pas une misère. Il n'y a que les enfants pour rendre la vie douce quand elle raccourcit.

– Bonne nuit, Hayet. Gardez-vous des grandes gares dans les semaines qui viennent.

Les vieux pensifs, assis sur leur perron. L'agitation dans les cuisines, les bribes de conversations qui s'échappent avec l'odeur de friture par les fenêtres ouvertes. Le bourdonnement compact des télévisions, l'empilement sonore de dizaines de haut-parleurs, dans l'air frais du soir. Il ne peut pas croire qu'il est à l'origine de cette fébrilité. En fermant les yeux, on pourrait s'imaginer au bled – ce bled fantasmé où il n'a jamais mis les pieds. Cette pensée-là, aussi fallacieuse, préfabriquée soit-elle, est plus douce que la conscience de tout ce qu'il sait, lui, l'homme aux bombes, et de tout ce que peuvent bien s'imaginer, au-delà de sa rangée de pavillons et des Rebeus résignés d'Aulnay nord, ces millions de pauvres gens en apnée devant leur écran, parmi lesquels se trouvent forcément quelques-uns de ceux que le souffle des explosions fauchera dans moins de deux semaines. Soixante-cinq millions de captifs, et Zohra, et Leïla. Elles ont vu et elles ont entendu, comme tout le monde. Il n'en doute pas, mais il se demande, le cœur battant, si Zohra a déjà compris. Se dire qu'elle sait, et qu'elle sait pourquoi, partager avec elle son secret dans une bulle à l'abri du chaos qu'il a libéré, il n'y a pas de joie plus grande, pas pour lui. Oui, mais comment savoir ? Être certain qu'elle verra la beauté du geste, la grandeur de sa réalisation, l'esprit de sacrifice et l'oubli de soi qu'il est convaincu d'avoir mis dans chacun de ses actes, jusqu'au moment de se laisser glisser sur le grand toboggan.

La sainteté et le martyr, pour l'amour d'une femme qu'il ne reverra jamais.

La jubilation moins glorieuse d'avoir jeté Kader aux oubliettes de l'histoire de France est réelle, il ne s'en défend pas, et pourtant, ce soir plus que les autres, le sentiment ennemi de la pitié a trouvé une prise solide en lui. Il s'y attendait, du reste : depuis ce matin, ce n'est plus sa petite personne contre une abstraction maléfique, la France, la Puissance Tutélaire, l'État Colonial, ou sa Police Meurtrière, ces dragons baroques qu'il avait peints dans son esprit, d'un coup de pinceau nerveux et grossier que n'aurait pas renié Al-Mansour. Ce n'est même plus le pauvre petit enfant d'immigré contre les serviteurs maléfiques du Golem qui a massacré son frère, et à la poursuite duquel son père a fini par perdre la raison. Un pêcheur qui jette son filet la nuit, sans rien voir des bancs de poissons qui passent sous la coque du bateau, voilà l'image qui lui semble la plus juste à présent, l'univers dans lequel il va devoir vivre le temps qu'il reste. Il ne leur veut pas de mal, à ces gens. Il ne souhaite même pas leur faire peur. Eux, un par un, ils ne lui ont rien fait. Mais voilà, c'est cette tournure d'esprit qui est dangereuse : face au sentimentalisme dont il se sait capable, oui, même lui que tous s'imagineront sous les traits nécessaires du terroriste sans merci, il lui faut se murer dans l'indifférence du monde, et se rappeler que tout se déroule selon un plan auquel nul ne peut plus rien, ni lui ni personne. Le pêcheur, au petit matin, remonte son filet. La plupart des poissons se faufilent et lui échappent, dans le noir des profondeurs. Un petit nombre meurt les entrailles brûlées par l'oxygène, sans comprendre pourquoi, de l'eau obscure à l'air, tout ce qu'ils savaient de la vie s'est dissous en une seconde.

Son regard remonte la courbe de la rue, où les lampadaires se sont allumés bien qu'il fasse encore clair. Aux 3000, il y a déjà de la lumière aux fenêtres. Un chien aboie, quelque part en direction du centre-ville, sûrement au passage du RER qui s'élance vers Roissy.

Il allume une cigarette en se remettant en mémoire la mise en garde de Sélim hier soir. Où se cacherait-il, lui, s'il était l'un de ces hommes qu'on a envoyés épier ses faits et gestes ? Toutes les maisons du lotissement sont occupées – un immigré, une fois qu'il a fait son nid quelque part, il n'y a plus moyen de l'en faire bouger. Restent les voitures, mais il n'a remarqué aucun passage insolite devant chez lui depuis qu'il est dehors. Si Sélim a dit vrai, pense-t-il, les ombres du renseignement sont pourtant bien dans les parages, attentives et immobiles comme ces voisins sans âge, ces chibanis qui passent leur temps à guetter le néant, et qu'on finit par ne plus voir.

La radio de son père est là où il l'a laissée tout à l'heure, sur le rebord de la fenêtre, après avoir ratissé les feuilles mortes qui sont restées coincées tout l'hiver sous la haie. Il tourne le bouton jusqu'à la fréquence de France Info et s'assoit lui aussi sur sa chaise en plastique devant la porte d'entrée, à regarder la rue en authentique blédard déraciné.

C'est l'heure du journal. De la chute attendue de la fréquentation des transports en commun, dès demain, à la ruée dans les supermarchés et sur les pompes à essence, il n'y en a que pour Dawa, et l'ivresse démiurgique d'avoir engendré un monde de ses propres mains, comme un gosse devant sa construction de Lego, revient s'emparer de lui avec une vigueur nouvelle, presque écœurante. S'il s'écoutait, il éteindrait le poste et s'enfermerait dans sa chambre pour ne plus entendre ce grondement qui monte, et dont la démesure lui donne le vertige. L'espace d'un instant, la perspective de se retrouver au calme, protégé de tout le fracas du dehors par les étagères de sa bibliothèque, cette envie lui donne l'impression qu'il pourrait reculer, sans frais, revenir en arrière et oublier tout de sa folle entreprise.

Son index ripe sur la réglette de commande du volume. Il reste là, stupéfait, écrasé par le son assourdissant de ces commentaires dont il connaît déjà le texte, à la virgule près, les mots et tout le reste. Tout ce qui va arriver à partir de maintenant lui est connu et familier mais demeure mystérieux et terrifiant aux yeux des autres hommes, et dans son propre effroi il se dit qu'il est désespérant d'être Dieu.

V

Momo a parfois l'impression de vivre pour ce regard-là.

Les yeux verts de Sibylle fixent les siens, avec cet éclat sombre qu'ils prennent juste avant qu'elle jouisse. Il ne lui connaît ce regard que lorsqu'ils font l'amour ; c'est le regard de quelqu'un d'autre, et son étrangeté le rend fou, comme l'émotion qu'il a ressentie en la voyant nue la première fois et qui n'était pas qu'une bouffée de désir, mais quelque chose de tendre, impossible à nommer.

Il aime l'avoir sous lui, et qu'elle se laisse porter par les mouvements de son bassin, en les accompagnant. Il aime les soupirs qui montent de son ventre, et il aime sa façon silencieuse de s'abandonner. Avant elle, le plaisir des filles lui était totalement indifférent. Étranger, même. Il voulait les entendre gémir pour s'exciter, lui, parce que c'est ainsi qu'on baise dans les pornos avec lesquels il avait appris. Il ne savait rien.

Maintenant, c'est la jouissance de Sibylle qui l'excite et qu'il aime, comment elle s'approche et se dérobe, fugitive, allant et venant autour de lui, jusqu'à ce qu'il parvienne enfin à la saisir, et c'est cela qu'il aime pardessus tout, quand l'éclat étrange et sombre de ses yeux s'évanouit, emporté par ces larmes venues d'on ne sait où. La première fois qu'elle a pleuré, il s'est senti envahi par une incompréhension terrifiante, beaucoup plus grande que lui. Elle lui a expliqué que ça n'était ni de la douleur ni de la tristesse, mais pas non plus de la joie. Des pleurs qui ne sont pas attachés à des sentiments. Des larmes de rien.

Il se laisse aller à son tour, terrassé par la sensation de se vider en elle de tout son être.

– Reste.

Il cesse de pousser sur ses avant-bras, le visage écrasé sur celui de Sibylle, sa peau collée à la sienne. Ils sont si proches qu'il voit le bleu de ses propres yeux dans ses yeux verts. Ses biceps sont durs et lui font mal.

– Il faut que j'y aille, dit-il en roulant sur le drap. Le vieux va me taper une crise si j'arrive en retard.

Elle le regarde enfiler son jogging en souriant, la couette remontée jusqu'au-dessus des seins. Il aime penser qu'elle va se rendormir aussitôt qu'il sera parti. Que peut-être elle rêvera de lui pendant qu'il est à la salle.

– Ma daronne rentre à midi.

– Je serai partie, dit Sibylle. J'ai cours à onze heures.

– Sérieux. Sinon elle me met Alcatraz direct.

– Sérieux.

Elle l'attire sur le lit et l'embrasse avec avidité, en fermant les yeux. Il aime le goût mentholé de sa bouche et sa langue musclée.

Il n'y a rien qu'il n'aime pas, quand il y réfléchit. Si ça se trouve, il est amoureux d'elle.

De la cité à la salle que Jean-Luc, son entraîneur, a aménagée à l'arrière de son garage, il y a une quinzaine de minutes en trottinant. Quand il a gagné le championnat départemental, l'année dernière, Jean-Luc lui a donné un casier – une promesse de longue date. Momo y range ses gants et son casque de sparring, ses bandes, son protège-dents, ses chaussures ; il se débrouille pour qu'il y ait toujours un jeu de vêtements propres à l'intérieur.

La salle sent un peu le cambouis et le dioxyde de carbone, mais c'est toujours mieux que l'odeur de détergent qui flotte dans tous les gymnases où il a mis les pieds depuis qu'il boxe. Mêlée aux vapeurs de transpiration qu'elle est censée dissiper, elle a toujours fait naître en lui une appréhension sourde, un peu comme celle du chlore les jours de piscine à l'époque du primaire. Pas de détergent chez Jean-Luc. Comme il radote un peu, il aime bien dire à qui veut l'entendre qu'il préfère les lubrifiants. C'est un peu sa signature, son entrée en matière chaque fois qu'une nouvelle tête pousse la porte de la salle. Si le gars réagit bien, en général, on lui donne une chance de montrer ce qu'il a dans le ventre ; s'il est mal à l'aise, ou s'il ne comprend pas, le cas est réglé d'office. Il y a un cours de kickboxing très bien pas loin d'ici.

– Je sais monter et démonter un moteur, de la courroie aux bougies. Et toi, merdeux, qu'est-ce que tu sais faire ?

La première phrase qu'il a entendue dans la bouche de Jean-Luc, c'était dans un CEF où les gens de la Fédé étaient venus faire une présentation sur les atouts de la boxe dans le processus de réinsertion. Au moment de lui serrer la main, Momo avait gardé les bras croisés et la tête baissée.

– Tu veux faire le bonhomme devant tes potes, petit enculé, lui avait soufflé Jean-Luc. Je vais tellement t'éclater la gueule qu'ils voudront même plus que tu les pompes.

À l'époque, il savait déjà entendre la différence entre les grandes gueules et les vrais dangereux – c'est le genre de choses qu'on apprend dans un centre éducatif fermé. Et ce type-là, avec ses épaules trapues et ses tatouages de la Légion, il lui avait foutu les jetons. À sa sortie, Momo avait débarqué à la salle dans ses petits souliers. Il avait déjà un peu de bagage, quelques combats en juniors, mais Jean-Luc avait tout repris à zéro. La garde, le jeu de jambes, son direct du gauche, ses enchaînements – les premières semaines, il avait l'impression tantôt d'avoir perdu sa boxe, tantôt de n'avoir jamais su. L'autre était sur son dos en permanence, avec cette énergie et cette foi qu'ont les entraîneurs quand ils croient encore que le futur champion du monde viendra frapper à la porte et les sauver de leurs week-ends minables dans ces bleds où on dort avec son boxeur dans un bouge, pesée à six heures du mat' et retour les yeux gonflés par la fatigue le dimanche soir, dans la victoire comme la défaite, le tout pour cent cinquante euros dont la moitié aura servi à payer le plein et les péages. Jean-Luc venait d'ouvrir son garage, après vingt-six ans de bons et loyaux services chez Peugeot. Une fois l'atelier et les bureaux installés, il restait encore cent cinquante mètres carrés, alors il avait acheté un ring d'occase et trois sacs de frappe couverts de rustines.

L'Aulnay Boxing Club était né.

Ce matin, comme toujours quand il y a un combat à l'horizon, Jean-Luc l'attend devant le garage avec Rachid, son adjoint, un ancien pro qui vient de se faire virer de chez PSA, l'usine au pied de la cité ; parmi les derniers arrivés, il était dans la charrette du premier plan social quand la fermeture du site a été annoncée. En plus du petit salaire qu'il touche sur des subventions détournées de la Ligue Île-de-France, Jean-Luc l'a pris comme mécanicien à mi-temps. À la salle, c'est lui qui met la main à la pâte avec les boxeurs, pendant que Jean-Luc observe. Et comme tout le monde à Aulnay et partout en France, ils discutent des cinq gars en cagoule qui ont saisi le pays de terreur hier avec leur vidéo moisie.

Le seul avantage des 3000, pense Momo en rangeant ses écouteurs dans sa poche, c'est que personne n'aura jamais l'idée de faire péter une bombe dans un endroit aussi pourri.

– T'es vraiment le roi des baltringues, tonne Jean-Luc en lui serrant la main. Combien de fois il va falloir que je te le répète ? Quand on prépare les régionaux, on arrive en avance !

– C'est vous qui me répétez de faire des nuits complètes.

– Mais c'est qu'il se fout de ma gueule, en plus. Allez, dégage, espèce de mariole. Et tu me feras le plaisir de commencer par vingt minutes de corde, histoire de voir si le sommeil t'a été profitable !

Malgré les centaines de rounds, les victoires, peu importe qui il y a dans le coin d'en face, et peu importe si c'est un combat ou du sparring : Momo est toujours aussi nerveux avant de monter sur le ring. Ce n'est pas de la peur, plutôt la conscience que quelque chose l'attend. Un moment de vérité absolue face à soi-même, pas d'échappatoire ni de faux-fuyant : on est à la hauteur, ou pas. Un boxeur redoute toujours de se rencontrer et de se décevoir.

Et comme par enchantement, tout ça disparaît toujours à l'entame du premier round, dans les vibrations de la cloche.

– Gauche, gauche, droite, commande Jean-Luc. Passe ton épaule ! Tu termines par un gauche, et tu bouges. Voilà.

Aujourd'hui il met les gants avec un welter, comme lui. Rapide, mais sans punch, ni coup vraiment tranchant. Momo n'appuie pas trop les siens, non qu'il les retienne, il frappe toujours pour faire mal, mais parce que ce matin il n'a pas en lui cette agressivité qui l'anime d'habitude, cette volonté sauvage de soumettre la force de l'autre.

– Monte-moi ces mains ! On n'est pas sur la promenade des Anglais.

Comme il ne se sent pas en danger, il se repose sur son coup d'œil et sa vitesse. Il exagère ses esquives. Il pivote pour passer dans le dos de son adversaire et lui tape sur l'épaule du bout du gant. L'autre enrage de se faire humilier de la sorte et se met à faire n'importe quoi, des moulinets qui ouvrent grand le chemin de son menton aux crochets de Momo. Il va au tapis, une fois, deux fois. Une vraie comédie.

Jean-Luc monte sur le ring au milieu du troisième round et les sépare. Il est fou furieux.

– Continue comme ça, mon petit père, grogne-t-il en lui retirant son protège-dents et son casque. Tu feras moins le cake dans deux semaines. C'est tout bidon, ce que tu m'as montré.

– De quoi vous vous plaignez, encore ? Je lui ai mis la misère, à la terreur de Bondy, dit Momo avec un coup d'œil moqueur pour son sparring-partner, déjà redescendu entre les cordes. Il n'a plus qu'à se chercher du taf dans un salon de coiffure.

Jean-Luc lui donne à boire, puis il lui donne une claque. Une gifle bien sèche et bien sonore.

– Tu te prends pour de la bombe, comme ces tapettes sous leur cagoule, mais t'es qu'une toute petite grenade. Et pendant que tu fais le rigolo, ton adversaire, il bosse. Si tu ne fais pas ce qu'il faut à l'entraînement, tu vas au-devant de gros ennuis.

– C'est bon…

– Écoute-moi bien, ajoute-t-il d'une voix plus calme, en lui essuyant la vaseline sur les pommettes et le menton. Tu vas rentrer chez toi et bien réfléchir à ce que je t'ai dit. Et si tu te ramènes encore une seule fois avec les patates au fond du sac comme aujourd'hui, je te fous dehors. C'est compris ?

Momo rentre au vestiaire, les yeux baissés. Pendant qu'il se déshabille, il entend Jean-Luc engueuler Sofiane, un des poids lourds de la salle, qui a dû revenir avec son T-shirt imprimé du drapeau algérien.

– Putain, mais c'est pas vrai ! Ils ont vraiment rien dans la tronche, je te jure… T'as jamais mis les pieds là-bas, tu sais même pas à quoi ça ressemble. Qu'est-ce que tu fous avec ça sur le dos, t'es plus français que moi !

Momo sourit et se glisse sous la douche.

Les bruits stridents d'un manga résonnent dans tout l'appartement ; les petits doivent déjà être debout. Pour en avoir le cœur net, Soul jette un œil sur le lit superposé à l'autre bout de la chambre.

Seul.

Il lance un morceau des Roots en sourdine sur son portable, qu'il pose à côté de l'oreiller. Il met toujours du son quand il se branle, on ne sait jamais vu l'épaisseur des cloisons.

Ses cheveux blonds ramenés en queue de cheval, plus haut que les autres filles. Le rose foncé de sa bouche, les plis de ses lèvres pressées l'une contre l'autre. La rondeur de ses seins sous le pull à col roulé jaune, les pigments des mamelons, les rougeurs que laisseraient ses mains si elles venaient se poser là, où sa peau doit être si fine. Il imagine ses jambes serrées autour de sa taille, pendant qu'il la fait crier avec sa grosse queue de blédard. Il sent l'odeur de sa transpiration comme si elle était là, comme le soir à la fin de l'été dernier où elle s'était penchée vers lui dans le RER, un peu somnolente, et qu'il avait suivi une à une les gouttes de sueur glisser le long de son cou jusque sous le coton du T-shirt.

Sibylle, pense Soul. Il aime dire son nom, c'est un peu comme s'il la possédait. Sibylle, si rien ne change, il en mourra.

Il attrape une poignée de mouchoirs dans le paquet au pied du lit et ouvre le rideau. Le blanc du ciel lui fait mal au crâne, il sent un flottement bizarre monter en lui, comme s'il n'était plus certain de son identité, comme s'il se voyait dans la peau d'un autre, exactement tel qu'il est : incapable de mougou une fille pour de vrai, n'importe laquelle sans même parler de celle-là, et obligé de faire ça en cachette, comme un ado baladé par ses hormones pubertaires, avec ses Kleenex et ses ruses pathétiques pour ne pas se faire gauler par la patrouille.

Traoré Souleymane, 12/6/90, bâtiment Cassiopée, 0620320793. La rectitude des chiffres redonne un peu de poids aux choses qui l'entourent et le fait rentrer en lui. Dans la fenêtre, l'arête grise des Gémeaux dessine une forme glauque sur le ciel vide. Il n'a jamais aimé ce détail du paysage, surtout en hiver, mais ce matin il est la matrice de toutes ses idées noires, comme un mauvais augure.

La moquette est froide sous ses pieds. Il enfile une paire de chaussettes et se met à genoux pour faire sa prière.

La vieille est assise à sa place à la table de la cuisine, Chérif et Abou de chaque côté, Fanta en face. Abou et elle ont dû tout prendre de leur père, la peau claire et les muscles ronds. Comme Chérif, Soul ressemble davantage à sa mère, noir comme la nuit et tout en longueur. Il n'a aucune idée de qui était son père, ni de quoi il pouvait bien avoir l'air. À la maison, on ne parle jamais de lui. Les deux petits sont toujours au salon, collés à leur télé ; Abou vérifie toutes les trente secondes qu'ils n'ont pas zappé, comme si les préserver de la boucle anxiogène des chaînes info était devenu sa grande mission, comme s'ils n'allaient pas parler que de ça, de la vidéo, des attentats, et de la mort qui vient, tout à l'heure dans leur cour de récré.

Soul s'installe à droite de Chérif, avec un sourire discret pour la vieille. C'est rare que ses grands frères soient là tous les deux d'aussi bonne heure. Il se demande ce qui se passe, mais fait comme si de rien n'était. Abou le fixe en mangeant sa tartine, et Soul comprend qu'il va passer un sale quart d'heure.

– On dit quoi, petit frère ? Ça va, la fac ? Pépère ?

Il fait oui de la tête, les yeux dans son bol de céréales. Il a honte de la crainte qu'ils lui inspirent, de sa servilité.

Chérif finit d'écrire son texto et pose son iPhone sur la table :

– J'entends pas, garçon ! Ça va ça va, ou bien ça va un peu ?

– Ça va ! C'est quoi le deal, là ?

Chérif ordonne à Fanta de se lever. Quand il s'énerve, sa grammaire et son accent de broussard à peine débarqué du charter reviennent au galop.

– Regarde-la ! Regarde, je te dis ! Tu veux ta sœur elle fait boutique son cul ? Tu veux la mettre à bosser dehors pour continuer tranquille tes études de chômeur ?

Il n'a pas le temps de se défendre qu'Abou reprend d'une voix douce. Il le connaît par cœur, leur petit numéro appris devant les séries américaines. Good cop, bad cop. Il n'y a qu'à baisser les yeux et attendre que ça se passe, en espérant que les choses en resteront là. Chérif lui montre la nourriture sur la table.

– Tu vois, petit, tout ça c'est pas cadeau. Tartine de beurre, ça coûte l'argent. Lait entier, ça coûte l'argent. Jus d'orange, ça coûte l'argent.

Il attrape le paquet de céréales de Soul.

– « Muesli flocons d'avoine extra-riche en protéines », ça coûte beaucoup beaucoup l'argent. Toi, tu gagnes des clopinettes, même pas de quoi renvoyer au pays.

– Je peux demander un soir de plus chez Wang. Deux, même.

Chérif et Abou échangent un regard plein de sarcasmes.

– En tout cas ! T'appelles ça un taf, tes livraisons pour ce bol de riz de mes deux ? C'est djossi, même ! Tu cours partout sur ton scooter comme poulet sans propriétaire, mais le soir il te reste quoi avec tes pourboires de dix centimes ?

Abou travaille comme videur dans une boîte afro près des Champs ; Chérif, comme mécano chez Jean-Luc, l'entraîneur de Momo. Ils gagnent à peu près la même chose que lui au Palais Céleste, le chinois à la sortie du RER. Toute leur maille, ils la font en dealant de la coke aux clients de la boîte, des babtous blindés de la télé et du CAC 40 qui la sniffent entre les fesses de pauvres putes nommées Pélagie, Bintou ou Scholastique, quand ils les ramènent finir la nuit dans un cinq étoiles. C'est l'amour qui passe. Il méprise leur langage de bonhomme et leurs bijoux de broussards déguisés en noutsis, mais ce sont eux qui font tourner la boutique et lui qui est piqué, les poches vides, alors il n'y a rien à dire. Il ne dit rien, il leur a même sauvé la mise quand Momo était encore dans l'équipe du Tchétchène, qui ne rigole pas vraiment avec les distributeurs non affiliés sur son terrain. Comme Abou et Chérif font leur biz à l'extérieur, Momo a réussi à négocier un statut de non-résident, mais il ne lui a jamais dit ce que le Tchétchène avait demandé en échange. Lui, il rêve de gagner assez pour payer sa part de la tontine, peut-être même avec un extra pour les médicaments de la vieille, et qu'ils lui foutent une paix royale. Encore deux ans et demi à sciencer entre les gouttes, inch'Allah. Quand il aura son CAPES en poche, il sera hors d'atteinte.

Soul résiste à la tentation de chercher du réconfort dans les yeux de sa mère. De toute façon, il sait qu'il n'y lira qu'une fatigue anesthésiée par le temps. Elle ne peut rien pour lui. Il se lève et va faire la vaisselle, une petite boule au ventre, en surveillant Abou du coin de l'œil. Le rituel est immuable. S'il reste assis avec la vieille, dans cinq minutes lui et Chérif auront vidé les lieux. Pas de chance ce matin : Abou la raccompagne dans sa chambre. Une fois qu'il sera revenu, qu'il aura monté le son du dessin animé, resservi des corn-flakes aux enfants en leur demandant si tout va bien de sa voix paternelle, la tannée pourra commencer.

Assan Bakiri est l'homme qu'il voudrait être dans dix ans : agrégé d'arabe, maître de conf à Paris VIII à même pas quarante ans, drôle et jugé beau gosse par les filles de l'amphi. Il a choisi son module de littérature médiévale, non par intérêt quelconque pour la mystique d'Ibn Arabi, mais parce que Bakiri pilote le recrutement des étudiants en filière LLCE. Comme pour lui, l'arabe sera son moyen d'exister et de gagner sa vie en France, de quitter le monde gris des crevards que personne ne voit : un salaire, et une reconnaissance.

Sa lèvre est un peu enflée à l'intérieur, mais il ne croit pas que les autres l'aient remarqué. Il passe la langue sur l'entaille imprimée par sa canine quand le poing d'Abou a percuté son menton. S'il ne s'était pas fait mal à une phalange, la correction aurait duré deux ou trois coups de plus, et il aurait sûrement un coquard à l'heure qu'il est. Le goût de fer lui donne un haut-le-cœur, c'est quelque chose de très déplaisant, comme quand on avale un verre de jus d'orange après s'être brossé les dents. Il mélange le sang avec de la salive et avale, en faisant de son mieux pour fermer ses papilles.

Il regarde Bakiri écrire au tableau, les épaules relâchées et pleines d'assurance. Il l'aime bien, il trouve qu'il est tika avec ses pantalons sur mesure et sa veste en cuir marron, son brio décontracté ; rien à voir avec ses autres profs, une vieille Marocaine vilaine comme un margouillat et un petit normalien dont il comprend un mot sur cinq en français, comme s'il parlait avec un accent. Avant les partiels de Noël, Bakiri était venu le voir en souriant à la fin d'un cours ; il lui avait dit qu'il fallait continuer comme ça, qu'il serait accepté sans problème dans le cursus de licence s'il tenait le cap. Soul avait senti une gratitude presque filiale le prendre à l'estomac, oubliant dans la seconde la promesse qu'il avait faite à Momo de se montrer moins impressionnable, de toujours se poser là, d'attendre et de voir ce que fait l'autre. Il avait bredouillé des remerciements, puis Bakiri lui avait parlé des cours d'arabe qu'il donnait chez lui tous les jeudis, à un quart d'heure à pied de la cité. Soul était le bienvenu pour l'épauler s'il avait le temps – pas d'obligation.

Bakiri n'était plus revenu à la charge depuis.

Soul connaît un gars des 3000 qui est l'un de ses élèves – Bruno du bâtiment B, alias Baguette. Un lascar, ancien collègue de Momo, à l'époque où il travaillait pour le Tchétchène. Baguette, du moins c'est ce qu'on entend dans la cité, rend encore service de temps en temps. Il fait son mystérieux et répond des généralités quand Soul lui demande comment les choses se passent chez Bakiri. Peut-être qu'il irait y faire un tour s'il n'y avait pas les livraisons au Palais Céleste. Mais le jeudi soir, il n'y a pas moyen. Les pourboires sont toujours un peu moins minables en fin de semaine.

Momo dévisage le Rebeu, puis la fille, à la recherche d'une explication. Un indice, au moins. Qui sont ces deux flics qui ne ressemblent pas à des flics ? La garde à vue a commencé il y a plus de trois heures, et il ne comprend toujours pas ce qu'il fait là.

– Je parle trois mots d'arabe. Demandez à mon père, c'est le drame de sa vie.

– Tu veux savoir combien j'en ai interrogés, des petits djihadistes qui récitaient le Coran en phonétique ? Tu es dans la merde, mon gars.

– Mais toi, mon frère, je parie que c'est pour ça qu'ils t'ont pris, hein ? Tu parles mieux que les gars du bled, tu ne fais pas de fautes, et pourtant tu es un bon petit Français à l'intérieur.

– Parce que tu n'es pas français, toi ? Vas-y, raconte-nous un peu les malheurs qu'elle t'a faits, la France.

– Je dis juste que tu aurais dû viser plus haut que la police.

– Vous, coupe la fille. On n'est pas tes potes.

– France 3, reprend Momo sans faire attention à elle. Présentateur de jeu sur France 3. La ménagère de moins de cinquante ans aurait kiffé grave ta gueule de bouffon bien intégré.

Le Rebeu garde son calme, on voit qu'il a l'habitude. C'est la fille qui dégoupille et se met à lui parler d'outrage, tout en l'insultant. Elle est jeune, elle a des choses à prouver, elle veut bien faire. Mignonne, soit dit en passant. Il y a de plus en plus de jolies keufs, surtout parmi celles qui bossent en civil. L'État est brutal, mais ça ne l'empêche pas de savoir ruser.

– Je veux voir un avocat, dit Momo. Je connais la loi. Vous n'aviez pas le droit de commencer sans avocat.

– Il connaît la loi, rigole la fille. Vu son casier, on peut dire qu'il a le sens du paradoxe.

– Ton avocat, dit le Rebeu en retroussant les manches de son sweat-shirt, il doit avoir piscine aujourd'hui. On l'a attendu deux heures, comme le prévoit la loi, figure-toi. Mais ne t'en fais pas. Si jamais il se pointe, tu auras trente minutes en tête à tête pour lui raconter les brimades qu'on t'a fait subir.

Momo ne comprend rien de rien à ce qu'on lui reproche, et il ne peut pas croire que les keufs soient à la rue au point de croire qu'il fait partie d'un réseau de barbus – qu'il y ait un lien entre son arrestation et la vidéo. Les types ont débarqué à la salle au moment où il était sous la douche, à rigoler en se repassant le film de ses six rounds de fractionnés au sac, 10/10, 15/15, 30/30, avec les hurlements de Jean-Luc dans la tronche. Monte tes mains. Plus vite. Bouge. Tes mains, bordel de dieu ! Il avait de l'eau et du savon plein les yeux, et pourtant il a vu tout de suite qu'ils étaient de la BAC. On les reconnaît de loin au volume de leur cage thoracique et de leurs biceps. Les flics de la PJ ne soulèvent pas de fonte. Eux, si. Des gros bras, dirigés par un cerveau de nouveau-né.

BAC ou pas BAC, Jean-Luc n'en a rien à battre : on ne rentre pas chez lui comme dans un moulin. En sortant, à moitié à poil, Momo a vu qu'il en avait plié un au pied du ring. Les quatre autres n'ont pas aimé, ils ont sorti leur arsenal de clés et d'étranglements appris sur les tatamis de l'école de police, et à l'heure qu'il est Jean-Luc doit être en train de se faire recoudre la lèvre supérieure, en se touchant les côtes à la recherche d'une fêlure. Il se recoud sûrement tout seul, une aiguille dans une main, le fil dans l'autre, et des insultes entre les dents. Rachid à côté de lui avec sa poche de glace, qui sait qu'il vaut mieux se taire et le laisser radoter sa haine. Enculés. Les enculés. L'image le ferait sourire s'il ne se sentait pas aussi faible.

– J'ai n'ai rien avalé depuis le petit-déjeuner.

– On va aller te chercher un petit quelque chose, dit le Rebeu. C'est une mécanique fragile, un boxeur. Il faut respecter les rythmes biologiques.

La fille le raccompagne dans sa cellule.

– Halal ou pas halal ?

Pas de fenêtre, toujours la même lumière bourdonnante. Il avait oublié à quelle vitesse on perd la notion du temps, là-dedans.

Le centre éducatif fermé était comme un grand vestiaire sordide dont il s'est sorti à chaque fois sans bien savoir comment, et dont le souvenir lui arrache aujourd'hui encore des crises d'angoisse. Il ne veut pas savoir à quoi ressemble la prison. Un jour, au centre, il a vu trois gamins de treize ans bouyave un quatrième qui partageait leur chambre. Il a hurlé à la mort pendant vingt bonnes minutes, le trou du cul en sang ; personne n'est venu. Une autre fois, il a vu un petit Gaulois se faire écraser la joue sur une plaque chauffante, parce qu'il n'avait plus de cigarettes à refiler aux deux lascars qui le taxaient. Et ainsi de suite. Ces endroits sont faits pour douze pensionnaires en théorie, mais on en compte toujours au moins le double. Une maison d'arrêt, c'est la même chose avec cent fois plus de monde : il imagine qu'on n'a plus aucun espace autour de soi, pas un centimètre pour faire tampon et se protéger des bêtes qui tournent dans la cage. Même s'il doit bosser toute sa vie pour des nèfles, même s'il doit finir sous la sulfateuse comme son père, il n'ira pas en prison. Le bon dieu l'a laissé passer entre les gouttes pendant ses trois ans dans l'équipe du Tchétchène. Maintenant, c'est fini. Pour rien au monde il ne retournera au placard.

Au centre, les nuits où le sommeil se dérobait, il avait pris l'habitude de visualiser les ruelles et les escaliers de la casbah, où son père l'avait emmené enfant, trois étés de suite jusqu'à sa banqueroute de 1997. Il avait beau être tout petit, les images étaient restées vivaces et bien nettes dans sa mémoire, comme des preuves de l'âge d'or qu'avaient connu les Belkacem avant de rejoindre au fond du ravin les autres familles des 3000. Ce rituel mental non seulement l'apaisait, en le délivrant pour un temps de la promiscuité glauque de la chambre, mais il le vivait aussi comme un retour aux sources, même si ses parents n'étaient pas d'Alger, car la médina était dans son souvenir comme une montagne magique où fusionnaient les mondes arabe et kabyle dont il portait l'héritage, à parts presque égales, dans son ADN. Aujourd'hui encore, il entend la voix de son père lui décrire en arabe l'univers intérieur de ces maisons délabrées, adossées les unes aux autres. Puits, *bir*. On a connu plus djihad comme vocabulaire.

Même sous une tonne de ketchup, le hamburger a un goût de carton. Il avale quelques frites, pour tromper sa fringale, et le Coca tiède lui redonne un peu d'énergie. Les murs de la cellule sont couverts de messages et de dessins porno, comme les toilettes du centre. On leur faisait effacer les tags une fois par semaine, le lundi ou le mardi, mais dès le lendemain de nouvelles inscriptions apparaissaient, encore plus obscènes que les précédentes.

La détention ne répare que rarement la délinquance ; il avait appris là-bas qu'il faut beaucoup d'indifférence et une âme sereine pour qu'elle ne l'aggrave pas.

Il se lève et, malgré la faiblesse et la fatigue, esquisse quelques mouvements de shadow. Dans n'importe quelle cellule, c'est la seule façon qu'il ait jamais trouvée de faire reculer les murs et de se mettre hors d'atteinte de la désolation qui s'y donne en spectacle.

Avant la visite de la BAC, Jean-Luc lui a montré un truc pour marquer plus de points avec ses enchaînements. D'habitude il l'encourage à boxer en trois coups maximum, gauche droite gauche, à tourner avant que l'autre gars ait eu le temps de le cadrer. Lui, comme tous les boxeurs qui redoutent de se faire traiter de danseuse, il a tendance à chercher le corps à corps. Ce matin, le vieux grincheux lui a fait répéter une combinaison vieille comme le monde :

– Gauche droite, essuie-glace. Un deux trois quatre au corps pour faire tomber les mains. Crochet du gauche, crochet du droit, uppercut au menton, gauche pour sortir. Allez, on se bouge ! Tu attends le bus ou quoi ?

Au bout de la septième ou huitième fois, il lui a dit de remplacer le crochet du droit par un autre crochet du gauche, de glisser un retrait de buste au lieu d'enchaîner par l'uppercut, et de finir sur un direct du droit.

Il ne s'est pas senti d'essayer tout à l'heure, mais là, qu'est-ce qui s'y oppose ? Il prend sa position de garde, ferme les yeux, et commence à répéter l'enchaînement, décomposant chacun des mouvements d'attaque et de défense, jusqu'à ce que son corps ait imprimé le rythme et qu'il n'ait plus besoin de commande cérébrale pour savoir ce qu'il a à faire. Le boxeur parfait a du cœur, pas de tête ; toute son intelligence doit être dans ses mains, dans ses bras et dans ses jambes.

Il accélère, se laisse griser par la sensation d'être une pure mécanique. S'il rouvre les yeux maintenant, il sait que les quatre murs de la cellule seront toujours là, souillés de bites dégoulinantes et de chattes ouvertes. C'est lui qui sera ailleurs, dans un tout autre carré, sur le ring où l'attendent les ombres de ses adversaires futurs.

La caméra de surveillance est fixée au-dessus de la porte, à vingt centimètres de l'arête du mur. Déformée par la focale grand-angle, la cellule ressemble à un globe de neige en noir et blanc, à l'intérieur duquel s'agite un petit bonhomme. Le gamin bouge mieux encore que sur l'aire de jeux l'autre soir, parce que l'exiguïté du lieu le contraint à une plus grande sobriété de geste : il a six mètres carrés tout au plus autour de lui, et on dirait qu'il s'entraîne au milieu du Champ-de-Mars.

Franck fixe le moniteur comme s'il attendait un dernier dévoilement, une ultime confirmation que son idée est la bonne – c'est uniquement pour l'observer à loisir qu'il l'a fait placer en garde à vue. Il sent la perplexité de Delphine et Farid à côté de lui, et il sait que le moment est venu de se jeter à l'eau. Dans ce genre de situations, même quand on pense avoir tout cadenassé, quand on a construit dans sa tête tous les arbres de probabilités, il reste un angle mort, une part d'incertitude que seule l'issue de l'opération permettra de lever. Il pense que le gamin de l'autre côté du mur est le bon cheval, qu'il est même leur seul espoir pour se tirer de la panade où ils se trouvent depuis que ces cinq allumés ont déclenché leur compte à rebours en public et la panique générale, mais il sait qu'il peut se tromper. Décider est toujours facile ; c'est ne pas repenser à son choix qui est plus dur, du moins ne rien en laisser voir. L'apparence de la résolution, Paoli le lui a appris très tôt, est la condition sine qua non pour être suivi – par les autres flics, par les juges, par le politique. L'apparence, seulement ; le fond des choses n'a aucune importance.

– Regardez-moi cette tête à claques, souffle Delphine. Il a dû voir *Rocky* un peu trop souvent quand il était petit.

– Et toi, regarde bien ses yeux, dit Franck en secouant la tête. Regarde ses mains et ses jambes. Tu en connais beaucoup, des petites frappes du quartier qui mettent autant d'application à faire leurs petites affaires ?

– Je n'y connais rien en boxe.

– Oublie la boxe. Pense à n'importe quoi, de légal ou d'illégal. Dis-moi si tu as déjà vu un dealer, un voleur de caisses ou un tagger être aussi à fond dans son truc.

– Je suis sûre qu'il fait ça aussi très bien, mais j'ai un peu de mal à m'en réjouir. Tout ce que je vois, c'est un garçon avec beaucoup de tension, et qui se raconte sûrement un peu trop de choses dans sa tête.

– Tu sais comment on fait la différence entre une bonne et une mauvaise source ? Entre un type fiable, et celui qui va te filer entre les doigts à la première occase ?

Elle jette un regard en direction de Farid, comme pour lui demander si le bizutage va durer encore longtemps. Il a les yeux rivés à l'écran, un sourire approbateur aux lèvres.

– Le cancre, reprend Franck, tu l'observes dix minutes et tu vas le voir changer cinq fois d'occupation. Il faut qu'il zappe, qu'il se distraie, il ne sait pas vivre autrement. Tu lui fais confiance et il te rendra folle en moins de deux. L'autre gars, par contre, il peut rester bloqué trois heures sur un détail si ça lui chante. Le temps ne l'angoisse pas, il n'a pas besoin de le découper en rondelles pour avoir l'impression d'être actif. Ce gars-là, son seul horizon, c'est celui du travail bien fait. Il ne passe pas à autre chose avant d'avoir fini, et il n'a pas fini avant d'être satisfait. C'est con, non ?

– Un peu, hasarde Delphine.

– Tu as raison, mais d'ici quelques mois je peux te garantir que tu seras d'accord avec moi, dit-il en se tournant vers Farid. Allez, on le remet dehors.

– Et ensuite ? demande Farid.

– Ensuite, je retrouve mon sac de sport au fond du placard et je m'inscris dans sa salle. Les consignes sont claires. Si on veut choper les mecs avant qu'ils passent à l'acte, il nous faut des yeux et des oreilles sur le terrain. Or on n'a personne. Les salafistes, ce n'est pas la peine d'y penser. Les mecs des stups sont connus comme le loup blanc. On n'a pas le temps de faire plus sophistiqué. Et lui, dit-il en pointant Belkacem du doigt, il habite le même immeuble qu'Audrey depuis des lustres : il sait forcément tout ce que les voisins savent et qu'ils ne diront pas aux enquêteurs. Mais un sparring-partner, c'est différent. Tu peux tout dire au gars qui connaît le goût de ta sueur et de ton sang.

– Il n'a pas l'air super bavard, objecte Delphine.

– Dans douze rounds, je vous garantis que lui et moi on sera les meilleurs amis du monde.

L'A86 jusqu'à Colombes, puis Asnières, Clichy, Levallois. Il ne pense à rien sur la moto, mais quand il arrive au bureau et qu'il coupe le moteur, les contours de ce qui était mouvant ont tendance à mieux se dessiner. Et si les choses demeurent confuses ou opaques, au moins a-t-il la sensation d'avoir mis de l'ordre dans ses pensées. Zoé, jusqu'à six ou sept mois, avait des reflux acides toutes les nuits ; le seul moyen de la calmer, c'était de l'installer à l'arrière de la vieille Corsa de Laurence et de tourner sur le périph jusqu'à ce qu'elle finisse par s'endormir. Il réglait l'autoradio sur une fréquence de jazz ou de musique classique, et il se laissait porter par le mouvement de la nuit, comme un satellite oublié en orbite. Infiltrer un gang fait partie des tâches les plus stressantes pour n'importe quel flic ; aux stups, c'était son pain quotidien. Sans rien en dire à Laurence, il lui arrivait quelquefois de prolonger ces rondes nocturnes bien après que Zoé eut trouvé le sommeil, rien que pour la paix et le silence qu'elles lui apportaient.

– On n'a aucun point d'entrée sur Arkadin, dit Paoli dans l'une des cinq chambres insonorisées du service. Il donne ses cours, il fait ses courses, il jardine, il s'occupe de son vieux père. Blanc comme neige. Rien au téléphone ni sur Internet. Pas de mouvements hors de l'ordinaire sur son compte en banque. Rien non plus dans la cité. Personne n'a rien vu ni rien entendu. J'espère que tu sais ce que tu fais avec ton boxeur. On n'aura pas de deuxième chance.

– En tout cas, dit Franck en sirotant son expresso, Ferhaoui doit bien se frotter les mains. Mais il y a un truc qui m'échappe : pourquoi Bonnet n'a rien dit quand ils t'ont demandé de geler l'enquête sur lui ?

– Tu sais combien de ministres de ce gouvernement se sont fait tirer le portrait avec Ferhaoui sous prétexte qu'il incarne l'islam de demain ? Alors, tu imagines, s'il rend par-dessus le marché des services d'intérêt national.

– Bonnet n'est pas du genre à marcher aux ordres.

– Non. Mais il sait que la chancellerie peut le dessaisir du dossier quand elle veut, et il sait qu'il doit avancer tout doucement, le temps que ces messieurs dames prennent leurs distances avec Ferhaoui, s'ils estiment que c'est nécessaire.

– La garde des Sceaux ne fera pas le jeu du ministre.

– On verra.

Franck pose sa tasse et fait craquer les os de ses mains, en rassemblant ses pensées.

– Qu'est-ce que Marion fabrique avec Hélène Faure ?

– Je ne sais pas, dit Paoli. Il rêve peut-être de perdre son pucelage avec une femme mûre.

– Tu ne veux pas savoir comment elle est au courant des petites affaires de Ferhaoui avec les huiles du PS et de l'UMP ? Comment, et pourquoi ?

– Tu tiens ça de Laurence ?

– L'attachée parlementaire de Faure a l'air plus motivée par une carrière à la télé que par la préparation du collectif budgétaire. C'est du solide.

– Bien sûr que c'est solide, ton ex est une journaliste solide, au cas où tu ne le savais pas. Entre nous, tu aurais peut-être mieux fait par le passé de t'intéresser un peu plus à elle et un peu moins aux gens comme Alexandre Marion.

– Tu t'en tapes, en somme.

– Marion est un jeune homme assez brillant qui ne voit pas d'inconvénient à proposer ses services aux étoiles montantes du Palais. Il prospecte, il se montre indispensable, il renforce sans relâche ses positions, il protège son avenir en accumulant des preuves sur tout le monde, ses amis comme ses ennemis. Ces gens-là, les alternances leur glissent dessus comme l'eau sur les ailes des canards. Je n'ai aucun faible pour lui, mais qu'il ait des rendez-vous secrets avec Faure me laisse totalement indifférent, en effet. Cette femme finit toujours par tout savoir avant tout le monde ; par lui ou quelqu'un d'autre, qu'est-ce que ça peut faire ?

– Méfie-toi de lui, quand même.

Cette désinvolture, ce n'est pas Paoli. Lui qui est si soucieux d'ordinaire du contexte politique, il devrait se demander quel jeu ces deux-là jouent ensemble. Il lui cache quelque chose, ou bien une préoccupation plus grande ou plus urgente le travaille. Mais pourquoi ne pas lui en faire part ?

– Tu t'es vu dans ce gosse, Franck. Belkacem ?

– Je vois une chance de recueillir des infos sans filtre.

– Et tu te vois en lui. C'est toi il y a quinze ans. Il cache quelque chose, et il devine tout.

– Fais ce que tu as à faire, je te couvrirai. Mais n'y va pas pour le salut de son âme. C'est un recrutement qui doit nous faire remonter jusqu'aux kamikazes, un point c'est tout. On est bien d'accord ? Pas de sentiments.

– J'ai besoin d'un peu de temps.

– On n'en a pas. Tu as entendu comme moi : il y a eu une dizaine de lynchages de Maghrébins en vingt-quatre heures, à Paris et en banlieue. Des agressions de femmes voilées, d'imams. L'abruti de la vidéo m'a tout l'air d'être bien de chez nous, pourtant. Les groupes de nazillons astiquent leurs battes et leurs poings américains. Les gens sont prêts à devenir fous, Franck, on est à la veille de la Saint-Barthélemy. Sans compter les dizaines d'alertes à la bombe bidons, tous les emmanchés à qui ça donne du courage et des idées. C'est un miracle qu'il n'y ait pas encore eu de victimes.

Franck acquiesce sans y croire. L'idée bizarre que Paoli est en train d'expédier les affaires courantes lui effleure l'esprit – il annonce la fin des temps, mais avec une passivité résignée, comme un présentateur météo annoncerait l'installation d'une dépression au-dessus de l'Hexagone. Son père avait la même voix désengagée, étale, à la fin de sa vie.

Lui, il n'est pas prêt : c'est trop tôt pour que son père meure une deuxième fois.

Il y avait la tour Eiffel, la galerie de l'évolution au Jardin des Plantes et le planétarium du Palais de la découverte. Chaque fois qu'ils descendaient à Paris avec Leïla, jusque vers ses dix ans, la journée commençait par l'une de ces trois visites – la tour Eiffel à la belle saison, le musée et le planétarium toute l'année. La foule des touristes leur donnait l'illusion qu'eux aussi venaient d'ailleurs, de beaucoup plus loin qu'Aulnay. Il suffisait de remonter dans l'un des cars garés à la sortie, et ils repartiraient tous les trois vers une vie hors de portée de la fatalité française, à Athènes, Manchester ou Tokyo. Plus de passé, plus de mémoire, plus d'œil pour œil, de dent pour dent. Assan pouvait enseigner l'arabe n'importe où dans le monde, et Leïla apprendrait la langue du pays vite et sans effort. Ils disparaîtraient à des milliers de kilomètres des 3000, et bientôt le combat à mort entre la France et Al-Mansour ne serait plus pour eux qu'une fiction antique, une histoire que l'on raconte aux enfants sans savoir si ses protagonistes ont vraiment existé, juste pour qu'ils aient une vague idée de leurs origines.

Le ballet des planètes et des astres est toujours aussi majestueux au-dessus de sa tête, et l'obscurité de la coupole toujours aussi épaisse. Il aime le planétarium parce que son atmosphère lui est familière, et parce qu'il s'y sent en sécurité ; rien d'accidentel ne peut arriver dans cet endroit, puisque toutes les choses y obéissent aux lois prévisibles de l'univers. Et puis aussi, c'est vrai, parce que c'était la sortie favorite de Leïla. Petite, elle préférait la galerie de l'évolution, la parade anthropomorphe des animaux de la savane – tous les jeunes enfants sont des névrosés qui voient l'humain partout. Mais en grandissant, et en apprenant à lire, elle les avait délaissés pour s'intéresser aux objets galactiques et aux corps célestes, à tous ces noms qui ne signifiaient rien, sinon le mystère et l'infini.

Qui sait, espère-t-il à chaque visite, si Zohra n'aura pas eu la même idée ? Leïla est trop grande maintenant, mais Zohra connaît peut-être la même attraction, la même nostalgie que lui. Ce serait un accident nécessaire, en quelque sorte, une fourche heureuse dans la longue chevelure de la fatalité.

Il y a peu de monde à cette heure, et Zohra n'a aucune chance d'être là, puisqu'on est en semaine. À côté de lui, un homme contemple la masse gazeuse de Saturne, une force de la nature malgré ses cheveux gris, la peau mate, et de beaux yeux tristes qui éveillent naturellement la sympathie.

– Rafraîchissez-moi la mémoire, lui lance-t-il d'une voix rocailleuse, puissante et douce à la fois, à l'image de son physique. Pourquoi diable Saturne a-t-il dévoré ses enfants ?

Ce doit être un veuf, se dit Assan, un pauvre type qui vient de perdre la femme de sa vie. Il ne sait plus où il habite. Si son père abordait un inconnu de cette façon, sans égard pour les conventions sociales, il aimerait que l'inconnu ait de la considération pour son égarement, au lieu de le prendre pour un fou.

– Pour empêcher que s'accomplisse la prophétie selon laquelle il devait être renversé un jour par son propre fils, répond-il, en espérant que la pénombre dissimule la surprise que la question de but en blanc a suscitée en lui.

– C'est ça, la prophétie de ses parents. Et après ?

– L'un des enfants a été caché à la naissance par sa mère et, devenu adulte, a libéré ses frères et sœurs du ventre de leur père. Jupiter.

– Et Saturne est mort noyé dans un fleuve dont le nom m'échappe pendant que ses enfants devenaient des dieux. On accomplit toujours son destin en croyant le fuir. Daniel Paoli, dit l'homme en lui tendant une main épaisse et rugueuse.

– Assan Bakiri.

Ils se mettent à marcher côte à côte, sans se regarder.

– Vous avez des enfants ?

– Pas encore, dit Assan, vaguement alarmé par le tour impudique de leur conversation.

– Moi j'ai un fils, mais il ne me parle plus, fait l'homme en souriant. Voyez-vous, quand je regarde autour de moi, je me dis que les anciens n'avaient pas tort : les enfants sont une entrave au destin des hommes ambitieux. Mieux vaut ne pas en avoir que de s'en rendre compte une fois que le mal est fait. Je me trompe ?

– Je crois qu'il y a ceux qui peuvent, et ceux qui ne peuvent pas. Le bien et le mal n'ont rien à voir là-dedans.

– Vous avez raison. À condition de ne pas massacrer sa descendance pour éviter qu'elle se rebelle.

– Un enfant a toujours le choix de résister à ses parents s'il ne veut pas être une victime.

– La sélection naturelle plutôt que la morale ? Vous avez mille fois raison ! La morale est très superflue dans le monde qui est le nôtre.

Le type le fixe à présent d'un air ironique qui, sans être nécessairement hostile, ne donne plus du tout envie de compatir à ses blessures, si tant est qu'il en ait.

– Où avez-vous l'intention de faire sauter vos bombes ?

– Je vous demande pardon ?

– Les cinq bombes. Paris piégé. Da'wa al-Islamiya, ajoute l'homme en arabe, avec un parfait accent constantinois qui lui glace le sang. Ne me faites pas perdre mon temps.

– Qu'est-ce qui vous prend ? Vous êtes fou ?

Ils s'arrêtent à quelques pas du planétaire au centre de la salle. Assan n'a pas la force de tourner les talons, ni l'envie. Tous ses muscles sont tétanisés par la terreur, la terreur qu'on doit ressentir en présence du sacré, mais il veut savoir.

– Qui êtes-vous ?

– Quelqu'un qui a vécu en Algérie, il y a très longtemps, à l'époque où ton père sévissait dans les Aurès. Quelqu'un qui te protège depuis une semaine, et qui va vous tuer, toi et lui, comme j'ai tué ton chien de frère il y a dix-sept ans.

– Je ne comprends pas, bredouille-t-il lâchement.

– J'ai vu mon père crever comme une bête de ferme quand j'avais onze ans. Ma mère était déjà morte. Rien de ce que je pourrai vous faire ne compensera la cruauté de ce qu'ils ont subi, et du souvenir avec lequel je vis depuis cinquante ans. La seule chose qui est en mon pouvoir, c'est de vous forcer à vivre avec cette pensée-là pendant le temps qui vous reste. Tu en sais quelque chose, toi. Tu sais qu'annoncer aux gens la date de leur mort, c'est une torture plus grande que de la leur donner.

Le voilà donc, le visiteur qu'Al-Mansour attend sans relâche, du matin au soir, depuis que la maladie gouverne le flot de ses pensées.

– Donne-moi les noms de tes petits camarades, dit-il, et je te promets que je ne m'acharnerai pas le jour venu.

– Je ne sais pas de quoi vous parlez.

Leurs pas les ont ramenés au pied de Saturne, et Assan sent qu'il respire un peu mieux.

– J'admire ta lucidité, dit l'homme. C'est un mot dont ton frère ignorait le sens. Mais la vraie question, fils, ce n'est pas de qui on se venge. C'est qui se vengera de nous.

Il voudrait répondre quelque chose, n'importe quoi pour ne pas avoir l'air terrassé, mais l'homme lui a déjà attrapé la main, de sa poigne qui n'a pas l'habitude de faire des prisonniers.

– À bientôt, fils.

Il le regarde se diriger vers la sortie, et l'idée sidérante s'impose à lui que l'homme qui mettra fin à ses jours, son assassin en d'autres termes, vient peut-être par ce contact élémentaire de changer de peau.

Non, résiste-t-il, sans être certain d'apprécier encore toutes les conséquences de ce qu'il a entendu, ni du fait qu'il doive maintenant se considérer à découvert : chacun sa douleur. Lui, il ne laissera à personne d'autre le soin d'anéantir la sienne.

Le soleil de la fin d'après-midi jaunit les façades au bord la Seine. Au milieu du pont Alexandre-III, il s'accoude au parapet et allume une cigarette. Cette ville est magnifique. Tout ce qu'elle représente, aussi. Pourquoi la faire brûler, pourquoi y semer la mort ou s'y entretuer ? Au nom de quelles absurdes vindictes, quelles qu'en soient les raisons ? Il aspire une longue bouffée, garde longtemps la fumée au fond de sa gorge avant de l'expulser dans l'air parisien. Les jeunes filles sont en jupe ; les enfants courent et parlent fort ; les platanes reverdissent. C'est une idée bien étrange, une journée comme celle-là, de vouloir que toute cette beauté, cette vigueur, prenne fin dans le chaos et les hurlements.

Il est sûr que l'homme du planétarium s'est fait la même réflexion s'il est passé par ici.

Les nymphes de la Seine avec leurs lauriers et leur sceptre lui tournent le dos, noueux et imposant. Plus loin, là-bas au bout du pont, les amours au corps de plantureux enfants soutiennent leur lampadaire. Qui peut vouloir lacérer la chair tendre de son propre fils ? Saturne l'a fait, par amour du pouvoir. Son père est-il bien différent, lui qui a dévoré sa vie et celle de Kader pour en faire les instruments de sa haine ? Et lui-même, qui s'est approprié le destin de ces gamins, qui les a privés de leur innocence et de leur jeunesse ? Les raisons que l'on se donne ne sont nobles qu'en apparence, tout comme les flots argentés de la Seine ne sont qu'une illusion d'optique sous le soleil ; en profondeur, chacun sait que son eau est saumâtre, fétide. Le printemps est là, mais le monde est saturnien dans ses entrailles.

Le duplex donne sur le canal Saint-Martin, à hauteur de la gare de l'Est. Il est encore tôt. Un trip-hop sans âge fait vibrer les enceintes, sans effet apparent sur la brillante jeunesse vautrée dans le salon, philosophiquement alcoolisée dans la cuisine, copulante ou shootée dans la salle de bains et la chambre parentale. C'est le genre de fête où tout le monde a un plan ou deux en réserve pour enchaîner, mais où on attend de voir ce que feront les autres avant de se décider. La night ne finit jamais, man, c'est un état d'esprit, qui plus est quand on a entendu à longueur de journée que l'apocalypse est pour demain. S'il faut détruire Paris, alors Paris sera détruit – mais pas sans une dernière danse jusqu'à l'extinction des feux.

Ces terroristes, pense Sibylle, ne sont que des horlogers en plein décalage horaire. Avec ou sans leurs bombes, l'obscurité et le néant nous attendent tous au coin du bois.

Du balcon, par la verrière en zinc d'origine contrôlée, elle regarde cet aquarium hipster avec le détachement fatigué qu'elle affecte toujours au milieu de ses condisciples. Une cigarette l'aiderait à rentrer dans son personnage et à chasser ses idées noires, mais il y a maintenant cinq semaines qu'elle a arrêté, et elle n'aime pas être indulgente avec ses propres turpitudes.

– Les soirées com' sont toujours fortement chattées et peu braquemardées. Tu as remarqué ?

Luc est assis dans la pénombre, les chaussures posées sur le rebord du bac à bambous, dos tourné à la fête. Il sirote une vodka dans son verre à bière. Une vodka, ou peut-être un dark and stormy, ça lui ressemble davantage. Elle comprend qu'il l'observe en silence depuis qu'elle est sortie, et s'en veut de ne pas avoir remarqué sa présence plus tôt.

– Je me demandais justement ce que tu fabriques ici.

Ce mec est un poème en alexandrins, de ses mocassins bordeaux à sa raie sur le côté, en passant par sa serviette de VRP et son accent picard, épais comme du pâté de canard. Inscrit comme elle en première année du master Affaires publiques à Sciences Po, il suit le séminaire de compta nat du jeudi matin, quatre-vingt-dix minutes d'abomination sans répit qu'elle a pris l'habitude de passer collée comme un chat au radiateur, en dormant les yeux ouverts ou en relisant des arrêts du Conseil d'État. Quand elle ne fonce pas droit à la machine à café, il leur arrive de bavarder à la sortie de la salle. Il a fait un DEA de droit pénal à Reims en préparant le concours ; il a quatre ou cinq ans de plus qu'elle mais paraît plus vieux, presque la trentaine. Son machisme et sa grossièreté de prolo revanchard, elle ne croit pas que ce soit une pose ; autant qu'elle puisse en juger par leurs discussions sommaires, il se contente d'être lui-même, quitte à exagérer parfois sa vraie nature. Tout le contraire, en somme, de ces patriciens nés entre Saint-Germain, Saint-Sulpice et Saint-Michel, ces rentiers du carnet d'adresses paternel démangés par le même prurit humanitaire et les mêmes fausses transgressions. Elle voit depuis le début qu'il l'aime bien, et il ne lui est pas antipathique. À tout prendre, sa vision du monde lui semble plus pure que la leur, moins parasitée par les dogmes et les névroses savamment empilés année après année dans les grands lycées parisiens et les classes prépa dont ils sont issus.

Elle en sait quelque chose. Claude-Monet de la sixième à la terminale ; un père neurologue à la Salpêtrière, auteur de nombreuses vulgarisations sur le cerveau et titulaire d'une chronique santé hebdomadaire sur France Inter, et une mère qui est l'une des grandes prêtresses de la psychiatrie postlacanienne ; une maison de campagne auvergnate, austère comme un film des Straub, des vacances d'été en Toscane à étudier la moindre chapelle quattrocento comme si c'était la huitième merveille du monde ; l'aversion du sport inscrite dans ses gènes, équitation exceptée ; la Schola Cantorum au piano à partir de sept ans, *Splendeurs et misères des courtisanes* à onze. Avec toutes ces tares, elle considère qu'elle ne s'en tire pas mal dans le monde contemporain. Autrefois, ses parents étaient trop égoïstes et trop préoccupés de leur vocation – on ne parlait pas de carrière dans ces cercles-là – pour envisager un instant d'avoir d'autres enfants, et aujourd'hui c'est ce même souci de soi qui les empêche de voir que leur fille unique, si bien éduquée et si intelligente, se tape une petite racaille d'Aulnay tout en dealant de la dope aux privilégiés désireux de s'encanailler.

La seule chose qui les inquiète vraiment, enfin surtout sa mère, c'est le peu d'entrain que Sibylle manifeste ces derniers temps pour ses cours de droit administratif et la perspective de l'ENA, que ses petits camarades préparent déjà d'arrache-pied à deux ans de l'échéance. À ses yeux si français, et malgré un certain nombre de compromissions avec les puissances vulgaires de l'argent que sa mère oublie toujours avec la même complaisance, la haute fonction publique demeure ce paradis rédempteur dont la porte lui est restée fermée voilà cinq ou six ans, alors qu'elle n'avait pas ménagé sa peine pour entrer au directoire de l'AP-HP, hélas sans les bons numéros de téléphone. Son père a moins la religion de l'État parce qu'il est par nature moins sectaire, moins frustré aussi par son horizon professionnel, et surtout plus lucide s'agissant des moyens raisonnables de gagner sa vie quand on sort d'une école où on n'aura rien appris d'utile, tout ronflant qu'en soit le diplôme. Si l'ENA ne l'intéresse pas, après tout, il n'y aura rien de déshonorant à changer son fusil d'épaule et se spécialiser en droit privé. Avec sa vivacité d'esprit, prêche-t-il dans les dîners dominicaux une fois servies les lasagnes aux épinards, la surcharge de travail d'un double cursus ne sera pas un obstacle, et à l'arrivée elle pourra choisir de faire ce que bon lui semble. Car où est le pouvoir réel, aujourd'hui ? Le fond de sa pensée, jamais totalement explicite pour ne pas froisser sa femme, c'est que leur fille aura plus d'influence sur le cours des choses en pilotant les fusions-acquisitions dans un cabinet de conseil ou une banque d'investissement qu'à la direction du Trésor. Il aimerait qu'il en soit autrement, mais ainsi va le monde.

Depuis qu'elle a déménagé dans la chambre de bonne, laissant ses parents en tête à tête avec le principe de réalité et les débris de leurs illusions politiques, Sibylle mesure chaque semaine tout ce que ce constat peut avoir de morbide pour ceux qui, comme eux, avaient voté pour la première fois en 1981 et ne se sont jamais remis du traître renoncement tombé sur leur tête deux ans plus tard. Même si eux et quelques autres sont convaincus du contraire, tout le monde dans ce pays en a fait son deuil depuis des lustres, les ouvriers désindustrialisés et les petits employés reclassés, marche ou crève, toutes ces quantités négligeables, précarisées, moulinées aux quatre vents par le silo aveugle de la mondialisation. Et pendant que ces gens-là se débrouillent comme ils peuvent, en chair et en os, une élite romantique dont la France a le secret se lamente à l'idée que l'État ne peut plus tout ? Les intellectuels de gauche lui font penser, en miroir, à ces grands patrons saoulés de bonus qui demandent à la main-d'œuvre de se serrer la ceinture quand les temps sont durs. Voilà plus d'un demi-siècle qu'ils se gavent d'avantages incrustés au plus profond de la loi et des esprits comme si c'étaient les dix commandements, les sacro-saints acquis de la Libération, et maintenant ils brament au nom de la justice sociale, pas dans leur intérêt bien sûr mais pour défendre ceux qui n'ont pas voix au chapitre, parce qu'on leur présente l'addition et qu'on leur demande de bosser deux ans de plus ?

Non, vraiment, Sibylle n'a aucune compassion pour cette dernière génération de croyants bercés par les comptines rimbaldiennes de Tonton, dont les couloirs haussmanniens sont, trente ans après, ornés de photos des îles grecques et de masques africains, quand ce ne sont pas des affiches collector du théâtre subventionné. Lorsqu'elle parcourt, désœuvrée, l'album souvenirs de l'école de médecine, la réalité de cette époque glorieuse lui échappe, sans parler de ce qu'elle pouvait bien avoir de sacré. C'est toujours le même tableau : son père et sa mère, la vingtaine sombre, regardent l'objectif avec l'œil obséquieux de ceux qui se sont juré de changer le monde ; une cigarette se consume dans un cendrier trop plein ; Foucault traîne sur un coin de table ; à la frontière du cadre il y a un clandestin d'Action directe qui tourne la tête pour cacher son visage, et qu'on doit héberger à tour de rôle entre sympathisants pour apporter son écot à la lutte sans risquer de se retrouver en première ligne. Elle a beau être née seulement quelques années plus tard, ces reliques d'un âge révolu lui semblent plus lointaines encore que les clichés en vigueur sur l'après-guerre ou les années folles, qui elles au moins avaient le mérite d'être photogéniques. Idem avec les symboles plus mainstream de la gauche de gouvernement, auxquels cette arrière-garde révolutionnaire s'était bravement ralliée tout en continuant à cultiver sa radicalité en privé – la rose du 10 mai, les nationalisations, la retraite à soixante ans, la semaine de trente-neuf heures, la calvitie broussailleuse de Piccoli… Le nez de Barbara, s'il avait été moins crochu, aurait-il changé toute la face de la terre et prévenu le funeste virage de 1983 ? Vus d'aujourd'hui, les totems de ses parents ont en commun de paraître tout petits, dérisoires. Elle, elle les trouve surtout franchement mièvres.

– Un autre, dit Paoli, sans lever les yeux du zinc.

Et pourquoi les lever, d'ailleurs ? Il n'y a plus rien à voir dans les brasseries parisiennes.

– Un autre quoi ? demande le serveur, avec ce même rictus au coin de la bouche, à la fois ironique et aux aguets, qu'il a remarqué tout à l'heure en entrant dans son bistrot de Denfert, et qui lui donne l'air d'un forain préoccupé par la recette du soir.

– Un autre, répète-t-il en faisant tourner son verre de scotch entre ses doigts.

Avant que cet endroit change de propriétaire et abandonne le formica et la moleskine d'antan pour les matériaux composites et sans âme d'aujourd'hui, Radio Nostalgie et Chérie FM pour de la musique électronique qui lui fait penser aux publicités des compagnies aériennes, le stand du Loto pour un écran plat, et le téléphone à cadran qui séparait au sous-sol les toilettes hommes de celles des femmes, pour une borne wifi, avant, donc, il y avait derrière le comptoir un Corse, Ange-Marie, qui était selon lui la personnification de ce que le barman doit être. Attentif et discret, d'une élégance austère, et prévenant sans donner l'impression de traquer le pourboire, il avait cette présence indéracinable qui est la raison pour laquelle les semi-alcooliques de son espèce reviennent toujours boire à la même source, comme les chevaux.

Ange-Marie ou un autre, les quelques clients qui sont encore là ce soir s'en moquent, à vrai dire. Plus d'habitués ni de têtes à l'ancienne, plus de rade qui tienne intra muros. Pour en trouver un vrai, il faut descendre à Gentilly, Montrouge. Et encore, pense-t-il en regardant ces gens, plus ou moins jeunes, épris de la machine. La lumière blafarde de leur ordinateur portable leur blanchit le visage, dont la peau est déjà si pâle naturellement et qu'ils ont tous, sans exception, orné d'une paire d'oreillettes blanches. Surtout, ne pas entendre le bruit de ce qui les entoure, surtout ne pas être là où ils se trouvent. Leur réalité, pense-t-il, notre réalité est vieille et desséchée sous son lustre high-tech, comme la couenne de ces femmes mûres qui ont passé trop de temps dans les cabines de bronzage, et nous la regardons se vider chaque jour un peu plus de sa chair. Dans ce monde de clones, il n'est pas illogique que tous les bistrots finissent par ressembler à des lavomatics, mais nul n'est obligé de penser qu'il s'agit là d'un progrès considérable pour l'humanité.

Tout de même, se dit-il entre les brumes du whisky. Le prix de la pression a dû être multiplié par trois en dix ans, vivre dans cette ville coûte la peau du cul, l'euro est une belle saloperie, les gens ne se disent plus bonjour et le Paris qu'il aimait se noie dans une nuit lointaine.

– Un autre.

En observant Bakiri, cet après-midi au planétarium, il n'a pas reconnu l'homme qu'il attendait. Il s'était fabriqué l'image d'un dogmatique, d'un pur et dur enfermé dans la prison céleste de ses idées. Et maintenant qu'il repense à son visage juvénile, à son regard chaleureux et sensible, même derrière ce voile de terreur quand il a tombé le masque au milieu de leur conversation, il se dit que Bakiri partagerait sûrement ses pensées amères s'il était accoudé lui aussi au comptoir de ce bistrot qui n'en a plus que le nom ; il se dit que peut-être l'amertume explique en partie son projet d'achever cette ville arrivée au stade terminal du reniement de soi, et il comprend avec étonnement qu'il n'éprouve pas à son égard la haine pure qui faisait bouillir son sang à la poursuite de Kader Arrache.

Kamikaze, dit-il à voix basse. Ka-mi-kaze. C'est un fait froid comme la pierre que le mot a son mystère et sa beauté : le souffle des dieux, en japonais, les typhons légendaires qui auraient mis en déroute la flotte de Kubilai Khan et permis de repousser les invasions mongoles de la fin du XIIIe siècle. Ce jeune homme en est un, sans doute, mais dans une certaine mesure il le voit aussi comme un frère de douleur, un semblable à qui l'on a moins envie de faire du mal que de trouver des circonstances atténuantes.

La compréhension, l'empathie, l'histoire personnelle, le contexte familial ou social, lorsque Franck est arrivé sous ses ordres, ce sont les premiers dangers contre lesquels il l'a mis en garde, quelle que soit la validité des raisons de se pencher dessus. Tout le monde a ses raisons, même les salopards et les hommes abjects, même ceux qui veulent notre perte. On n'arrive jamais à rien avec les raisons, qui sont le contraire de la loi. Lui, par exemple, il n'en cherche aucune pour justifier sa conduite. Il détourne, au bénéfice d'une vendetta privée, le pouvoir et les moyens qui lui sont dévolus dans le cadre de ses fonctions ? Il se substitue à la justice ? Il ment et dissimule à tout-va, à sa hiérarchie et à ses hommes, aux flics comme aux ministres, à son adjoint qu'il considère comme un fils ? Et après ? La ville la plus touristique au monde est aujourd'hui en état de siège, sous la menace d'un homme qu'il a choisi de protéger, parce qu'il estime avoir droit de vie et de mort sur lui et sa famille ? Sa conduite, tous les magistrats de la République la jugeront inqualifiable le moment venu.

– Je me suis vengé, voilà ce qu'il leur répondra.

– Comme un pauvre petit pied-noir, ricanera le procureur, un orphelin prisonnier à vie de sa guerre d'Algérie ?

– Comme un homme. Moi, contrairement à vous tous, je n'ai pas de problème avec les Arabes.

Peu importent les excuses et les jugements, on fait ce que l'on doit faire, ou pas. Il faut choisir entre être un homme, et chercher les raisons. Que d'atermoiements, de sentimentalisme, se reproche-t-il en cherchant son téléphone qui vient de vibrer. Il doit se faire vieux.

L'e-mail provient de la mairie de Grenoble, bureau de l'état civil. Quand il a appelé, mercredi dernier après avoir vu les photos de Bakiri, la voix de l'employée à l'autre bout du fil a trahi l'excitation d'être sollicitée pour une barbouzerie. Sa réponse donne inutilement le détail de toutes les opérations nécessaires à la production du document administratif qu'il lui a demandé, comme si elle avait réussi là un exercice de haute voltige bureaucratique. Éternelle misère des collectivités locales, pense-t-il en lisant sa prose ampoulée, en diagonale.

Il ouvre la pièce jointe, l'acte de naissance d'Assan Bakiri, avec une pointe d'appréhension à peine adoucie par les effets de l'alcool, mais qui ne dure qu'une seconde, le temps de trouver la seule ligne qui l'intéresse.

Le père de Bakiri, évidemment, s'appelle Abderrahmane, dit Al-Mansour Arrache.

C'est vrai, Sibylle vit de plain-pied dans le monde transnational, capitaliste et marchandisé dont ses parents pensent de bonne foi avoir combattu l'avènement ; mais elle ne s'y sent pas chez elle, et elle n'a aucune fascination pour les idoles contemporaines. Les grands desseins de start-up et de LBO de ceux qui se destinent aux écoles de commerce lui parlent aussi peu que les chimères sociétales, européennes ou écolos répandues rue Saint-Guillaume comme des hallucinations collectives. Bonne élève sans se fatiguer, elle n'a pas en elle l'abnégation triste des polards qui ne dévieront pas de leur trajectoire, quoi qu'il en coûte. Elle veut avoir une vie, la vraie vie que ceux-là ne connaîtront jamais, mais ne se satisfait pas de la sienne, qu'elle juge trop étroite, trop facile et trop fade. Même si elle n'a qu'une idée vague, romanesque, de ce qu'il peut bien être, le frisson de l'aventure et du danger l'appelle comme le vent du large, quand son milieu n'a que l'ennui du gain ou des nobles causes à lui offrir. Elle aime à se croire curieuse et ne hait rien tant que le manque de curiosité, qu'elle pense être le propre des bourgeois et des esprits médiocres. Depuis des années, elle rêvasse à des fugues à l'autre bout de la société, des altercations et des cuites monumentales à la table de gens d'honneur dont la noblesse d'âme serait la seule richesse ; tout en faisant son droit elle s'imagine parmi les hors-la-loi, les tricheurs, les voleurs, les junkies, les putes et les malfrats, les clandestins, les mercenaires, les durs à cuire. Et si cette galerie de personnages fait défaut à son quotidien, c'est une lacune qu'elle met sur le compte de son éducation et de l'inertie française, en admettant à demi-mot que c'est peut-être aussi sa lubie à elle, un symptôme de son bovarysme.

Il y a six mois, quand elle a rencontré Momo dans la file d'attente d'un blockbuster aux Halles, elle a bien cru que son tour était arrivé, qu'elle avait fini de se languir. Il était beau comme un camion, avec ses yeux bleu pâle et son air renfrogné ; on aurait dit Zidane, en plus petit et en plus charpenté, avec un dos dont les muscles s'agençaient en toutes sortes de combinaisons quand il lui montrait ses enchaînements de boxe, torse nu dans sa chambre. Il boxait, et il n'avait pas froid aux yeux. Il habitait l'une des cités les plus redoutables de la banlieue parisienne mais s'y baladait en toute quiétude, l'air vaguement repu, comme un quinquagénaire de Caillebotte le dimanche après-midi sur les grands boulevards. Il gagnait bien sa vie dans la garde rapprochée du caïd local, dont le seul nom était pour elle un objet de rêverie et de crainte quand elle rentrait à Paris à l'aube, la tête appuyée contre la vitre du RER et, au front, la satisfaction d'avoir dormi loin des beaux quartiers. Mais la vie est mal faite, et une nuit de décembre Momo s'était découvert une envie de réforme, sans préciser si elle était la cause, même lointaine, du grand chambardement qui s'annonçait.

– Je vais lâcher l'affaire, avait-il soufflé à voix haute mais pas pour elle, comme si ses mots étaient la conclusion de longues palabres intérieures.

Elle avait ouvert les yeux. Une résolution un peu fébrile flottait sur le visage de son amoureux. Il lui avait caressé le front avec le dos de la main, et il lui avait dit de se rendormir.

Ce n'est pas une mince affaire, songe-t-elle en considérant les feuilles des bambous qui tremblent dans le vent, de savoir à coup sûr si on aime quelqu'un pour ce qu'il est ou pour son exotisme. Est-ce que c'est le lascar qui lui plaît chez Momo, ou bien Momo et rien que Momo ? Est-ce qu'elle s'est jamais intéressée à ce qu'il peut bien être en réalité, indépendamment des attributs qu'elle lui a collés d'office, par contraste avec tous les pantins mous qu'elle a connus avant lui ? Elle ne lui refuse pas le droit de changer, de s'inventer comme elle un destin différent de ceux que déterminent leurs origines sociales ; mais la contrition a toujours mauvaise haleine, et abdiquer sciemment ce qu'il avait choisi d'être en se racontant que c'est l'heure de revenir sur le droit chemin, elle trouve la démarche veule. Myope, de surcroît, à l'image de toutes ces rédemptions dont les gangsters de studio ont la tête trop pleine, ces fables du nouveau départ qui ne riment à rien, parce que contrairement à l'avocat, le gangster de base, le vrai, ne saura jamais rien faire d'autre qu'être un gangster. L'avocat a vu le monde et en connaît toutes les coutures, les signes et les langages interlopes ; le bandit ne connaît que l'eau stagnante de son petit marigot, en dehors duquel il se retrouve comme un poisson rouge sorti de son bocal. La candeur qui a conduit Momo à penser qu'il pourra échapper à cette inégalité universelle la contrarie presque autant que sa propre sévérité envers lui, sa réticence à lui laisser une chance. Mais elle a sa route à tracer, et elle ne sait plus très bien à présent s'il faut le voir comme un guide ou comme un poids mort.

Longtemps elle a dealé du shit aux étudiants des filières com' et internationale, des barrettes de marocain coupées au goudron que lui refilait un ex du lycée, parce qu'elle n'avait pas trouvé de meilleur antidote à la monotonie de ses jours. Momo n'en sait rien. Elle ne se cache pas que c'étaient des enfantillages, mais elle n'a pas besoin de l'entendre de sa bouche, et elle ne veut pas être l'objet de son mépris. De toute façon, elle ne vend plus qu'à ses copines maintenant, pour dépanner – sa bonne résolution à elle. Soit. Mais alors qu'est-ce qu'elle fabrique sur ce balcon nocturne à attendre qu'on vienne lui acheter les grammes de coke qu'elle a au fond de sa poche ?

Ne refuse pas le fruit mûr que le hasard fait tomber sur ton chemin, dit un proverbe sûrement chinois.

Mardi dernier, un peu avant sept heures du matin, elle attendait Momo dans le parking de sa barre d'immeubles. Il avait oublié les clés de son scooter et était remonté les chercher pour l'accompagner au RER. Elle aurait pu marcher jusqu'à la station, elle avait le temps, mais il était inutile d'insister ; quelles que soient les circonstances, il ne veut pas qu'elle soit seule dans la cité du coucher au lever du soleil.

Le parking était froid et désert. Elle s'amusait à compter combien de vieilles 206 étaient garées là, entre les piliers, quand un gamin a surgi d'une coursive toute proche, en sprint. Blanc, une quinzaine d'années. D'instinct, elle s'est accroupie entre deux voitures avant qu'il la voie, mains sur la carrosserie pour s'équilibrer. Le gamin est passé devant elle en jetant par-dessus son épaule un regard rempli d'effroi, puis une porte a claqué, et le bruit de sa course s'est perdu dans l'escalier. Elle allait se remettre debout, mais une odeur d'eau de Cologne s'est propagée dans l'air, et quelque chose dans cette odeur lui a fait sentir sur-le-champ qu'il valait mieux ne pas bouger. D'autres pas se sont approchés, les pas d'un homme qui marchait sans se presser. L'odeur est devenue de plus en plus forte, flottant autour d'elle comme du gaz et imprégnant ses vêtements, sa peau. Son cœur tapait dans sa poitrine comme une pendule détraquée. L'homme s'est arrêté à quelques mètres de l'endroit où elle se cachait, de l'autre côté de la voiture. Il est resté immobile un moment, son parfum suspendu dans chaque molécule d'oxygène. Puis il a fait demi-tour, toujours aussi lentement, comme les grands requins blancs qui se savent maîtres de leur élément, et elle l'a entendu ressortir par le couloir d'où le gamin était apparu. Tout était à nouveau silencieux, immobile. Elle a ouvert grand ses poumons pour laisser sortir le stress, et aussitôt le poivre sucré de l'eau de Cologne s'est déposé dans son nez et dans sa bouche, comme si c'était l'odeur écœurante de sa propre peur.

C'est en se redressant qu'elle a vu la brique blanche contre le pneu de la voiture. Est-ce l'association insolite de sa forme et de sa couleur ? Sa texture à la fois dure, compacte, et friable ? Son étrange luminescence sous le rayon bourdonnant des néons ? Elle l'a ramassée sans réfléchir, et elle l'a trouvée plus lourde que ce qu'elle imaginait. Le parfum commençait à se dissiper dans les vapeurs d'essence du parking, mais elle en conservait le goût âcre comme de la sueur séchée jusqu'au fond de la gorge. Il y a eu un nouveau bruit de porte à l'étage. Elle a reconnu la foulée légère de Momo dans l'escalier, et elle a fourré la poudre dans son sac.

– Désolé, a-t-il dit en détachant la chaîne de son scooter. Elles étaient dans la chambre de ma sœur. Je te parie que le réservoir est vide.

Au moment de relever la béquille, il a brusquement paru inquiet et l'a regardée en humant l'air, avec une expression incrédule dans les yeux.

– Tu as croisé quelqu'un pendant que j'étais là-haut ?

– Mon train passe dans cinq minutes, a-t-elle répondu en faisant non de la tête.

Puis elle a enfilé son casque pour s'empêcher de lui raconter ce qui venait de se passer.

Une semaine après, elle ne sait toujours pas ce qu'elle doit faire de cette came. Il y a des tas de bonnes raisons de s'en débarrasser, c'est sûr, et elle n'en trouve aucune valable de la garder. Dieu sait à qui ce gamin a volé la coke. Si, comme elle le soupçonne, c'est un des stocks du Tchétchène qui a été siphonné, elle n'ose même pas imaginer les cataclysmes qui s'abattront tôt ou tard sur l'auteur du forfait et tous ceux qui en auront profité. Quelque chose d'antique entoure dans son esprit la personne de l'ancien patron de Momo, quelque chose qui tient à la fois de l'ogre et de la divinité en colère. Le Tchétchène, c'est celui dont il ne faut pas prononcer le nom, surtout devant Momo. Peu importe si à la réflexion elle ne voit pas comment lui ou un autre pourrait remonter jusqu'à elle ; depuis une semaine elle sent sur cet objet le poids d'une malédiction tenace comme l'odeur de l'eau de Cologne.

La porte de la verrière s'ouvre, les basses arrondies de la sono s'engouffrent sur le balcon mélangées à des éclats de voix et une fille de sa filière s'approche avec ses cernes d'oiseau de nuit. Elle a le bulbe de l'œil un peu jaune et les cheveux fragiles, mais ni le manque de sommeil ni les excès d'ecstasy ne l'empêchent de posséder le cerveau le plus vif de l'IEP, toutes années confondues.

– Il paraît que tu as quelque chose.

Sibylle la considère avec un mélange de méfiance et d'excitation. Sa première cliente se tient devant elle, et c'est maintenant qu'il faut se décider. D'un côté il y a sa vie telle qu'elle la connaît, morne et confortable ; de l'autre, quelque chose de plus gratifiant, du moins à ses yeux, mais aussi d'infiniment plus périlleux. Si elle franchit cette frontière, elle sait qu'elle se retrouvera dans le camp des vrais dealers. Fini le shit, ses petits profits et ses petites frayeurs, la menace pittoresque du tribunal correctionnel. Recel et trafic de cocaïne, ça se juge en assises. C'est un crime, et ça se paye cher quand on se fait prendre. La peur de la punition ne lui est pas étrangère, et en même temps le contact des petits noyaux de poudre au bout de ses doigts lui fait entrevoir un univers dans lequel elle fournirait tout ce que la rive gauche compte de mondains épris de récréations artificielles, web designers et directeurs artistiques, agents de mannequins et producteurs, connards et pétasses créatives qui achèteraient à prix d'or la garantie d'un produit pur et le privilège rassurant d'être servi par l'une des leurs.

Après tout. À ses risques et périls.

– Tu veux combien ?

– Combien tu as ?

Sibylle la dévisage aussi sévèrement qu'elle peut, comme Momo le ferait, l'air de dire que c'est elle qui pose les questions. Il suffit de se taire au bon moment pour qu'on vous écoute.

– Donne-moi dix grammes, reprend Aurélie. Six cents euros, OK ?

– Rajoute cent cinquante et on est d'accord. Tu verras que c'est cadeau.

– Je vais voir si j'ai assez.

Elle s'en retourne à l'intérieur faire la collecte du cash auprès de ses coacheteurs. Sibylle regarde l'heure sur son portable. Encore une nuit trop courte. Qu'est-ce qu'elle fait là ? Dix grammes, un kilo, soixante-quinze mille euros, et après ? Qu'est-ce qui se passera une fois la brique écoulée, puisqu'il n'est pas question de la couper ? Où ira-t-elle se réapprovisionner ?

Elle serre les sachets de coke au fond de sa poche, elle les tourne entre ses doigts comme la clé magique qui ouvrirait la porte d'une vie plus conforme à sa soif d'absolu, et cependant elle entend une petite voix, qu'elle pourrait ignorer comme la voix de la raison ou de la prudence mais qui n'est ni l'une ni l'autre, juste la sienne, l'authentique, et cette voix lui souffle de jeter tout le reste de la coke dans les toilettes dès qu'elle sera rentrée chez elle.

La silhouette sombre et pâle de Momo, capuche sur la tête, se détache sur la pierre grise de l'immeuble. Les lascars devant lesquels elle passe aux 3000 ou dans le RER attendent toujours debout, dos contre le mur ; Momo attend accroupi et sans autre appui que ses pieds, pour que ses cuisses n'arrêtent jamais de travailler, même quand il est immobile. C'est comme ça qu'elle le reconnaît, de loin et quand il fait nuit.

Elle traverse la rue, les cheveux soulevés par une bourrasque et la gorge asséchée par le tanin. Elle s'en veut de ne pas avoir acheté une bouteille d'eau ou un paquet de Kiss Cool sur le quai du métro. Comme tous les gens qui ne boivent pas, Momo peut sentir la trace d'un verre d'alcool des heures après son ingurgitation. Idem avec les cigarettes ; c'est un peu pour ça qu'elle a arrêté aussi.

Le vent fait claquer des volets sur la façade de l'immeuble. Momo pose une main froide sur le côté gauche de son visage, juste sous l'oreille, à l'endroit où naissent ses cheveux. Elle a toujours aimé ce premier contact animal, qui précède chez lui la conversation.

– Tu as les joues brûlantes, dit-il.

– J'ai marché. Où étais-tu toute la journée ?

– Je n'ai pas envie d'en parler, répond-il sur un ton sec. Excuse-moi. Je te raconterai plus tard. Je voulais… J'avais juste besoin de te voir.

Elle pose la tête dans le creux de son épaule. Une odeur aigre se dégage de son cou et de son hoodie, comme s'il n'avait pas pris de douche après son entraînement. Or Momo est le plus propre et le plus soigneux de tous les garçons avec qui elle a couché.

Il y a cette odeur, et puis il y a la tension qu'elle perçoit dans ses muscles, à fleur de peau. D'ordinaire, quand ils se voient l'après-midi ou le soir, son corps est toujours plus souple, vidé de la violence qui l'électrise le matin, avant de partir à la salle.

– Tu as boxé aujourd'hui ?

– Juste de la corde et un footing, fait-il en baissant la tête. Jean-Luc a dû aller chercher une bagnole à la fourrière.

Elle n'en croit pas un mot et se demande ce qui peut bien le pousser à mentir, lui qui n'a jamais besoin de s'arranger avec la vérité. À deux semaines de son championnat, alors qu'il lui reste deux kilos à perdre, prendre un jour de repos ? Ni lui ni son entraîneur ne se pardonnerait pareil écart.

Il lui semble entendre le roulement d'une catastrophe toute proche, bien qu'encore invisible.

– Viens.

Dans la chambre, ils se lovent l'un contre l'autre, tout habillés sur son lit. Elle ferme les yeux et sent la fraîcheur de sa respiration sur sa nuque. Peut-être qu'il n'y a pas de vraie intimité entre eux au-delà du sexe, songe-t-elle à moitié somnolente, peut-être que le fossé entre leurs mondes est trop vaste pour qu'ils s'inventent une complicité et des repères communs. Un langage, aussi – elle aimerait que Momo lui dise plus souvent ce qu'il a sur le cœur, au lieu de tout garder pour lui.

Il fait nuit noire quand elle se réveille ; le vent fait miauler la toiture. Sa main cherche une bouteille d'eau sur la table de nuit et ne rencontre que le vide – toute la chambre est vide et froide depuis qu'il est parti. Est-ce que c'était vraiment lui, ou est-ce qu'elle a de la fièvre ? Elle enlève son T-shirt et son pantalon, défait son soutien-gorge et se glisse sous les draps. Elle a des fourmis dans l'avant-bras ; son œsophage lui fait mal. Et ce bourdonnement dans sa tête – elle entend le moteur du frigo sous le plan de travail, mais il y a aussi quelque chose qui bourdonne à l'intérieur de son crâne.

Elle s'aperçoit qu'elle tremble. Ce doit être la grippe. Les verres de la soirée, peut-être.

Elle a soif, et elle a peur. L'odeur de Momo sur l'oreiller ne prouve pas qu'il était bien là ; elle prouve juste qu'elle sera seule jusqu'au lever du jour, et que la nuit est longue pour les tricheurs.

– Un, deux. Trois. C'est bon, dit Abou en faisant rentrer les deux minijupes et la veste Armani.

Un instant, la porte ouverte laisse entrevoir le royaume de délices qui leur est interdit à la dizaine de refoulés qui s'attardent sur le trottoir. Abou ferme derrière lui et se remet à fixer la rue avec méchanceté, comme tout videur qui se respecte. Le néon qui éclaire le nom du club jette une lumière pourpre sur son crâne tressé, et Soul se demande pourquoi tant de monde fait des pieds et des mains pour pénétrer dans un endroit à l'entrée duquel se tient un agbolo aussi accueillant que le gardien des enfers. À l'intérieur, l'intro d'un vieux coupé-décalé succède au dernier tube R'n'B – qu'importe la musique, pourvu qu'elle soit jouée par des Noirs sculptés et aux dents bien blanches. Deux gnatas qui sont restés sur le carreau tout à l'heure reviennent à la charge, mais son frère les arrête d'un geste du bras avant qu'ils aient eu le temps d'ouvrir la bouche.

– Reculez, s'il vous plaît.

– Pardon chef, proteste le plus petit en s'approchant un peu trop, mais vraiment il est où ton savoir-vivre ? Tu fais rentrer des vieux toubabs tout fripés avec leurs vilaines faces de golfeurs, et tu laisses tes frères en souffrance. Il me semble que ça n'est pas très honorable, même !

– Reculez, répète Abou, en élevant sa voix d'un cran.

Pourquoi est-ce qu'ils persistent, puisqu'ils ne sont pas à la bonne adresse et que leur cause est perdue d'avance ? Soul a toujours détesté la passion égalitaire et le ressentiment précieux de ces étudiants à visa, éternellement amers de ne pas appartenir à la jet-set ouest-africaine de la rive droite. Ces imbéciles sont prêts à se faire casser la gueule pour prouver l'injustice dont ils sont victimes, mais ils ne valent pas mieux que les autres. Ils jalousent les fils d'ambassadeurs et leurs hôtels particuliers sur les hauteurs du Trocadéro, les héritiers du cacao et les rentiers de la banane, et en même temps ils n'ont que du mépris pour les Binguistes comme lui, tous ces petits Français de sol qui ont abandonné l'Afrique. Ils ont beau faire de grandes phrases où Lumumba, Sankara et Savimbi sont le sujet, le verbe et le complément, ils ont beau ricaner au pays tout en faisant la queue devant le consulat, la vérité est qu'ils renieraient à tous les coups leur vertu pour un Gbessé RF et pour être admis dans une boîte comme celle-ci.

Les propriétaires veulent des quinquagénaires blindés qui ont les moyens de lâcher dix mille euros en une nuit, et des jeunes femmes pas farouches qui savent ce qu'il faut faire pour les pousser à la consommation : la négritude et l'africanité ne font pas loi ici. Abou et les autres cerbères, on leur demande juste d'appliquer les consignes, et leur pouvoir discrétionnaire est nul, ou presque – si une djandjou de leur connaissance veut rentrer seule pour faire un peu d'argent dans les toilettes, sans tondre la laine sur le dos de ses sœurs, ils ferment les yeux en sachant qu'ils seront remerciés de leur bienveillance à la fermeture. Mais vu du trottoir, dans le regard de ceux qui restent dehors comme ces deux gaous-là, ils font partie d'un lumpenprolétariat qui préserve la domination des Blancs et maintient l'homme noir dans son état de servitude. L'idée plus simple qu'ils gagnent leur vie comme ils peuvent n'existe pas dans leur petite cervelle de donneurs de leçons.

– Mon frère, dit Soul en s'adressant au mécontent. Il faut laisser affaire là.

Il a vu dans les yeux d'Abou le même coup de sang qu'avant ses raclées, et pour une raison certainement paradoxale il ne veut pas que son frère se retrouve au poste. Sa mère s'inquiétera, l'argent viendra à manquer, et les petits n'auront plus rien à manger. Il est probable aussi qu'il a quelque chose à lui prouver, par exemple qu'il n'a pas eu tort de lui donner sa chance ici. Si la pacification des mœurs à l'entrée du club n'entre pas en principe dans ses prérogatives de voiturier à l'essai, un peu de bonne volonté ne saurait nuire à son intégration professionnelle.

Les deux recalés se regardent avec l'indignation épaisse de ceux qui n'auront jamais la carte. Ils ne parlent pas comme il faut ; ils sont mal habillés. Ils sont ce qu'ils sont, et cela suffit à prévenir qu'ils deviennent autre chose, n'importe quoi de plus subtil et de moins borné.

Le plus petit se tourne vers lui en écarquillant les yeux, comme s'il était sidéré qu'on puisse être à la fois aussi grand et aussi maigre. À sa façon de regarder la veste à fermeture éclair trop courte pour lui et le badge Valet Parking qu'il porte sur la poitrine, Soul se dit qu'il a outrepassé sa fonction et qu'il va une fois de plus perdre la face devant son frère. Mais au lieu de venir le chicotter et de forcer Abou à intervenir, l'autre tourne les talons en faisant claquer sa langue contre l'avant de son palais, en bon broussard soucieux de marquer sa réprobation. Son mogo hésite quelques instants sur la conduite à adopter, avant de s'éloigner à son tour. Leurs silhouettes accablées ont tôt fait de disparaître dans la nuit.

– Ça c'est mon gars, lui dit Abou avec un air presque tendre, puis il l'oublie aussi sec pour saluer l'une de ses favorites parmi les gos qui fréquentent l'établissement.

Soul fait quelques pas sur le trottoir en humant l'air de la nuit. Il passe la langue sur l'intérieur de sa lèvre, sur la gencive. La douleur de ce matin a presque disparu. L'une après l'autre, il se frotte les mains contre les manches de sa veste pour se réchauffer, mais le tissu lui-même est froid, pauvrement synthétique. La journée a été belle et douce pourtant, la première vraie journée de printemps ; c'est le vent qui lui glace les os. Maintenant il n'y a plus un seul nuage dans le ciel, et les rafales se succèdent en faisant trembler les opulentes vitrines des bijouteries et des magasins de téléphonie mobile.

Les portables, à la belle époque des petits larcins sans conséquences, c'est à la station Madeleine que lui et Momo les levaient. Il y avait moins de trafic qu'aux Halles, mais aussi moins de caméras de surveillance. Surtout, il n'y avait pas de Roumains. Pas de Roumains, de Roms, ou de Tanjs, peu importe comment on les appelle : pas de problèmes. On pouvait faire ses emplettes tranquille.

Les gens marchaient vite et serrés sur le quai de la 8. Momo et Soul suivaient le courant en direction des correspondances, la transhumance nerveuse, dense, vers la 14, plus paisible vers la 12.

Les Roms font les poches à trois ou quatre, selon les règles de l'art : un pour choisir la cible, un autre pour la distraire ou obstruer son champ de vision le temps que le troisième prenne ce qu'il a à prendre, et parfois un pour la retraite, qui laisse les autres clean quand la sécurité de la station est plus serrée. Eux, ils bossaient en tandem – comme aujourd'hui au Palais Céleste. Soul localisait un portable qui venait d'être remis en poche après un appel, extérieure ou intérieure, veste ou pantalon, et Momo carottait le propriétaire pendant qu'il faisait diversion. Jamais de filles. Ils ne se l'étaient pas interdit formellement, mais ça leur allait bien comme ça. Le job de Soul, c'était de focaliser l'attention de leurs cibles sans laisser voir son visage, du moins pas assez pour qu'ils puissent s'en souvenir en cas de pépin. Ensuite, il les suivait du regard jusqu'à ce qu'ils s'aperçoivent du vide, du poids manquant dans leur poche. À ce moment de la partie, Momo s'était fait la malle depuis longtemps, avec sa légèreté de boxeur qui le faisait entrer et sortir de leur espace intime ni vu ni connu, toujours par l'angle mort.

La vie va trop vite, songe Soul en s'éloignant de la boutique SFR, glacé par le vent, tandis que le souvenir s'estompe. Elle va trop vite pour les hommes. Il tend l'oreille, réprimant un bâillement de froid et de sommeil.

Le bruit du moteur ressemble à celui de la Mustang 1973 qu'il est allé garer en début de service, plus ample et plus sauvage que le ronronnement germanique des A8 et autres SLK conduites par la majorité des clients. Rien qu'en une soirée, il a conduit tous ces monstres jusqu'au parking souterrain de la rue de Berri ; il a trouvé ses repères dans le cœur de la capitale, compris un peu comment cette ville respire ; et il a appris à deviner, au son du moteur, si une voiture va s'arrêter devant la boîte ou si elle va passer son chemin. Aussi dérisoires qu'il les aurait trouvées jusqu'à ce soir, aussi réticent qu'il était à tenter le coup ici, il se dit que ces minuscules victoires sur lui-même valent bien la peine de mettre son amour-propre dans sa poche et de faire le gentil boy quand un client lui tend un billet de vingt euros.

Merci bwana. Vraiment patron, il ne fallait pas.

Bien sûr, Abou prélèvera cinquante pour cent des pourboires s'il est dans un bon jour, mais il lui restera quand même cent euros nets pour six heures à se tourner les pouces, contre deux cents par semaine au Palais Céleste.

Le coupé Jaguar s'arrête en double file à sa hauteur, feux de détresse allumés. Il croit reconnaître une ancienne gloire de l'OM, ce que lui confirme l'obséquiosité vaguement servile de son frère quand il les fait entrer, lui et sa Dolce Gabbana. Une serveuse en nage accourt pendant qu'il se met au volant et lui tend une clé accrochée à un ticket.

– Ils sont déjà debout, dit-elle essoufflée. Et ils ne sont pas de bonne humeur.

– Cinq minutes.

Il démarre en souriant, comme s'il était quelqu'un de sûr de lui, avec du métier. Dans le rétroviseur, il la voit qui lui adresse un petit remerciement de la main, et il se dit qu'elle est bien fraîche, cette petite.

– On dit quoi, fiston ? lui demande Bamba, le Dioula qui tient le parking, en actionnant la barrière.

Il salue d'un coup de klaxon et se sent pousser des ailes. Il y a plus de considération ici qu'on ne lui en a jamais donnée à Aulnay, Momo excepté. Il sert à quelque chose et on le prend au sérieux. Personne ne connaît ses humiliations intimes. Il se sent dans la peau d'un roi de la nuit parisienne.

Il descend au – 2 et gare la Jaguar à côté de l'une des Mercedes. Le ticket correspond à un 4 × 4 Toyota arrivé peu après l'ouverture. Trois Renois d'une trentaine d'années, non accompagnés, qu'Abou n'a pas regardés en tenant la porte – sûrement des dealers venus parler business avec le patron de la boîte. Il manœuvre prudemment entre les piliers, roule au pas en remontant vers la surface – cette bagnole est la plus large qu'il ait eue entre les mains depuis qu'il a le permis. Dehors la voie est étroite entre les deux rangées de voitures en stationnement, mais il a la direction assistée bien en main. Le 4 × 4 répond en douceur à ses commandes. Il tourne à droite sur la rue d'Artois, laisse le clignotant pour prendre la rue de La Boétie. Les dealers auront récupéré leur caisse dans moins de vingt secondes, et la petite serveuse lui écrira peut-être son 06 sur un bout de papier. Si une gomi comme elle lui donnait un peu de tendresse, ce serait même imaginable de ne plus penser nuit et jour à Sibylle.

Mais la vie, vraiment, va trop vite pour les hommes.

Ce n'était pas une mauvaise idée de mettre le chauffage en route, pour que les Renois n'aient rien à redire à la remise de la voiture. Le tableau de bord est vaste et encombré de boutons superflus. Sa main droite cherche, à l'aveugle. Une minuscule seconde, il détourne le regard pour trouver le thermostat. Sa main gauche glisse sur le volant, deux ou trois centimètres tout au plus. Il sent l'axe des quatre roues motrices dévier sous ses pieds. Il a conscience qu'il faut redresser, mais il veut trouver ce foutu bouton d'abord. Là. Un souffle humide s'échappe des trappes d'aération à hauteur de son visage. Comme il reporte son attention sur la rue, il voit les voitures garées sur la droite qui se rapprochent en biais derrière le pare-brise. Surtout ne pas piler, pense-t-il, il y a peut-être encore moyen d'éviter le contact. Il braque à gauche et attend, résigné. Le pare-chocs ripe sur l'aile d'une camionnette Darty, et le bruit de cannette écrasée que fait le rétroviseur en s'arrachant de son socle n'est autre que le vacarme du bonheur quand il se brise.

Il stoppe, met au point mort. Quelqu'un ouvre la portière et le tire par le col – le propriétaire du 4×4. Il ne s'est pas rendu compte qu'il était arrivé presque à la hauteur du club. Les trois Renois aboient comme des chiens sans collier mais il n'entend rien. Il voit juste Abou immobile à son poste lui faire signe qu'il va lui couper la tête. En faisant le tour de la voiture, il constate qu'à part le rétroviseur, les dégâts ont l'air mineurs :

rien qu'un peu de polish sur la carrosserie et trois coups de marteau sous le pare-chocs ne pourront réparer. Quant à la camionnette Darty, ce n'est pas une bosse ou une rayure en plus qui changeront quoi que ce soit à son allure générale. Peu importe. Il a fauté, et il a gâté son nom. Voilà tout ce que l'histoire et son frère retiendront. Il enlève sa veste de voiturier, puis fouille dans la poche de son pantalon. Ses cent soixante euros de pourboire, il les confie à la serveuse en se forçant à reproduire son sourire de tout à l'heure, dans une tentative de donner le change qu'il trouve aussitôt pathétique. Elle rendra l'argent au patron en dédommagement du mauvais coup porté à sa réputation, ou elle en fera ce qu'elle voudra. Il s'en moque, à vrai dire. Sans rien sentir du vent froid qui gicle sur ses bras nus, il s'éloigne et se laisse porter vers le fond de la nuit, ombre décrépite de l'homme qu'il était il y a cinq minutes à peine.

L'appartement est obscur et silencieux, mais Momo sait déjà qu'il va trouver son père dans la cuisine, avec ses clopes ratatinées au fond du cendrier et son pack de Kro, parce que la chaleur du four ouvert s'est répandue partout, jusque sur le palier. Il referme la porte en douceur et s'avance dans le couloir, sans allumer la lumière. Depuis qu'ils sont tout petits, lui et Sabrina, ils savent qu'il ne faut surtout pas allumer la moindre lampe les soirs où la dépression prend le dessus. Béchir devient fou si quelqu'un a le malheur de transgresser sa loi.

Il est là, assis sur sa chaise, le dos voûté et les épaules douloureuses, le regard vide. La chaleur est insupportable. En un coup d'œil, Momo sait qu'il a dû commencer à boire en quittant le chantier, deux ou trois tournées, deux ou trois belotes avant de rentrer. Il boit sans fin, parce qu'il n'y a pas de fin aux injustices que la vie lui a faites et qu'il ressasse nuit et jour.

Quand Béchir est arrivé en France, à la fin des années quatre-vingts, la fête était déjà terminée. Les banlieues étaient construites. Les routes aussi, les ponts, les écoles, les hôpitaux. Au bled, on lui avait dit qu'il trouverait tout de suite du travail, mais il n'y avait plus de travail. Il a hésité à repartir ; il ne se voyait pas rentrer vaincu. Il a trouvé des petites rénovations à faire, au noir, et petit à petit il s'est forgé une clientèle fidèle dans le 93, des Rebeus de la cité mais aussi des Gaulois de l'autre côté des rails, qui aimaient sa méticulosité et la perfection de ses plâtrages. En 1992, deux ans après la naissance de Momo, il s'est associé à un entrepreneur d'Oran pour monter une SARL de plomberie. Les perspectives étaient florissantes, l'argent facile. Trente sacs pour déboucher un drain en urgence, une demi-heure de boulot. Il se disait qu'il allait embaucher, pour continuer de répondre à toutes les demandes et étendre son marché.

Sabrina est née, Momo avait six ans. Un soir de juin, il est rentré sans rien dire et il s'est enfermé dans sa chambre pendant des heures. On l'entendait pleurer, gueuler, leur mère devenait folle. En sortant, et il a dit que le mec d'Oran était parti avec la trésorerie et ce qu'ils avaient mis à la banque. Tout ce qui restait, c'étaient les factures des fournisseurs.

C'est là que Béchir a commencé à boire et à ruminer contre tout, l'incompréhension de sa femme et l'ingratitude de ses enfants. Il ne s'était jamais plaint auparavant, même au plus dur des premières années, mais la trahison l'avait passé au laminoir. Il avait échoué dans sa mission de chef de famille, et cet échec lui avait enlevé ce à quoi il tenait le plus – la possibilité, chaque soir en rentrant, de se sentir pas trop impuissant, pas trop défait, quand roulent les dés de la vie.

Depuis, sa dépression va et vient au gré des annonces des agences d'intérim, plus ou moins virulente selon les saisons et les déceptions que lui inspirent ses gosses. Momo sait qu'il hait par-dessus tout sa vie de voyou, et qu'il en a formé un ressentiment tel qu'il ne lui dira jamais combien il est fier de ses victoires sur le ring. Et lui, qui a si souvent voulu lui demander ce qu'il fallait pour devenir un homme, un homme solide et tenace comme il avait été pour se faire sa place en France, la pudeur filiale l'a toujours empêché de lui dire à quel point il aimait l'odeur du plâtre sur ses vêtements et sa peau, le tintement des clés enfilées sur le mousqueton à l'arrière de son jean, ces milliers d'heures imprimées dans l'épaisseur calleuse de ses mains, et sa maigreur puissante, à l'ombre de laquelle il s'était longtemps senti à l'abri de tout, même de la peur de la mort.

Quand il dealait pour le Tchétchène, il lui arrivait de gagner autant en un mois que Béchir en un an de salaire. Il ne veut plus de cette vie-là, mais en même temps il ne veut pas que la vie ordinaire lui fasse ce qu'elle a fait à son père.

– Ta copine, elle a dormi ici, oui ?

En sueur, Momo finit de se verser un verre de lait et range la bouteille dans le frigo. Sa mère voit tout, et devine quand elle ne voit pas. Ça ne sert à rien de se cacher.

– Qu'est-ce que tu as fait toute la journée ? demande Béchir, la tête toujours baissée. Tu veux finir comme cette idiote du neuvième qu'ils ont arrêtée l'autre jour ? Ou comme ces hmars sous leurs cagoules ? La paix sur leurs parents, les pauvres.

Il s'allume une cigarette et regarde dans le vide. Momo sait qu'il ne se parle plus qu'à lui-même, qu'il y a longtemps qu'il n'essaie plus de le comprendre. Tout ce qui reste de son père, c'est dans ce qu'il ne sait pas dire qu'il faut l'entendre. Et en même temps, il a raison : qu'est-ce qu'il fait de sa vie, à atterrir en GAV même quand il n'a rien à se reprocher ?

Il n'y a pas de sortie aux 3000.

– Tu élèves un gosse, tu te tues au travail pour lui donner un toit et de quoi faire sa vie, et voilà comment il te remercie.

La dernière fois que Soul est rentré à Aulnay à l'aube, c'est la nuit il y a deux ans où lui et Momo se sont fait jeter de toutes les boîtes où ils avaient essayé de s'incruster, sur les Champs puis au Quartier latin. La roue tourne, pense-t-il en regardant la plaine grise du Bourget, elle tourne et sans que tu le saches elle te ramène au point de départ. Dehors, un autre jour blême se lève sur le 93. Il s'assoupit quelques instants, mais l'arrêt en gare de Drancy le fait sursauter. Il scrute son reflet embrumé sur la vitre du RER. Faible. Impuissant. Lâche. Programmé pour la faillite et le renoncement. Il frissonne, moins de froid que de fatigue et de découragement. Insolvable avant d'avoir rien dépensé. Ruiné avant d'avoir rien entrepris. Sans ressource, et sans avenir. Par quel miracle ses études pourraient-elles altérer la fortune indigente qui échoit aux pauvres malheureux de son espèce ? Et quand bien même la possibilité existerait, peut-être vaut-il mieux savoir rester à sa place, aussi merdique soit-elle. Les faits parlent d'eux-mêmes.

Son frère le bat parce qu'il est le plus fort.

Sibylle ne le voit pas parce que Momo est tout ce qu'il n'est pas, fort et assuré.

On ne s'improvise pas voiturier dans les quartiers chics sans avoir jamais conduit une grosse cylindrée.

Des puissances intelligentes et visionnaires ont tracé le plan, des institutions ou des dieux, et il n'est pas bon de se rebeller contre son sort au seul motif qu'on le trouve défavorable. L'Homme n'a pas son histoire entre ses mains. Les Grecs le savaient. Les Romains le savaient. Les vrais croyants le savent. Où est-il écrit que l'arabe doit être la planche de salut d'un fils d'Ivoiriens né aux 3000 ? En regardant les choses en face, il est infiniment plus probable que le seul événement nécessaire sur son chemin était sa rencontre avec Assan Bakiri – un professeur, un maître et un guide pour ceux qui comme lui ne savent pas voir plus loin que leur prochain pas, qui comme l'aveugle ont besoin d'une main étrangère pour poursuivre leur route. Dieu sait pourquoi Bakiri avait besoin de lui pour ses cours du jeudi soir, mais il doit y avoir chez lui plus de sens et de secours moral que dans tout un cursus de LLCE. Il veut bien vivre misérable s'il entend une voix capable de lui expliquer la nécessité de sa misère dans ce pays d'abondance.

La vidéo, évidemment : la réponse est dans la vidéo dont tout le monde parle depuis hier. Il se la repasse encore une fois sur son portable, et il comprend enfin pourquoi elle lui semble personnellement destinée depuis qu'il l'a découverte. Le type qui déclame et qui menace le peuple français les yeux dans les yeux, sans une trace d'accent étranger dans la voix mais avec cette façon unique de dodeliner entre ses mots, c'est Bruno du bâtiment B – le froid et distant Baguette. Maintenant qu'il y pense, il n'y a aucun doute que le visage d'Assan Bakiri se trouve sous l'une des quatre autres cagoules.

La vidéo, bien sûr. DA'WA AL-ISLAMIYA. Le nom est riche de la puissance et de la dignité que la vraie vie lui refuse.

Le train ne s'arrête pas au Blanc-Mesnil et file droit en zone 4, comme le quartier d'Abidjan où est née sa mère. Il ferme les yeux, dans l'espoir de dormir un peu, mais sent que la rame commence à décélérer à l'approche d'Aulnay. Le triste ressort de l'habitude le fait se lever de sa banquette. Le wagon est vide ; pas le wagon voisin. Derrière la porte, il reconnaît un groupe de petits lascars des 3000, la dernière génération d'enragés qui se fixent rendez-vous à Paris par SMS ou sur Facebook pour dépouiller et taper sur tout ce qui se présente avant de se volatiliser comme des goules dans la nuit. Ces gosses-là ont beau être à peine entrés dans l'adolescence, leur vie a pour unique horizon d'infliger le maximum de désolation et d'humiliation dans le monde qui les entoure. Il y a des esprits sophistiqués qui leur trouvent des excuses, ce sont eux qu'on entend mitonner leur verbiage à la télé les soirs d'émeutes ou pour commenter le nombre de voitures cramées à la Saint-Sylvestre. Leurs parents et l'École les ont abandonnés ; comment voulez-vous qu'ils deviennent adultes sans autorité pour leur dire où se trouvent le bien et le mal ? C'est vrai que dans ces familles-là, les fratries comme la sienne, l'aîné élève le suivant et ainsi de suite jusqu'au dernier, et si un seul maillon de la chaîne saute c'est mort, tout le monde se retrouve à traîner dehors et à fumer du shit sur un banc dépiauté à trois heures du matin pendant que six étages plus haut la vieille ferme les yeux très fort en faisant sa prière et en récitant ses regrets, si, si, si, Allah le miséricordieux, si seulement elle n'avait pas quitté le pays jadis. C'est vrai, mais d'un autre côté nul n'est obligé de hurler comme une hyène sous la lune, de pisser sur les portières et de péter des carreaux sans autre raison que le désœuvrement et l'absence de punition, juste comme ça, parce que la réalité est une chose qu'il convient de détruire et de dégrader en totalité, jusqu'à ce qu'il ne reste plus que des tas de ruines partout. Lui qui s'est élevé tout seul, il n'a pas la moindre indulgence pour cette gratuité de primates – la bête n'a pas à être l'avenir de l'homme, pas plus à Aulnay qu'ailleurs. Quel contre-exemple éclatant que le sien, quand on y réfléchit, lui qui est allé tellement loin et monté tellement haut, avec sa discipline et son respect d'autrui.

Il s'approche de la porte entre les deux wagons, poussé par le désir un peu malsain de justifier l'écœurement que lui inspirent ces gosses. Le tableau est banal à cette heure-là sur le RER B et ne le surprend pas. Ils sont cinq à entourer une go qui doit avoir le même âge que le plus vieux, autant dire quinze ou seize ans maximum, et qui fait probablement partie de la bande. Elle les suce à tour de rôle, une vingtaine de secondes chacun, pendant qu'ils lui malaxent les seins sous sa veste Adidas. Pour ne pas ajouter la blessure à l'insulte, la fille se retient de pleurer, la bouche horriblement pleine, mais il voit dans ses yeux une perdition et une misère humaines qui lui semblent plus grandes encore que les siennes. Il lui suffit de tourner la poignée : ils ont une tête ou deux de moins que lui et ils ne sont pas bien épais. Momo, s'il était là, saurait rentrer dans le tas avec la conviction requise pour qu'ils se dispersent la bite à la main, comme une volée de pigeons qu'on chasse du trottoir en tapant fort du pied. Lui, il ne sait pas. Chacun à sa place, Momo dans le lit de Sibylle et lui derrière sa porte de voyeur. Il tourne les talons et attend le moment de descendre les yeux baissés, en n'ayant même plus la force de maudire la honte qui lui écrase le cœur.

Un soleil cotonneux se lève quand il arrive aux abords de la cité. Les derniers cars de CRS sont en train de quitter le parvis sous l'œil de quelques vieux qui promènent leur chien. À part les abribus défoncés et les panneaux de circulation tordus à l'horizontale, rien ne rappelle le chaos de ces derniers jours. La voiture banalisée en tête de la cohorte freine en l'apercevant, et il se dit que c'est bien sa veine. Il s'arrête, sans illusions sur la nature du rituel qui l'attend, prêt à recevoir la palpation et son bouquet d'insultes. Le pire est toujours sûr à Aulnay. Dans la voiture, pourtant, rien ne bouge. Quelques secondes s'écoulent, longues et silencieuses. Sous le soleil blanc le convoi de fourgons a l'apparence tremblante d'un mirage, d'une hallucination provoquée par la fatigue. Ses yeux se ferment tout seuls ; il pourrait s'endormir là, au milieu de ce flou qui n'a aucun sens.

Un coup de klaxon parti de l'arrière le tire de sa torpeur. Il fronce les sourcils et écarte les bras en signe d'incompréhension. Le keuf au volant de la voiture banalisée lui répond par deux appels de phares et passe une main amicale par la fenêtre pour l'inviter à traverser.

VI

[illegible] Assia [illegible] rendez-vous.

– [illegible]

[illegible] les médicaments ?

– [illegible]

[illegible] Pour t'aider [illegible]

– [illegible] sache que dans ce pays [illegible] d'office pour faire de la place dans les hôpitaux. [illegible]

Et toi, pense-t-il [illegible] Autres, des Français sans [illegible] ?

Enfin, Assia [illegible] de RER.

– Bois [illegible]

– Tu devrais [illegible]

Il tire la porte [illegible] vitrifié, et la laisse [illegible] son père ouvre l'œil [illegible]

– Veux-tu que j'aille te chercher à boire ? demande Assan en vérifiant le thermomètre. Il faut que tu te réhydrates.

– Je ne veux pas de ton eau, répond Al-Mansour, allongé sur son matelas. Je n'ai pas confiance. Tu vas encore mettre une saloperie dedans.

– L'eau, c'est de l'eau. Ça n'est pas moi qui t'ai prescrit tes médicaments.

– Je ne les prendrai plus. Si tu crois que je ne vous vois pas faire ! Vous êtes tous là avec vos masques, à vouloir m'empoisonner.

– Le médecin t'a donné une ordonnance, tu te rappelles ? Pour t'aider à guérir.

– Fils, sache que dans ce pays on tue les vieux sans défense pour faire de la place dans les hôpitaux. Tu es un fou si tu ne le sais pas.

Et lui, pense-t-il. Combien en a-t-il tués, dans les Aurès, des Français sans défense ?

Et lui, Assan : combien, dans quelques jours, sur son quai de RER ?

– Bois cette eau.

– Tu devrais avoir honte, dit Al-Mansour en jetant le verre par terre. Laisse-moi tranquille, maintenant.

Il tire la porte derrière lui, sans éponger le parquet vitrifié, et le laisse à ses divagations matinales. Quand son père ouvre l'œil, Assan voit qu'il n'a aucune idée de qui il est et de ce qu'il fait dans cette chambre, la mémoire aussi vide que celle d'un nouveau-né, le corps aussi faible que celui d'un mourant. La grippe, il est vrai, n'arrange pas les choses. Il était sûr pourtant de l'avoir emmené se faire vacciner, l'automne dernier.

Il éteint son téléphone et s'allonge sur le canapé, une sensation étrangement légère, joyeuse, dans la poitrine. La nuit dernière, comme celle d'avant, il n'a presque pas dormi : le visage et la voix de ce Paoli avaient pris possession de ses pensées. Ce matin, ils ne sont plus là, et le sommeil l'emporte comme une feuille au vent, loin d'Aulnay, loin de son père, et loin de sa mort qui fonce vers lui comme l'ombre d'un homme en chute libre.

Paoli, a-t-il décidé hier après avoir étudié son pedigree sur Internet depuis un ordinateur de la fac, est son meilleur allié par sa position au centre du renseignement intérieur et le pouvoir sans bornes qu'il y exerce. Il veut sa peau, et ne semble pas homme à employer la ruse ni le mensonge pour parvenir à ses fins ; il lui a fait comprendre que le coup fatal ne viendrait pas de l'institution qu'il dirige, mais qu'il tomberait de son propre bras.

À lui d'utiliser cette aubaine.

Il se vante d'avoir tué Kader ? Il dit sans doute vrai là aussi, le chien. Mais alors, quelle vengeance plus cruelle, au lieu de le punir en personne, que de le forcer à assister impuissant à la réalisation de son plan ? N'est-il pas exact qu'en se supprimant, il le privera irrémédiablement du pouvoir d'assouvir la sienne, du moins en partie ?

Paoli connaît la date des attaques, mais il ne sait rien des cibles. Rien non plus d'Ali, Bruno, Driss, Karim.

Au pire, l'homme qui a assassiné son frère lui donnera à lui aussi cette mort qu'il attend comme une délivrance.

Oui, mais son père ?

Qui protégera son père de Paoli s'il n'est plus là ?

Tout est préférable à abandonner Al-Mansour à la furia insensée de cet homme, tout, y compris la possibilité que ce soit lui, Assan, qui lui tire une balle dans la tempe pour le délivrer de son mal et lui faire payer, du même coup, le mal qu'il a infligé à ses fils.

Il y a, dans le local de l'entrepôt, un pistolet de petit calibre que Bruno lui a procuré. Les munitions n'ont jamais servi.

C'est une chose douce et réconfortante que de s'endormir enfin, fort de cette résolution, aussi douloureuse et contre-nature soit-elle, avec l'assurance que la vague du sang n'ira pas plus loin que lui, si toutefois il trouve le courage de s'en acquitter.

Il s'étire et finit sa bouteille d'eau.

Tout ce qu'on peut humainement contrôler est son pouvoir, au fond. Le reste est bien en place entre les mains du Seigneur.

– Fils ! Fils ! Dépêche-toi d'aller ouvrir ! Il ne faut pas qu'il croie que je me cache !

La voix de son père le réveille, puis les coups à la porte recommencent. Il avait bien cru entendre frapper à travers son rêve.

– Pourquoi tu ne le fais pas entrer, fils ? répète Al-Mansour, qu'il imagine aux aguets, assis sur son matelas, faiblement soutenu par ses bras décharnés.

Il est midi passé et il se sent reposé. Il n'a pas envie qu'un visiteur l'arrache à sa torpeur, ni Paoli ni aucun autre fantôme de son père. L'idée que la police est à sa porte se présente à lui un bref instant, mais il la repousse comme une chimère ridicule, un effet secondaire de sa sieste.

Traoré, le grand Noir taciturne de son cours à Saint-Denis, se tient sur le seuil, les épaules alourdies par une détresse qui a quelque chose de plus sombre qu'un simple coup de cafard. Il a déjà vu ces yeux et cet affaissement, il y a des années, après la mort de Kader : chaque fois qu'il se retrouvait face à son reflet, il voyait le même effondrement de l'âme au fond de ses prunelles.

– Entre, Souleymane.

L'étudiant obéit sans rien dire. Il n'a qu'un T-shirt sur le dos malgré la fraîcheur matinale. Son pantalon est sale, usé aux genoux et sur les fesses ; ses baskets blanches sont maculées de crasse. Il ne s'est pas rasé depuis deux ou trois jours.

– Est-ce que je peux prendre une douche ? demande-t-il d'une voix sourde. S'il vous plaît.

– Qu'est-ce qui se passe ?

– Je peux ?

Assan le conduit à la salle de bains et lui donne une serviette. Il ferme la porte, et tourne le verrou.

– Ça n'est pas lui que j'attends, dit son père. Celui-là n'a rien à faire chez moi, puisque je te dis que ça n'est pas lui.

– Ne t'occupe pas de ça, dit-il en fouillant la commode de la petite chambre à la recherche de linge propre.

Il ne sait pas pourquoi il cherche, tout sera trop petit. Mais à la guerre comme à la guerre. Il dépose un T-shirt et des sous-vêtements qui puent la naphtaline devant la porte de la salle de bains.

– Merci, fait l'étudiant lorsqu'il réapparaît, dix minutes plus tard.

Il fourre ses affaires au fond d'un sac Carrefour. Debout dans sa cuisine, il lui semble encore plus grand qu'à la fac. Grand et maigre : le T-shirt est trop court à la taille, mais flotte sur sa poitrine creuse de petit garçon.

– Tu m'expliques ?

– J'ai… Il y a des problèmes à la maison. Ça fait deux nuits que je dors dehors.

– Dehors ?
– Dans une cave de la cité.
– Qu'est-ce qui s'est passé ?
– Ça va rentrer dans l'ordre.

Les cinq autres étaient pareils au début, Audrey surtout, mais aussi les garçons. Obséquieux, et faisant un effort constant pour réprimer l'envie de regarder autour d'eux. L'intimité du maître est un objet de curiosité irrésistible.

– On va te trouver quelque chose avec l'administration ou le CROUS, reprend Assan. Enfin ! Tu ne peux pas vivre dans une cave. Il te faut un point de chute le temps que les choses s'arrangent.

– Merci, répète-t-il en secouant la tête. Je vais me débrouiller.

– Donc, tu es venu ici juste pour une douche.

Traoré renifle et se gratte la nuque, comme pour rassembler son courage.

– Les cours d'arabe. Je voudrais venir, si ça ne vous dérange pas.

Il regardait ses pieds, et maintenant il le regarde droit dans les yeux, avec une attente à la mesure du désarroi qui l'écrasait tout à l'heure sur le pas de la porte. C'est une chose délicate de décevoir quelqu'un qui a pris son courage à deux mains. Il y a trois mois, Assan est certain de lui avoir rendu service en remettant son dossier en place ; il avait un avenir alors. Aujourd'hui, que fautil faire si, comme il le soupçonne, cet avenir n'existe plus, ou si lui ne croit plus qu'il existe ?

Après tout, il reste peu de temps et il y a une place à prendre. C'est risqué, pense-t-il, mais moins que de chercher un remplaçant à Audrey.

– La fin de l'année approche. Il ne reste que quelques séances. Je préférerais que tu nous rejoignes à la rentrée. Tu pourras même avoir tes propres élèves, si tu veux. Tu as le niveau.

– Je voudrais commencer tout de suite. Je serai assidu et je ne vous décevrai pas.

– Écoute. Je ne devrais pas te le dire, mais tu fais partie des admissibles en LLCE. Prépare ton oral et les examens de fin d'année. On en reparlera après les résultats, tu veux bien ?

Mais dans ses mots et ses regards percent la morne résolution des âmes en peine, la faim amère du malheur à partager, la ferveur de se trouver un combat qui ne peut avoir d'issue heureuse. On ne dissuade pas les jeunes gens affligés de ce mal ; ils reviennent sans relâche vers la main qui les rejette.

C'est triste à dire mais chaque fois que Paoli croise son fils, Matthias ressemble un peu plus à tous ces Parisiens parvenus au bout de leur trentaine qui parlent, pensent et s'habillent comme s'ils avaient dix ou quinze ans de moins. Le déni de réalité et l'illusion de la puissance sont les deux maladies dont cette ville se meurt sans le savoir, anesthésiée par l'amour palliatif que le reste du monde porte à son histoire et à ses séductions. Paris n'a plus de peuple, de sève, d'élan vital ; Paris est une marque vide, un nom prestigieux sur du néant mis en bouteille, une vieille actrice aux intestins pourris et au visage pétrifié, que le scintillement complexe de ses lumières baigne dans le rêve d'une éternelle beauté.

C'est la mort lente d'une ville qui se profile devant nous. Qu'elle saute et qu'elle brûle d'un seul coup, se dit-il. Il en ressortira peut-être quelque chose de meilleur.

Ils se sont retrouvés dans le même café de Montparnasse que la dernière fois, et comme toujours ils n'avaient plus rien à se dire au bout de cinq minutes. Le père garde pour lui ce qu'il a sur le cœur ; le fils est pressé d'en finir et de retourner à ses responsabilités considérables de chef de pub. Les cheveux sur l'arrière de son crâne commencent à se faire rares, en bonne lignée maternelle – le père de Luce était déjà complètement déplumé quand ils s'étaient rencontrés au tout début des années soixante-dix. C'est une chose épouvantable de fixer le cuir chevelu de son propre enfant et de sentir poindre au fond de soi quelque chose qu'on se refuse à nommer, mais qui a la saveur incomparable de l'aversion ; de ne rien reconnaître en lui qui soit familier ; de ne pas aimer l'essence même de sa personnalité, en sachant par ailleurs que la réciproque est vraie.

Tout est à ratiboiser chez lui, son esprit de sérieux comme sa mollesse blasée, la futilité insondable de ses préoccupations, sa suffisance aux lèvres pincées, son triste vocabulaire et ses tristes valeurs. Aux yeux de son père, Matthias est le porte-drapeau d'une kleptocratie blême et dégingandée, totalement ignorante de la vraie vie au sens où lui l'a apprise et où il continue à l'entendre. Ils ne savent rien faire de leurs mains mais se croient extrêmement ingénieux. Ils empilent les mots d'esprit sans avoir le moindre sens de l'humour, lisent des livres sans écouter les vérités qu'ils contiennent. Ils pensent vivre dans le culte de l'élégance, le raffinement des happy few, quand c'est une grossièreté triviale qui les définit.

Sa part dans ce désastre est monumentale, comme celle de tous les parents déserteurs. S'il avait été là plus souvent, s'il avait pu infléchir le cours de son éducation, orienter d'une main invisible ses goûts et ses rencontres – s'il avait assumé son rôle au lieu de disparaître dans le travail ? Le problème, c'est que son travail était autre chose qu'un emploi et un gagne-pain ; c'était une quête primitive, sa réponse d'adulte à la promesse qu'il s'était faite en se réveillant au dispensaire de Batna ce matin-là, au lendemain de l'exécution de ses parents. Assombrie sans qu'il en ait conscience par cette vengeance au long cours, l'enfance de Matthias s'était ainsi déroulée au fil de ses affectations aux RG, comme un chapelet provincial, Nantes, Pau, Clermont, Amiens, Toulouse, jusqu'à son recrutement à la direction centrale. Lorsque Luce lui rappelait que les enfants de son âge ont besoin d'une continuité affective et scolaire, il répondait que lui s'en était bien sorti dans des circonstances autrement plus hostiles, et que ces changements incessants formeraient à la longue son caractère.

Elle avait accueilli avec un certain soulagement la perspective de s'installer à Paris, où habitaient ses parents, mais le tour qu'y avait pris leur vie de famille lui avait vite fait regretter les mornes dimanches de la province. Quelques mois à peine après leur arrivée, Paoli était passé commissaire divisionnaire et avait rejoint la DST, où le labeur ne manquait pas au milieu des années quatre-vingt. Matthias devait avoir alors une dizaine d'années, et certaines semaines il arrivait à Paoli de dormir rue Nélaton trois ou quatre nuits d'affilée, dans un sac de couchage qu'il gardait roulé sous son bureau. La surveillance et l'infiltration des trouble-fête de l'époque, les anarcho-révolutionnaires hirsutes, les indépendantistes, les antisionistes qui se rêvaient en Carlos tout en mangeant dans la main de l'Iran, tout cela occupait ses journées et une bonne partie de ses soirées ; la nuit était le seul moment où il pouvait sans éveiller les soupçons de ses collègues se livrer à la traque d'Al-Mansour, reconverti en mercenaire du panarabisme et que plusieurs sources à Damas et Bagdad décrivaient comme un instructeur militaire. Là où il était, il ne lui avait pas été difficile d'effacer le maigre suivi que le fichier maison conservait à son sujet ; à cette époque où le diable, déjà, était chiite, qui pouvait encore s'intéresser à un vétéran du FLN passé par monts et par vaux, mais qui ne s'en était plus jamais pris de front aux intérêts français depuis l'indépendance ?

En 1986, Paoli avait appris que les services irakiens étaient sur le point de l'échanger contre deux de leurs agents arrêtés à Roissy après l'assassinat de réfugiés kurdes, mais le changement de majorité avait fait capoter le marché : on avait considéré en haut lieu que cet homme dont plus personne ne se souvenait ne valait pas la corde pour le pendre. Dieu merci, car lui, il le voulait libre. En attendant qu'Al-Mansour repasse par la France, Paoli attendait donc son heure les yeux fixés sur le Tigre et l'Euphrate, sans voir que son fils grandissait et lui échappait, faute de pouvoir capter son attention.

C'était une période de métamorphoses intimes et universelles. Tandis qu'un monstre froid se disloquait de Berlin au détroit de Béring, Matthias entrait dans la puberté. Dans l'un et l'autre cas, il n'y avait rien à faire pour altérer le cours des choses. Quand il passait chez lui à un horaire normal, Paoli voyait ce grand garçon rendu flasque par un surplus d'amour maternel, et il se demandait dans quelle mesure le résultat aurait été différent s'il avait été un père dans ses toutes premières années, avant de se rappeler que Matthias n'avait jamais montré d'intérêt pour ce qu'il aurait aimé lui apprendre – la montagne et le sport en général, les voitures, la chasse, la menuiserie. Il avait sûrement eu le tort de renoncer trop tôt, sans avoir exploré tous les chemins, tous les subterfuges, mais il croyait aussi que les hommes ont leur nature et qu'il ne faut pas trop jouer avec. Au moins pouvait-il se consoler en se disant que son fils n'était pas pédé, ce qui eût été la plus grande tragédie de sa vie d'adulte, à égalité avec la tristesse que lui inspirait le fait de ne pas avoir eu de fille. Un seul enfant, il le savait pourtant, c'était bien assez vu la manière dont les choses s'étaient passées, et il était reconnaissant à Luce d'avoir toujours dit non quand, après la naissance, il l'avait pressée d'en avoir un autre.

– Ce qui est fait est fait, dit-il en regardant son fils. Je ne cherche pas ton pardon, je sais que tu ne me le donneras pas. Mais si je peux réparer un tant soit peut les choses en vous aidant avec les enfants, un soir ou un week-end ici et là, qu'est-ce que tu as à y perdre ?

– Je crois que tu te moques éperdument de réparer tes erreurs, répond Matthias en le dévisageant avec ce rictus ironique, pommette gauche légèrement plissée, qu'il s'était fabriqué au sortir de l'adolescence, dès qu'il avait pris un peu d'assurance. Tu es juste un égoïste qui trouve la solitude moins confortable à la porte du troisième âge, et tu crèves de trouille à l'idée de ce que seront tes journées une fois que la République t'aura mis à la retraite.

Il s'éponge les lèvres avec sa serviette, puis reprend :

– Je pleurais tous les soirs en pensant à ce qui pouvait t'arriver. J'ai pissé au lit jusqu'à dix ans, et tu n'en savais rien. Tous les jours, maman changeait le drap en disant que c'était normal, qu'il n'y avait pas de honte. Mais moi j'avais honte d'être qui j'étais, puisque je ne t'intéressais pas. Tu ne peux pas imaginer comme je t'admirais, avec ton flingue et ton gyrophare.

– Tu détestais les armes !

– Non. J'étais terrorisé à l'idée de mal faire. Je t'aimais comme tous les gosses aiment leur père, sauf que j'avais peur de ne pas être aimé de toi. Tu ne m'aimais pas, ou tu ne le disais pas. Les enfants veulent qu'on leur dise les choses. Tout ce qui existe, c'est ce dont on parle. Ils ne savent pas deviner, et le silence les angoisse. Je l'ai compris tout seul avec les miens.

Le tintement de son couteau sur l'assiette lui fait cligner des yeux. Marion. Il lui fait penser à Alexandre Marion. Ce sont des faibles qui ont pour eux la force du langage.

– Une fois, une seule, tu m'as parlé pour me transmettre quelque chose, comme font tous les pères avec leur fils. Tu te rappelles ce que c'était ? J'avais quinze ans, et j'allais partir trois semaines dans le Sud, chez les parents d'un copain. Sur le chemin de la gare, tu sais ce que tu m'as dit ? « Matthias, si tu couches avec une fille, c'est important que tu ailles pisser juste après. » Pas un mot de plus, pas un de moins : c'est tout ce qui me reste de toi.

Franck pose son sac à ses pieds et attend – on n'entre pas dans une salle de boxe où l'on n'est personne avant d'y être invité. Calme, presque feutré, l'endroit n'a rien des ruches où il s'entraînait jadis, mais il est encore tôt. Les boxeurs ne sont pas des gens du matin, sauf quand ils préparent un combat. La surface est plus grande qu'il ne l'imaginait de l'extérieur. D'un côté, il y a un ring coupé en deux moitiés par des cordes, et de l'autre une rangée de sacs de frappe suspendus à hauteur de miroirs verticaux. Il aperçoit son gamin en train de s'échauffer dans un coin, casque sur les oreilles. Deux poids lourds enroulent leurs bandes en discutant à voix basse près du ring.

Un type en bleu de mécano entre à son tour, les mains noires de graisse ; il doit venir du garage d'à côté. Dans ses yeux, Franck remarque aussitôt cette expression sarcastique qu'il a vue mille fois en pareilles circonstances, et qui est la façon rituelle par laquelle on fait comprendre à celui qui franchit la porte d'une salle qu'il est encore temps de faire demi-tour s'il n'a pas en lui la rage et la dureté nécessaires pour survivre entre ces murs.

– Qu'est-ce que je peux faire pour vous ? lâche-t-il sur un ton vaguement maniéré qui ne cadre pas avec sa tête de prolo meurtri.

– Je viens d'arriver dans le coin, répond Franck. Sevran. Je cherche une salle. On m'a dit que c'était la meilleure.

– Tu boxes ?

– Je suis un peu rouillé, mais je me débrouille. J'ai fait une petite carrière en amateurs à l'époque où j'avais les jambes. J'ai besoin de remettre les gants et de faire des rounds.

– On n'a personne de ton âge. Les gars ici ont vingt, vingt-cinq ans. Et il faudrait que tu aies une licence vétérans, pour l'assurance.

– Qu'est-ce que c'est, Rachid ? demande une voix granuleuse depuis le bureau voisin. Si c'est encore les couillons de la BAC, tu leur dis que je ne donne pas de cours particuliers aujourd'hui.

– Un gars qui vient de s'installer à Sevran. Il n'a pas boxé depuis un moment et voudrait voir où il en est.

– On ne peut pas être tranquille deux minutes dans cette putain de salle, grommelle la voix dont le propriétaire apparaît, T-shirt de la FFB sur son torse d'ancien para, et tatouages à l'avenant sur les avant-bras. Tu pèses combien, fiston ?

– Je boxais en moyens. Je dois être un peu au-dessus à cause du manque d'exercice. Soixante-treize, soixante-quatorze, je dirais.

Il regarde le maître des lieux jauger son physique de son œil d'entraîneur, et il se dit en comptant le nombre de points sur sa lèvre que les collègues de la BAC ont eu la main un peu leste. Si les deux poids lourds sont bien trop épais pour qu'on le mette à l'essai contre l'un ou l'autre, la différence de poids pose aussi problème avec le gamin, qui à vue de nez doit bien lui rendre cinq kilos.

– Tu te mets en tenue et tu nous montres ce que tu sais faire au sac, dit le para amoché. On avisera ensuite.

Les vestiaires sont propres, spacieux. Il a vérifié dix fois le contenu de son sac avant de partir, mais le fait de le rouvrir ici, au milieu de toutes ces odeurs et sensations familières, lui procure une émotion plus forte qu'il ne s'y attendait. D'instinct, il chasse l'introspection naissante de son esprit et reporte son attention sur l'ordre immuable de ses préparatifs : le short et les chaussettes de foot remontées jusque sous les genoux, il n'a jamais aimé la coupe toujours trop ample des équipements de boxe ; ses chaussures qui lui paraissent étrangement étroites ce matin, et son débardeur fétiche des Gladiators ; ses bandes bleues sur la peau de ses mains creusée par un hiver trop long. Il attrape son casque, vérifie l'ajustement des lanières face au miroir accroché de travers au-dessus du lavabo, et le repose sur le banc à côté de ses affaires de ville. Le tube de vaseline est là où il l'a laissé il y a trois ans, dans la poche extérieure du sac contre son protège-dents ; la crème a un peu durci, mais fera l'affaire. Il s'enduit les pommettes, le front, le menton en dernier, en se disant que tout cela sera peine perdue si le para décide qu'il n'a pas envie de le voir à l'œuvre. Il ouvre le robinet et se rince les doigts. Lui qui ne regarde jamais son reflet dans la salle de bains ou l'ascenseur, il voit dans ce miroir un visage décapé par le manque de sommeil et les angoisses, le visage d'un jumeau qui aurait vieilli plus vite et dont la jeunesse ne serait plus qu'un voile ténu sous la lumière crue du néon.

Jeune ou pas, il est prêt. Le ring est sa maison, aujourd'hui encore, et dans sa maison il sait ce qu'il a à faire.

Adossé au mur entre deux miroirs, le para l'observe tourner autour du sac, bien planté sur ses pieds, sans excès de vivacité. Il ne met pas tout son poids dans ses coups, en particulier les crochets et les uppercuts, pour ne pas éveiller sa méfiance, et il ne se déplace pas aussi vite qu'il le pourrait. Les dix minutes de corde et les trois rounds de shadow l'ont mis en sueur, et ont relâché ses muscles ; il se sent bien, juste un peu raide sur les rotations de buste, comme la transmission d'une voiture de course après un long séjour au garage. C'est toujours comme ça lorsqu'on recommence après une coupure, et il ne faut pas trop se fier à la sécurité illusoire que créent ces sensations déformées par leur brusque retour à la surface.

– C'est bon, mon gars, j'ai vu ce que je voulais voir. Tu as du style, pas de doute là-dessus. On va voir ce que ça donne pour de vrai, qu'est-ce que tu en dis ?

Franck acquiesce en se désaltérant.

– Va chercher ton casque. Tu vas mettre les gants avec le petit welter, là-bas. Momo ! Ramène-toi. Je te présente Franck.

Le gamin hoche la tête d'un air dédaigneux.

– Franck est un poids moyen avec une boxe agressive, comme ton adversaire du premier tour. Il n'a pas trop appuyé au sac. Je pense qu'il en a gardé sous le coude. Ne le laisse pas te cadrer, et fais-moi marcher tes jambes. D'accord ? On va prendre des gants de 16, histoire que vous ne vous abîmiez pas trop.

– Ça va être vite vu, dit le gamin.

– Ne fais pas attention, dit le para à Franck tandis que l'autre va enfiler son casque devant le miroir. C'est une grande gueule, pas un mauvais môme. Il a les championnats régionaux dans dix jours, et comme tu peux le constater il aime bien se mettre la pression tout seul.

Le premier round est un cauchemar. Il se sent lourd et lent, comme s'il essayait d'écraser un papillon avec une enclume. Son œil voit les combinaisons venir et devine les feintes, mais ses mains exécutent toutes ses intentions de travers, et ses jambes ne suivent pas. Il y a l'effet de l'âge sur les réflexes, certes, mais il y aussi que le gamin est encore plus vif et mouvant qu'il ne le pensait. Six minutes de plus à ce rythme-là, il ne voit pas comment il pourra tenir.

Au repos, le mécano qui a pris place dans son coin lui étale un peu plus de vaseline sur le visage et sur le casque. Il lui donne à boire, et le filet d'eau tiède lui brûle la gorge comme un verre d'absinthe.

– Respire, souffle-t-il en lui remettant son protège-dents. Tu es à la rue parce que tu oublies de respirer.

C'est la chose la plus élémentaire, mais le ring est un carré magique à l'intérieur duquel se perd cette évidence. Un entraîneur doit constamment rappeler à son boxeur de respirer.

Le deuxième round commence sur le même tempo que le premier. Il avance sur le gamin, il fixe le bleu de ses yeux derrière ses gants, mais il n'arrive pas à le coincer dans une de ses combinaisons. Lui, en revanche, continue à récolter des directs du gauche en contre, et il sent sa paupière droite qui gonfle en se fermant tout doucement. Au bout de deux minutes environ, il vient de jeter un œil à l'horloge et compte déjà les secondes qui le séparent de la pause, le gamin le fait reculer sur les cordes et se lance dans un enchaînement complexe, celui qu'il répétait en cellule pendant la GAV. Franck joint ses avant-bras devant son visage, les coudes bien serrés sur les côtes, et attend que l'orage passe sans le quitter des yeux, en essayant de se remémorer la fin de la séquence. Qu'est-ce que c'était déjà ? Crochet du gauche, retrait de buste, direct du droit pour sortir. Il a remarqué plusieurs fois que le gamin ne ramène pas sa main au menton aussi vite après les crochets qu'après ses autres coups – une faille qu'un adversaire de son âge oubliera de voir, mais qu'un boxeur plus vicieux comme lui ne peut pas rater. Le direct qu'il envoie en remise en faisant parfaitement pivoter ses hanches finit sa course sur la tempe de son adversaire, à moitié sur la peau, à moitié sur le casque.

Le gamin a les genoux à terre et le regarde sans comprendre. Il se relève en s'appuyant sur un gant, sonné, puis se dirige droit vers son coin à la cloche. Franck entend un murmure dans son dos. Il se retourne et découvre une dizaine de visages stupéfaits, agglutinés autour du ring. S'il faut en croire les bribes de conversation qui lui parviennent, c'est la première fois que le dénommé Momo y va, au tapis.

Durant tout le repos il fait un effort pour ne pas regarder dans sa direction, mais se sent transpercé par la haine furieuse qui lui crève les yeux.

– Ne me le casse pas, dit le mécano d'une voix douce, en lui tapant sur l'épaule. Il va te sauter dessus comme un hooligan. Garde-le à distance avec ton gauche, fais la tortue s'il s'approche. Lève le pied. Quoi qu'il arrive, il ne faut pas que tu me le flanques par terre une autre fois. C'est un coup à ce qu'il arrête la boxe. OK ?

Franck hoche la tête. La sonnerie du troisième et dernier round retentit dans un silence de cathédrale. Il prend position au centre du ring et tend le bras pour taper le gant du gamin, mais celui-ci s'est déjà mis en garde et ignore son geste de fair-play.

Les trois minutes suivantes se résument à une inversion de styles, le gamin dans le rôle de l'agresseur, Franck dans celui du remiseur. D'une voix de plus en plus lasse, le para intime au gamin de boxer comme il sait faire, en tournant et en contres. Il n'entend rien, bien sûr, blessé qu'il est dans la chair vive de son orgueil, humilié devant sa petite cour, châtré pour le compte. Sa boxe n'a plus aucune intelligence, aucun rythme, aucune autre logique que la logique aveugle de la colère. Il fait un bruit de bête quand il frappe ; ses coups sont sans puissance malgré la rage qu'il croit y mettre, parce que son corps ne lui répond plus. C'est décevant, pense Franck en le laissant venir, et il lui en veut de l'avoir induit en erreur par l'élégance de ses gestes à vide. Un gus qui perd ses moyens sur le ring au premier revers venu, ce n'est pas l'homme qu'il lui faut : rien ne le distingue de tous ces abrutis dont parlait Delphine. Il mériterait de se faire étaler encore une fois, rien que pour la leçon.

Le round s'achève. Le gamin file sans le saluer, ni regarder son entraîneur. Le para rejoint Franck et lui enlève son casque. Il sourit en lui retirant ses gants.

– Ça fait des mois que j'attends ça. Tu montes vite dans les tours, toi ! On va enfin savoir ce que ce petit merdeux a dans le ventre. Jean-Luc, dit-il en lui serrant la main. Tu reviens quand tu veux, le plus souvent sera le mieux.

Franck vide une bouteille d'eau et remplit ses poumons de l'air lourd de la salle. Ses épaules fument, ses cuisses brûlent. Il se sent un peu grisé par le retour de ces sensations anciennes.

– Au boulot, vous autres ! tonne Jean-Luc à l'adresse des curieux qui se dispersent autour du ring en l'étudiant sous toutes les coutures. Vous n'avez vraiment rien de mieux à foutre que de jouer les concierges ? Tiens, le revoilà, lui.

Le gamin sort des vestiaires, tête nue, et se plante devant lui.

– Je veux savoir comment tu as fait.

– Tu as déjà vu un zèbre ? répond Franck en déroulant ses bandes. Oui ? Et un zèbre sans rayures, tu en as déjà vu ?

– C'est quoi ton problème ? coupe le gamin. Tu es zoophile ?

– Tes rayures, ton style si tu préfères, c'est de tourner autour de l'autre gars. Je t'ai attrapé parce que tu t'es mis à boxer contre-nature quand tu as senti que tu prenais le dessus. Il ne faut jamais oublier les fondamentaux, surtout quand on domine.

– Tu as compris ? demande le para. Maintenant file au sac pour te refroidir le cerveau.

Le gamin obéit, non sans adresser un léger salut de la tête à Franck. Le para l'accompagne jusqu'à l'entrée des vestiaires.

– C'est la première fois que je l'entends demander son avis à quelqu'un. Après-demain, même heure ?

– Même heure, répond Franck.

Dans le miroir, son image lui semble avoir un peu rajeuni. En lui s'entremêlent la satisfaction d'avoir maté un gosse quinze ans plus jeune et la hantise de s'être trompé en le choisissant.

La délégation parlementaire sur le renseignement siège depuis une heure et demie sous la présidence d'Hélène Faure. Les temps ont beau être extraordinaires, ses questions sont aussi sèches et pointues qu'à l'accoutumée, ses interventions tranchantes, parfois dédaigneuses si elle a le sentiment que son interlocuteur tourne autour du pot ou ne maîtrise pas son sujet. Officiellement consacrée aux avancées de l'enquête sur la vidéo et les attaques promises par ses auteurs, cette dernière séance avant la suspension des travaux pendant les municipales s'est vite heurtée au mur du secret défense – l'éternelle limite du parlementarisme en matière de sécurité nationale – pour dévier sur les conclusions préliminaires de son rapport sur les investissements de l'imam Ferhaoui, au sujet duquel les députés et les sénateurs présents semblent plus avides d'informations qu'à leur habitude. Leur curiosité, il est vrai, est bien naturelle. Paoli ne connaît pas de mémoire toutes leurs circonscriptions, mais il doute qu'il y en ait une seule où le Qatar n'ait pas un investissement en cours ou en préparation. Un peu d'agroalimentaire par-ci, ce qui reste d'industrie lourde par-là, du bâtiment partout : il est réaliste, et il sait qu'un pays qui se délite par les quatre coins ne peut pas tourner le dos à ce capital. Si Ferhaoui tombe, Doha risque de retirer ses billes, et ce sont des milliers d'emplois en moins qu'il faudra alors justifier devant leurs électeurs. Ce n'était pas de la corruption, protesteront-ils. Peut-être, mais comment font-ils pour concilier au jour le jour les contradictions de leur mandat, en l'occurrence la protection et la sûreté du territoire avec le développement économique, sans parler des contraintes politiques qui limitent encore leur marge de manœuvre ? Il n'en a aucune idée, et il est bien content de ne pas faire ce métier.

Faure, quelle que soit l'implantation du Golfe chez elle dans les Hauts-de-Seine, ne s'embarrasse pas de ce genre de considérations. Ses prédécesseurs regardaient passer les trains. Elle creuse, interroge, triture, oblique comme un magistrat instructeur ; il n'y a que la manifestation de la vérité qui l'intéresse, sûrement parce qu'il y a quelque intérêt pour elle à ce que la vérité se manifeste.

– Monsieur le directeur, s'exclame-t-elle, vous avez aussi le droit de dire que la terre est plate. Tout de même ! À la lumière des événements de ces derniers jours, soutenir que les informations de Larbi Ferhaoui sont biaisées ? Je suis moi-même souvent portée à la sévérité vis-à-vis de l'exécutif, mais je reconnais assez volontiers que les ministres responsables semblent avoir pris la mesure de la situation. D'où vient cet attentisme qu'on ne vous connaissait pas ?

Assis entre les énervés de la SDAT et le patron de la DGPN, pour qui toute parole prononcée devant ce genre d'assemblée s'apparente à une prise de risque inutile, Paoli a eu le malheur de terminer son laïus sur le commando Dawa en suggérant que l'imam pouvait avoir quelque intérêt politique à faire porter un chapeau imaginaire à l'un de ses coreligionnaires.

– Et si, reprend-elle, vous nous en disiez un peu plus à propos de cette fameuse razzia du Qatar sur les fleurons de la nation ?

– Vous savez que le Premier ministre a demandé à la garde des Sceaux la suspension de cette enquête à titre provisoire. Ce que je peux vous confier pour le moment, c'est mon opinion personnelle.

– Nous vous écoutons.

L'embarras des membres de la délégation est palpable. Si Faure l'a remarqué, elle en fait peu de cas dans sa conduite des débats. Il faut reconnaître que son mépris de la prudence politicienne n'est pas antipathique.

– Je crois que nous connaissons tous ici le fond du problème, reprend Paoli. L'économie française tourne au ralenti depuis plus de six ans. L'endettement public explose. Nous avons besoin de rentrées financières massives, au plan national comme dans les collectivités locales. Les fonds d'investissement offshore mis en place par le Qatar détiennent ces liquidités.

– Y aurait-il quoi que ce soit d'illégal à ce qu'ils en fassent bénéficier nos territoires ou notre secteur privé ?

– Aucunement. C'est pourquoi je m'explique d'autant moins que ces transactions s'opèrent dans un secret absolu, sans le moindre commentaire des investisseurs ni de nos élus.

– Vous avez fait une brillante carrière dans la police. Le monde de l'entreprise n'est peut-être pas votre domaine de prédilection, coupe Faure, décrispant un instant les mâchoires serrées de ses voisins.

– Je crois surtout, madame la présidente, que tout le monde ici est un peu gêné aux entournures dès qu'il s'agit du Qatar. Tout le monde, à droite comme à gauche de l'hémicycle. Quand il s'agit de signer des commandes publiques au nom de la défense de l'emploi, quand il s'agit de renflouer les caisses de nos banques au nom de la solvabilité de notre système financier, la moitié du gouvernement se presse à Doha pour être sur la photo aux côtés du chef de l'État. Vous-mêmes, dans vos territoires, vous connaissez les bienfaits politiques de ces capitaux tombés du ciel, dans la mesure où aucune contrepartie ne leur est attachée.

– Venez-en au fait, je vous prie. Votre exposé est passionnant, mais un peu éloigné du sujet qui nous occupe aujourd'hui.

Il en a vu passer, des parlementaires qui aimaient bien se faire les dents sur les gens du renseignement. Ils sont tenus au secret, ils ne peuvent pas répondre dans la presse quand ils sont mis en cause, ils ont la culture de l'obéissance au politique – ça ne coûte pas cher. Mais Faure, c'est autre chose. Plus gros est le calibre de son interlocuteur, plus elle prend de plaisir dans la joute oratoire.

– Si vous avez la gentillesse de me laisser finir… On se presse sur la photo, disais-je, et quand on découvre que le Qatar arme les groupes djihadistes qui tirent sur nos soldats en Opex, quand on réalise que telle association caritative finance en réalité la radicalisation des populations marginalisées dans nos banlieues, il ne se trouve plus personne pour faire un commentaire, ou alors il faut le dire très vite. À force de considérer que l'argent n'a pas d'odeur, nous sommes en train de devenir les obligés d'une puissance dont nous ne partageons ni les valeurs ni les intérêts stratégiques.

– Selon les services américains, intervient le député de la troisième circonscription du Finistère, Doha est notre seul allié fiable au Moyen-Orient, et nous faisons fausse route en leur cherchant des noises. Par ailleurs, on ne vous a pas beaucoup entendu vous inquiéter des milliards que les oligarques russes déversent depuis des années sur les palaces et les casinos de la Côte d'Azur.

Les services américains : parlons-en. Quand on comprendra enfin que les États-Unis, forts de leur gaz de schiste, ont laissé tomber les potentats pourris du Golfe qu'ils cajolaient depuis des lustres – l'Iran grand interlocuteur, comme jadis la Chine sous Nixon –, nous autres Européens, producteurs de normes bien droits dans nos bottes, assis sur notre principe de précaution et nos vertueux anathèmes écologiques, nous nous retrouverons alors avec le gazoduc « islamique », 20 milliards de mètres cubes par an entre le Qatar et la Turquie, bien profond dans l'anus. Et Alan G. Pearson et ses boys de la CIA auront un rire franc et sonore, un rire américain, le rire des hommes qui rient bien parce qu'ils sont les plus forts, bousculant qui bon leur semble en despotes sans gêne, et ils continueront à mettre la planète à sac avec leur Bible sous le bras et leur Dieu en laisse, leurs intentions charitables, leur superpuissance bienveillante et leurs caprices de bambins levés du pied gauche.

Les Américains manœuvrent comme ils peuvent dans ces régions peuplées d'Orientaux qui leur font peur, la plupart du temps assez mal, insultant les autochtones, confondant les Arabes et les musulmans, mais sans fausse pudeur et au gré de leurs intérêts stratégiques, qu'ils se débrouillent toujours pour faire coïncider avec les valeurs d'émancipation dont ils se croient investis comme un peuple élu, ce messianisme gravé dans leur Constitution et exacerbé par l'hypocrite tempérament de missionnaire qui s'empare sporadiquement de leur âme depuis la fin de la Guerre Froide : Irak, Balkans, Afghanistan, Irak *bis*, jusqu'à l'arnaque de ce printemps arabe scénarisé avec les Frères musulmans en maîtres d'œuvre. En ce qui le concerne, Paoli n'a pas de leçon de clairvoyance à recevoir d'un pays où les lobbys rédigent les lois et où le poulet a le goût du poisson. Il voudrait leur redire, à ces élus du peuple assis en face de lui, que l'argent du Qatar ce sont les trente deniers de Judas, le mal absolu, qu'ils devraient anticiper le retour de balancier chiite dans le grand jeu moyen-oriental, que les femmes sont belles et qu'on aime la vie à Téhéran, que PSA aurait vendu des millions de bagnoles en Iran sans le veto de General Motors toutes ces années perdues, qu'ils ont tout à gagner à mieux connaître le monde persan, malgré ce qu'ils voient et entendent à longueur de journée – mais ce discours restera inaudible jusqu'à ce qu'il devienne le discours officiel de Washington. Alors, seulement alors, nous retournerons notre veste, piteusement, une fois de plus, comme dans l'affaire syrienne, et nous changerons de direction comme un vieux toutou fidèle, un peu ralenti par l'âge et la faiblesse, obéissant à contretemps à la voix de son maître.

– Sauf erreur de ma part, aussi opaque soit l'origine de leurs fonds, les oligarques russes n'ont pas d'ambition civilisationnelle. Le Qatar, en revanche, mène une offensive invisible dont Larbi Ferhaoui est, je crois, le grand ordonnateur dans notre pays, avec le concours plus ou moins éclairé de grands entrepreneurs français, des industriels et des magnats du luxe. Mon collègue de la sécurité extérieure vous en expliquera les détails, mais l'éviction récente à Doha d'un ministre connu pour ses réserves sur cette stratégie de colonisation financière doit nous interpeller, au même titre que la mort dans des circonstances très troublantes d'un journaliste britannique qui enquêtait sur la famille régnante et faisait partie de nos honorables correspondants. Si son compte-rendu ne vous suffit pas, vous pourrez demander à vos amis de Washington ce qu'ils en pensent.

– Donc si l'on vous suit bien, reprend Faure, le Premier ministre a tort de vous avoir retiré la main, et cet impérialisme sunnite doit faire l'objet d'une attention plus pressante que les menaces terroristes dont nous détenons des preuves tangibles ?

– Les mosquées des quartiers populaires sont comme les pommiers à la fin de l'été : vous secouez à peine, et il tombe cinquante islamistes. Les éléments de court terme ne doivent pas nous faire oublier la géopolitique. Savez-vous comment les Qataris appellent leur politique d'influence en arabe ? Le « grand rêve », le conte de fées qu'ils entendent faire vivre au reste de la planète. Aux vieux pays qui, comme le nôtre, sont étranglés par la dette. Si nous nous laissons endormir aujourd'hui, nos comptes seront peut-être revenus à l'équilibre dans quinze ou vingt ans, mais quand la France se réveillera, ses forces vives seront tombées entre les mains d'une monarchie féodale et théocratique.

Il voulait rentrer au plus vite, se remplir un verre à ras bord et sentir l'odeur du malt lui monter au cerveau en dissolvant un à un tous les souvenirs de cette journée inhumaine. Matthias et Hélène Faure en l'espace de quelques heures, c'est trop pour un seul homme, mais elle l'a rattrapé au moment où il regagnait sa voiture dans la cour du Palais, et maintenant il la regarde égoutter son sachet de thé noir dans une annexe de la rue de l'Université. Il a beau se dire qu'il a peut-être en face de lui la future présidente de la République, il n'a aucune envie de faire la conversation.

– Je me trompe, dit-elle d'un air innocent, ou vous n'avez pas beaucoup de respect pour le contrôle parlementaire sur nos services de renseignement ?

– Bien au contraire. Je suis un démocrate scrupuleux, et c'est précisément parce que je suis très attaché à la séparation des pouvoirs que je n'aime pas voir fusionner le temps de la police et le temps de la politique.

– C'est un reproche personnel ou d'ordre général ?

– Ni l'un ni l'autre. Disons plutôt un avis. Le gouvernement fait face à une impopularité quasi-insurrectionnelle et veut rassurer une opinion traumatisée par ce qu'elle a vu à la télévision l'autre jour, en lui montrant que le fort est bien gardé, même si personne n'a la moindre idée de qui sont ceux qui l'assiègent. Et, si je ne m'abuse, vous vous apprêtez à annoncer votre candidature à la mairie de Paris dans le rôle de l'outsider qui vient de loin ; à ce titre, vous avez un intérêt objectif à ce que la menace d'attentats devienne une saga médiatique qui sera le parfait contrepoint de votre discours sur l'impasse postrépublicaine où nous nous trouvons. C'est ce qu'on appelle une bonne séquence. Ce qui est piquant, c'est que, dans le camp d'en face, le ministre de l'Intérieur est en train de faire exactement le même raisonnement, poussé par les mêmes motivations.

– Vous pensez que lui et moi, c'est du pareil au même ?

– Je pense que le problème de ce pays n'est pas de nature culturelle ou idéologique, mais sociale. Vous avez parfaitement le droit d'avoir une vision magique du monde et d'être convaincue, à l'image de tous vos collègues, que tout ira mieux lorsque vous serez aux affaires. La réalité, dont les gens comme moi ont le devoir de se préoccuper, c'est que les choses continueront à se dégrader, drones américains contre djihadistes, tant que dix à vingt pour cent des Français croupiront dans un état de misère morale et économique. Il n'y a pas de guerre des civilisations, d'islam contre les valeurs occidentales. Il n'y a que des pauvres, des culs-terreux au front épais et à la gamelle creuse, dont la religiosité est un réflexe de fierté infantile, une tentative de reconquête de soi face à un consumérisme qu'ils identifient aux États-Unis et à Israël, parce qu'ils continuent à s'appauvrir pendant que la rente engraisse. Vous pouvez rire, mais croyez-vous que les talibans existeraient si le PIB des zones tribales était dix fois supérieur à ce qu'il est ? Éduquez-les, soignez-les, occupez-les, vous ne rencontrerez plus beaucoup de candidats au martyre ou à l'émeute.

– Je n'avais pas idée que vous étiez marxiste. Ne me dites pas que vous avez opté pour la fonction publique comme tous les entristes des années soixante-dix. Ça serait une grande désillusion.

– Si vous saviez, dit-il en se mordant l'intérieur de la lèvre. Je suis devenu flic pour des raisons beaucoup plus inavouables.

Elle sourit à nouveau, sans avoir conscience de sa naïveté. En réalisant qu'elle est à peine maquillée, il entrevoit la beauté que lui trouve tout le Palais-Bourbon, des huissiers au président de la Chambre. La France verra en elle une déesse courroucée, descendue de son Olympe pour délivrer le pays de la corruption de ses semblables ; il voit une femme qui peut se tromper, dont la faillibilité même deviendrait une arme d'un charisme redoutable si elle daignait s'y abandonner plus souvent.

– Les éléments que vous avez sur Ferhaoui, reprend-elle. Entre nous, c'est de quel ordre ? Avez-vous la preuve que des entreprises publiques ou des collectivités locales sont impliquées ? Des responsables politiques ?

Naïve, mais pas trop, pense-t-il.

– Il faudra que vous attendiez que je remette mon rapport aux magistrats du pôle financier. Si vous croisez le Premier ministre, vous pouvez toujours lui toucher un mot des vertus de cette enquête.

– À propos d'enquête, lui glisse-t-elle alors qu'il se lève, le ministre de l'Intérieur a dit à quelqu'un de ma connaissance que vous ne passeriez peut-être pas l'hiver. Il s'intéresse à votre passé, apparemment. Vous n'auriez peut-être pas dû le vexer en public.

– Je ne peux pas le blairer. Disons que si vous vous retrouviez face à face au second tour en 2017, je voterais probablement pour vous.

– Si toutefois vous jouissez encore de vos droits civiques… Ne le prenez pas à la légère : qui sait s'il n'a pas eu vent de ces choses inavouables dont vous parliez à l'instant ?

VII

Antoine.

Elle seule, au monde, connaît son nom. Elle seule se rappelle qu'il a existé.

Légalement, Antoine n'a pas de prénom et il ne porte pas son nom de famille. Il n'est jamais né, et il n'est jamais mort. Hélène est la seule à savoir que son fils aurait eu vingt-neuf ans aujourd'hui.

Antoine Faure, mort le 5 mars 1985, dont elle a fait disperser les cendres ici même, cinq jours après l'accouchement, dans la parcelle pour enfants du cimetière de Pantin. À l'époque, la loi ne prévoyait aucun statut pour les fœtus morts entre seize et vingt-deux semaines de grossesse. Le plus souvent, lui avait dit une infirmière, on les incinère avec les déchets du bloc – comme des machins anonymes qui n'ont pas droit à une sépulture. Quelques heures plus tard, l'assistante sociale lui avait parlé de Thiais et du carré réservé aux fœtus sans nom dans les tranchées gratuites. Elle était allée voir, à peine sortie de l'hôpital. Les petites boîtes s'entassaient au pied d'une stèle ; tous les cinq ans, comme dans une fosse commune, on retournait la terre pour faire de la place aux suivants. Ce lieu était une apocalypse au ralenti.

Antoine n'avait pas de personnalité juridique, mais le devenir de son corps l'obsédait. Un mois auparavant, elle avait senti le bébé bouger pour la première fois. Il avait tout d'un être humain, un visage, des mains, des pieds, quand elle l'avait tenu dans ses bras après l'avoir mis au monde. Il fallait donc qu'il quitte ce monde comme une personne normale – pour qu'elle ait un endroit où revenir et sentir la trace de ce qu'il avait été. À Pantin, elle avait attendu un quart d'heure dans la pièce sans fenêtre qui jouxtait l'incinérateur.

– Le bébé, il est fait ? avait demandé une voix de femme de l'autre côté du mur.

La même personne lui avait remis les cendres avec le regard morne d'une employée de la poste qui remet son cinquantième colis de la journée, puis un jardinier du cimetière les avait éparpillées au-dessus d'un pan de pelouse entre les petites tombes.

L'endroit n'a pas beaucoup changé, ou plutôt c'est elle qui s'est habituée aux changements, année après année. Un million de morts sont enterrés ici, dit une brochure. Combien d'enfants parmi eux ? Leur parcelle s'est agrandie, comme tout le reste. Ce qui la frappe, aussi, c'est la quantité de frères et sœurs dont le nom orne la même pierre tombale. Maintenant que son temps est passé, il lui est impossible de savoir ce qui lui fait le plus mal, le souvenir d'Antoine ou l'idée des autres enfants qu'elle aurait pu avoir.

Rambert l'attend adossé à la voiture, en relisant le communiqué qu'il a dû écrire au cours de la dernière demi-heure. Il lève les yeux quand il entend ses pas sur le gravier. Son regard est un peu plus doux que d'habitude, et cette douceur tempère l'éclat de la foi qu'il lui porte. Elle sait qu'il ne lui donnera rien d'autre. Pas de sourire doloriste, pas de politesse sans objet, pas de prévenance spéciale pour ce deuil qui ne veut pas la laisser en paix. Plusieurs fois, elle a pensé lui dire, pour qu'il sache d'où lui vient sa blessure. Mais il n'a jamais demandé, et elle s'est toujours persuadée qu'il ne voulait pas savoir. Il voit bien qu'il y a un secret à protéger, et que le partager ne ferait pas nécessairement de lui un meilleur gardien. Il est là pour la conduire à l'Hôtel de Ville, puis à l'Élysée, pas pour la plaindre. Et elle lui est reconnaissante de la remettre en selle chaque fois qu'elle connaît un moment de faiblesse.

– Tu as vu les photos des 3000 ? Une équipe de journalistes est entrée dans la cité pour la première fois depuis la fin des émeutes. On se croirait à Beyrouth en 1982. Il faut qu'on publie quelque chose tout de suite, dit-il en lui ouvrant la portière. Il est trop tard pour les éditions de la mi-journée, mais ils te mettront sur le déroulant, et tu feras les journaux du soir en contrepoint à toute la pâtée bien-pensante qui doit déjà remplir leur gamelle. Tiens.

– Des nouvelles de Levallois ? Paoli ?

– J'ai l'impression qu'ils sont complètement dans le brouillard.

Son texte va droit à l'essentiel, comme d'habitude. Laconique, sans fioritures ni bons mots, vierge de tous ces aphorismes sots que les communicants de la place de Paris mijotent pour la cantine infecte des réseaux sociaux. Avec lui, on retient tout sans effort, sa pensée est claire et tranchante. Elle l'a choisi pour ça : appeler un chat un chat.

– Je n'aime pas le passage sur les dérives du multiculturalisme. Laissons ce genre de sous-entendus à la droite de Neuilly. Il faut rester sur le thème du respect de l'ordre républicain et de l'État de droit. La République, c'est l'alpha et l'oméga.

– Je m'y remets, répond Rambert en jetant un coup d'œil vers les nuages noirs qui s'amoncellent au-dessus des toits. On sera au marché dans vingt minutes.

Le chauffeur démarre. Rambert tend à Hélène une salade emballée dans une boîte en plastique et attaque son sandwich en annotant le texte. La vinaigrette ne lui dit rien qui vaille, mais elle se force à avaler quelques bouchées pour ne pas être trop livide au moment du bain de foule. Si la pluie ne fait pas fuir les caméras, plus besoin de communiqué – elle dira avec ses mots à elle ce que lui inspirent ces trois derniers jours. La banlieue, c'est l'inconscient de la France d'aujourd'hui ; les émeutes, ses mauvais rêves. Ce pays est hanté par les fantômes de son passé colonial, ces gamins nés en France sans se sentir français. Ils rôdent à la lisière de nos villes et de notre identité, du moins de ce que nous croyons être. Nous les y refoulons et faisons semblant de ne pas les voir, et eux-mêmes ne savent pas qui ils sont. Ils sont parmi nous, pourtant. Et ce que nous appelons la France, ce n'est déjà plus la France. Tout ce qui arrive aujourd'hui arrive après la France.

L'affaire Dawa, c'est vrai, peut être un élément de réponse, surtout si les cinq kamikazes sont bien des enfants perdus de la République comme le laissent penser les analyses de leur vidéo. Une façon de crever l'abcès, d'ouvrir les yeux et de sortir de ce demi-sommeil qui ne produit que de la haine et du ressentiment : on a moins peur quand on regarde le danger en face que si on passe son temps à fantasmer des monstres. Mais Paoli n'a pas tort. Est-ce que le vrai croquemitaine, ce n'est pas plutôt Ferhaoui, sous sa mine débonnaire ? Est-ce qu'en pourchassant les illuminés et les nihilistes, tous ces frustrés dont la seule jouissance est d'imposer partout la terreur qui les habite et leur inaptitude à vivre, on n'oublie pas les accapareurs qui ne font pas de bruit ? Bien sûr, que les déchiqueteurs en puissance doivent être mis hors d'état de nuire ; pour autant, pense-t-elle en refermant sa salade, il ne faut pas laisser en paix les assassins de l'âme.

Un texto d'Alexandre Marion lui demande si elle a réfléchi à sa proposition à propos des affaires qataries de la mairie. D'un côté, elle se méfie de lui et de cet air qu'il a d'être né adulte : franc comme un âne qui recule, a-t-elle dit à son attachée parlementaire quand il a quitté son bureau l'autre soir, avant de regretter la sévérité facile de son jugement. Le fait est qu'elle n'aime pas les technocrates, leur désir ardent de diriger sans jamais aller devant les urnes. Il n'y a pas si longtemps, à l'issue d'un entretien qu'ils avaient eu sous la majorité précédente, elle lui avait demandé de but en blanc ce qu'il pensait du suffrage universel.

– Le problème avec les élections libres, avait dit Marion sans sourire, c'est qu'on n'est jamais sûr de gagner.

D'un autre côté, il y a un profit évident à tirer de cette affaire, si toutefois les marchandages du maire avec Ferhaoui peuvent être prouvés. Aussi navrant qu'elle juge son bilan, elle sait que Paris est désormais une ville de gauche et que la majorité de l'électorat a toutes les chances de rester favorable à l'adjointe qu'il a adoubée publiquement. On vote pour les têtes installées, familières. Elle, sans l'organisation ni les ressources financières d'un parti, sa voix puissante d'imprécatrice et ses relais au sein de l'administration ne suffiront pas. Il n'y a peut-être qu'un scandale pour faire tomber tous ces assis de leur piédestal – elle n'a pas conquis autrement sa circonscription. Certes, l'idée de devoir sa victoire à autre chose que ses idées ne lui plaît pas, à la fois parce qu'un retour de bâton est vite arrivé et par une certaine réticence morale. Hélas, tant qu'elle sera seule, elle n'aura pas les moyens de garder les mains propres. Elle ne fera rien d'illégal, mais tout ce qui est dans le cadre de la loi et du combat politique – par exemple siphonner les soutiens d'une candidature UMP en perdition –, elle ne voit pas au nom de quoi elle devrait se l'interdire. Il sera bien temps, une fois le pouvoir exécutif entre ses mains, de rectifier le tir.

Et puis, qui sait, si comme le sous-entend Marion l'affaire remonte jusqu'au ministre de l'Intérieur ?

– Tu as lu ma note sur la proposition de Fargeau ? demande Rambert. Je crois que nos amis centristes nous font eux aussi comprendre qu'ils sont mûrs pour se rallier moyennant deux ou trois postes d'adjoints et l'engagement que tu feras tout pour ramener le budget à l'équilibre sous ta mandature.

Fargeau, c'est le genre d'allié qu'on traîne dans une majorité comme un bagage cabine.

– Vois si j'ai le temps de le rencontrer cette semaine. Il me fatigue, à se couvrir de tous les côtés. Il va encore vouloir qu'on se parle entre deux portières au fin fond d'un parking. L'entourage du maire le terrorise.

– Mais tu as besoin de lui, je te rappelle qu'il nous faut encore du monde pour boucler les listes. Évite de lui montrer ce que ses louvoiements t'inspirent.

Marion, Fargeau et autres transfuges de la même engeance. Quels que soient ses efforts, tout se passe toujours comme si son ascension dépendait en dernier ressort du bon vouloir d'un traître. À quoi bon s'user à être soi-même ? Autant jeter une pièce en l'air et souffler dessus en espérant qu'elle retombera du bon côté.

– Il y a une tache sur ton col. On va s'arrêter dans ce bistrot, dit Rambert au chauffeur en l'aidant à retirer sa veste. Tu en as une autre dans le coffre. Un peu plus foncée, mais ça fera l'affaire. Et rappelle-toi, car il y aura fatalement des questions : pas un mot sur la conférence de presse de demain. On fait durer le suspense jusqu'au bout, les deux autres sont en train de devenir folles.

Dans le monde instable et duplice qui est le sien depuis qu'elle est entrée en campagne, il est le seul point d'ancrage, la seule parole qu'elle n'ait jamais remise en cause. Sans lui, pense-t-elle, il y a longtemps qu'elle aurait jeté l'éponge.

Sous une pluie grasse, le 38 dépose Paoli devant le Palais de Justice au moment où Pelletier en sort, la cinquantaine musclée et savoyarde, son visage toujours bronzé de moniteur de ski. Bien qu'il soit un pur produit de la police, comme lui, c'est le seul de ses sous-directeurs pour qui il n'arrive pas à avoir de sympathie. Le fait que Pelletier est le commissaire qu'il a empêché d'épingler Franck à l'époque des stups explique la froideur de leurs rapports, que n'ont pas réchauffés les récentes confidences d'un vieux contact de Paoli aux archives du ministère, d'après qui Alexandre Marion a effectué une recherche poussée sur toutes les opérations clandestines qu'il a dirigées depuis trente ans, confirmant ainsi l'indiscrétion d'Hélène Faure. Marion qui vient lui chercher des poux en service commandé et en représailles de la rouste reçue par son ministre à Matignon, l'un de ses sbires devant les grilles du Palais où sont stockés les dossiers d'instruction clos : la flèche du destin pointe tout droit en direction de Kader Arrache, et il pressent qu'on ne va pas tarder à réveiller les morts, si ce n'est déjà fait.

– Un jour, dit Paoli en lui serrant la main plus fermement et plus longtemps que d'habitude, il faudra que vous m'expliquiez comment vous faites pour avoir autant d'adresses. La Maison, le cabinet du ministre et le Palais, ça fait beaucoup pour un seul homme.

– Si vous avez quelque chose à me reprocher, répond l'autre sans se départir de son calme malgré la surprise, rien ne vous empêche de me le dire cordialement et sans détours.

– Soit. Qu'est-ce que vous foutez ici, Pelletier ?

Pelletier l'observe avec cette réserve tranquille, analytique, qu'il aimerait tellement voir chez Franck, mais Franck, hélas, restera toujours le type qui se jette la tête la première, l'homme d'action qu'on tutoie. Pelletier, lui, a la patience sibylline du pouvoir, la faculté de paraître toujours dangereux qu'ont les bons joueurs de poker, quoi qu'il y ait dans leur jeu.

– Vous voyez tout en noir, monsieur le directeur.

– Je suis curieux que vous m'expliquiez pourquoi.

– Imaginez une seconde que le ministre ait chargé un membre de son cabinet d'enquêter sur votre passé.

– Dites-moi plutôt quelque chose que j'ignore.

– Je suis en retard, abrège Pelletier. Mais sachez que vous auriez tort de considérer cette personne comme…

Ses derniers mots sont happés par un coup de klaxon.

Voilà donc la disgrâce, pense Paoli en le regardant s'éloigner à grandes enjambées sous la pluie, et se fondre dans le flot des passants, là-bas sur le Pont-au-Change, en direction de la rive droite. Part-il faire son rapport à son jeune marionnettiste de la Place Beauvau ? Quels monts et merveilles Marion a-t-il pu lui promettre en échange de ses bons offices ? Rien de moins que son poste, vraisemblablement. Le coup est remarquablement bas, et il a beau faire défiler dans sa tête toutes les bottes secrètes de la basse politique, le genre de coups fourrés qu'un esprit aussi subtil que le sien pourrait sortir de derrière les fagots, il ne peut que s'incliner devant l'ingéniosité du directeur de cabinet. Lui qui croyait avoir fait le grand ménage ! Il n'est pas impossible, après tout, que les éléments exhumés par Marion et Pelletier aient assez de pédale, comme on disait autrefois à propos des coureurs du Tour, pour que ces recherches aillent jusqu'au bout, jusqu'à la vérité sur la mort de Kader Arrache.

Mais s'ils savaient, les pauvres. Quand bien même on parviendrait à le confondre sur son passé, à prouver qu'il a mis le feu au parking de l'immeuble où s'était retranché le gang, le tort que ces révélations pourraient lui faire n'est rien en comparaison de celui qu'il va s'infliger tout seul en renvoyant Bakiri et Al-Mansour dans l'enfer dont ils sont sortis. Il y a bien longtemps qu'il a accepté l'idée que le moment où il trouvera la paix coïncidera avec celui de sa perte. Si toutefois il se décide : maintenant que le meurtrier de ses parents est là, juste au bout du fusil, ce monstre qui a mis le chagrin dans sa vie et qu'il poursuit depuis un demi-siècle, d'où vient l'étrange paralysie de la volonté qui lui fait remettre chaque jour son exécution à demain ?

– Nom de Dieu, Daniel ! D'abord une audition vérolée par des coups d'intox dignes d'un truand, ensuite une arrestation sauvage, une relaxe qui ne tient pas debout dans le P-V, et maintenant une rallonge ! Tu veux que je finisse ma carrière à Privas ? J'ai soutenu ta ligne dimanche devant les politiques, parce que vous êtes doués pour les recrutements improvisés et qu'il n'y avait rien à tirer de la vidéo, pas pour entendre que vous pataugez dans le même brouillard cinq jours plus tard, tout en piétinant allègrement toutes les règles non écrites entre vous et nous. C'est non ! Je n'ai plus le choix, ton ministre m'appelle cinq fois par jour. Pas sa secrétaire, pas son directeur de cabinet, le ministre en personne ! Et la mienne de ministre ne veut rien savoir, tout occupée qu'elle est, soi-disant, aux tractations pour faire passer sa réforme pénale. Il y a le feu ! Il faut qu'on bouge sur Arkadin.

Bonnet est assis sur son légendaire fauteuil Ikea, alors que tout le reste du mobilier arbore le cuir satiné de la République. S'il tempête, pense Paoli, au lieu d'annoncer froidement qu'il a signé un mandat de dépôt à l'encontre de Bakiri, c'est qu'il y a encore une petite chance. À eux de le convaincre. Franck, assis à côté de lui, écoute les réprimandes du juge avec un air de contrition dans le regard, comme un gamin qu'on vient de traîner chez le surveillant général, tout en dissimulant tant bien que mal les messages instantanés qu'il est en train d'échanger sur son téléphone avec Dieu sait qui.

Si Bakiri est arrêté et auditionné, c'est la fin de partie. Il récoltera des années et des années d'incompressible, pendant qu'Al-Mansour achèvera sa vie dans une maison de retraite aux frais de l'État, choyé par des infirmières spécialisées en gérontologie qui se feront un plaisir de lui préparer son thé à la menthe à l'heure du goûter. Avec tant de délicatesses, Al-Mansour claquera à cent sept ans, si ça se trouve, bienheureux comme un légume, avec le double bénéfice d'avoir tout oublié, et d'avoir enterré tous ceux à qui il a pu faire du mal au fil de sa longue carrière.

Autrement dit, songe-t-il en continuant à donner le change, c'est Franck qui tient sa vengeance entre ses mains, et il faut jouer la montre en espérant qu'il n'est pas en train de consulter les résultats du tiercé.

– Dis à ce malotru d'éteindre son portable, ou je le mets dehors à coups de pied au cul.

– Il faudrait savoir. Vous voulez qu'on vous renvoie tous les mecs qui passent en garde à vue, et une fois que ça dégueule devant le juge, les enculeurs de mouches du TGI crient à l'engorgement des chambres d'audience. Moyennant quoi, ils prennent six mois, vous les foutez dehors en sortie sèche au bout de trois, et après vous vous demandez pourquoi ils reviennent ? Mais merde ! Soyez sérieux deux minutes.

– De quoi est-ce que tu parles, Daniel ?

– Mohamed Belkacem !

– Mais je me fous de Belkacem. Je t'ai juste fait remarquer que le proc était furieux quand il a appris que vous n'aviez pas déféré. C'est difficile de le lui reprocher, puisqu'on ne lui a rien expliqué. Sans la connexion avec Dawa, vu son casier et les motifs de l'interpellation, ce môme devait passer devant le juge.

– S'il faut te demander la permission chaque fois qu'on remet un petit délinquant à l'eau, on n'est pas sortis de l'auberge.

– Il y a tout de même un minimum d'usages à respecter. Ou bien, quand on prétend s'en affranchir, on revient vite avec des résultats qui font passer la pilule. Vous, vous êtes au point mort, soit parce qu'Arkadin est plus malin, soit parce que vous ne mouillez pas assez le maillot. Je ne peux plus vous suivre.

– Peut-être pas, dit Franck sans lever les yeux de son téléphone.

– Ah, fait Bonnet. Il parle. Vous auriez la bonté de préciser votre pensée, jeune homme ? C'est un peu obscur pour l'instant.

– Belkacem, reprend Franck avec une fermeté qui rassure aussitôt Paoli, il travaille dans le même fast-food chinois que l'étudiant de Saint-Denis qui est passé voir Arkadin chez lui hier matin. À la salle de boxe, on m'a dit que ce gosse n'avait qu'un seul vrai ami, un Franco-Ivoirien qui habite lui aussi aux 3000, et qu'il connaît depuis l'école primaire. L'étudiant, c'est lui. Je viens d'en avoir la confirmation par un collègue qui planque devant le restaurant depuis ce matin. Si vous nous accordez une semaine de plus, je pense qu'on est sur la bonne voie.

– Une semaine ? Et pourquoi pas six mois, pendant que vous y êtes ? Les bombes doivent exploser dans une semaine !

– Je ne peux pas aller plus vite que la musique. On parle d'un garçon très instable sous ses dehors de petit dur, et il peut nous claquer entre les doigts à tout moment.

Cinq jours, pense Paoli, c'est tout juste le temps qu'il lui faut.

– Nous sommes le jeudi 5, dit-il à Bonnet qui est plus hésitant. Donne-nous jusqu'à mercredi prochain pour recruter ce gosse et voir où ça nous mène. Si on est toujours dans l'impasse, il te restera deux jours pour passer Arkadin au waterboarding avec l'aide des tortionnaires de la SDAT et de leurs copains de la CIA.

– Je ne pourrai jamais tenir le ministre aussi longtemps, tu le sais très bien. Il passe au JT dimanche soir pour faire le point. Je veux pouvoir lui balancer son morceau de viande d'ici quarante-huit heures.

– Franck vient de t'expliquer que c'est impraticable !

– Alors, tranche Bonnet, Arkadin doit être entendu sur-le-champ.

– Une minute, dit Franck en activant le haut-parleur de son portable. Je t'écoute, Farid. Je suis avec Paoli au parquet.

– Je n'ai pas entendu la fin de ta phrase, répond la voix hachurée de Farid, mais je te décris ce que je vois. L'étudiant est revenu chez Arkadin, ils viennent de partir ensemble. Je te rappelle si ça coupe. Il y a beaucoup de tunnels par ici.

La connexion se maintient pendant une petite minute, on entend Farid passer les vitesses, remettre un coup d'accélérateur, et l'air qui cingle sur le pare-brise et la carrosserie.

– Farid ?

Il y a une longue plage silencieuse, le silence épais entrecoupé des sons métalliques qu'on perçoit quand la couverture réseau d'un correspondant mobile se dégrade entre deux relais, mais la connexion ne se rétablit pas.

Franck attend dix secondes avant de rappeler.

– Qu'est-ce qui se passe ?

– Je me suis fait couper la route par un utilitaire qui a brûlé le stop. La voiture d'Arkadin a disparu.

– Tu as noté la plaque de la camionnette ?

– Oui, je l'ai.

– Le traçage GPS ? demande Paoli.

– Il a coupé son portable, répond Farid.

– Décroche, dit Franck. On va vérifier.

Bonnet a écouté toute la conversation les mains jointes sur le ventre, avec une expression contrariée.

– Vous avez le cul bordé de nouilles, mais vous tenez peut-être quelque chose. Sortez-vous les doigts ! Je veux les noms des cinq membres du commando le 10 mars au soir, faute de quoi j'apporterai moi-même la tête de monsieur le directeur à votre ministre bien-aimé.

Le problème, pense Soul, c'est qu'il n'y croit pas à la voie du chahid, au sacrifice suprême, au Paradis qui vient après.

– Ceux-là sont sur le bon chemin de leur Seigneur, lit Assan Bakiri en battant l'air comme un chef d'orchestre, et ce sont eux qui réussissent dans la vie future. Les martyrs sont les vivants, ils ont été nommés ainsi parce qu'ils restent vivants auprès de leur Seigneur.

Tout ce charabia vindicatif d'indemnisation puisé dans le Coran et dans les hadiths, que les quatre autres écoutent pieusement. Bons petits djihadistes, venus au maître avec leurs rêves de guérilla sous les pruniers du wadi, entraînements dans la poussière épaisse et embuscades contre les chiens d'infidèles, kalach au poing. Des enfants qui se rêvent en bandits de grand chemin, tournant des vidéos victorieuses à la lumière des phares d'une Corolla sans âge, qu'on publiera en grappes sur les sites clandestins de l'oumma. Allah Akbar ! Allah Akbar ! Allah Akbar ! Le kif absolu. Mourir sous le feu d'un drone Predator, ou bien dans une cellule humide quelque part en Europe de l'Est, en héros de l'islam et du peuple opprimé de Palestine. Non : sur un quai de métro parisien, un matin de pluie glauque, cinq kilos de plastic sur le dos. Quelle différence au fond ? Il n'y a qu'un djihad, à condition d'y croire : combattre pour faire triompher le message de Dieu.

Il ferme les yeux et essaie encore, de toutes ses forces, en murmurant son verset de sourate comme une formule magique. Le combat est le bon chemin, dans la vie future. Celui qui combat pour que la parole de Dieu l'emporte sur le chemin de Dieu. L'ombre du bonheur. La paix sans fin. Si seulement ça pouvait être aussi simple, fermer les yeux et que tout s'anéantisse.

– Au Paradis, continue Bakiri, Dieu a préparé cent degrés pour accueillir les moudjahidines qui tombent sur son chemin, et entre chacun de ces degrés il y a l'espace entre la terre et le ciel ; si vous demandez quelque chose à Dieu, demandez-lui d'entrer au Paradis.

Il le savait bien, que ce serait autre chose que des cours d'arabe. Il l'avait deviné, même avant de reconnaître le tic de Baguette, il l'espérait en un sens, et il en a eu la confirmation dès que Bakiri lui a ouvert la porte de son pavillon.

– Tu es sûr ? lui a-t-il demandé. Si tu es sûr, viens avec moi.

La zone industrielle est toute proche de son pavillon, mais ils ont tourné pendant trois quarts d'heure autour d'Aulnay, pour s'assurer qu'on ne les suivait pas. Au début, Soul a eu l'impression qu'une Clio blanche apparaissait et disparaissait dans le rétroviseur, des éclipses d'une vingtaine de secondes, avant de réapparaître ; au bout de dix minutes, elle a disparu pour de bon. La petite ronde terminée, Bakiri s'est garé devant un entrepôt de self-stockage, un long rectangle surmonté d'un toit en tôle ondulée. Le parking était désert. Ils ont attendu encore une demi-heure, presque sans parler, sous un soleil d'après averse qui cognait comme à midi. Puis les quatre autres sont arrivés tour à tour, Baguette le premier.

– Je vous présente Souleymane, a dit Bakiri. Il est avec nous.

Bakiri a égrené leurs prénoms et ils l'ont salué en arabe, avec une froide méfiance. Driss, Karim, Ali et Baguette, qui a fait comme s'ils ne se connaissaient pas. À leur place, il aurait eu la même réaction.

– *Wa aleykoum assalam wa rahmatou Allah*, a-t-il répondu, la main sur le cœur, sans ignorer qu'il en faudrait davantage pour se faire accepter.

Ils sont entrés dans l'entrepôt, vide et creux comme un coquillage ; une chaleur moite suintait des murs sans fenêtre. Bakiri a sorti un trousseau de clés, et ils l'ont suivi en file indienne dans un dédale bordé de portes numérotées. Trois Rebeus, deux Renois, un Gaulois : une juste projection, a songé Soul, de ce que serait la composition ethnique de ce pays d'ici quelques centaines d'années.

Le cortège a pénétré dans le box 337, trente mètres cubes chauffés à blanc par le soleil malgré les couvertures et les tentures accrochées aux murs et au plafond. Le local lui a paru beaucoup plus petit que sur la vidéo. Des tapis de prières, quelques chaises, un tableau de conférence avec un schéma de circuit électrique sur le papier, et six sacs à dos alignés contre le mur du fond. En s'installant entre Driss et Ali, il a eu l'impression qu'ils étaient du fret dans un conteneur en partance pour le néant.

Bakiri a tout de suite remarqué la fuite au plafond, juste au-dessus des sacs. Son visage était fermé quand il s'est accroupi pour vérifier leur contenu, un par un, sans rien dire. Les quatre autres retenaient leur souffle.

Il a fini par se relever, les traits détendus. Cinq sacs étaient intacts. Un seul était inutilisable.

– On va faire sécher le détonateur, a dit Bakiri. Mais le plastic est mort.

Il a ajouté qu'on se débrouillerait pour le remplacer, plutôt que de prélever un kilo sur les cinq autres, et il a commencé son prêche.

– Les péchés du martyr sont pardonnés dès la première goutte de sang versé. Il aperçoit sa place au Paradis. Il est revêtu de l'habit de la foi. Il épouse soixante-deux Houris. Il ne subit pas les tourments de la tombe, et il n'est pas soumis à la grande terreur. Il est couronné d'un sceptre de dignité en pierres précieuses valant plus que le monde et ses trésors. Il peut intercéder pour soixante personnes de sa famille.

Martyr, donc.

En arabe ou en français, le mot ne signifie rien pour lui. Kamikaze non plus. Dans l'un et l'autre, il voit le même écran de fumée destiné à cacher la seule réalité qu'il tient pour acquise. Avant, il y a quelque chose, il y a la vie. Après, il n'y a plus rien. Pas de récompenses, pas de délices indicibles.

À quoi bon alors ?

Bakiri les a mis en garde contre l'indécision de la dernière minute, la volonté de vivre qui vient sournoisement alanguir la volonté du juste.

– La mort, ce n'est rien. Cette mort-là, en particulier, est sans douleur. Vous ne la vivrez pas ; vous ne la sentirez pas passer, même pas un picotement ou une démangeaison. Ce sont les autres qui en feront l'expérience et qui brûleront pendant que les anges vous emmèneront au ciel.

Il ne fait pas de grandes phrases théologiques sur le démon, il ne parle pas des leurres empoisonnés de beauté qu'il met devant les yeux des hommes, comme tous ces imams fulminants, parachutés du Yémen ou des Émirats sans parler un mot de français, qui n'ont que les hadiths les plus désespérants à la bouche. Il ne dit pas que la vie est illusion mortelle quand le croyant se montre lâche et veut boire encore à ses mensonges. Il sait ce dont souffrent ses disciples et pourquoi ils l'ont rejoint : leur guerre n'est pas la guerre sainte, mais une guerre intime, personnelle, et c'est pour cette raison qu'il les a choisis eux plutôt que d'autres.

De pauvres diables à qui la vie manque, voilà ce qu'ils sont. Bakiri joue sur leurs préjugés religieux, les préjugés qu'ils nourrissent sur cet islam dont ils se croient les fils élus, comme le pianiste sur son clavier bien tempéré. Il suffit de leur parler comme un médecin, un guide, un berger : les brebis égarées n'ont pas l'oreille fine. Mais ce maître qui professe la haine du monde et l'anéantissement de soi, ce n'est pas le maître de conf affable que Soul connaît et qu'il admire pour son élégance, sa réussite. Si les élèves ont en commun leur malheur et leur amertume contre un pays où la vie n'est pas ce qu'elle devrait être, quelle peut être sa blessure à lui, la nature de son grief ?

– Nous sommes pareils, vous et moi, a dit Bakiri en le regardant dans les yeux. Nous savons ce qui est juste et conforme à la parole du Prophète, et nous savons aussi que nous ne pouvons trouver la paix et la justice de notre vivant, non, pas ici, car la France est le royaume de l'injustice et du désordre de ces hommes insensés qui se croient assez forts pour vivre dans le mépris du Dieu unique, en dehors de Sa loi. Notre devoir est de combattre jusqu'à ce qu'il n'y ait plus de sédition et que l'ordre de Dieu soit rétabli.

L'idée qu'on puisse être agrégé d'arabe, prof de fac, auteur d'articles dans des revues prestigieuses, indépendant financièrement et bien dans sa peau, tout cela sans être heureux en France, Soul n'imagine pas comment c'est possible. Quelle calamité secrète peut être assez immense pour gâter le miel de ces bénédictions ? Pour que l'homme à qui ces douceurs étaient destinées se pense aussi misérable qu'un puceau de vingt-trois ans, condamné à slalomer entre les boulots de larbins et la vindicte de ses frères, incapable de marquer son territoire et amoureux fou d'une fille qu'il n'aura jamais ?

Vraiment, il ne peut y avoir pire que son propre cas.

Et puis, pour qui est-ce qu'ils se prennent, avec leurs noires humeurs de fin d'après-midi ?

Il pourrait les trahir tous autant qu'ils sont, le maître et les élèves, les balancer aux flics juste avant qu'ils allument leur feu de Bengale. On saluerait l'acte de bravoure de celui qui est sorti de sa tribu avec la certitude de se voir renier par les siens. Lapidé en banlieue et sur les terres de l'islam, canonisé partout ailleurs. L'opprobre et la consécration : au moins le label aurait-il plus de gueule que cet anonymat poisseux où il croupit depuis la nuit des temps.

– Vous avez étudié assidûment et vous savez ce que vous avez à faire. S'il reste une question, un doute, n'importe quoi, c'est maintenant qu'il faut le dire.

Les quatre autres regardent Bakiri en silence, la même lueur indécise dans les yeux. Peut-être, se dit Soul, est-ce une erreur de sa part d'insister sur la dimension solennelle de cette avant-dernière réunion.

– Et lui ? demande Baguette en le désignant d'un mouvement de la tête.

– Souleymane a fait le même cheminement intérieur que chacun d'entre vous, répond Bakiri. Il est prêt. Si je peux remplacer le matériel à temps, il apprendra la technique comme vous l'avez apprise, et il sera à vos côtés vendredi prochain.

– Il apprendra en moins d'une semaine ?

– L'important, ce n'est pas le circuit et la maîtrise du détonateur. Ça, n'importe quel étudiant en BEP électricien en est capable, ajoute-t-il de sa voix de velours. C'est le courage et la noblesse que vous avez dans le cœur, et que seule la connaissance profonde du Livre vous a permis d'acquérir.

– Certes, dit Soul en citant de mémoire un verset de la sourate 14, nous ne sommes que des humains comme vous. Mais Dieu favorise qui Il veut parmi Ses serviteurs. Il ne nous appartient de vous apporter une preuve que par la permission de Dieu. Et c'est en Dieu que les croyants doivent placer leur confiance.

Bakiri lui sourit, impressionné par la justesse de son accentuation. Les autres, de toute évidence, ne parlent pas assez bien l'arabe pour avoir saisi le sens de ses paroles, mais ils ont entendu l'assurance et la détermination qu'il y a dans leur musique. Le fait est. Contrairement à eux, il a lu ce texte et il l'a étudié pour ce qu'il est, un livre de révélations, et non comme une succession de slogans publicitaires à l'usage de tous les rancuniers qui se traînent sur la Terre.

– Je suis d'accord, dit Driss en lui posant une main sur l'épaule.

– Moi aussi, dit Karim.

– Écoute, reprend Bakiri à l'adresse de Baguette. Je ne veux pas vous forcer la main, et je suis sûr que Souleymane me comprend. Si toi ou Ali êtes contre sa participation, dites-le, quelle que soit la raison. Je lui demanderai de se retirer.

– Ça va, dit Ali. Je suis pour.

– Bruno ?

– OK, finit par lâcher Baguette.

Dans la pression de la main de Driss sur sa clavicule, il sent une chaleur amicale, admirative. Oubliées, ses réserves : il a trouvé une famille, et de la reconnaissance. Qu'importe si elle dure une semaine, et s'ils n'ont que la mort en partage. Il pense juste qu'il n'est plus seul.

– Vous allez frapper un jour qui restera comme le premier jour du grand soulèvement. Dans des siècles et des siècles, les enfants apprendront vos noms et se souviendront de vous comme des libérateurs de l'islam sur cette terre d'oppression. Dieu, que Son nom soit loué, guidera vos pas jusqu'au dernier, et dans l'autre vie. Prions.

Soul se met à genoux comme ses frères et colle le front contre le tissu rêche du tapis. Chacun son tour, comme on dit au pays, chacun son tour a son soleil.

Il lui semble que la voix de Bakiri et la sienne ne font qu'une.

« Sois loué, mon Dieu ! En Te louant, j'atteste qu'il n'y a d'autre dieu que Toi et je me repens.

« Prière et salut sur Ton adorateur et messager, Mohammad, sa famille et ses compagnons.

« C'est à Dieu que revient toute louange, c'est Son secours que nous implorons et c'est à Lui que nous demandons de nous protéger de notre propre mal comme de nos mauvaises actions. Celui qui est guidé par Lui ne se fourvoiera pas mais celui qui par Lui est égaré ne pourra être guidé. Ô Dieu, rien n'est simple que par Toi, et Tu peux même rendre simple la tristesse !

« Seigneur, donne-nous la patience, affermis notre doctrine et renforce nos pas, et donne-nous la victoire sur les impies. Dieu est souverain en Son commandement, mais la plupart des hommes ne savent rien. Notre Dieu est notre Seigneur. Eux, ils n'en ont pas. Louange à Dieu, seigneur des mondes ! »

Deux infirmiers sont en train de hisser le vieillard borgne dans l'ambulance du SAMU quand ils arrivent devant le pavillon. La voisine de Bakiri se tient derrière eux, les cheveux couverts par un voile de couleur claire.

Ils sortaient de l'entrepôt quand elle l'a appelé, redoutant une attaque.

– Je suis là, papa, dit Bakiri qui est redevenu lui-même. On va à l'hôpital. Je reste avec toi.

Sanglé sur le brancard, le vieux jette des regards hallucinés par-dessus son masque à oxygène, son œil blanc de terreur, glacé dans une étrangeté totale aux visages qui l'entourent, y compris celui de son fils.

– Je vous accompagne, fait Soul à Bakiri.

– Merci, Souleymane, dit-il en secouant la tête. Rentre chez toi.

– Je vous tiendrai compagnie pendant qu'ils l'examinent. Ça peut durer longtemps.

– Il faut y aller, presse l'ambulancier.

– Je viens, répète Soul.

Bakiri hésite une seconde, puis lui tend la main pour l'aider à monter, et Soul pense que ce sont les circonstances, pas les hommes, qui abolissent la distance que les rôles sociaux mettent entre eux. Quoi qu'on ait résolu, on n'est maître de rien ; la vie, ou Dieu, décide pour nous.

Les infirmiers ont fixé le brancard sur son support et sont en train de brancher l'appareil de monitoring cardiaque. Une odeur d'hôpital flotte dans l'air confiné ; à cause du souffle des machines, il fait aussi chaud que sous la tôle ondulée du hangar.

Le deux-tons de l'ambulance efface tous les autres bruits, comme les sirènes de la sécurité civile le premier mercredi du mois. Il sent le véhicule se mettre en mouvement et le coude de Bakiri contre le sien, le coude de quelqu'un d'éduqué qui le traite en ami. Dans ce pays où on se sent si seul, il a trouvé quelqu'un qui le comprend. Il n'y a plus de professeur ni d'étudiant, de maître ni de disciple. Bakiri et lui, ils sont comme deux frères au chevet du père qu'il n'a pas eu.

– Tu en veux une ? demande Assan en le rejoignant devant l'entrée des urgences, une cigarette à la main.

Soul l'appelle par son prénom depuis qu'Assan est revenu du distributeur avec deux Perrier et le lui a demandé.

– Non merci.

Assan incline la tête vers l'arrière et recrache la fumée en contemplant le ciel étoilé. Soul, en sentant la nicotine piquer ses narines, songe qu'il donnerait cher pour un joint, un seul, juste histoire de faire tomber le stress.

– Regarde comme la vie est précieuse.

– Ce n'est pas ce que vous disiez cet après-midi, s'étonne Soul. Et ce n'est pas ce qui est écrit dans le Coran.

– La vie des hommes sans âme ne vaut rien. Morts ou vifs, ça ne fait aucune différence pour eux.

Sans se l'avouer tout à fait, il partage son jugement sur les quatre autres recrues, et il est secrètement fier d'avoir un statut à part aux yeux d'Assan. Mais il y a quelque chose de terrifiant dans son cynisme ; à quoi peut bien croire l'homme qui en envoie d'autres à la mort en niant leur humanité ?

– Ce ne sont pas des hommes sans âme, dit-il en faisant de son mieux pour cacher sa mauvaise foi.

– Tu ne comprends pas, insiste Assan. Toi, tu peux encore changer d'avis. Tu crois haïr la vie et aimer la mort, mais peut-être que tu te trompes. Il y a d'autres chemins pour un musulman.

– Je ne comprends pas. Le djihad est le chemin de Dieu.

– Tu en es sûr ?

Soul le regarde longuement, en silence, sans arriver à savoir si Assan lui fait passer une ultime épreuve ou si c'est sa propre volonté qui a vacille à cause de ce qui arrive à son père.

– Je crois en Dieu et dans sa loi qui est écrite dans le Coran, et je sais que cette loi m'interdit de renoncer si je me suis engagé sur le chemin de Dieu, comme elle m'interdit de rompre le jeûne sans excuse avant la fin du Ramadan.

– Et il en est ainsi, dit-il en écrasant sa cigarette sur le bitume. Mais es-tu absolument certain que les raisons pour lesquelles tu as pris ce chemin sont les bonnes ? Je ne te demande pas de me les dire. Je veux savoir si tu penses qu'elles sont justes.

Il serait plus à l'aise si Assan lui avait demandé de se mettre nu devant lui. Il prend une profonde inspiration, en rassemblant dans sa tête les phrases qu'il s'est si souvent répété au cours des derniers jours.

– Je ne sais pas si j'aime la mort, mais je n'aime pas ma vie. Je pense que les choses iront plus mal, pas mieux, si je me laisse vivre. Je voudrais accomplir quelque chose de grand par ma mort, qui prouvera à tous ces gens que je n'étais pas rien.

– En les entraînant dans la mort eux aussi ?

– Ils me regardent bien mourir depuis que je suis né.

La porte automatique s'ouvre derrière eux, et le médecin de garde vient à leur rencontre.

– Le cœur de votre père va bien, dit-il à Assan, on a fait une échographie pour éliminer toutes les possibilités. Son malaise n'est pas dû à une cause cardiovasculaire : c'est une crise de panique. On l'a mis sous tranquillisants pour la nuit. À quand remonte exactement le diagnostic d'Alzheimer ?

– Quatre ans et demi.

– Il a eu cette crise parce qu'il n'a plus aucune conscience de qui il est, ni de la date ni du lieu, ni de qui sont les personnes qui l'entourent.

– Son état s'est beaucoup dégradé ces dernières semaines, dit Assan en hochant la tête. Mais c'est la première fois que ça se produit.

– Vous avez une auxiliaire de vie à la maison ?

– C'est moi qui m'occupe de lui. Notre voisine vient vérifier que tout va bien en rentrant du travail, quand je m'absente pour la journée.

– Je suis désolé de vous le dire aussi brutalement, reprend le médecin. Il va falloir que vous envisagiez de le placer dans une institution qui pourra lui prodiguer les soins appropriés. Nous n'avons pas fait d'imagerie du cerveau, mais il ne peut pas rester chez vous à un stade aussi avancé de la maladie.

– Je vous remercie, docteur.

– Je le garde en observation jusqu'à demain soir. Entendu ? Les papiers seront prêts dans cinq minutes.

Le médecin serre la main d'Assan, puis la sienne, et disparaît à l'intérieur.

– Tu auras ton matériel lundi, dit Assan. Inch'Allah.

– Et toi ? demande Soul.

Le tutoiement et la question lui sont venus spontanément, sous le coup de la sollicitude, mais aussi de l'indignation. Un homme ne peut pas abandonner son père s'il est sans défense, pas plus qu'il ne peut abandonner un nourrisson.

– Moi, je suis comme toi, j'ai choisi mon chemin et je ne m'en écarte pas. Lui, ajoute-t-il en désignant de la tête les étages où se trouve la chambre de son père, il est comme les autres. Son âme est vide, comme la leur. Et il est mort depuis longtemps.

VIII

Le jour se lève sur la carrière de Saint-Pierre, plus net et plus contrasté que les matins d'Aulnay, qu'Assan a quitté il y a une heure et demie. À côté de lui, assis au volant de sa camionnette d'artificier, Brahim conduit d'une main et tient un gobelet de café fumant, buvant par petites gorgées, régulières et sonores.

– Bien sûr que ça n'est pas un problème, dit-il, on a une demi-tonne en stock. Tant que je gère l'inventaire, cinq kilos de plus ou de moins, personne ne verra la différence.

Il regarde sa montre et stoppe devant la face nord du trou d'exploitation, une paroi d'une trentaine de mètres à ciel ouvert, couleur rouille, dont les rainures verticales semblent avoir été dessinées par un râteau géant, alors que les autres côtés descendent en escalier jusqu'à la base. En posant le pied au fond de ce cratère encore désert, à cause de l'heure matinale, Assan a l'impression d'être le premier homme sur la Lune.

– La seule question, c'est de savoir si tu en as vraiment besoin. Si tu es sûr. Il n'y a que toi qui sais.

– Je ne serais pas venu sinon, dit Assan en songeant qu'il a posé cette question à Soul il y a quelques heures, à peu près dans les mêmes termes.

– Les autres équipes n'arrivent qu'à sept heures. J'ai le temps de faire un bloc, et je te découpe ça.

Brahim n'a pas pour habitude de poser deux questions de suite. Il a sa conscience pour lui, et laisse ses acheteurs se débrouiller avec la leur. Il y a vingt-cinq ans, à Mulhouse, Assan trouvait déjà que c'était le plus droit et le plus sympathique des voyous qui allaient et venaient dans la bande de son frère ; il avait toujours un mot gentil, un regard de considération. Plus tard, quand Kader et les autres avaient commencé à se prendre au sérieux et à déraper dans le bigotisme armé, il avait su garder ses distances. Et sans être légale, la filière professionnelle qu'il avait choisie n'avait pas le cachet morbide que tous ces apprentis poseurs de bombe revendiquaient : l'attaque de fourgons, si on fait bien son travail, ne doit pas faire de victimes. Malgré tout, après une longue série de coups victorieux qui lui avaient permis d'offrir une maison Bouygues à ses parents dans un lotissement sur la route d'Épinal, le vent avait fini par tourner et Brahim avait atterri au centre de détention de Toul, avec une peine de dix ans dans ses lettres de créance. C'est à sa sortie, en 2007, qu'il avait eu la chance de dénicher ce job de réinsertion, où ses compétences acquises en autodidacte avaient trouvé un terrain d'expression plus conforme à l'esprit des lois, dont la lettre, il est vrai, le laissait toujours aussi indifférent malgré les bienfaits de la réhabilitation carcérale.

– Il reste du fil ? lui demande-t-il en finissant de dérouler la mèche entre son détonateur et le bloc de calcaire, gros comme un minibus.

Assan jette un œil à l'arrière du camion et lui fait signe que non.

– Les jeunes oublient toujours de remplacer le rouleau en fin de journée. On va devoir faire une petite entorse au manuel. Rapproche le détonateur de trois pas, s'il te plaît.

Le câble planté dans le pain de semtex, il revient vers lui de sa lourde démarche.

– Tu veux un casque ?

– Tu n'en mets pas, toi ?

– Je n'ai plus de tympans. Tiens.

Assan a tout juste le temps de se couvrir les oreilles avant qu'il déclenche la sirène de sécurité. Les haut-parleurs installés sur le toit de la camionnette se mettent à hurler comme dans une caserne de pompiers, et aussitôt l'air paisible de la campagne se charge de la même tension que tous les petits matins de banlieue.

Habile reconversion pour un gangster, pense Assan en se remémorant le jour d'octobre où il lui a livré les trente kilos sur le parking de l'entrepôt, comme un employé de Darty qui arrondit ses fins de mois le week-end avec la marchandise remise en état, écoulée à prix d'ami.

Et ce matin, cinq de plus pour que Souleymane achève son chemin de croix en France, comme lui. Une chance qu'un seul sac ait été touché par la fuite dans le plafond du local ; il n'aurait pas eu les moyens d'en remplacer davantage.

Au total, trente-cinq kilos de mort et de désolation : le poids de sa vengeance, pense-t-il, et le prix exorbitant de sa liberté.

– Prêt ?

– Prêt.

– Regarde bien le milieu du bloc. La flamme.

Brahim s'agenouille à côté du détonateur, la sirène lacère le petit jour, et Assan se dit que lui, Souleymane Traoré et les autres subiront bientôt le même sort que ce morceau de roche, sans tambours ni trompettes, mais avec des conséquences physiques très différentes. La pierre se fend en deux, proprement ; le corps humain se disloque en mille fragments.

La semaine prochaine à la même heure, il lui restera moins de trente minutes à vivre.

– La dynamite, c'était plus propre, dit Brahim après avoir éteint la sirène, tandis qu'ils s'approchent pour inspecter la roche coupée en deux. Les Américains n'utilisent que de la dynamite pour sortir leur granit. Et nous, pendant que les politicards racontent qu'il faut produire et acheter français, on préfère acheter cette saloperie aux Chinois et aux Ukrainiens, sous prétexte que ça coûte moins cher. Regarde-moi ce travail.

Le bloc est fissuré de part en part, mais la fracture ressemble davantage à une vrille qu'à une ligne droite.

– Tu peux mettre la charge où tu veux, tu obtiendras toujours le même résultat. C'est deux fois plus de boulot pour les gars qui découpent à l'atelier. À l'arrivée, on perd en temps de traitement ce qu'on gagne sur les prix du matériau. Mais va expliquer ça aux actionnaires.

Au pied de la fissure, Assan ramasse un petit caillou qui s'est détaché du bloc : la pierre est blanche à cœur, avec un grain très fin, presque invisible à l'œil nu.

– C'est la pluie qui donne l'aspect oxydé à l'extérieur, dit Brahim en ramassant le détonateur. Dedans, attention : c'est de la pierre noble ! On trouve souvent des fossiles. Assan ?

– Oui.

– Tu n'es pas obligé d'être fidèle à ton frère.

Ils se regardent, immobiles. Il fait clair à présent, et le vent soulève le voile sablonneux qui tapisse le sol du cratère.

– Je vais te donner ce que tu veux. Mais écoute bien ce que j'ai à te dire : personne ne lui doit rien, à Kader. Il a fait ce qu'il a fait, et il est là où il est. Toi, ta place, tu te l'es faite tout seul. C'est une bonne place, comme la mienne. On n'a rien demandé. Mieux vaut oublier ton frère en restant qui tu es, que de te trahir toi-même pour lui être fidèle.

Ils se sont rencontrés par hasard au pied du Dragon, un canyon où Soul ne traîne jamais, alors qu'il terminait son footing. Momo ne l'a pas reconnu, de loin, à cause de cette silhouette encore plus étirée que d'habitude ; et douloureuse. De près, son visage cendré par la fatigue était celui d'un étranger, d'un garçon triste et sous l'emprise de quelque chose d'autre que le bédo, une idée fixe peut-être, une idée désastreuse comme la résolution d'en finir, et vite.

Ce n'est pas Soul, pense-t-il : c'est le fantôme efflanqué de Soul qui marche à côté de lui, dans un T-shirt trois fois trop petit pour sa grande carcasse.

– Tu m'évites : j'ai compris. Mais tu m'expliques ce que j'ai fait de travers ?

– Depuis quand il faut rendre des comptes ? demande Soul d'une voix sans personnalité, presque aphone. Je bédave quand je veux. Je vois qui je veux. Tu es bien le dernier à pouvoir me faire la morale.

Ainsi parlent les vieux couples, pense-t-il en retrouvant le goût d'un embarras ancien.

Sa lettre à Soul, après le carreau cassé, Momo a connu des moments délicats où il aurait préféré l'avoir jetée à la poubelle, à la puberté notamment, lorsque les mots encore frais dans sa mémoire lui semblaient être ceux qu'un pédé aurait envoyés à l'homme de sa vie pour lui déclarer sa flamme. Soul, au contraire, ne lui avait jamais témoigné la moindre gêne. Efféminée ou pas, il s'en foutait, cette lettre était la base invisible de leur amitié, et il n'y avait pas lieu pour lui d'en parler ni de s'en émouvoir.

– Je vais à la salle. Il y a ce Gaulois avec qui je dois mettre les gants.

– Il te fait peur, on dirait.

– Il m'a mis par terre.

– Par terre, par terre ? demande Soul en le fixant dans les yeux.

– Au tapis, gros. Il m'a envoyé au tapis.

Soul le connaît par cœur. Avant chaque combat, surtout les premiers quand il n'était personne, mais même encore un peu maintenant, c'est lui qui reste dans le vestiaire assis à ses côtés, en attendant qu'on l'appelle sur le ring. Jean-Luc sort avec son seau une fois qu'il est chaud et tartiné de vaseline ; Soul reste. Ils ne disent rien, et pourtant sa présence lui est indispensable, comme si elle l'épongeait des doutes et de la peur qu'il sue par tous ses pores tant qu'il n'est pas en mouvement. Est-ce qu'ils sont encore ces deux gamins, le lanceur de caillou et le chevalier calme ? Ils n'ont pas changé, eux. La cité non plus. La grande différence, c'est ce qu'ils ont appris entre-temps et qu'un enfant de neuf ans ne peut pas savoir, même s'il lui suffit a priori de regarder ses parents pour comprendre. Tu veux quelque chose ? Tu ne l'auras pas. Rien n'est possible ici. Rien. Aussi haut que soit monté Soul, on dirait ce matin que l'ascension est terminée. Tôt ou tard, quand on vient des 3000, on se retrouve la face dans la boue et la nuque brisée, avec ses morceaux de rêve comme des tessons de bouteille plantés sous la peau.

– Je ne peux pas, dit Soul. Pas ce matin. Tu vas te débrouiller.

– Bien sûr. Qu'est-ce que tu crois ? Tu crois que je te demande de venir ?

– Je crois que tu vas faire aller, dit Soul, les traits un peu adoucis.

– Je vais lui démonter sa mère, tu veux dire. Si j'étais toi, je ne voudrais pas rater ça.

– On se voit plus tard.

Soul essaie de sourire, mais tout ce que peut exprimer son visage s'effiloche dans son allure de long bonhomme affligé, cinq bâtons sous une tête vide comme celle du pendu sur un dessin d'enfant.

Le Gaulois fait ses lacets en rassurant Sofiane, le poids lourd qui doit mettre les gants avec un gars venu de Sarcelles. Sofiane hoche la tête, mais il n'entend rien, comme d'habitude, comme quand Jean-Luc lui parle. La peur d'avoir mal lui fait perdre tous ses moyens, qui ne sont pas négligeables pourtant. La peur fait partie de la boxe : si on ne s'invente pas une façon de vivre avec, n'importe laquelle pourvu que ça marche, on n'est pas un boxeur, même si on est très doué pour frapper dans un sac.

Lui, Momo, n'a pas peur d'avoir mal. Le nez en sang, les coupures à la pommette ou à l'arcade, les côtes fêlées, il considère que c'est le prix à payer ; quand ça arrive, on a toujours moins mal qu'on ne redoutait. Non, c'est autre chose qui lui fait peur. Tout Momo qu'il est, il a peur de la défaite, de se faire dominer, d'aller au tapis – de l'humiliation qui l'y attend et dont il connaît maintenant la sensation. On ne s'en relève pas aussi facilement qu'on se remet debout. Et il a peur du Gaulois, parce que le Gaulois est le premier à lui avoir fait ça : il a détruit son invincibilité, qui était jusque-là le sentiment clair, tranchant, par lequel il arrivait toujours à cisailler les liens que la peur enroulait autour de ses nerfs. Quand on a un bon œil, quand on a le don de voir tous les coups venir, on a tendance à se sentir infaillible et à laisser croire qu'on l'est à ses adversaires.

La confiance en soi, la vraie, celle des enfants tombés pour se relever adultes, ce sentiment-là vient après. L'invincibilité est la maladie infantile du boxeur. Ce matin, il va savoir s'il est resté un enfant ou s'il a grandi.

Installé devant son casier, il observe le Gaulois dérouler ses bandes avec précaution, et l'idée lui traverse l'esprit que lui aussi a été un petit branleur avant d'avoir l'air aussi sûr de son affaire, aussi mûr et aussi serein. Il a le visage et la peau sombres de ceux qui viennent de la rue, il utilise le même sabot de tondeuse que lui pour se raser les cheveux, il porte les mêmes habits, les mêmes chaussures, et pourtant il a déjà toute une vie dans le rétroviseur, signalée par son alliance et la photo de la petite fille qu'il a montrée à Jean-Luc avant-hier. Les lascars, en général, ne vieillissent pas bien : il n'y a qu'à regarder les Pookies aux visages émaciés, la peau sur les os, qui arpentent la cité à la recherche de leur galette. Qui sont ces vampires délabrés, sinon les grands frères qu'on admirait hier encore au pied des immeubles, dont la voix portait haut et loin jusqu'au bout de la nuit ? Lui, même si les rides sont encore rares sur son front, il reste un lascar qui a pris de la bouteille et qui a l'air de ne pas trop mal le vivre. Il a appris à parler lentement et sans les mains ; une fois que le rideau est tombé sur le théâtre bancal de la rue, il ne s'est pas laissé glisser sur le bitume, et il ne s'est pas caché derrière les injustices de la fatalité française, comme tous ses compagnons d'infortune.

Finalement, songe Momo en enfilant à son tour ses chaussures, c'est la première fois qu'il va monter sur le ring avec autre chose dans sa tête que la peur et l'envie de faire mal. Elles sont là, comme d'habitude, elles cognent dans tous ses nerfs, mais leur fracas est légèrement assourdi par une sensation plus douce qu'il serait bien en peine de nommer.

Il ne sait pas pourquoi, il doit être sur le bon chemin.

Sélim Arif ouvre la portière et s'installe côté passager, devancé par un lourd effluve de tabac.

– Qu'est-ce que tu fais là ? dit Assan en baissant sa vitre, encore sous le coup de la surprise, et regrettant amèrement d'avoir oublié le pistolet, hier soir, à l'entrepôt.

Il y avait un accident sur la N2, quinze kilomètres après Saint-Pierre, à la sortie de Villers-Cotterêts. Le trafic était complètement bloqué en direction de Paris. Il a longé la frontière de l'Aisne et de l'Oise vers le sud, dans l'idée de rejoindre l'A4, mais a fini par se perdre sur l'écheveau des départementales. Le GPS lui indiquait une route, puis une autre dans le sens opposé. Il a fini par s'arrêter sur une aire de repos en surplomb du canal de l'Ourcq ; le bruit jaune du matin se reflétait dans l'eau. Trente secondes plus tard, alors qu'il tentait de s'orienter sur la carte, il a vu Sélim Arif s'approcher, et il s'est dit qu'il avait été bien négligent de ne pas surveiller ses arrières en sortant de la carrière, que ça aurait pu être Paoli. L'autre avait pu rouler dans son sillage, phares éteints, entre Aulnay et Saint-Pierre ; mais à la sortie de la carrière, c'était entièrement sa faute s'il ne l'avait pas remarqué.

– C'est bien toi, alors, dit le secrétaire personnel de Ferhaoui, en se retournant pour jeter un coup d'œil sur la banquette arrière.

Son sac de sport est posé là, entre deux bouquins et un vieux magazine, le semtex de remplacement à l'intérieur.

– Qu'est-ce que tu as vu ? dit Assan en regardant droit devant lui, les mains sur le volant.

– Je n'ai pas pu entrer. Mais je sais lire, et j'ai entendu l'explosion.

– Tu n'as pas idée de ce qui est en train de se passer.

– Je sais tout, mon frère. Depuis le début.

Les secondes s'écoulent au ralenti, comme les gouttes d'un robinet fuyant. Il lui semble entendre leur cliquetis, loin, à travers le ronronnement du moteur qu'il a laissé tourner.

– Qu'est-ce que tu sais ?

– Ton frère s'appelait Kader Arrache. Ton père est une légende du FLN. Tu vas faire exploser cinq bombes dans Paris, parce que tu crois que tu as une dette envers eux et que tu t'en acquitteras en perpétuant leur guerre contre la France. En fait, tu vas mourir et tuer pour des raisons qui te dépassent, et personne ne pourra comprendre le sens de ton acte.

Qu'est-ce qu'il raconte ? Comment peut-il savoir ? Assan tourne la tête, incrédule, et remarque sa pâleur extrême, les creux de ses orbites.

– C'est toi qui m'as balancé aux flics.

– Je suis allé voir Ferhaoui, corrige-t-il, parce que j'ai fait l'erreur de penser qu'il chercherait à te dissuader personnellement, et que lui seul avait l'autorité morale pour que tu l'écoutes. Quand j'ai réalisé qu'il comptait se servir de toi pour nettoyer ses écuries, j'ai été obligé de jouer le jeu et d'aller voir son contact au ministère de l'Intérieur. J'ai voulu te prévenir la veille, à l'inauguration, mais sur ce trottoir je n'ai pas osé te dire les choses en face comme maintenant.

– Tu m'as espionné et tu m'as balancé à Paoli.

– J'ai dit à Paoli que tu ne pouvais pas être leur homme, et je t'ai protégé deux fois. La première quand je suis venu te dire que tu étais surveillé. La deuxième, hier soir, sans que tu le saches, quand tu es parti avec ton étudiant. C'est moi qui leur ai bloqué la route. Regarde-moi. Ouvre les yeux.

Il ment, se dit Assan, en sentant bien pourtant la sollicitude sincère qu'il y a dans son regard et dans sa voix. Des sentiments plus profonds et plus troubles, aussi. La relation qu'on prête à Sélim et Ferhaoui n'est peut-être pas qu'un ragot de la mosquée.

– Tu te dis mon frère. Un frère ne trahit pas son frère !

– Et quoi, il le laisse mourir, alors ? La prison, c'est toujours mieux que la mort : un jour ou l'autre on finit par sortir. Si tu te poses la question, oui, j'aurais préféré qu'ils t'arrêtent.

– Même si ce que tu dis est vrai, tu aurais dû venir me voir avant. Me laisser le choix, à moi.

– Mais j'avais peur que tu me jettes dehors et que tu disparaisses ! J'ai attendu d'être dos au mur, c'est vrai. Je n'ai pas ta force de caractère. Et puis, il y a tous ces gens qui ne t'ont rien fait. Tu y as pensé, que tes bombes ne feront pas de mal à ceux qui ont le sang de Kader sur leurs mains ? Tu ne tueras que des innocents et tu auras une mort absurde, parce que ceux que tu entendais punir te survivront, tu le sauras, et que ta vengeance servira les intérêts d'une puissance dont tu n'as même pas idée. On ne tue pas un pays, Assan : c'est cela que ton père n'a jamais compris, aveugle qu'il était. Et c'est cette erreur fatale qu'il a transmise à ton frère, Dieu ait son âme.

Quelle puissance ? Les questions explosent dans sa tête ; Assan se révolte contre les mots qui sortent de la bouche de Sélim, et pourtant Brahim ne lui a pas dit autre chose tout à l'heure. Un bref instant, il trouve le courage de le regarder à nouveau, et il sent monter en lui une tendresse fraternelle qui n'est pas loin de le désarmer.

– Il est encore temps d'arrêter, mon frère. Tu le sais, qu'on n'est pas comme eux, toi et moi.

– Toi et moi ? répète-t-il avec un goût âcre sur la langue.

– Kader, dit Sélim, c'était une bête de guerre, un homme sanguinaire, comme ton père. Tu n'es pas comme ça.

C'est vrai, mais personne n'a le droit de le dire, personne n'a le droit de lui rappeler qu'il est quelque chose d'infect, mélange purulent de honte et de jalousie envers son aîné.

– Ne dis pas son nom, coupe-t-il dans un cri, en plaquant ses mains sur le cou de Sélim, sans comprendre ce qu'il fait. Tu m'entends ? Tu ne sais rien ! Tu ne l'as pas connu !

Il enfonce ses deux pouces à hauteur du larynx, mais la position ne lui donne pas assez de force et l'oblige à pivoter pour prendre appui sur sa portière. Il ne sait plus qui il est, ni un frère ni un fils ni un homme qui aime une femme, personne, sinon celui qui doit faire taire cet autre dont les yeux blancs et terrorisés le remplissent d'une colère qui fracasse tout ce qu'il sait de la civilisation, et dont la carotide vibre sous ses doigts comme un petit animal. Il ne veut pas le tuer, il n'en a pas l'intention, mais sa fragilité d'être humain qui se débat devant la mort le dégoûte ; son effroi plus encore. Il a beau ne pas vouloir, il faut bien que la rage se libère. Il va le tuer, il va le tuer, c'est ce qu'il se répète en s'arc-boutant contre l'habitacle, et il n'arrive pas à croire que la vie puisse être chose aussi fragile.

– Ne dis pas son nom ! Ne dis pas son nom ou je te crève, hurle-t-il en augmentant encore la pression de ses pouces, comme s'il voulait lui poinçonner la peau.

Il ferme les yeux, soudain étourdi, blessé par la lumière trop vive de ce matin qui lui semble durer une année. Quand est-il parti de chez lui ? Hier ou il y a quelques heures ? La pulsion qui l'avait submergé au nom de Kader l'abandonne, et il sent un vide brumeux entre ses tempes, une obscurité grise.

– Va-t'en.

Sélim ouvre la portière et descend en titubant, la main sur sa pomme d'Adam, pris de la toux rauque et de la panique respiratoire d'un homme encerclé par les flammes. Kader. Sélim. Le frère, l'ange gardien. Assan entend ses semelles frotter le goudron puis, très vite, quelque chose de fuselé, d'indélébile, perfore l'air froid de la campagne, et le corps de Sélim fait un bruit épais, comme du linge humide jeté à terre, en s'effondrant sur le capot de sa voiture. Il a le temps d'apercevoir le reflet d'un véhicule tout-terrain dans le rétroviseur, un gros cube blanc monté sur d'épaisses roues et aux vitres teintées, à côté duquel se tient un blond aux larges épaules et au visage de brute enfantine, en position de tir.

Ses mains tremblent un peu quand il les ramène sur le volant, sous l'effet de la contraction des muscles autant que du choc émotionnel. Il détend les jambes sur les pédales et remarque le scintillement du canal en contrebas. Une odeur de cigarette flotte dans la voiture. Le moteur ronronne devant lui.

Une voiture file dans le rétroviseur, là-bas sur la départementale. Le tout-terrain n'a pas bougé, le blond non plus, comme si on lui laissait l'initiative, et lui revient brusquement l'image de ces malheureux à qui les hommes de la Gestapo, dans les films de son enfance, ordonnaient de s'enfuir avant de les abattre d'une rafale de mitraillette. Il enclenche la première et rejoint la route dans une embardée.

Tout est calme. Le trafic est fluide, presque inexistant. En croisant son regard apeuré dans le rétroviseur, il n'est plus très sûr de savoir qui il est, mais il ne pleure pas.

– Soixante-neuf kilos ! Après trois rounds de sparring et deux heures d'entraînement ! Tu te rends compte, abruti, que tu boxes samedi prochain ?

Jean-Luc l'a poursuivi devant le garage, sa balance électronique dont il est si fier sous le bras.

– Tu devrais déjà y être, au poids. Au-dessous, même. Dis-moi, tu comptes faire comment pour perdre les deux kilos qui restent ?

– Il faut que je passe chez les moyens, riposte Momo. J'en ai marre de me serrer la ceinture.

– Il veut passer chez les moyens, le génie de la nutrition ! Mais tu vas te faire manger tout cru, chez les moyens. Ils font tous dix centimètres de plus que toi !

– Comme lui ? demande-t-il en montrant le Gaulois, qui tient sa poche de glace sous l'œil droit.

– Parce que tu as boxé comme il fallait, tu crois ? Tu as fermé les yeux et tu as eu une chance de cocu, oui ! Je perds mon temps avec toi. Ce soir, une heure de footing pour me griller cette graisse.

– J'ai couru ce matin.

– Pas assez longtemps, et pas assez vite. Et puis sois gentil : toi qui t'y connais, mange des légumes au lieu de t'empiffrer avec les plats à cholestérol que la fille de ton Chinetoque te refile à l'œil. Des haricots ! C'est bon pour faire passer tout ce que tu as dans la couscoussière, les haricots.

Ils disparaissent à l'intérieur du garage, lui et sa balance. Le Gaulois range son sac sous la selle de sa moto.

– Tu n'as jamais eu d'accident ? demande Momo.

– Des tas, dit-il en enfilant ses gants de conduite. Jamais assez graves pour que j'achète une bagnole. Les motards sont un peu simples d'esprit. Encore plus que les boxeurs. Alors tu imagines : un motard boxeur.

Momo rit de bon cœur, et il réalise qu'il se sent un peu grisé par toutes les choses qu'il a à apprendre de ce type. Il y a le ring, évidemment, où il a découvert une boxe plus intelligente, moins instinctive et plus rugueuse à la fois, avec le même émerveillement que s'il avait découvert l'Amérique. Sans réussir à l'envoyer au tapis, sans céder non plus à la frustration, il lui a mis la pression de la première à la dernière seconde, patiemment, comme un joueur d'échecs qui étouffe son adversaire, mouvement après mouvement. Malgré ce que dit Jean-Luc, qui est moins fâché qu'il ne le montre, il a remporté les trois rounds haut la main, parce qu'il a compris en quoi le style du Gaulois le rend meilleur, plus affûté dans l'exécution de ses propres enchaînements. C'était comme une danse, à deux. Mais ça n'est pas tout : il y a aussi cette euphorie bizarre qu'il ressent à l'idée de parler avec un gars venu d'ailleurs, d'un horizon différent du sien, et qui en même temps ressemble assez à ce qu'il pourrait devenir si d'aventure il arrivait à se sortir d'ici. Le Gaulois a beau avoir quinze ans de plus, un travail et une famille, il s'intéresse à lui ; sa différence et son regard le font exister plus intensément, pense-t-il, que les regards apathiques de tous les galériens qu'il croise aux 3000. La différence et le regard de Sibylle aussi, sans doute, mais avec elle c'est autre chose, qu'il met sur le compte de l'attirance physique et de la chimie obscure des sentiments. Ce type-là, Momo a l'impression qu'il s'intéresse à sa vraie nature, enfouie sous des kilomètres et des kilomètres d'attitude apprise dans la rue, et dont Soul était jusqu'ici le seul à connaître l'existence.

Le Gaulois jette la poche de glace, presque liquide à présent. Il attrape son casque.

– Il a raison, dit-il en désignant le garage de la tête. Tu as beaucoup de talent. Mais le talent, ce n'est rien : c'est un cadeau génétique. Ce que tu en fais, il n'y a que ça qui compte. Et le gâchis de talent, par paresse ou pour n'importe quelle autre raison, c'est le péché absolu. Tu comprends ? Parce que c'est un péché contre toi et contre les chances que t'a données la vie.

– Je te trouve bien religieux, pour un Gaulois.

– Pourquoi tu fais le dur, comme ça ? Tu crois que la dureté et la force, c'est pareil ? Mais tu te trompes. La force, tu te la fabriques en travaillant à l'entraînement. Tu finiras toujours par tomber sur un plus dur que toi, et il faudra être plus fort si tu veux le battre. Boxe, boxe, boxe. C'est comme ça que tu deviendras quelqu'un.

Le Gaulois enfourche sa moto et démarre au kick. Le moteur fait un bruit puissant, rauque.

– Momo ?

– Ouais.

– Fais-moi plaisir. Appelle-moi Franck, tu veux bien ? Gaulois, c'est un peu discriminant par ici, je pourrais le prendre mal. Tu imagines si je t'appelais le Maure ?

Sibylle regarde droit devant elle, la tête rentrée dans les épaules. Ce square, c'est l'endroit qu'il préfère à Paris, parce qu'il leur appartient. Ils viennent ici quand elle a une heure de trou entre deux cours, et il n'y a jamais personne.

– Désolée, dit-elle. Je ne comprends pas. Pourquoi maintenant, tout à coup ? Tu as eu trois combats depuis qu'on est ensemble, et il n'a jamais été question de ça.

– Parce que c'est le championnat régional. Si je veux retourner au stage de la DTN, il faut que j'aille au bout. Je gagne le tournoi, je vais en équipe de France, et je commence les compétitions nationales et européennes. C'est eux qui iront aux JO, dans deux ans.

– Ça paraît facile, vu comme ça.

– Je n'en suis pas capable, à ton avis ?

– Même si tu y arrives, je ne vois pas où ça va te mener.

– Les écuries de pros recrutent aux JO.

– Mais tu dis qu'en France les pros vivent comme des clochards. C'est ça que tu veux ?

Il laisse tomber le bâton avec lequel il traçait des lettres sur le sable humide, au pied du banc. Peut-être qu'il n'aurait pas dû lui en parler ; peut-être que les trois rounds avec le Gaulois lui sont montés à la tête. En même temps, est-ce que c'est si grave, une semaine sans se voir ?

– Qu'est-ce que je peux faire d'autre ? Regarde-moi. Qu'est-ce que je sais faire ?

– Je n'en sais rien, répond-elle après un temps d'hésitation. Fais ce qui te rend heureux. Moi, j'ai besoin de quelqu'un qui est là. Et qui a de l'ambition.

– Regarde-moi, je te dis. Je ne te mérite pas parce que j'ai arrêté le business ? C'est ça que tu es train de me dire ?

Elle se tourne vers lui, et ses cheveux découvrent sa nuque couleur de lait en tombant sur le côté.

– Tu ne connais rien à la vie, dit-il en se levant. Tu parles, tu te dis que tu connais, et tu ne connais rien. Tu crois que tu connais la cité, le biz, parce que tu dors chez moi ? Viens faire un petit tour, un jour où je ne suis pas là. Essaie de dire bonjour aux filles en bas de l'immeuble ! Tu le sais, comment elles t'appellent, dans la cité ? Laisse tomber, va. Oublie le zoo des 3000 et rendors-toi dans ton château de princesse.

Le gardien du square s'approche, méfiant.
– Tout va bien, mademoiselle ?

Elle se lève à son tour. Il n'avait pas remarqué qu'elle pleurait.

– J'ai besoin de pouvoir compter sur toi. J'ai peur et tu ne comprends rien !

Et elle fait ce qu'il aurait dû faire au lieu de parler. Elle part, sans se retourner.

– Tu as peur de quoi ?

Momo se rassoit sur le banc. Le soleil se reflète dans les fenêtres de l'immeuble en face ; il y a toutes sortes d'ornements sur la façade, qu'il trouve élégante, radieuse. Tout est toujours calme ici, calme et serein, comme le Gaulois. Il se sent idiot.

Il y a trois ans, quand il a commencé à prendre du galon dans l'équipe du Tchétchène, on lui a demandé de finir un miskin d'une cité rivale que ses potes avaient laissé derrière après une bagarre à l'entrée des 3000. Un petit Renoi, seize ans à peine, des yeux comme des balles de golf. Carlos se plante devant lui avec sa balafre et lui met un 9 mm dans la main. Momo s'y reprend à deux fois pour armer, pendant que les autres chuchotent dans son dos. Il regarde le petit Renoi qui s'est pissé dessus et qui pleure en silence, et il se demande qui de lui ou de l'autre a le plus peur. Tout son corps est parcouru de spasmes qui dégringolent jusqu'au bout de ses doigts. Impossible de trouver une assise. Au bout de quelques secondes, il appuie sur la détente et les yeux du petit Renoi restent ouverts tandis que son corps s'affaisse comme une marionnette à qui on aurait coupé les fils. Il tire une deuxième fois. Carlos reprend le Glock en lui tapotant la nuque ; il dit que c'est bien et qu'il va vomir pendant trois jours, puis il part avec les autres jeter le corps en forêt.

C'était un mardi. Il n'a rien pu avaler jusqu'au samedi, et il a perdu tellement de poids cette semaine-là que Jean-Luc l'a traîné à la clinique pour faire une prise de sang.

Mais ici, loin de la banlieue et du business, tout est toujours calme.

Il n'y a pas de quoi être nerveuse : c'est un rendez-vous comme les autres. Voilà quelques mois, lorsque Laurence a eu l'idée de son film-portrait, Franck lui a conseillé de se méfier de l'entourage de Faure, c'est vrai, mais Franck est méfiant par nature, et par déformation professionnelle. Il aime aussi s'inquiéter pour elle, parce que dans son esprit torturé cette inquiétude lui donne le droit de la protéger comme s'ils étaient encore mari et femme.

Pressant le pas pour qu'on n'ait pas le temps de la reconnaître, elle descend le boulevard des Italiens au milieu des banquiers avec leur veste jetée en arrière sur l'épaule et leur allure de produits dérivés. Il fait bon, ce midi. Sur sa droite, la masse compacte et sombre de Notre-Dame-de-Lorette lui remet en mémoire le bruit qui a circulé dans les rédactions ce matin : les cinq sites visés seraient de grandes églises de Paris, à la fois symboles de l'histoire religieuse de la ville et repères de son patrimoine touristique. Depuis, les spéculations vont bon train, mais un quarté recueille la faveur des pronostics : Notre-Dame, le Sacré-Cœur, Saint-Sulpice et Saint-Augustin. Le cinquième site est plus sujet à controverse.

Sur un mur, quelqu'un a tagué DAWA AL-ISLAMIYA : la signature prolifère dans Paris ces derniers jours. Si ça ne tenait qu'à elle, tout exploserait ici, dans ces rues privatisées par les prédateurs qui ont mis la moitié de la planète à genoux avec leurs produits toxiques et le veule assentiment des gouvernements – ici, sourit-elle, et à la Grande Épicerie du Bon Marché. Les grands boulevards à l'heure du déjeuner un jour de soleil, c'est la parade des nouveaux maîtres du monde, ces suppôts du capitalisme sans visage que tous les présidents de la République jurent de moraliser ou de mettre au pas, les uns après les autres, selon leur clientèle électorale. Pauvre pouvoir politique, territorialisé, réglementé, aphasique. Pauvre pouvoir impuissant ; pauvres gens à qui le pouvoir et ceux qui le contestent racontent que tout cela est réversible. Il est dans la nature de la rente de croître toujours, et l'argent se liquéfie trop vite pour la main percluse de rhumatismes de nos vieux États. Comme l'eau, l'argent coule vers le bas et emporte tout dans des tuyaux sombres et inaccessibles : le temps de se demander ce qui a été gagné ou perdu dans la transaction, il ne reste plus rien au fond de la baignoire. Si Paris devient Londres, une ville horriblement chère et vidée de ses habitants, alors même que Londres n'a plus rien de Londres, qui donc en profite, à part les milliardaires russes, les princes du Golfe et les seigneuries locales à la rapacité complice ? Les rentiers comme les casinos trouvent toujours un moyen de gagner, même quand ils perdent. Ils ont des enfants eux aussi, sans doute, et ils sont les enfants de quelqu'un ; mais même son instinct maternel a peine à contrecarrer la violence qu'éveillent en elle ces costumes bien coupés.

Pourtant, songe-t-elle en bifurquant sur la rue de Gramont, l'ascension politique d'Hélène Faure ne doit rien à personne. Franck a beau dire, il n'y a pas de puissance occulte à l'œuvre dans son ombre : pas de parti, pas de lobby industriel, pas de syndicat, pas de clique secrète. Selon un vieux briscard du service politique, elle est la réincarnation du vieux mythe gaullien, la rencontre entre un peuple et un homme, une femme en l'occurrence, sans l'interférence des intérêts particuliers ; plus prosaïquement, dans un secteur d'activité moins éloigné qu'il n'y paraît, on appelle ça une pute sans mac.

Les recherches que Laurence a menées pour préparer son film dessinent un personnage mû par la soif de conquête et la vertu républicaine. Tout ce que Faure possède, c'est sa maison de Courbevoie. Le tiers de son traitement de parlementaire est affecté au remboursement de son crédit, et l'intégralité de ce qu'elle gagne à la mairie abonde le budget de son bureau politique, qui est un peu maigre au vu des batailles qui l'attendent. Elle vit avec le reste, sans un sou à la banque. Cela la rend-elle plus corruptible que ceux de ses collègues qui n'ont pas à s'en faire ? Pas avec son train de vie monacal, son mépris des mondanités de la cour. Faure est une janséniste de la politique : le jour où elle a été élue à l'Assemblée, elle a renoncé à ses honoraires confortables de conseil juridique pour se consacrer à la charge de ses deux mandats. Si on pouvait l'acheter, il y a longtemps que la toiture de ses parents dans la campagne niortaise aurait été remplacée ; si on pouvait lui marchander son vote, il y a longtemps que sa réserve parlementaire serait épuisée.

Cette pureté, ou plutôt ce sacerdoce, ils sont trois ou quatre dans les rédactions parisiennes à vouloir en percer l'origine. C'est en cherchant cette clé que l'idée d'un portrait politique lui est venu, même si elle n'ignore pas que l'histoire d'une sainte laïque se vendra toujours moins bien que les turpitudes financières ou sexuelles de ses collègues masculins ; et c'est pour prendre une longueur d'avance sur ses concurrents qu'elle a accepté ce rendez-vous avec Claude Rambert, son spin doctor. Pourquoi la contacter elle, sur son portable, quelques jours après avoir donné un refus irrévocable à sa chaîne ? Quand un journaliste ne trouve pas d'explication logique à une sollicitation de son sujet, l'expérience lui enseigne qu'il a toutes les chances de se faire piéger dans les mailles d'un plan de communication. Mais l'expérience l'indiffère, ce peigne pour les chauves, et la prudence aussi. Elle veut savoir d'où vient Faure, et elle ne peut tout de même pas cracher sur une chance de montrer à Franck qu'il lui arrive d'avoir tort.

Le restaurant s'appelle le Boudoir. Elle n'en avait jamais entendu parler, et a appris en se renseignant que ses murs abritaient sous l'Occupation un bordel très prisé dans les rangs de la Gestapo. La clientèle, du reste, est presque exclusivement masculine, ce qui confère au lieu un petit air de club pour gentlemen, devisant entre soi des choses confidentielles que le commun des mortels découvrira dans les journaux d'ici quelques mois. Même si elle n'a pas le malaise facile, elle aurait mieux aimé un terrain plus neutre.

Un maître d'hôtel la conduit dans une arrière-salle cloisonnée en petites alcôves. Rambert l'attend dans l'une d'entre elles, sa serviette blanche autour du cou et son assiette déjà bien entamée. Un cigare cubain se consume dans le cendrier auquel les habitués doivent avoir droit ici.

– La même chose pour madame, dit-il en la saluant.

– Un Perrier, corrige-t-elle. Je prendrai peut-être un dessert.

Elle a l'estomac vide, mais la muflerie de notable avec laquelle il l'a accueillie lui déplaît. Jamais il ne se conduirait de la sorte en la présence de sa patronne.

– Si cela peut vous faire changer d'avis, reprend-il, non seulement le boudin est le meilleur que l'on puisse trouver à Paris, mais le patron est un ami qui se fait un plaisir de nous inviter.

– Merci. Je n'aime pas le boudin.

Elle s'assoit. C'est bien vrai que le morceau est appétissant pourtant, bien épais et bien blanc, sans suinter la graisse. Mais devant un de ces hâbleurs ventrus qui considèrent que c'est un déclassement d'avoir à payer leur place, un de ces bons vivants autoproclamés qui se repaissent dans leur système de faveurs et de renvois d'ascenseur, elle n'a aucun remords à jouer la végétarienne mal baisée qui ne connaît rien aux plaisirs de la vie.

– Puisque vous n'avez manifestement pas de temps à perdre, épargnons-nous les platitudes de saison sur la localisation des attentats, et allons droit à l'essentiel. Arrêtez-moi si vous avez le sentiment que je dis quelque chose d'erroné. Je sais que vous continuez à enquêter pour votre film bien que la direction de votre chaîne ne soit pas disposée à le produire sans le consentement de l'intéressée. Je sais aussi que vous n'avez rien trouvé, qu'on ne se bouscule pas pour vous parler de son passé, et que ceux qui vous parlent ne vous disent rien de concret, seulement des impressions lointaines et des souvenirs sans intérêt. Comme vous n'êtes pas sotte, vous savez que vous devriez renoncer, mais vous entendez comme tout un chacun les rumeurs qui vous retirent « La Semaine politique » en septembre prochain et vous cherchez désespérément un moyen d'exister autrement que dans la peau d'une belle plante de plateau. Jusqu'ici, nous sommes d'accord ?

Et dire qu'en préparant l'émission, elle l'avait trouvé sympathique, modeste, prévenant même. Ses deux téléphones sonnaient un peu trop souvent à son goût, et il décrochait avec un peu trop d'empressement, mais ça ne suffit pas à faire d'un homme un gros porc comme celui qui se trouve en face d'elle.

– Vous exagérez. Je suis une potiche comme les autres.

– Non, non, ne vous diminuez pas. C'est d'ailleurs parce que je vous trouve à la fois ravissante et intelligente que vous êtes la première à qui je fais la proposition suivante : si je vous révèle le sale petit secret après lequel vous courez depuis des semaines en pure perte, ai-je votre assurance que vous exploiterez cette information en lui accordant toute la place qu'elle mérite dans votre portrait ?

Pendant une poignée de secondes, la stupeur l'empêche de déglutir et elle manque de lui recracher son verre à la figure. Nous y voilà, donc. Les forces invisibles dans l'entourage de Faure ne sont pas là pour l'accompagner au sommet de l'État, mais pour lui barrer la route avant qu'elle mette en danger des intérêts solidement établis dans les profondeurs de la République. Mais qui, se demande-t-elle en l'observant s'essuyer la bouche avec son sourire de maître du jeu, quelle éminence grise ayant pour mission de protéger quel pouvoir ? Il est vrai que ses ennemis ne manquent pas, ceux qu'elle a froissés non plus. La candidate de l'UMP, dont les intentions de vote battent de l'aile et qui ne redoute rien tant qu'une triangulaire au second tour ? L'Hôtel de Ville ? Solférino ? L'Élysée ? Des intérêts privés ? Elle fouille sa mémoire à la recherche du CV de Rambert et se rappelle qu'il a suivi le cursus classique, une quinzaine d'années en agence avant de monter sa boîte de conseil. Jusqu'à la signature de son contrat d'exclusivité avec Faure, il y a huit mois, il avait des clients à gauche comme à droite, dans le monde des affaires aussi, où son expertise de la communication de crise a fait fureur ces dernières années. Selon les bruits de couloir, tous n'ont eu qu'à se louer de ses services.

Quels que soient les commanditaires, songe Laurence, ils ont dû payer très cher cette opération de sabotage. Et qui sait si la trahison ne fonctionne pas à double sens, si Rambert ne sabote pas leur campagne au même titre qu'il sabote celle de Faure pour leur compte, en attendant de voir dans le dos de qui finira par souffler le vent. Il a le cou gras des assis de la finance, habitués à prospérer sans jamais prendre de risque et à être longs quand ils ont parié court. Il en ressort toujours un gain marginal dont la répétition fait les grandes fortunes.

– Évidemment, si vous refusez, ce sera avec beaucoup de peine que je devrai m'en remettre à quelqu'un d'autre, qui aura sûrement moins de scrupules. Quel gâchis, quand on connaît la qualité de votre émission ! Je serais vraiment très chagriné de ne pas avoir contribué à votre maintien à l'antenne.

– Vous êtes une ordure. J'appelle Faure en sortant d'ici pour lui dire qui vous êtes.

– Avant que vous ne prononciez d'autres mots qui dépasseront votre pensée et risquent de porter préjudice à nos collaborations futures, dit-il en baissant la voix, sans cesser de sourire, laissez-moi vous dire autre chose, puisque vous vous placez sur le terrain de la vertu. D'accord, on me paye pour faire le sale boulot. Mais réfléchissez : les Français ont le droit de savoir pour qui ils votent. On ne peut pas construire toute une carrière sur un mensonge, sans avoir à rendre des comptes tôt ou tard. Il y a une exigence de vérité à laquelle tous les responsables politiques doivent se soumettre. Si ce pays se morfond, c'est en grande partie parce que leur parole ne vaut plus rien.

– Vous ne trahissez pas dans l'intérêt de la transparence, mais pour des gens qui pensent à juste titre que leur meilleure chance de se maintenir au pouvoir ou de le conquérir est de jeter un doute sur la moralité de leurs adversaires. Tout est ficelé depuis le début ou bien ils sont venus vous trouver une fois que vous étiez en place ?

– Vous ne gagnerez rien à creuser ce sillon, je vous l'assure. Il n'y a aucune raison de se compliquer la vie.

Je fournis les éléments, vous tournez en quatrième vitesse, personne ne se soucie de la forme en matière de politique, et vous diffusez dans trois semaines, juste avant le premier tour. Succès d'audience garanti. Faites comme tous vos collègues : dites-vous que vous accomplissez une mission d'intérêt général en dévoilant la part d'ombre des puissants. C'est bien ça, le journalisme d'investigation, non ? À vous de savoir quel métier vous voulez faire.

Elle se lève de table, désorientée, étouffée par le malaise qu'il lui inspire. Une proposition comme la sienne, dès l'instant qu'elle est transmise, c'est comme une tache qui ne partira pas. Ne serait-ce que le fait qu'il ait pensé à elle et qu'il imagine qu'elle puisse accepter – en disant oui au rendez-vous, elle s'est mise toute seule en position de se faire salir.

– Prenez un jour ou deux pour réfléchir. On se voit tout à l'heure, j'imagine ?

La conférence de presse.

Elle avait oublié l'annonce de la candidature de Faure à Paris. Dans quelques heures, c'est le même individu qui va officier au coup d'envoi de sa campagne, et en l'écoutant, tous s'émerveilleront de la qualité de cet attelage, de la chance qu'une femme aussi opiniâtre a de pouvoir s'appuyer sur un aussi fin tacticien.

Al-Mansour descend de voiture seul, pour la première fois depuis des semaines.

– Attends ! dit Assan en sortant à son tour dans la nuit. Je vais t'ouvrir.

Mais son père se tient déjà devant le portillon, sous le halo blafard du lampadaire. On court à la catastrophe, pense Assan, s'il décide d'ôter le verrou lui-même. La frustration des gestes quotidiens, quand il réalise qu'il ne sait plus comment les exécuter, le plonge dans une détresse furieuse, puis prostrée, qui peut durer des jours.

Assan s'approche doucement et lui passe la main dans le dos, non sans se demander comment il s'est débrouillé pour marcher jusque-là par ses propres moyens, et aussi vite.

– Papa ? Laisse-moi t'aider, s'il te plaît. Il faudra que je graisse le verrou.

Il a appris à ne pas le brusquer, comme un enfant dont on redoute les colères, un petit garçon buté sous son manteau de vieillard, les poings serrés et le menton sur la poitrine. Chaque fois qu'il a perdu patience, qu'il a voulu passer en force, les choses ont fini en drame.

Il allume une cigarette, en songeant qu'il a bien fait de garder son sang-froid en rentrant à Aulnay et de déposer le Semtex au local avant de passer à l'hôpital. Le souvenir du cou de Sélim sous ses doigts le fait frissonner, comme l'image de son corps chiffonné sur le goudron, le reflet du tout-terrain blanc et du tireur dans son rétroviseur, le fracas de ces dernières heures, et cette puissance obscure qui le suit comme une ombre. Mais il y a quelque chose en lui qui l'effraie plus encore : l'image du pistolet dans son sac de sport, et la raison funeste pour laquelle il s'y trouve.

– Papa ?

De l'autre côté de la rue, à une dizaine de mètres sur la gauche, il y a une Clio de la même couleur que le tout-terrain ; il ne l'a jamais vue dans le quartier. Si Sélim ne lui avait pas parlé de la filature avortée d'hier, et s'il n'était pas arrivé ce qui est arrivé ce matin, il ne l'aurait peut-être pas remarquée. Mais là, en jetant sa cigarette à peine entamée, il trouve que sa présence a quelque chose d'alarmant. Paoli ? Un de ses hommes ? Ou le blond épais et son fusil à lunette, sortis de Dieu sait quelle noire officine ? Paoli, songe-t-il, ne lui aurait pas envoyé un mercenaire, et le mercenaire ne lui aurait laissé aucune chance. Il serait mort à l'heure qu'il est, abattu comme un chien, comme Sélim. Mais alors, qui étaient ce type et ceux qui l'accompagnaient dans le 4×4 ?

– Qu'est-ce que tu attends, fils ?

Il se retourne, et entend le bruit métallique du pêne qui coulisse sur la platine du verrou.

Son père a réussi à ouvrir : il a ouvert, tout seul.

La surprise passée, Assan se rappelle qu'en signant son bon de sortie, le médecin l'a prévenu que la mémantine produit souvent ce genre d'effets en début de traitement.

– On a l'impression que ça revient, que les connexions se font à nouveau. Ne vous faites pas d'illusions : le choc est dû à la puissance du médicament par rapport à ceux qui sont administrés dans la phase intermédiaire de la maladie. Au bout de quelques jours, une semaine tout au plus, vous allez retrouver les mêmes pertes de mémoire et les mêmes troubles du comportement. Cela étant, c'est le traitement le plus indiqué quand on passe comme votre père à un stade plus sévère – terminal.

Il le suit dans l'obscurité du jardinet, entre les bancs de tulipes que Hayet, la voisine, a plantés pour égayer la vue depuis son salon.

Le soleil n'est pas encore couché, mais Al-Mansour dort déjà d'un sommeil profond. Immobile dans le couloir, à l'entrée de la chambre de son père, Assan écoute sa respiration de tuberculeux monter et descendre dans le silence de la maison, aussi banale que le ronronnement de la ventilation dans la cuisine, et il n'entend que cela, lui qui les autres soirs ferme son esprit à la présence de ce fantôme chez lui, il n'entend rien d'autre que le bruit d'une évidence : tant qu'Al-Mansour est vivant, Al-Mansour sera à la merci du bras vengeur de Paoli.

Il y a un chargeur plein dans le pistolet qu'il serre contre sa poitrine, incapable du moindre mouvement, tétanisé par la vision de ce visage osseux, un trou dans la tempe.

L'oreiller. L'oreiller assourdira le coup de feu et l'empêchera de voir. Il n'a pas le choix, il sait que c'est la meilleure chose à faire.

Parfois, même quand on doute, il ne reste plus qu'à prier. Dieu, se dit-il en entrant dans la chambre. Que Dieu le pardonne et ait pitié de lui.

– Maintenant que la place est vide, lit Laurence, le fantôme de Petrouchka apparaît sur le toit du théâtre. Ses pleurs ressemblent à des cris de colère. En le voyant, le vieux mage est saisi de terreur et s'enfuit sans se retourner, hanté par ses remords, dit-elle en refermant le livre.

– On ne sait pas ce qu'il va devenir, remarque Zoé d'une voix morne.

– Qui ?

– Petrouchka.

– Il est mort. Les fantômes ne deviennent rien du tout. Ils restent des fantômes.

– Il n'est pas mort, corrige Zoé. Les marionnettes ne peuvent pas mourir, parce qu'elles sont faites de bois et qu'elles sont des poupées sans âme.

– Sauf Petrouchka. Le vieux mage lui a donné la vie et des sentiments.

– Tu ne comprends rien.

Zoé boit une gorgée d'eau et tire sur sa couette pour enlever les plis. Elle a toujours eu ce tic, au moment du coucher.

– C'est la faute de la ballerine, reprend-elle, ses yeux tout blancs dans la pénombre.

– Du vieux mage, du Maure, et de la ballerine. Tu as raison. Ils n'ont pas de sentiments, eux.

– Elle est frivole.

Il y a deux ou trois ans, en CP si elle se souvient bien, une mère d'élève un peu versée dans la voyance lui a dit que sa fille était une vieille âme.

– À quoi les reconnaît-on ? avait-elle demandé.

– Elles sont plus sensibles que les autres. Portées à la mélancolie, à cause des réminiscences de leurs vies antérieures. Et inquiètes, parce qu'elles ne comprennent pas d'où leur viennent ces souvenirs.

Elle avait eu envie de lui répondre que Zoé était surtout une fille de divorcés et que son père lui manquait, mais elle s'était abstenue avec un sourire poli. Combien de premiers mariages tiennent encore debout, de nos jours, à Paris ?

– Je ne veux pas être la ballerine.

– C'est un peu tard pour avoir ce genre de révélation. Ton spectacle est dans cinq jours.

– Mais je ne veux pas.

– Tu ne veux pas parce que tu ne l'aimes pas ?

Zoé s'est mise sur le côté, les yeux fermés.

– Je veux jouer Petrouchka.

– C'est un garçon.

– Une marionnette. Avec plein de visages différents : triste, gai, fâché. La ballerine ne sait que sourire.

– Justement, il faut que tu inventes plusieurs façons de sourire, pour que le public ne s'ennuie pas. C'est plus intéressant.

– Je ne suis pas sûre d'y arriver.

– Bonne nuit, ballerine, murmure-t-elle en l'embrassant. Évite de lire pendant trois heures. Tu pars tôt en Normandie, demain.

À peine sortie de la chambre, elle se sent de nouveau agrippée par le souvenir de l'alcôve, la serviette autour du cou gras de Rambert, la fumée du cigare et l'odeur de beurre fondu sur le morceau de tripes.

Elle ouvre les fenêtres du salon. L'air du soir et les bruits de la rue détendent un peu le nœud qui lui serre la poitrine. A-t-elle vraiment le choix, au fond ?

Par elle ou par quelqu'un d'autre, le secret de Faure finira par être dévoilé. Elle ne le sait pas encore, elle est prête à se lancer dans la bataille, mais elle a déjà perdu. Ainsi va la démocratie française : quelque part à l'Hôtel de Ville, à l'Élysée, ou ailleurs, un dieu la regarde, le pouce baissé. Rambert n'est qu'un exécutant. Ce sont les dieux qui ont juré sa perte.

Que faut-il faire, quand les intentions pures et les volontés solitaires se fracassent sur le mur des institutions ? Si même les plus entêtés ne peuvent rien changer à rien ?

On arrête de rêvasser et on se soucie de soi, pense-t-elle, et de ceux qu'on aime. Or que deviendra sa fille, avec un pauvre salaire de flic, si elle perd sa place ? Elle a de l'argent de côté, bien sûr, et des relations pour se recaser, mais cette angoisse est trop lourde sur ses épaules. Les bruits sur son éviction prochaine courent depuis le mois de janvier, non pas tellement que les audiences ne donnent plus satisfaction à la chaîne, mais parce qu'il se dit à l'étage de la direction qu'un peu plus de diversité ethnique chez les présentateurs « secondaires » ne nuirait pas à son image tristement vieille et monochrome, celle-là même qu'incarnent avec une immuabilité remarquable les piliers historiques de ses JT. Elle n'a contre elle qu'une des deux tares, peut-être pas la plus grave, et elle a l'avantage déloyal d'être une femme, c'est entendu, mais combien de Noires et d'Arabes dix ans plus jeunes qu'elle sont prêtes à s'asseoir sur son siège ? La jeunesse passe, et une France multiculturelle se dresse, est-on prié de croire, dans laquelle les blondes à la peau claire seront moins les bienvenues sur le petit écran qu'il y a vingt ans, aux premiers temps de l'info continue.

En somme, les états d'âme sont un luxe qu'elle ne peut pas se permettre dans la position où elle se trouve. Si elle accepte de la vendre à Rambert, son âme, elle assurera le succès du film, et elle mettra tout le monde à l'abri du besoin pour un bon bout de temps, même en cas de traversée du désert. Au final, bien ou mal, moral ou pas – quand on fait le tour de la question, il faut être très riche ou très sûr de soi pour arrêter sa conduite suivant ce genre de dilemmes.

Elle allume la télé. Faure est cadrée en plan large, avec dans son dos les vénérables boiseries de la Sorbonne. Pas de bannière, pas de slogan, pas de bleu droitier : rien que la grandeur millénaire de l'esprit français et quelques-uns des inconnus « issus de la société civile » qui ont été assez braves ou inconscients pour tenter l'aventure à ses côtés. Dans les plans de coupe, à l'entrée de l'amphithéâtre, on aperçoit la silhouette ovale de Rambert.

– Et cette armée mexicaine que vous avez assemblée à la va-vite ? lui demande une pointure des ondes bien introduite à l'Hôtel de Ville, en prenant soin d'ignorer ses colistiers. Vous nous dites que ce n'est pas un parti, soit. Mais de quoi s'agit-il alors, sinon d'une formation ad hoc, appelée à se dissoudre au soir du premier tour ? Et à part vous, où sont les poids lourds ?

La séance de questions vient de démarrer, et les flingueurs d'élite sont déjà de sortie. Devant Hélène, caméras et micros forment une masse hirsute, au milieu de laquelle elle devine des visages obscurs, entraperçus le temps d'un flash. Durant son intervention liminaire, cent vingt secondes menées tambour battant tandis que Rambert distribuait les listes pour les vingt arrondissements, elle a fait sensation en se déclarant sur les terres de la dauphine PS, dans ce XVe génétiquement à droite mais qu'on dit ouvert au changement, et en annonçant que les trois quarts des conseillers municipaux sortants à l'UMP se reporteraient sur sa candidature si elle est en mesure de gagner au second tour, ce qui n'est qu'une légère exagération de la vérité. Maintenant que l'essentiel est dit, que la zizanie doit être totale chez ses deux rivales et que le nom incantatoire de son mouvement est connu – France Républicaine –, elle se sent éblouie par les projecteurs et peine à trouver un regard sur lequel appuyer ses paroles, qu'elle saupoudre avec les éléments de langage arrêtés par Rambert.

– Ni la France ni la République ne se dissoudront au soir du premier tour, dit-elle avec une amabilité de façade.

– France Républicaine, interroge une autre voix familière, c'est votre réponse au communautarisme et au multiculturalisme ?

– C'est ce que devrait être selon moi la République française. Pour le reste, vous vous trompez d'interlocutrice.

– Quelle est votre position sur le financement public des lieux de culte ? Si vous êtes élue, poursuivrez-vous la politique de partenariats mise en œuvre par l'équipe sortante ?

Surtout, ne pas se laisser dériver vers le sujet Ferhaoui. Ce serait beaucoup trop tôt. Des bruits de financement occulte courent ici et là dans Paris, on dit le maire sur des charbons ardents, mais il n'y a encore rien de tangible. Les Français ont beau adorer les sous-entendus, les insinuations, ils vouent une haine très hypocrite à ceux qui ont le mauvais goût de prospérer sur leurs dividendes, qui plus est au mauvais moment. En politique, il n'est pas de faute plus grave que d'arriver en avance ou en retard.

– Le sujet du jour, recadre Rambert, ce sont les élections municipales et le projet d'Hélène Faure pour Paris.

– On ne fait pas une politique municipale à la remorque de l'actualité, ajoute Hélène, ni pour répondre à une émotion collective. Nous verrons le moment venu, ce sont là des questions qui doivent être abordées dans la sérénité.

– On dit que les débats ont été houleux lors de la dernière délégation parlementaire au renseignement. Au sujet de l'affaire Dawa ?

– Même remarque, coupe Rambert. Votre question est hors sujet.

– Pas dans la mesure où ces débats éclairent la politique de sécurité municipale qui pourrait être mise en place avec la préfecture si vous êtes élue.

– Les débats de la délégation que je préside n'éclairent rien du tout en dehors de l'enceinte où ils se tiennent, reprend-elle, pour la simple raison qu'ils sont confidentiels. Il ne vous a pas échappé qu'ils le sont, n'est-ce pas ?

– À propos de débats : y en aura-t-il un, à trois femmes, avec les candidates PS et UMP ?

– Si les personnes dont vous parlez ont un tant soit peu conscience de leur talent oratoire, je ne crois pas, non. Mais comme la lucidité n'est pas non plus leur point fort, sait-on jamais.

– Les sondages publiés ce matin, alors que votre candidature n'était encore qu'une hypothèse, vous placent au coude à coude.

– Nous verrons demain ce qu'ils disent, maintenant que ma candidature est déclarée.

– Les électeurs parisiens voudront savoir avant le scrutin si vous comptez les laisser tomber pour vous présenter à la présidentielle en 2017, un peu comme vous laissez tomber vos électeurs de Courbevoie aujourd'hui.

– Je n'ai jamais laissé tomber personne. J'irai jusqu'au bout de mon mandat à Courbevoie, ce qui ne m'empêchera pas de faire campagne à Paris. C'est vrai que le temps qu'il faut pour aller d'un point à un autre s'est considérablement allongé ces dernières années grâce à la politique antivoitures et antibanlieusards du maire sortant et de son adjointe à l'urbanisme, mais soyez sans crainte, mon chauffeur connaît tous les raccourcis. J'aimerais à ce sujet qu'on cesse d'opposer Paris et la banlieue : il n'y a qu'une seule agglomération, dont toutes les composantes doivent être solidaires. Les banlieusards d'aujourd'hui, beaucoup d'entre eux en tout cas, ce sont des Parisiens que les prix de l'immobilier ont chassés du centre. À l'Hôtel de Ville comme à la mairie de Courbevoie, je servirai le projet du Grand Paris.

– Et 2017 ?

– En 2017, si tout se passe bien, j'aurai effectué la moitié de mon mandat de maire de Paris, dit-elle en se tournant vers Rambert, qui lui sourit.

Rambert voulait un lieu plus contemporain, mais la modernité avachie et suave dont le Pygmalion de sa future adversaire a habillé Paris est tout ce que sa nature d'intempestive récuse. La Sorbonne, l'amphi Liard, elle a choisi cet endroit pour montrer qu'elle est tout le contraire, pour placer sa candidature sous le signe de l'amour de la langue et de la pensée classiques. Du silence, aussi – les extravagantes insignifiances qui font tourner Paris n'ont pas d'écho ici. Pour dire : voici ce qu'a été la France, et voici ce qu'elle demeure. Voici ce qu'elle promet à ses électeurs, les Parisiens puis tous les Français, de défendre et d'incarner.

Le décor et le plafond en stuc de Legrain ; les portraits en médaillon de Pascal, Bossuet, Descartes, Racine, Molière, Corneille, Richelieu : il y a un génie de ce pays, une certaine idée de la France, si seulement nous voulons bien nous en souvenir et nous en inspirer ; si nous nous arrachons à l'inertie indolente du marasme, à la très sarcastique haine de soi qui gouverne les cœurs et les têtes de Lille à Marseille, de Bordeaux à Strasbourg.

Elle lève la tête, soulagée d'avoir passé le baptême du feu mais épuisée par la tension. Sur la grande toile de Schommer peinte au plafond, un candidat se présente devant la Vérité entourée de la Philosophie, de la

Science et de l'Histoire, figurées sous les traits de déesses.

– J'ai peur que la symbolique du Grand Siècle ne leur ait échappé. Elle a dû bien passer à la télé, cela dit.

Alexandre Marion traverse la salle silencieuse et déserte, en direction de la rangée où elle s'est installée. L'épaisse moquette déroulée sur le parquet absorbe le bruit de ses pas.

– Je suis pressée, et vous êtes en retard, dit-elle.

– Vous avez du cran de vous déclarer dans un décor pareil. Les journaux vont se régaler à vous peindre en académicienne de la politique, qui veut faire de Paris le plus beau musée du monde.

– Si Paris et la France ressemblaient un tout petit peu plus à l'Académie française, je n'aurais pas besoin de me présenter. Venez-en au fait, s'il vous plaît.

– Vous vouliez des preuves, dit-il en posant une chemise cartonnée devant elle. Les voici.

La chemise contient une vingtaine de feuillets. Les dix premiers sont à l'en-tête d'une banque de Jersey et portent les initiales d'un compte débité, RGIT04, chaque fois de cent mille euros. Les dix autres, ornés du logo BNP-Paribas, font état de dépôts d'un montant identique sur un compte domicilié dans une agence de Paris, aux mêmes dates que les retraits.

– RGIT, reprend Marion, ça signifie Royal Gulf Investment Trust. C'est l'une des tentacules offshore que le Qatar utilise pour faire son shopping en Europe. Le compte de la BNP appartient à une association humanitaire animée par l'épouse de Jean-Paul Gil, un des patrons de la fédération parisienne du PS.

– D'où tenez-vous ces documents ?

– Les retraits m'ont été transmis par l'un de mes contacts à Tracfin. Les dépôts, ce serait trop long à vous expliquer.

– Mais vous êtes sûr du numéro de compte ?

– Certain.

– Paoli est au courant ?

– Bien sûr que non, répond-il avec sa mine d'enfant gâté. Le parquet non plus, d'ailleurs. À ma connaissance, je suis la seule personne à avoir le vis-à-vis.

Elle voulait du tangible, songe-t-elle, la voilà servie. Et pourtant, quelque chose la retient de s'en réjouir. Une accusation publique ? Ses manières le lui interdisent. Faire passer le document, sous pli discret, aux guichets habituels des médias d'investigation, qui en publieront un petit peu chaque jour, comme un feuilleton ? Elle aime encore mieux perdre l'élection plutôt que devoir sa victoire à ces puritains moustachus aux dents gâtées. Aux élus de gauche en froid avec le maire et susceptibles de se rallier à sa candidature ?

– Transmettez à Paoli, et à lui seul. Ça étayera son enquête sur Ferhaoui.

– Je n'ai pas nécessairement envie de griller mon honorable correspondant à Bercy.

– Vous aimez mieux que je prévienne directement la garde des Sceaux ? En tant que directeur de cabinet du ministre de l'Intérieur, il vous appartient de signaler au renseignement toute fuite de nature à entraver la bonne marche de leurs investigations. Même si vous et lui n'êtes pas les meilleurs amis du monde, dit-elle en rangeant la chemise dans son sac, vous savez que Paoli en fera bon usage.

– Et vous, que comptez-vous en faire ?

– Rien qui puisse vous causer du tort, vous avez ma parole, et vous savez que je n'ai pas pour habitude d'y manquer, contrairement à d'autres. Je fais confiance aux services compétents pour que la lumière sur ce dossier soit faite en temps utile, mais je saurai me rappeler votre geste.

Marion sourit et s'en va comme un chat, sa longue silhouette un peu voûtée. Elle compose le numéro de Rambert.

– Tu es encore dans les parages ?

– Non.

– Alors, reviens.

– Donne-moi dix minutes.

Elle se sent brusquement très seule avec ces papiers dans son sac, sous le regard austère des gardiens de l'esprit français. Elle a besoin de montrer ce qu'elle vient de voir, d'entendre qu'elle ne s'est pas compromise, et il n'y a que lui en qui elle puisse avoir confiance. Lui seul saura quoi en faire, aussi – la voie judiciaire ou le règlement à l'amiable avec la principale intéressée, que la chose pourrait pousser à envisager un forfait de dernière minute aux municipales, en échange d'une promesse qu'on ne l'ébruite jamais.

La fange, se dit-elle en plongeant ses yeux dans les yeux angoissés de Pascal, où il faut plonger ses mains pour saisir le Graal !

La nuit est tombée depuis longtemps derrière les fenêtres de la salle de cours ; c'est ici même qu'Alex a passé son grand oral, voilà bientôt seize ans. Le bureau et les tables se sont modernisés, mais il pourrait décrire les yeux fermés le dessin du parquet, le détail des plinthes, le cadre en bronze du grand miroir, la hauteur des murs, les moulures au plafond. Il aime le voisinage du jardin quand il regarde sur sa gauche, et plus loin, la surface lisse de l'ardoise sur les toits. Aux beaux jours, on entend discuter les étudiants allongés sur la pelouse, sans distinguer ce qu'ils se disent. La salle est au dernier étage, les fenêtres orientées plein ouest : c'est le dernier endroit où entre le soleil quand les plafonniers sont déjà allumés partout ailleurs entre la rue Saint-Guillaume et la rue des Saints-Pères.

Il écoute d'une oreille indifférente l'exposé du soir, consacré aux autorités administratives indépendantes, en lisant sous la table un urgent de l'AFP sur la déclaration de candidature d'Hélène Faure. La Sorbonne, songe-t-il sans pouvoir réprimer un sourire où se mêlent amusement et sympathie. La Sorbonne, tout de même. Son adversaire aura beau jeu de la présenter comme une passéiste. C'était mieux avant, persiflera-t-elle, mais qu'avez-vous à proposer ? La France éternelle ne suffira pas. Si Faure veut réussir son hold-up à Paris, il faudra bien qu'elle sorte de sa réserve aristocratique et qu'elle se décide à utiliser l'arme politique qu'il lui a mise entre les mains, tout en mettant beaucoup d'eau dans l'essence de ses conceptions sociales. On ne prend pas Paris en pourfendant l'irresponsabilité civique des pauvres : non qu'il en reste assez dans tel ou tel arrondissement pour faire basculer une élection, mais parce que les bien-pensants qui se sont installés dans les anciennes maisons d'ouvriers n'aiment pas qu'on dise du mal du petit peuple.

Mais quel caractère, tout de même. Et quelle confiance dans ses injonctions.

Aller voir Paoli, pense-t-il, pour lui apporter la tête de Ferhaoui au moment où le ministre cherche à lui couper la sienne ! La dialectique tordue des hautes sphères de l'État en réserve parfois de bonnes.

– Je vous remercie, dit-il à l'étudiant, coupé en plein milieu de son envolée sur la CNIL. Y a-t-il des questions ?

L'assemblée baisse la tête, comme toujours. Il est tard, ils sont pressés de rentrer chez eux et ils n'aiment pas parler devant les autres. Il n'y a que les étudiants étrangers qui osent prendre la parole, les Américains surtout.

– Est-ce que les AAI seront au programme du galop de samedi ?

Elle est toujours assise à la même place, devant la cheminée repeinte en blanc, dans l'axe de son bureau. Sibylle Grenier, première année du cycle. Quand elle n'est pas en train de commenter l'ennui mortel que lui inspire son cours sur Facebook, elle a généralement le regard perdu loin dehors, quelque part au-delà des arbres. Il ne dit rien, parce que les jolies filles ont tous les droits, qui plus est si elles sont intelligentes. Et il ne déteste pas sa façon effrontée de demander tout haut la seule chose que les autres veulent savoir, mais qu'ils taisent de peur de se faire mal voir.

– Vous voulez peut-être que je vous donne directement le sujet, mademoiselle ?

– Si ça ne vous ennuie pas, répond-elle du tac au tac. La semaine est un peu chargée.

Cela fait un moment qu'il entend comme un flirt discret dans ses provocations.

C'est évidemment une ânerie de l'avoir suivie au Basile, le café du coin, mais une ânerie exaltante, car il n'est pas coutumier du fait. Les deux mains sur le zinc, il commande un demi en observant dans la glace le reflet d'un prof plus âgé, un des grands manitous de la maison en économie politique, se vautrer goulûment dans l'admiration qu'il lit dans les yeux des deux petites Allemandes assises en face de lui. Qui baisera qui en définitive, du vieux cochon ou de la fausse ingénue, c'est une question ouverte.

– Vous pouvez vous asseoir ici si vous voulez.

Elle le regarde avec ses yeux verts qui savent ce qu'ils veulent, la tête un peu penchée, comme si elle prenait ses mesures. La salle est à moitié vide, il peut s'asseoir n'importe où. Ou rester debout au comptoir.

Il s'assoit en face d'elle.

– Vous relisez vos notes ? lui demande-t-il d'une voix empruntée, plus aiguë qu'il ne l'aurait souhaité, en désignant le boîtier en aluminium de son MacBook Pro.

– Sérieusement ? Vous vous faites une haute idée de vos étudiants, dit-elle en faisant pivoter l'ordinateur, connecté sur le site d'une marque de vêtements.

– Ou bien c'est vous qui n'êtes peut-être pas à la hauteur des exigences locales, riposte-t-il, plus satisfait du placement de sa voix. Il y a deux raisons de penser que la relecture de vos cours est une tâche superflue :

soit vous êtes totalement inconsciente, soit vous vous êtes trompée de filière.

– Quand j'entends un exposé comme celui de tout à l'heure, reprend-elle, j'avoue que je n'ai pas particulièrement le sentiment d'être larguée. Mais je me trompe, peut-être.

– Si vous croyez que la compétence en droit public a quelque chose à voir avec le talent et l'esprit de finesse, c'est sûr que vous êtes mal partie. Vous trouvez que les arrêts des juridictions administratives sont des modèles de prose ? Les gens qui réussissent dans cette filière sont des percherons, des obsédés du bachotage. Vous pouvez encore faire illusion aujourd'hui, mais dans deux ans, croyez-moi, vous serez loin derrière le peloton si vous continuez à ce rythme.

– Qui vous dit que les concours m'intéressent ?

– C'est ce que je dis : je ne suis pas sûr que vous soyez à votre place dans ce master.

Elle met un peu trop de conviction dans ses arrogances pour qu'elles soient tout à fait naturelles. Il y a chez elle un aplomb de mauvaise fille, une agressivité de roturière qui a dû se battre pour se faire une place à table, alors même que les morceaux les plus tendres devaient déjà se trouver dans son assiette à la naissance. Serait-elle moins insolente s'il avait l'air plus professoral, à la fois plus distant et plus sévère ? En cours, il n'a jamais été aussi près d'elle. Elle a une façon singulière de se remettre les cheveux derrière l'oreille pour ponctuer ses phrases. Ses sourcils tracent un arc discret au-dessus du vert de ses yeux et lui donnent un air d'enfant surpris, vaguement indigné.

– Je vais m'en commander un autre, dit-il en finissant son demi. Je vous prends quelque chose ?

– Un verre de bordeaux, merci. Et je le paierai moi-même.

Il sent son genou frôler le sien sous la table, et il réalise que cela doit faire une demi-heure qu'il n'a pas pensé aux attentats, à Faure, à Paoli, aux manœuvres de son maître ni à quoi que ce soit qui ait un rapport avec le ministère.

Alexandre Marion en personne : sixième de la promotion Nelson Mandela à l'ENA, directeur de cabinet du ministre de l'Intérieur. L'un des vingt ou trente personnages les plus importants de l'appareil étatique. Dans le séminaire qu'il dirige, elle en connaît qui vendraient père et mère pour être à sa place.

Sibylle, elle, trouve son professeur prétentieux et plein de cette supériorité lippue qu'elle reproche aux gens de son monde. Les lèvres de ces gens-là sont toujours un peu molles et affaissées, sous le poids de leur condescendance pour le reste de l'humanité. Les siennes n'échappent pas à la règle, et c'est regrettable, car sa bouche devait être joliment charnue avant que toute cette morgue plombe ses sourires.

Il ne porte jamais de cravate, sûrement parce qu'un homme comme lui doit se dire qu'il n'a pas besoin d'afficher son importance, mais boutonne sa chemise jusqu'en haut du col avec le mauvais goût idiosyncrasique des premiers de la classe, une tradition perpétuée de génération en génération dans la filière service public. Il n'a pas tout faux, pourtant. Contrairement aux deux autres jeunes hauts fonctionnaires dont elle suit les enseignements, passés par HEC ou l'ESSEC et formés dans le culte de la raison managériale, il n'aime ni le bleu ciel ni les rayures épaisses que la City a réussi à imposer à toutes les élites occidentales. Ses chemises sont toujours blanches, et il ne pense pas que l'État doive être géré comme n'importe quelle boîte privée, avec une colonne dépenses et une colonne recettes.

Elle le trouve plutôt moins emprunté que ses collègues avec le petit personnel en attendant sa pression. Il n'y a rien de plus repoussant que leur fausse chaleur, leurs bises par-dessus le comptoir et leurs regards par en dessous pour jauger la taille de bonnet des serveuses, leurs mots d'esprit codés mais prononcés assez fort pour que tout le bistrot en profite. Son registre à lui, c'est plutôt l'indifférence hautaine, qu'il promène comme un lévrier au-devant de ses pas.

– J'ai pris leur saint-estèphe, fait-il en revenant s'asseoir. Le médoc est un poison ici.

– Merci. À la fin du monde ? dit-elle en levant son verre.

– À la fin du monde. Mais vous ne savez donc pas que Paris ne finit jamais ?

– Quand les bombes exploseront et qu'on en sera à compter le nombre des victimes, vous n'aurez qu'à dire ça à leurs familles.

– Vous avez peur ?

– Pas vous ?

– Parlons d'autre chose, si ça ne vous ennuie pas.

Ses doigts sont longs et fins autour du verre. Évidemment, il a une chevalière à l'auriculaire de la main droite. Il sourit en surprenant l'ironie dans son regard, un sourire franc et sans retenue, moulé par tous les muscles de son visage. Sans cette vanité dont elle n'arrive pas à faire abstraction, elle le trouverait presque beau. Et puis quoi encore ? Elle se réprimande aussitôt pour cet élan endogame, en étant bien obligée d'admettre qu'il y a chez lui quelque chose d'inhabituellement démodé et séduisant.

– Vous avez vraiment le temps pour ça ? demande-t-elle en désignant les verres sur la table. Dir cab, c'est vingt-quatre heures sur vingt-quatre, non ?

– Pour se mettre dans le rythme, ce n'est pas sorcier, il suffit de se calquer sur les scores de la dernière présidentielle. 49 % de mon temps, je dors et je gaspille l'argent du contribuable de droite. Les 51 % qui restent, j'avoue, je trime comme un chien.

C'est bizarre, pense-t-elle. Tout dans son attitude connote l'euphorie du mec en train de réussir son petit tour de piste, et en même temps elle ne le croit pas sujet à ce genre de transports. Il est trop soucieux de son image mondaine, trop maître de ses émotions pour se laisser surprendre comme un jeune premier.

– Sans vouloir vous contrarier, dit-il, c'est vous qui n'avez pas le temps. Votre temps est à vous, personne ne vous le paye. Si vous le gaspillez avec des gens comme moi au lieu de bosser vos cours, qui plus est sans vous faire inviter, vous serez la seule à trinquer à l'arrivée.

– Ma mère a une façon de voir les choses très similaire.

– C'est sûrement quelqu'un de bien.

Son portable vibre dans la poche de sa veste. Peut-être Momo, se dit-elle, Momo revenu à de meilleurs sentiments. Subitement, elle prend la mesure de ce qui s'est passé tout à l'heure au square, et elle réalise que leur séparation, si elle devait se confirmer, serait une conséquence logique des mots qu'elle lui a dits, mais pas un événement normal pour autant, en aucun cas, pas plus que le fait de prendre un verre en tête à tête avec son prof de stratif, ou de vendre de la came à ses petits camarades sans y être poussée par un état d'absolue nécessité, ou encore d'attendre que cinq bombes humaines explosent dans cette ville qu'elle ne peut pas s'empêcher d'aimer. Toutes ces anomalies lui tombent dessus en bouquet, et brusquement elle se sent partir à la renverse sous une vague morbide, un pressentiment à la puissance aussi sauvage, implacable, que le rouleau qui l'avait emportée petite sur la côte basque, avant que le bras de son père la fasse remonter in extremis à la surface. Elle revoit les tourbillons de sable dans l'eau trouble, elle sent le sel lui piquer les yeux, les narines et la gorge, et elle entend la même phrase tourner dans sa tête tandis qu'un courant furieux la brinquebale comme un paquet de linge sale, indifférent au fait qu'elle est vivante et qu'elle n'a rien fait de mal : quelque chose de terrible va arriver, quelque chose de terrible qu'on ne pourra pas réparer. C'est bien beau, se dit-elle, de vouloir échapper à l'emprise de ses parents, de sa famille, de son milieu ; encore faut-il avoir l'armure pour affronter le monde toute seule quand il n'y a plus personne pour vous protéger.

Le texto vient de Juan, un thésard uruguayen en relations internationales. Il veut un gramme ou deux, en fonction du tarif. Elle ne comprend pas bien comment il peut avoir les moyens de s'offrir de la coke, avec ses cigarettes roulées et ses pantalons en velours, mais après tout chacun gère son budget comme il l'entend. Ce qui l'angoisse, en revanche, et qui augmente encore son état de panique, c'est l'idée que la police puisse tomber un jour sur ce genre de pièces à conviction. Elle aurait dû fixer des règles, dès le départ : pas de coups de téléphone, pas de SMS, pas d'e-mails, rien qui puisse être intercepté ou retracé. Mais comment fait-on, alors ? Rien que du cash et du face-à-face, disait Momo. On ne devient pas ce qu'on n'est pas du jour au lendemain.

– Mauvaise nouvelle ?

Il a posé la question avec douceur, comme pour se rappeler à son bon souvenir. Elle fait non de la tête, mécaniquement, en essayant de se rappeler le fil de la conversation.

– C'est bien payé, les confs ? lui demande-t-elle avec une candeur presque vulgaire, comme pour ridiculiser l'homologie idiote qui vient de s'immiscer dans son esprit entre les neuf heures hebdomadaires qu'il enseigne et son petit trafic.

– Disons que vous auriez sûrement du mal à vous payer vos marques et votre abonnement de téléphone avec ce que je gagne ici.

Il s'essuie la mousse sur les lèvres, l'œil affectueux et néanmoins lucide. Le bonheur et la faille des fins psychologues, c'est qu'ils pensent pouvoir s'abandonner aux mouvements du cœur avec la certitude qu'on ne les mènera pas en bateau. C'est irritant, cette assurance, quand on en a un en face de soi. Mais si elle devait être la première à le surprendre, ce serait moins dans l'intention puérile de lui donner une leçon que par calcul, parce qu'il n'est jamais inutile de compter un soupirant parmi les gens influents de ce monde. Un type comme lui a suffisamment de levier pour enrayer n'importe quelle poursuite pénale de gravité raisonnable : dans les sentiments qu'elle lui inspire, il y a peut-être la réponse à ses futurs ennuis avec la justice.

Où allaient-ils ?

Où, se répète Franck alors que la moto tourne et s'enfonce dans la nuit d'Aulnay, autour de la zone des Étangs, le pavillon d'Arkadin au centre imaginaire des cercles qu'elle décrit, le spectre des 3000 comme un phare blême dans ses rétroviseurs. Il a beau chercher la réponse dans les signes qui surgissent çà et là au milieu de la nuit, à la manière d'un pisteur indien, dans les phares de plus en plus rares des voitures qui viennent en sens inverse, sur le dessin de la route, en regardant la lumière blanche que la lune jette sur le nord de Paris, elle se perd dans le tumulte intérieur de toutes les questions qui agitent ses pensées.

Où allaient-ils ?

Pourquoi, depuis le début de cette affaire, cette impression troublante d'être le jouet de puissances souterraines et insaisissables, de n'avoir aucune maîtrise sur le cours des événements malgré tous ses efforts pour ramener le choc incompréhensible de ces dieux cachés à quelque chose de familier, de rationnel ? Pourquoi la plaque d'immatriculation du Kangoo qui a coupé la route hier soir à Farid est-elle au nom de Sélim Arif, introuvable depuis, alors que par le passé il a toujours répondu dans l'heure à ses sollicitations ? Que cachent le manque d'initiative de Paoli et ses diversions incessantes sur le dossier Arkadin ?

Pour la première fois depuis qu'il travaille sous ses ordres, Franck n'a pas une confiance aveugle dans les directives de Paoli. Le moment est venu de se jeter à l'eau avec son boxeur, ses pensées ne devraient avoir pour objet que le recrutement qu'il prépare, et pourtant il est là à se perdre en conjectures sur la nature du désastre dont il pressent l'imminence, un mauvais pressentiment qui concerne non pas les attaques-suicides, les cinq bombes du commando Dawa, mais quelque chose d'annexe, un à-côté qui vient de plus loin et qu'il a encore du mal à cerner.

Il est minuit passé et il est revenu sans le vouloir à son point de départ, ce carrefour désaffecté où Farid a perdu la trace d'Arkadin et de son étudiant. À quoi bon s'entêter ? Ses sinus et son orbite lui font mal ; il va encore prendre froid. Au point mort devant le panneau rouge et blanc, il met les gaz pour expulser dans ce désert de béton toute la frustration qui l'habite. Le rugissement du moteur déchire le silence comme un grand coup de mâchoire dans de la chair tendre. C'est inutile, songe-t-il en fixant l'aiguille du compte-tours qui tremble dans le rouge, il n'y a plus qu'à rentrer. Un jour, Paoli lui a dit qu'on ressent comme un grand vide au fond de soi quand vient le moment redouté où l'on comprend que ce sont les autres les plus forts, et qu'on ne les coincera pas. Le vide est là maintenant, béant, une gueule ouverte dans la nuit, et pourtant il n'arrive pas à passer la première pour rentrer chez lui, il aimerait mieux encore casser son moteur plutôt que de reconnaître sa défaite. Est-ce la pensée de Zoé ? De Laurence ? Si les bombes sont aveugles, toutes les petites filles de Paris sont sa fille, et toutes les femmes, sa femme : sa femme, se répète-t-il encore, même si elle ne l'est plus. Il tournera jusqu'au petit matin, jusqu'à ce qu'il s'endorme et que ses mains lâchent le guidon, il dégringolera de sa selle, cavalier ivre de sommeil, mais il ne rentrera pas se coucher vaincu.

Il se remet en route, empruntant sur quelques kilomètres une départementale jalonnée de magasins de gros, des enseignes de bricolage, d'électroménager, de location d'outils et d'engins de chantier, puis parvient à un rond-point éclairé par le halo d'un panneau publicitaire installé en surplomb, sur le talus d'une voie ferrée. Les rails du RER B, se dit-il, en cherchant à lire les panneaux directionnels de la deuxième sortie, masqués par les branches d'un arbre qui n'a pas dû être taillé depuis des années.

Z.I. GARONOR, indique le panneau du milieu. C'est le genre de noms qui lui flanquaient le bourdon, enfant, à l'arrière de la Citroën de ses parents.

Cinq minutes plus tard, non loin de l'endroit où se croisent l'A1 et l'A3, il a la sensation de pénétrer sur un jeu de construction grandeur nature, un gigantesque labyrinthe de bureaux, de garages et de hangars, surmontés pour certains de néons éclairant de grands noms de l'industrie française, équipés de caméras de surveillance et prolongés par des zones de fret où des dizaines de conteneurs ont été entreposés dans l'attente de leur expédition. Tracés à angle droit, les couloirs de circulation délimitent la surface dévolue à chaque locataire, et leur géométrie parvient à suggérer un univers fluide, fait d'ordre et d'efficacité, alors même que l'endroit est désert. Il pensait trouver un no man's land à l'abandon, un de ces parcs d'activités construits dans les Trente Glorieuses et dont le dynamisme commercial n'a pas résisté à la crise, mais il roule entre des bâtiments étonnamment modernes, bien entretenus, sur une voie au goudron luisant, baignée par le halo puissant de hauts lampadaires.

Il coupe le moteur sur le parking d'une entreprise de logistique, et retire son casque. Une lumière rouge orangé clignote dans l'obscurité, de plus en plus grosse, révélant bientôt l'auto blanche d'une patrouille de sécurité.

– Qu'est-ce que vous faites là ? aboie le gardien en venant à sa rencontre, une lampe torche à la main et ralenti par un boitement prononcé à la jambe gauche.

– Je suis de la police.

Hésitant, le gardien considère un instant la cocarde républicaine derrière son pare-brise, mais finit par lui demander sa carte.

– Vous ne pouvez pas rester, dit-il d'un air mécontent, en lui rendant ses papiers. C'est privé, ici. Qu'est-ce que c'est que ces façons de débarquer en pleine nuit, sans prévenir personne ? Je dois vous demander de partir. Revenez avec un mandat, si vous voulez.

– Je suis désolé, dit Franck en reconnaissant l'intonation amère de l'ancien flic qui ne s'est jamais remis de son passage dans le gardiennage privé, sûrement à la suite d'une grave blessure en service. Je m'en vais dans une minute.

– Je repasse toutes les demi-heures. Si vous êtes encore là à ma prochaine ronde…

– Je vous promets que je serai parti. Dites, il y a des unités de stockage pour les particuliers, quelque part ?

– De l'autre côté du parc, le long de l'autoroute, fait le gardien sans se retourner.

– Excusez-moi encore !

C'est ici qu'Arkadin est venu hier soir, la certitude s'incruste dans son esprit tandis que le gyrophare du gardien s'éloigne dans la nuit, un point rouge clignotant au milieu de nulle part comme les ailes d'un avion, et il songe qu'il irait bien faire un tour à l'intérieur de ces hangars de l'autre côté du parc, il est sûr que les explosifs attendent cachés dans l'un d'entre eux, mais par où commencer dans ces millions de mètres cubes qui s'entassent là-bas, au pied de la voie ferrée ?

La sonnerie de son téléphone, pour le moins insolite à cette heure de la nuit, l'arrache à ses suppositions. C'est un appel masqué.

– Franck Meyrieu ? demande une voix au grain chaleureux, légèrement accentuée.

– Qui est à l'appareil ?

– Je pourrais vous donner mon vrai nom, mais il ne vous dirait rien. On m'appelle le Tchétchène.

– Qui vous a donné ce numéro ?

Le Tchétchène : le roi tout-puissant des 3000, la légende des trafics franciliens dont il connaît les exploits depuis l'époque des stups. Ce pourrait être un canular, mais cette voix franche et sympathique ne donne pas l'impression d'avoir du temps à perdre en plaisanteries.

– J'ai le nom d'un de vos cinq poseurs de bombes, et je vous propose de vous le donner lundi prochain, au lieu et à l'heure que je vais vous indiquer. Notez bien, je ne me répéterai pas.

IX

Un soir de mai 1995, quelques jours après l'élection de Jacques Chirac à la présidence de la République, Toni « Boneco » Soares est entré dans le bar de Champigny où il avait ses habitudes. L'endroit était désert, comme il l'était toujours un samedi sur deux à cette heure-là, tant que durait la saison de National, parce que les tapeurs de carton qui formaient le gros de sa clientèle avaient migré à Créteil en milieu d'après-midi pour soutenir les Lusitanos. Seul Eugène, le moraliste imbibé de calva, était fidèle au poste et délivrait ses aphorismes édentés avec une élocution approximative. Il y avait aussi là deux légionnaires russes que Soares n'avait remarqués qu'en s'installant au comptoir ; ils étaient assis à la table du fond, sous les fanions et les écharpes du club, les photos glorieuses de la Selecção. Légionnaires, il n'y avait pas l'ombre d'un doute, à cause du képi et de l'uniforme ; russes, c'était plus que probable, parce qu'ils plaisantaient dans une langue très sonore, gutturale, et qu'ils roulaient leurs r, mais pas comme des Latins. La bouteille de porto sur leur table était vide. Ils étaient sûrement montés à Paris pour fêter leur première permission.

Les lèvres de Soares s'étaient à peine posées sur la mousse de sa Super Bock que le moins massif des deux avait fait signe à Serge, le patron, de lui en servir une autre à leurs frais. Devant le regard interrogatif de Serge, il leur avait adressé un refus gêné, sans savoir par quel geste universel de remerciement il était convenable d'adoucir cet affront. Après quelques secondes d'hésitation, il avait opté pour une main sur le cœur, mais le mouvement avait été tellement subit qu'on pouvait avoir l'impression qu'il venait de se tamponner virilement le poitrail, comme un boxeur après une victoire par KO. Les deux Russes s'étaient regardés un instant, interdits, avant de partir dans un éclat de rire plein de glaires, ponctué d'abord par des cris de singe, puis par des «*niegr*, *niegr*» dont il n'avait pas eu à chercher longtemps la signification. Lui les observait, moins blessé que pris de court par leur hilarité : il devait y en avoir pléthore, des nègres dans la Légion, et pourtant ils avaient l'air de deux gamins devant la cage des grands singes au zoo de Vincennes.

Malgré la nervosité qui commençait à lui tenailler le ventre et agiter le bout de ses doigts, Toni Soares avait veillé à finir sa bière sans se presser, en gardant un œil sur eux. Puis il avait payé, salué Serge d'une poignée de main, et il avait quitté le Vasco de Gama. Le lendemain matin, c'était un dimanche, un vieux Portugais qui sortait promener son chien avait retrouvé les corps des légionnaires première classe Igor et Vassili Rebrov dans l'arrière-cour de son immeuble, situé à cinq minutes du bistrot ; une vingtaine de coups de couteau au total, portés avec précision à hauteur des organes vitaux, dont la moitié était assez profonds pour avoir pu être fatals. Soares s'était présenté le jour même au commissariat de Champigny, mais avait trouvé porte fermée. Patient avec la force publique et ses absences hebdomadaires, il était revenu le lundi à la première heure et avait tout avoué : sa lame était encore dans le lavabo de la cuisine quand la police avait perquisitionné le studio qu'il occupait à l'entrée du Perreux. Deux mois plus tard, grâce à ses aveux et au témoignage de Serge, le procureur avait invoqué une présomption de légitime défense et requis douze ans seulement, dont neuf de sûreté, qu'il avait purgés intégralement avant d'être libéré pour bonne conduite, en février 2004. Entre-temps, à la centrale de Poissy, Toni Soares, né Portugais sur l'île de Fogo, le 10 mai 1965, dix ans avant l'indépendance du Cap-Vert, arrivé en France à l'âge de treize ans et maçon de son état, Toni que ses parents avaient donc surnommé Marionnette à cause de sa petite taille, Toni avait gagné un autre nom, comme d'autres gagnent leurs galons. Les soirs de son premier hiver en prison, au moins une fois par semaine, le journal de vingt heures faisait défiler les images d'un blindé russe éventré dans une rue de Groznyï ou celles d'un jeune appelé tout blond battu à mort par les barbus en guenilles de Doudaïev. Inévitablement, quelqu'un sautait de sa chaise et gueulait :

– Regardez les gars, Toni a encore fait des siennes !

Et voilà comment, sans avoir jamais mis les pieds à l'est de Noisy-le-Grand, Toni Soares était devenu le seul Tchétchène métis et lusophone.

Le convoi de 4 × 4 affrétés pour les funérailles de UPS glisse comme un serpent noir et luisant sous la pluie battante, dans la forêt d'Ermenonville. La lande de bruyères roule monochrome derrière la vitre teintée, et comme à chaque fois qu'il se trouve en présence d'une mort accomplie, non pas l'idée de la mort pour laquelle il n'a pas un fol intérêt mais la mort concrète d'un de ses hommes, le Tchétchène repense à ses débuts dans la vie et à la personne qu'il serait aujourd'hui s'il était rentré directement chez lui ce soir-là, sans passer prendre un verre. Les regrets, il y a longtemps qu'il les a rayés de l'étroite gamme de sentiments qu'il s'autorise à projeter aux yeux du monde, mais dans ces moments-là il ne peut s'empêcher d'envier la tranquillité d'esprit qui serait la sienne dans cette existence parallèle, celle qu'il aurait continué à mener dans la peau d'un ouvrier du bâtiment. Pas de pouvoir à perdre ou à augmenter : pas d'ennemis ; pas de menaces pour obscurcir l'horizon. L'allégresse de la fatigue physique à la fin de la journée, les nuits de vrai sommeil, lourd et réparateur, que ne connaissent pas les chefs et les truands, toujours sur le qui-vive. Une vie sans méfiance et sans soucis, égale et monotone, vierge de conquêtes comme de débâcles, où ne coulent pas ces deux poisons nommés espoir et soupçon – une vie passée lentement à faire juste ce qu'il y a à faire, à apprendre à s'en contenter, si petite soit la satisfaction qu'on en tire, car c'est là tout ce qu'il y a ici-bas et que seul le fou attend autre chose de ce monde et du temps qu'il y passe.

Le Tchétchène sourit à l'idée que Toni Soares aurait dû tout avoir de cette vie-là, les joies ordinaires et l'ennui, tout à la fois, si la prison ne la lui avait arrachée. C'est une notion plaisante, que les grands repentis partagent avec les sociologues et les pénalistes aux idées larges : « Monsieur le juge, avant de me condamner encore condamnez donc le placard qui m'a fait ce que je suis. » L'imparable excuse de l'environnement et des mauvaises influences, la pesanteur du milieu, toutes ces explications écœurantes d'empathie et tellement bidons dans son cas. L'homme qui avait planté les deux légionnaires, qui savait comment on saigne un adversaire à mort, le chemin de la lame entre les côtes, c'était déjà le Tchétchène. Lui et Toni Soares ne faisaient qu'un depuis toujours, simplement ce pauvre Toni ne pouvait pas s'en douter, bien à l'abri qu'il était derrière ses certitudes laborieuses, sa ponctualité, son amour du travail bien fait.

Une fois dedans, il ne lui avait pas fallu longtemps pour comprendre où il se trouvait ; le stuc de son honnêteté s'était fissuré après une ou deux altercations avec ses nouveaux collègues, pendant lesquelles il avait entrevu les abîmes de sauvagerie où ces hommes étaient prêts à se précipiter d'un moment à l'autre, s'il le fallait, pour se défendre ou asseoir leur prestige pénitentiaire. La prison lui était apparue d'entrée de jeu non pas comme un univers étranger, en dehors de la société où vivent les gens libres, mais comme sa continuation dans un espace fermé et régi par des contraintes plus apparentes. Cette petite découverte le fascinait, parce qu'elle était valable dans les deux sens : si la prison est le reflet du monde civilisé sans les produits cosmétiques, pensait-il, la civilisation n'est jamais qu'à une insulte près, ou un malentendu, de basculer dans l'état de barbarie que les honnêtes citoyens associent à la prison. Il y avait là matière à remettre en cause bien des choses qu'il tenait pour évidentes de longue date, et ses réflexions filandreuses l'empêchaient le jour et la nuit d'être pris dans les glaces du temps carcéral, cellule, promenade, cellule, promenade, cellule, de sombrer comme d'autres dans la contemplation médusée du mur d'en face.

Elle l'attendait au café de la Mairie, où il a toujours eu ses habitudes le samedi matin, assise côté banquette dans un coin de la salle. Assan ne l'a pas vue en entrant, absorbé qu'il était par ses pensées infernales, la mort de Sélim, la mort qu'il n'a pas eu le courage de donner à Al-Mansour, et puis la sienne qui vient, l'effarement d'avoir compris soudain que ce samedi est son dernier samedi, et le premier des jours qu'il ne revivra pas, samedi 7, dimanche 8, lundi 9, mardi 10, mercredi 11, jeudi 12, jusqu'à ce vendredi 13 de fin du monde qu'il attend désormais comme une délivrance, anéanti par le poids de son crime et incapable de lui faire face plus longtemps. Le suicide sans attendre, sans une semaine de calvaire et sans les bombes qui y mettront un terme, c'est pour lui une idée presque savoureuse, paradisiaque, se dit-il en espérant ne pas insulter Dieu, et s'il la repousse ce n'est guère par terreur religieuse, mais parce qu'il serait parfaitement absurde qu'il ait accompli tout cela pour rien, éventualité qui lui est plus insupportable encore que l'idée de vivre sept jours de plus dans cette souffrance.

Eux, ils seront encore là samedi prochain, a-t-il pensé en s'installant dos à la salle, comme d'habitude, en jetant un regard aux deux hommes attablés sur sa gauche, ils seront là avec leur petit noir, leur stylo-bille et leur grille de Loto Foot, les mêmes rêves de fortune et de maison indépendante collés devant les yeux, là où leur bon sens aurait dû se trouver. Il était perdu dans l'observation bizarre de ce que deviendrait ce morceau de son univers une fois qu'il en aurait disparu, il se demandait si quelqu'un remarquerait son absence, puis il a levé le nez de son journal, machinalement, et il a vu ses yeux noirs dans la glace accrochée au mur, ses longues boucles noires sous le foulard qu'elle a aussitôt remises en place, de ce geste indolent qu'elle avait autrefois et qu'il n'a jamais oublié, trace du passage sur terre d'une divine beauté.

Elle lui a fait signe de la rejoindre. Elle était plus belle encore que dans ses rêveries les plus enflammées.

– Assan, a dit Zohra. Écoute-moi bien.

– Non, toi, écoute-moi, a-t-il coupé en rassemblant toutes ses forces pour ne pas trembler. Ils me surveillent, Zohra. Tu te mets en danger, et Leïla avec toi en venant me voir. Je t'en supplie, ne te mêle pas de ça. Je suis heureux de te voir, le plus heureux des hommes, mais va-t'en.

Et pourtant, plus il la regarde, plus il veut lui dire que si, il faut qu'elle soit à ses côtés jour et nuit, et qu'elle ne le quitte plus jamais. Aux 3000, les voisins les voyaient autrefois comme un couple sans histoire, reportant sur le travail toute l'énergie qu'ils avaient épargnée en n'enfantant pas une famille nombreuse. Les femmes la plaignaient de n'avoir eu qu'une fille, pas de garçons pour s'occuper d'elle dans ses vieux jours, une fécondité défaillante dans laquelle certaines, celles qui la jalousaient secrètement, voyaient cependant un juste retour des choses du bon Dieu pour l'avoir faite aussi belle ; les hommes aimaient ses sourires chastes le jour et rêvaient de lui faire l'amour la nuit. Mari et femme pour de vrai, pas juste pour satisfaire aux exigences d'un pieu conformisme : il n'y a pas si longtemps il avait eu la faiblesse de penser que ce bonheur était à sa portée. La suite lui avait prouvé à quel point il se trompait, et comme il avait bien fait de ne pas se déclarer. Zohra restait son épouse au regard de la loi islamique, à laquelle ni l'un ni l'autre n'accordait aucune valeur. Elle était son épouse, mais quoi qu'il fasse elle serait pour toujours la femme de Kader.

– Je ne nous mets pas en danger parce que tu ne vas rien faire, Assan. C'est pour cette raison que je suis ici. Tu vas me promettre que tu ne vas rien faire, et la vie va recommencer comme avant, simple et heureuse.

– Tu sais bien que je ne peux pas te faire cette promesse. Qui vengera Kader, si moi je ne le venge pas ?

– Tu n'honoreras pas sa mémoire en sacrifiant ta vie à cette vengeance.

Elle sait donc tout, se dit-il, d'ailleurs il lui a parlé spontanément comme s'il l'avait deviné en la voyant dans le miroir, et il voudrait lui demander depuis quand elle a compris que Dawa, c'est lui. Mais elle ne lui en laisse pas le temps.

– La vie va recommencer comme avant, dit-elle en posant une main sur la sienne. Tu comprends ? Leïla est d'accord pour te revoir, elle a beaucoup changé, tu sais, elle a compris et elle t'a pardonné. Non. Voilà : elle a compris qu'elle n'avait rien à te pardonner, que tu avais pris la place de Kader par amour pour elle. Tous les trois, il faut qu'on tourne la page, maintenant. On a besoin de toi.

Ses lèvres sont pleines et foncées, presque violettes, comme avant. Sa peau a l'air aussi douce, davantage même. Une joie immense lui remplit le cœur et en même temps il se sent désemparé, pris de court par ce bonheur inattendu. Lui annonce-t-elle, entre les lignes, qu'elle est prête à revivre sous le même toit que lui, avec Leïla, mais cette fois pour de vrai, à partager son lit et à l'aimer comme une femme aime son mari ? Et s'il entend bien, si ses mots ne sont pas une ruse d'on ne sait quel malin génie pour le rendre fou au moment où sa raison s'effrite comme les murs pourris de ses voisins, quelle raison lui reste-t-il de se tuer, lui qui rêvait, au mieux, qu'elle l'aime comme une veuve, en chérissant par-delà sa mort la beauté platonique des souvenirs qu'il lui aurait laissés en héritage ?

Il y a de quoi perdre la tête, s'affole-t-il en jetant un coup d'œil dans le miroir. A-t-il été suivi ce matin ? Même les deux habitués à leur table lui sembleraient suspects s'ils ne les connaissaient pas depuis si longtemps.

– Assan, regarde-moi. Tes mains sont brûlantes, et tu n'es pas en bonne santé. N'importe qui peut voir que tu manques de sommeil, que tu ne manges plus et que tu te fais du mauvais sang. La mort est écrite sur ton front. Est-ce que tu veux vivre ?

– Oui, répond-il sans réfléchir.

– Il y a quelque chose que tu dois savoir, quelque chose de très important qui peut t'aider à oublier tout ce mal. Un secret terrible, Assan. Je le garde depuis des années et je te le dirai le moment venu, si tu me promets que tu as décidé de vivre.

Arrivé à Poissy comme un rien du tout, sans réputation ni appuis de nature à lui faciliter la vie, le Tchétchène avait grimpé très vite les marches de la hiérarchie locale en faisant allégeance à un contrebandier d'Aubervilliers qui contrôlait le trafic de cigarettes et d'alcool dans le 78 et le 93, et, par voie de conséquence, dans l'enceinte de la centrale. Son catalogue incluait aussi les premiers téléphones portables, des appareils ménagers, ainsi que toutes sortes de publications pornographiques en provenance du bloc post-soviétique. « Tout est bon dans le cochon », répétait JB, sans que Toni ait jamais su si c'étaient là les initiales de son prénom ou un surnom faisant référence à l'un de ses produits phares. Toni aimait mieux le Jack Daniel's, mais cette vision du commerce lui avait plu tout de suite, et il n'avait pas tardé à montrer la valeur ajoutée qu'il pouvait apporter à l'entreprise, d'abord en évacuant les colis de la zone de livraison avec une discrétion appréciée des matons. Surdimensionné pour ce poste purement logistique, il avait été réaffecté au bout d'une semaine au premier cercle de JB, un groupe qui comptait entre cinq et huit détenus selon les promotions et les disgrâces, et dont la fonction principale était de négocier les accords de distribution avec les grandes tribus de Poissy – à l'époque, les Arabes, les Portugais et les Gitans – tout en veillant à leur bonne application sur le terrain. Six mois plus tard, désormais connu sous son nom de guerre, le Tchétchène était devenu le bras droit de JB.

Derrière son ascension fulgurante, il y avait davantage que l'influence du journal télévisé sur les têtes au carré de la maison. Quand il avait eu vent de ce qui avait conduit Toni dans le voisinage, JB lui avait demandé s'il était prêt à mettre son art de la découpe au service de l'intérêt général, qui avait la particularité de se confondre avec le sien propre. Sentant bien que la question était essentiellement rhétorique, Toni s'était plié sans états d'âme aux trois exécutions qu'on lui avait commandées coup sur coup, droit à la jugulaire : un petit cambrioleur varois condamné pour vol à mains armées que JB soupçonnait d'être une poucave, et deux Gitans mauvais payeurs qui avaient en outre le défaut de vouloir mettre la main sur son business. Comme les meurtres n'avaient suscité aucun émoi et arrangeaient même certains clients à lui, l'administration ne s'était pas précipitée pour identifier leur auteur. La paix était revenue au réfectoire et dans la cour, le problème de surpopulation avait été marginalement réduit, tout le monde y trouvait son compte. Seule différence notable, on gardait désormais ses distances avec le Tchétchène quand on le croisait dans les couloirs, et il avait acquis le privilège insigne de prendre seul sa douche et de pouvoir y rester aussi longtemps qu'il le souhaitait, tandis qu'un gardien se tenait en faction à l'entrée de la salle d'eau.

Quelques semaines avant l'an 2000, JB l'avait fait venir dans son appartement, trois cellules mitoyennes où la plomberie avait été complètement refaite pour permettre l'aménagement d'une cuisine et de toilettes séparées.

– J'ai un cancer de l'œsophage. Ils pensent que c'est trop tard pour la chimio et la radiothérapie. Dans le meilleur des cas, il me reste un an.

Si tout se passait bien, JB devait être libéré en juin 2001, dix-huit mois plus tard. Rien dans son apparence physique ne trahissait la présence de la maladie, encore moins son avancée.

– Je ne te demande pas de compatir. Je vais avoir soixante-cinq ans, dont seulement dix de taule. J'ai bien tromboné, j'ai bien mangé, j'ai bien vécu : ça va. Je te demande de faire le nécessaire ici, dès que je ne serai plus en état, jusqu'au jour où tu sortiras. Dehors, je vais mettre mes affaires en ordre. Tu auras le numéro des avocats et de mon fiscaliste. Mon fils croit qu'il peut reprendre le flambeau, mais il se trompe. Je lui parlerai. Ensuite, c'est toi qui dirigeras les opérations et la famille encaissera. Ça se passera comme ça et pas autrement.

Le Tchétchène avait hoché la tête en silence, plus touché par la nouvelle et la marque de confiance qu'il ne l'aurait imaginé.

– Toni ?

C'était la première fois que JB l'appelait par son prénom.

– Je te donne les clés du camion. Si tu me doubles, je ne serai plus là pour m'occuper de toi personnellement, mais tu sais ce qui t'arrivera.

– Je sais.

– Je ne t'oblige pas. Tu peux prendre du temps, réfléchir. Moi, je ne vois personne d'autre.

– C'est d'accord.

JB était mort au printemps suivant après une agonie épouvantable, étouffé par des ganglions gros comme des œufs. Son état s'était tellement dégradé vers la fin de l'hiver qu'on avait dû le transférer dans un hôpital parisien. Quand la nouvelle de son décès était parvenue à Poissy, matons et détenus avaient compris depuis bien longtemps qu'il avait passé la main, et qui était désormais aux affaires.

Quatre ans plus tard, à trente-neuf ans, le Tchétchène était libre. L'appartement que JB lui avait laissé l'attendait au Vieux-Pays, le centre-ville d'Aulnay ; en prenant possession des lieux, il avait regretté instantanément les collines du Val-de-Marne et ses émanations portugaises, mais il savait que sa vie n'était plus là-bas. Dans la même rue, JB lui avait ouvert un compte à la Banque populaire, crédité de dix mille francs mensuels depuis leur entrevue de décembre 1999, puis deux mille euros à partir du 1er janvier 2002. Le jour où il s'était présenté à l'agence, il manquait quelques centimes pour que le solde atteigne cent mille euros. Averti de l'arrivée du détenteur mystère, son chargé de clientèle s'était rué sur lui avec un Codevi et ses offres de placements sous le bras, mais l'accueil enthousiaste du guichet s'était quelque peu refroidi quand le Tchétchène avait demandé si quelqu'un voulait bien être assez aimable pour lui convertir la somme en francs.

Il était reparti avec une Carte bleue, des chéquiers et cinq mille euros en liquide, puis, sans repasser chez lui, il avait pris la direction de Roissy, où il s'était envolé pour le Cap-Vert via Lisbonne. Sa mère était morte deux ans plus tôt d'un œdème cérébral. Bien qu'ayant vécu toute sa vie à Fogo, elle était enterrée sur l'île voisine de Santiago. Il avait rendu visite aux oncles et aux cousins, et pendant sept jours et sept nuits, tandis que l'archipel était battu par les vents et une pluie sans fin, il s'était tapé des putes aux tétons toujours dressés et il s'était saoulé à l'absinthe, au rhum de Santo Antão. Le matin de son départ, sur la route de l'aéroport, il était retourné au petit cimetière qui surplombait les flots noirs de l'Atlantique. La tempête avait poursuivi son chemin vers les Caraïbes, et le soleil commençait à percer entre les nuages. Il avait remis les vases en place, changé les fleurs, balayé les branches qui jonchaient la pierre sur laquelle était gravé le nom de sa mère. Il avait regardé l'horizon sous les feuilles des tamariniers et les larmes s'étaient mises à couler brutalement, soudaines et furieuses comme une éruption. Quand les sanglots avaient cessé, il avait eu l'impression d'être un bloc de granit. Sa gorge était sèche et douloureuse, et il était en retard.

C'est la dernière fois qu'il avait pleuré ; il n'était plus retourné au Cap-Vert.

À son retour à Paris, les choses avaient aussitôt pris une mauvaise tournure avec Fred, le fils de JB, qui avait le défaut caractéristique des abrutis bien nés : se croire capable de toutes les choses qui les dépassent. Le Tchétchène avait beau inventer toutes sortes de ruses pour ne pas le vexer, fixer les itinéraires du fret d'une main invisible, rien n'y faisait. Fred voulait être reconnu comme le successeur de son père et il supportait de plus en plus mal la déférence loyale de tous les membres de l'organisation envers celui qu'il avait intronisé avant sa mort. L'argent ne lui suffisait pas, aussi florissant que pouvait être le marché au milieu des années 2000, et malgré les profits fabuleux que l'entreprise familiale réalisait depuis la sortie du Tchétchène. Il lui fallait la reconnaissance et la jouissance du pouvoir, la seule monnaie que désirent encore ceux qui ont les poches pleines ; il fallait qu'on le voie comme un chef et comme le dur qu'il ne serait jamais.

C'est la tête empoisonnée par cette envie et cette frustration que Fred avait eu l'idée que le Tchétchène ait un accident. Le liquider, c'était impensable : tout le monde aurait compris d'où le coup était parti et aurait quitté le navire par mesure de représailles. Même lui en avait conscience, même au comble de son délire autoritaire. Mais le Tchétchène aimait bien donner un coup de main pour décharger les camions quand ils rentraient à l'entrepôt, montrer à ses convoyeurs qu'il ne redoutait pas l'odeur infâme des sacs de coke quand on les extrayait de l'amas de poissons pourris dont il avait eu l'idée géniale de remplir les conteneurs pour tromper le flair des chiens renifleurs, avant de les stocker dans les caves des 3000, et Fred s'était convaincu qu'il suffirait de lui fabriquer un handicap l'éloignant du terrain pour que son aura s'évapore.

Le problème, c'est qu'il maîtrisait mal le timing du hayon.

Quand la palette de Marlboro avait glissé sur le Tchétchène, accroupi à l'arrière du semi-remorque, il avait eu le temps de se dérober en s'appuyant contre le chariot élévateur et seule sa main gauche s'était retrouvée coincée entre le bitume et la planche de bois.

Après l'opération, il ne lui restait plus que le pouce et l'index, ce qui s'était néanmoins révélé suffisant pour écrire, car il était gaucher, et, moyennant de pénibles séances de musculation, pour tenir un pistolet. Quelques semaines plus tard, le cadavre de Fred avait été balancé dans le coffre d'une Polo grise, immatriculée dans la Marne. Il y avait deux balles dans sa poitrine, et une autre lui avait fait exploser le crâne. Pendant un long moment, le Tchétchène avait attendu son tour avec fatalisme, mais le fantôme bouffé par les métastases de JB n'était jamais venu réclamer vengeance, ni personne d'autre d'ailleurs. La nature a horreur du vide, alors il avait pris sa place.

Fargeau, l'homme du centre, la regarde avec son air auguste de prélat, en savourant son cappuccino. Il a obtenu ce qu'il voulait en échange du soutien de ses conseillers municipaux, les Transports et le Développement économique – un prix exorbitant pour onze petites voix – mais il n'est pas pressé de prendre congé.

– Vous avez vu le match, hier soir ?

– Quoi ?

Hélène n'a pas dormi plus de trois heures, et elle devrait déjà être dans le TGV pour Poitiers. Ses parents fêtent leurs soixante ans de mariage ce week-end : soixante ans de ligne droite sans une arrière-pensée ni un regret. Hélas, les petits-déjeuners du samedi matin que Rambert lui concocte dans les salons de la mairie ont la priorité sur tout, même les noces de diamant.

– Le match amical contre les Pays-Bas, répète Fargeau. Vous avez vu ça ? Il y en a un sur deux qui ne chante pas *La Marseillaise*. C'est ahurissant !

Les marchandages de portefeuilles, oui, elle y consent le temps qu'il faut : une majorité municipale ne se construit pas du jour au lendemain. Mais ce genre de bavardage, qu'il croit destiné à lui plaire, c'est au-dessus de ses forces. Elle n'a aucune patience avec les gens épais et les flatteurs, surtout en politique.

En 1966, quand son père écoutait les matches de la Coupe du monde à la radio, on ne se demandait pas si les footballeurs étaient de bons patriotes.

– Je me moque que les joueurs chantent *La Marseillaise* ou pas, dit-elle. Ce qui m'inquiète, c'est qu'on se pose la question de savoir si c'est grave, et que la polémique dégénère à chaque fois en crise de nerfs. Qu'est-ce que cette insécurité dit de nous, à votre avis ? Un pays bien dans sa peau n'a pas la tremblote pour si peu.

Dehors, une pluie dense crépite sur le toit des voitures. Le gris des nuages et la lumière molle lui donnent envie de bâiller. Elle a entendu ce matin que le temps serait aussi mauvais dans l'Ouest, voire plus.

Fargeau repose enfin sa tasse sur la soucoupe, avec toute la délicatesse qui sied aux apôtres de la modération. Elle se lève pour le saluer et sent la main de Rambert dans son dos.

– Il y a quelqu'un d'autre, lui dit-il à l'oreille. Il arrive, ça ne prendra pas longtemps.

Il raccompagne Fargeau en passant par la salle des fêtes, un détour emprunté lorsqu'on veut éviter que deux rendez-vous se croisent.

Il n'y en a pas d'autre sur l'agenda. Qui est ce visiteur impromptu ? Pas un journaliste, espère-t-elle. Un collègue de l'Assemblée, cela lui semble impensable – ils sont tous repartis dans leurs circos. Quant aux édiles parisiens, ils ne viennent pas à Courbevoie, sauf ceux qui ont le culte du secret et la peur d'être pris pour ce qu'ils sont, des traîtres et des fourbes – comme Fargeau.

– Tu pourras attraper le 12 h 31, annonce Rambert en revenant. La voiture attend devant.

– Tu as réfléchi au Qatargate ? Qu'est-ce qu'on fait ?

Il s'assoit à côté d'elle en tapant un texto.

– Si tu ne veux pas me dire d'où viennent les papiers bancaires, je ne peux pas vérifier le dépositaire. Le compte de Jersey, il n'y a qu'un juge, et encore. Je n'ai pas eu le temps de regarder où en est la coopération du fisc avec eux.

– J'ai donné ma parole.

– Alors, disons que la chose me semble très aventureuse, et qu'elle ne devrait pas être notre priorité. Je viens de recevoir le budget prévisionnel d'Euro RSCG pour la campagne, hors frais de déplacements : il nous manque un demi-million pour être à flot. Au bas mot.

– Je suis fatiguée, Claude. Tu n'as pas plutôt une bonne nouvelle ?

– J'ai mieux encore à l'accueil. Et je te promets que tu auras ton train. Quarante minutes, pas une de plus !

Depuis que l'idée insensée de présenter sa candidature à Paris lui est venue, elle a toujours repoussé les objections à force de rhétorique et de volonté, en s'appuyant sur l'appétit de régénérescence qu'elle sentait dans l'électorat : les partis traditionnels étaient le mal, et elle était la solution. Mais hier soir, à la conférence de presse, les questions des journalistes lui ont renvoyé la réalité de ses insuffisances dans les dents. Quand sa candidature n'était qu'une hypothèse sympathique, l'establishment ne voyait pas d'inconvénient à passer sous silence les implications pratiques de son statut d'indépendante, son absence d'organisation et de logistique ; on commentait la singularité de ses vues sans mettre en relief la nullité de ses moyens ni son isolement. Maintenant qu'elle représente une menace concrète dans les sondages, avec des soutiens identifiés, on commence à rameuter les journalistes amis pour faire savoir qu'elle est une douce rêveuse, et que les doux rêveurs font en général de dangereux politiques.

On n'a peut-être pas tort, d'ailleurs. Espérer prendre le pouvoir seul, dans un pays où les appareils sont tout-puissants, cela s'appelle une chimère, ou un enfantillage. Et cela explique pourquoi un célèbre dessinateur l'a caricaturée cette semaine avec un bicorne napoléonien sur la tête, accessoire normalement réservé au ministre de l'Intérieur.

– Tiens, dit Rambert, voilà tes vitamines. Je descends le chercher. Ne te mets pas en rogne avant de l'avoir entendu.

– Qui est-ce ? Je n'aime pas cette façon de faire.

– Pas de brief, pas d'a priori. Écoute ce qu'il a à te proposer. Tu décideras ensuite.

Les initiatives cavalières ne ressemblent pas à Rambert. Il doit avoir ses raisons, pense-t-elle en se mettant debout, encore sous le coup de l'agacement. Elle rajuste le col de sa chemise, tente de trouver la posture la moins inconfortable pour sa jambe, et attend. Mais les donateurs discrets sont les bactéries du système de financement des partis politiques. Ils vous rentrent sous la peau, puis ils infectent tout l'organisme. Elle devrait filer à Montparnasse et sauter dans son train sans se retourner.

Rambert revient. Si le diable en personne était entré à sa suite dans un nuage de soufre, elle se serait sentie plus à l'aise qu'en présence de l'homme qui l'accompagne : Yann Valente, le promoteur immobilier qui fait l'aller-retour Paris-Doha dans son jet privé une fois par mois, l'homme d'affaires franco-brésilien qu'on dit en cheville avec Larbi Ferhaoui et qui a mis jadis le conseil général du 92 dans sa poche à coups de commissions occultes sur les marchés publics de l'A14 et du pharaonique hôtel du département à Nanterre. Dire qu'il est infréquentable, c'est un peu comme dire que Simone Signoret avait un léger problème avec la bouteille.

– Mes hommages, madame la députée-maire, dit-il en lui serrant la main.

Elle interroge Rambert du regard, mais tout ce qu'elle a appris en vingt ans de politique francilienne l'avertit que cette situation est piégée. Quelle mouche l'a piqué ? À quoi bon vérifier qu'il n'y a pas de macchabées dans ses placards si c'est pour lui coller une vipère dans les pattes ?

– Je sais que votre temps est précieux, dit Valente. Je vous promets d'être bref.

Souriant, Rambert l'invite à prendre place sur le fauteuil en face d'elle et lui demande s'il veut boire quelque chose. Il est bel homme, dans son genre crapuleux ; plus petit qu'elle ne le croyait, avec un large torse sur des jambes véloces de joueur de tennis. Ses lèvres frémissent à peine quand il parle, produisant l'impression dérangeante qu'il pense à voix haute et que ça ne le perturbe pas le moins du monde. La couleur louche de ses pupilles semble avoir été inventée pour mentir et tromper.

Il est là pour le plan local d'urbanisme, cela va de soi. Le PLU, c'est la mère de tous les maux.

Dans ce pays, par les temps qui courent, les gens se répartissent en trois catégories, étant entendu que les cons occupent tous les côtés de l'Hexagone. En bas, il y a ceux qui veulent devenir quelqu'un, et ceux que ça ne gêne pas plus que ça de demeurer qui ils sont ; en haut, ceux qui sont devenus quelqu'un en marchant sur la tête des autres. En d'autres termes, on a le choix entre les ambitieux, les demeurés et les corrompus. Les demeurés, leur cas est désespéré et ne mérite pas qu'on s'y attarde. Les corrompus, eux, sont des ambitieux qui ont réussi. On se croirait de retour dans les années trente, entre la débâcle financière, la montée du protectionnisme et des nationalismes, le discrédit des politiques et cette clique de gangsters racés qui s'empiffrent en toute impunité pendant que tout le monde crève de faim.

Le PLU : depuis que les pouvoirs locaux ont mis la main dessus, combien de valises de cash ont été déposées dans les mairies au pied du buste de Marianne ?

– Vous avez besoin de 500 000 euros, et j'ai besoin que le zonage de votre commune soit modifié pour pouvoir construire la résidence universitaire que réclament les étudiants du pôle Léonard-de-Vinci.

– Je vous demande pardon ?

– On peut aussi voir les choses négativement : vous vous êtes lancée dans la course très en retard, et vous n'avez aucune chance à Paris sans campagne digne de ce nom – meetings, mailings, porte-à-porte et compagnie. Moi, disons que je n'aime pas décevoir les investisseurs qui m'ont fait confiance. Et vous savez, pour vous être penchée sur le dossier, que les réserves du conseil municipal n'ont pas lieu d'être : il n'est pas normal que les étudiants qui étudient à Courbevoie résident partout en Île-de-France, sauf à Courbevoie. Des lieux de vie, des espaces de détente, des salles de billard – mais pas de chambres ! C'est ubuesque ! Je vous propose un peu d'oxygène dans votre trésorerie, en échange d'un peu de rationalité dans les règles qui gouvernent le développement de votre commune.

– Corruption active d'un élu local, c'est passible de combien d'années de prison d'après vous ? Je vous épargne le montant de l'amende, qui vous ferait sûrement sourire.

Il la regarde d'un œil amusé.

– Dix ans, reprend-elle. Même si vous êtes encore dans la fleur de l'âge, ça n'est pas négligeable.

– Tout de suite les grands mots ! Qui parle de corruption ? Je vous encourage simplement à prendre un arrêté qui applique les recommandations citées dans l'enquête publique que vous avez vous-même diligentée quand le PLU a été voté voilà trois ans. Reconnaissez au moins qu'elles ont été enterrées pour des raisons purement politiques, qui n'avaient rien à voir avec l'urbanisme ni l'aménagement du territoire !

– Puisque vous êtes bien renseigné, il ne vous aura pas échappé que le plan de développement urbain se décide également à l'échelle intercommunale et départementale. Nous avons dû faire des concessions par rapport à la vision initiale.

En terminant sa phrase, elle s'aperçoit que le bruit de l'averse s'est épaissi. Elle regarde sa montre : midi moins le quart. Il risque d'y avoir des bouchons sur le chemin de la gare.

Valente s'avance sur son siège et sort une photo de sa poche intérieure – un cheval au galop.

– Regardez, dit-il en la faisant glisser sur la table pour qu'elle puisse s'en saisir.

C'est un pur-sang arabe. Même si elle monte moins souvent qu'autrefois, par manque de temps et à cause de sa jambe, les chevaux restent pour elle une image absolue de la grâce. Celui-ci a une silhouette si pure et une course si déliée, vierge de toute contraction dans l'effort, qu'il a quelque chose d'abstrait et de symbolique.

– Pégase, c'est son nom. Je reconnais qu'ils auraient pu se fatiguer un peu plus, mais peu importe le flacon, n'est-ce pas ? Il est à vous. Il faut qu'on se comprenne bien : je ne suis pas là pour vous mettre des bâtons dans les roues, je veux vous épauler. Le maire sortant va faire donner sa cohorte d'éditorialistes dès que sa protégée passera derrière vous dans les intentions de votes. Hier soir, si j'ai bien lu, vous avez eu un aperçu de ce qui vous attend. Face à ce pilonnage au napalm, vous ne pourrez pas vous en remettre uniquement à la puissance de votre voix. Il vous faudra une structure et des relais, sans quoi ils finiront par vous briser les genoux, et vous vous effondrerez comme le colosse de Rhodes.

– Je commence à trouver suspect votre goût pour la culture hellénique.

– Prenez le cheval, et prenez ce que je vous propose. Les virements seront intraçables par la commission des comptes de campagne. Des prêts à taux zéro émanant de banques amies, dont les créances seront effacées au fur et à mesure. Et imaginez dans trois ans si nous restons associés ! Vous avez tout pour être le chef d'État dont la France a besoin, beaucoup de gens le pensent. Ne ruinez pas votre chance en refusant d'employer les moyens auxquels vos adversaires doivent leur place.

Il y autre chose que le PLU, se dit-elle, effrayée par le cours de la déduction qui vient de naître dans son esprit. Le PLU, c'est ce que Valente lui a mis devant les yeux pour qu'elle ne voie pas le réel motif de sa visite. Il n'est pas ici pour ses affaires, mais en envoyé du Qatar, qui entend donc avoir une main sur l'épaule de sa principale rivale, et une autre sur la sienne – quand on a ses billes dans la poche de tous les concurrents, l'éventualité de la défaite ne fait plus très peur. À la réflexion, il est même probable que les seigneurs de Doha n'aient pas seulement en tête de se couvrir en venant la solliciter, après avoir parié sur son adversaire par l'entremise de Ferhaoui : ils ont des vues sur 2017. Le chef de l'État pour obligé, pense-t-elle. Paoli a tout juste. Marion aussi – c'est d'ailleurs inexplicable, en dehors des considérations de caractère, que ces deux-là ne s'entendent pas : ils ont exactement la même vision des choses. Les Qataris, comme les oligarques russes, les fonds de pension américains, les nababs chinois et tous les rentiers de par le vaste monde, ils sont convaincus de pouvoir tout acheter, et ils ne supportent pas l'idée qu'on puisse leur dire non.

– Sortez, monsieur, dit-elle en repoussant la photo. Je vous ai écouté, et je n'ai plus rien à vous dire.

Valente regarde Rambert, qui a la tête baissée.

– Êtes-vous bien sûre que vous ne regretterez pas votre choix ?

– Sans l'ombre d'un doute, dit-elle en lui montrant la porte.

– Dans ce cas, dit-il en se levant. Votre entêtement fait de vous une petite dissidente, que vous resterez jusqu'à la fin de votre carrière politique, qui ne sera plus très longue, je le crains. Comme tous les saints sauveurs de la nation, les cœurs purs et les donneurs de leçons, vous finirez avec 0,5 % des voix, si toutefois la peur de la fessée ne vous pousse pas à déclarer forfait avant le scrutin. Merci de votre temps, madame.

En le regardant sortir, elle se demande jusqu'à quel point Rambert est mouillé dans la combine.

– Ne me refais jamais ça, lui dit-elle.

– Le compte n'y est pas. Où veux-tu qu'on trouve une somme pareille ?

– J'ai un directeur financier. C'est son problème, pas le tien.

– Il ne serait pas foutu de lever un kopeck pour la myopathie le soir du Téléthon !

– Les banques ne sont pas des organisations caritatives.

– Les banques ne nous prêteront rien du tout, parce qu'elles ont peur de ne pas être remboursées.

– Qu'est-ce que tu me chantes ? Elles voient les intentions de vote, comme tout le monde, et elles connaissent les règles de prise en charge des dépenses par l'État.

– Il y a une rumeur qui court selon laquelle tu n'iras pas au bout de ta candidature.

– Si c'est une plaisanterie, je ne la trouve pas drôle. Qu'est-ce que c'est que cette histoire ?

– Ma démission sera sur ton bureau lundi matin.

Elle le regarde s'éclipser par le même chemin que Fargeau, et elle se demande si le manque de sommeil ne lui a pas fait halluciner toute la scène. Non. La photo du pur-sang est encore sur la table, preuve de la tentation à laquelle l'a soumise Valente. Qui sait si le pouvoir suprême n'est pas aussi beau que cette incarnation de la beauté ? Qui sait si son exercice et sa jouissance ne dissipent pas en leur temps le souvenir de toutes les bassesses qu'il a fallu accepter pour le conquérir ?

Elle n'est pas née de la dernière pluie. L'innocence, elle le sait bien, n'existe pas en politique. La probité est une valeur toute relative.

Mais ce n'est pas l'innocence qui compte, ni la probité. C'est le cap : ce qu'on est prêt à faire et ce qu'on ne fera pas. Si elle perd son cap, elle perd tout, et le pouvoir quel qu'il soit ne lui vaudra plus rien. Il n'est pas de pire infidélité qu'à soi-même.

Devant elle, soudain, tous les chemins ont pris l'apparence de méandres innavigables. Il n'y a ni carte ni boussole pour se repérer sur ces eaux inconnues.

Elle ne veut plus y penser, pour quarante-huit heures.

À la gare Montparnasse, un train va bientôt partir qui l'emmènera au grand air, loin de cette longue nuit de l'âme.

Les cinq Mercedes entrent en file indienne dans Senlis, deux mille ans d'architecture et d'histoire, et un revenu par tête parmi les plus élevés du pays.

La trogne des élus le jour où le Tchétchène a signé son compromis de vente.

– Tu as vu le panneau ? dit-il à son chauffeur sans quitter la vitre des yeux. Et il tombe des cordes, en plus ! Mets le régulateur.

La tête des pilotes d'Air France, aussi, quand il les croise le dimanche matin à l'église où ils viennent se faire pardonner en famille leurs égarements avec la chef de cabine pendant les repos à Shanghai ou Los Angeles. Ça n'a pas été facile, il a fallu mettre le prix et les pots-de-vin, mais depuis peu les noms très vieille France des notables locaux voisinent pour l'éternité avec le caveau de la famille Soares, où le Tchétchène a décidé un beau jour de faire enterrer les métèques clandestins tombés pour lui au combat, plutôt que de renvoyer leur dépouille au bled ; les Gaulois aussi, quand ils n'ont pas de proches pour réclamer leur corps. Cédric le beau gosse, surnommé UPS, appartient à ceux-là. Le biz était tout pour lui, et lui n'était rien : pas de femme, pas d'enfants, pas de parents, pas d'amis. Un fantassin sans avenir, un guerrier de la rue diplômé du brevet des collèges, un pion comme on se résout à en perdre de temps en temps pour protéger ses pièces maîtresses et avancer sur l'échiquier. Ce n'est pas lui qui dira le contraire, dans son cercueil Chambarand laqué à l'arrière du 4 × 4. Mais l'idée qu'il va reposer entre un médecin et un ingénieur des Ponts et Chaussées qui, de leur vivant, se seraient bien gardés d'approcher un type comme lui, cette idée-là réjouit profondément le Tchétchène.

Lui-même a une conscience aiguë de la fatalité qui l'attend au tournant depuis que tout est à lui, l'empire de JB et les insomnies qui vont avec. Il y a un moment qu'il prépare sa retraite. Après la mort de Fred, la contrebande de produits légaux a rapidement fait place aux vrais trafics, héroïne et armes à feu, et aux activités très lucratives que sont l'usure, le recouvrement de dettes et l'extorsion de fonds. Libéré, par la force des choses, de sa promesse à JB, le Tchétchène voulait que l'organisation prenne tout de suite les orientations stratégiques qu'imposaient le revival de la méthamphétamine et des autres synthétiques, faute de quoi sa prédominance à l'intérieur de la couronne parisienne était selon lui condamnée à plus ou moins brève échéance. Des sociétés écrans ont été ouvertes à cette époque, des parts prises dans des compagnies du BTP, des boîtes de nuit, des casinos. Au début, il s'agissait uniquement de blanchiment. Puis, la crise étant passée par là, le Tchétchène s'est mis à racheter des entreprises au bord de la faillite, comme un fonds d'investissement. Les profits du business lui apportaient des liquidités immenses au moment où les banques se retrouvaient sans le sou. C'est là qu'il a vraiment fait sa fortune, et que la répartition de ses activités a commencé à s'inverser. Cinq ans plus tard, les deux tiers du chiffre d'affaires sont d'origine légale, totalement clean. Il a ouvert un orphelinat à Fogo et un autre à São Niclau, tous les deux assortis d'une école privée dont l'entrée est réservée aux pensionnaires et aux pauvres, mais où la bourgeoisie cap-verdienne ne désespère pas d'envoyer un jour ses enfants. Il pense à se mettre au vert, sans retour ; redevenir Toni Soares et couler des jours tranquilles au pays, dans la peau d'un homme d'affaires bien sous tous rapports, dont la bienfaisance serait saluée à titre posthume par une statue en bronze à la sortie de l'aéroport Francisco Mendes.

Mais pour l'heure, comme disait son oncle, les mouches s'accumulent au cul de l'âne. Ce kilo de coke disparu dans la nature, d'abord. Les émeutes de la semaine dernière, ensuite, tous ces zouaves planqués sous leur capuche et leurs écharpes à carreaux volées qui retournent les bagnoles et balancent des bombes agricoles sur les flics, ça n'amène jamais rien de bon pour le business. La police nationale encercle la cité comme les légions romaines le village d'Astérix. Rien ne rentre, rien ne sort. Les fournisseurs ne peuvent plus passer. Les intermédiaires font le mort. Les clients ont la trouille, les revendeurs chinois comme les albanais. Le Tchétchène estime ses pertes sèches à cinquante mille euros pour les quatre jours qu'a duré le blocus. C'est regrettable pour tout le monde, cette situation, mais plus particulièrement pour lui. Est-ce que ces fouteurs de bordel ont la moindre idée du tort qu'ils font aux gens qui travaillent ? Et ça n'est pas aussi simple que lorsque les belles âmes du Tabligh empêchaient un camion de passer pour sauver celles de leurs frères musulmans, il y a quelques années, avant de se faire supplanter par les salafistes, puis rouvraient la route moyennant un don à l'une de leurs associations caritatives ; avec les CRS, il n'a pas encore trouvé le moyen de s'arranger.

Les soldats du prophète, la fine fleur des ahuris dociles et obscurantistes, il n'a jamais pu les sentir, que ce soit sur les chantiers, en prison ou depuis qu'il est le patron de la cité. Il ne les comprend pas et il méprise leur puritanisme, cet acharnement constant qu'ils ont à flétrir les bonheurs de la vie. Après la suppression de la police de proximité, il avait coutume de dire que son organisation était ce que la cité avait de plus semblable à une force publique et une sécurité sociale ; puis ces saloperies de salafistes sont sortis de nulle part comme une colonie de termites, et ils ont commencé à ronger ses fonctions régaliennes de l'intérieur, toutes ces responsabilités bénévoles dont il affectionne la puissance symbolique. Quand les flics foutent le camp, il n'est pas anormal que ce soient les gangsters qui prennent le relais pour assurer le maintien de l'ordre ; mais quand les gangsters pensent à déserter à leur tour, mieux vaut déménager.

Il ne sait pas s'il faut prendre au sérieux les cinq croque-morts de la vidéo. Ce qui est sûr, s'il l'avait sous la main, c'est qu'il ferait passer un moment douloureux à celui qui a embrigadé Baguette, le petit teigneux à qui il arrivait de faire équipe avec UPS jusqu'à la semaine passée. Libre à chacun de fabuler les apocalypses de son choix : on ne prend pas en otage la main-d'œuvre d'autrui. Pas la sienne, en tout cas, même si c'est la volonté du dieu de ces cinglés. Ce môme, il l'a vu lui échapper tout doucement, non pas à travers les actes déloyaux ou les comportements irrévérencieux qui signalent habituellement une ambition ou l'imminence d'un passage à l'ennemi, mais par des absences de plus en plus fréquentes, des troubles de l'attention, une disponibilité plus tout à fait entière aux courses dont il avait la charge.

– Il s'est converti à l'islam, a dit UPS à Carlos en début d'année. Il dit que non, mais il récite de l'arabe quand il pense que je n'entends pas.

Contrairement à ce que le Tchétchène imaginait dans le temps, la cupidité foncière du lascar se marie très bien avec les fanatismes dont le béton sordide de la cité est le terreau. La nuit, les galériens rêvent de devenir riches ; le jour, quand tout a repris la couleur terrible de ce qui ne peut pas changer, il paraît plus raisonnable de répandre la misère. La religion n'a rien à voir là-dedans, même s'ils se racontent le contraire. Il y a cinq ou six ans, le Tchétchène aurait réglé le cas de Baguette en le faisant suivre, pour débusquer son dresseur et lui montrer le vrai visage du châtiment. Mais les choses ne sont plus ce qu'elles étaient aux 3000. Il ne sait pas qui tient le fil et il ne veut pas d'une guerre avec les barbus, qui ne laissent jamais prévoir où s'arrêtera l'escalade. Vu l'état d'impuissance où ils sont réduits aux yeux de soixante-cinq millions de téléphages depuis une semaine, les flics seront trop contents de faire le boulot à sa place.

Et puis, il y a Momo. Quand il a débarqué avec son casier de voleur de pommes, il ressemblait à n'importe quelle tête à claques des 3000, bas de plafond et arrogant. Et boxeur, par-dessus le marché, avec une fâcheuse tendance à se croire le plus fort parce qu'il savait se battre, et à penser que c'était là le meilleur moyen de se faire respecter et de cacher toute la peur qu'il avait en lui. Un boxeur ne sait pas se battre ; il sait se battre dans un carré imaginaire, suivant des règles qui ne s'appliquent pas dans la rue. Un boxeur, il suffit de lui attraper le petit doigt et de tordre, il n'y a plus personne. Pour toutes ces raisons et les autres qu'il gardait pour lui, Carlos ne pouvait pas le voir en peinture. Carlos, son fidèle lieutenant, avait envoyé Momo au casse-pipe sur les plans les plus moisis, une course dans une zone infestée par les stups, un deal bancal avec les Renois de la Butte-Rouge à Châtenay. Le but avoué était de lui apprendre la vie, plus vraisemblablement de se débarrasser de lui, par rivalité ou pur sadisme. Et, à chaque fois à leur grande surprise, non seulement Momo revenait, mais il revenait plus malin, plus instruit de la rue.

– Ne lui tourne jamais le dos, lui disait le Tchétchène, plus intrigué que son second. Quoi que tu fasses, ne tourne jamais le dos à la rue.

C'est le seul et unique conseil qu'il avait jamais donné à Momo, au tout début. Et, plus vite que tous les autres, Momo avait appris à compter le nombre de voitures passées devant son terrain au cours de l'heure écoulée, à se rappeler toujours la marque, le modèle et la couleur ; idem avec les passants, les vêtements qu'ils portaient, leur façon de marcher. S'il y avait un teurteur en civil ou un chouf d'une bande rivale en train de fouiner dans les parages, Momo le repérait plus vite que quiconque. Il voyait tout avec ses yeux bleus de Kabyle, des yeux ni tristes ni gais qui se contentaient de regarder toujours au bon endroit.

Le jour où il avait décidé de le prendre sous son aile, le Tchétchène s'était dit que le pour aurait quand même du mal à équilibrer le contre – sa jeunesse, la jalousie de Carlos, et surtout cette fragilité qu'il s'efforçait de garder enfouie tout au fond de lui, mais qui ne manquerait pas de lui être fatale si un ennemi savait la percer à jour. D'un autre côté, c'était un risque à prendre. Carlos était à la fois le plus loyal des lieutenants et le plus brave des soldats, mais il ne pourrait jamais être un stratège. Momo, au contraire, avait cette faculté de voir loin et en avance sur tout le monde : la boxe, encore et toujours. Or c'est à cette époque que le Tchétchène avait commencé à diversifier son portefeuille, et que l'idée de prendre un peu de recul, voir du pays, profiter de la vie, s'était mise à cheminer dans son esprit.

– Fais attention, avait grincé Carlos. On va penser que tu deviens tendre.

Le Tchétchène avait désormais une telle confiance dans son emprise sur ses employés et sur ses partenaires commerciaux que la mise en garde était tombée à plat. Et les trois ans qui avaient suivi lui avaient donné raison.

Aussi, quand Momo était venu le voir à la fin de l'année dernière pour lui annoncer qu'il laissait tomber, n'avait-il rien vu venir. Il y avait bien eu cette livraison qui avait mal tourné dans un parking de Bondy ; il y avait ses combats amateurs qui lui montaient gentiment à la tête, et les moustachus de la DTN qui lui faisaient miroiter le Pérou avec leurs stages en équipe de France olympique ; par-dessus tout, il y avait cette petite go sortie de sa rive gauche, en qui Carlos avait vu de suite une source de profonds emmerdements.

On ne quitte pas comme ça, pas dans ce business. Il faut donner des gages, se faire tout petit ou bien partir très loin. Momo savait trop de choses, les noms, l'inventaire des caves, les itinéraires des camions. On ne pouvait pas prendre le risque qu'il balance tout pendant une garde à vue un peu irakienne.

Avec quelqu'un d'autre, il aurait appliqué le tarif syndical : une balle dans la rotule, à gauche et à droite, en général ça fait passer l'envie de bavarder. Mais le Tchétchène n'a jamais cru Momo capable de lui voler sa coke, ni de lui chier dans les bottes comme un crevard. Malgré son ingratitude, et même s'il sait qu'il ne reviendra pas, il a toujours de l'affection pour lui. En faisant courir le bruit qu'il a fait le coup, que c'est lui qui est parti avec la brique, il l'oblige simplement à se mettre sur la défensive : si Momo croit qu'on le croit coupable, même si lui se sait innocent, il s'attend à une mise à l'amende, sans avoir aucune idée d'où elle pourra bien venir. Le type persuadé de jouer sa survie oublie qu'il peut attaquer aussi ; ça rend tout ce qu'il entreprend beaucoup plus prévisible.

– Freine, putain, freine !

La gamine a déboulé sur son vélo rouge en travers de la route. L'ABS s'affole sur le goudron détrempé et envoie la Mercedes en aquaplaning, droit dans le décor. Le cercueil valse à l'arrière. Le choc contre le mur plie le capot en deux, et l'airbag passager lui coupe la respiration en se gonflant.

Quand il reprend connaissance, le Tchétchène a du mal à comprendre la logique de ce qu'il voit. Il entend la voix d'un de ses hommes dehors. La petite fille va bien, elle a juste quelques égratignures sur les jambes et la hanche. Il sent que rien n'est cassé à l'intérieur de son corps, qu'il faut juste attendre que l'onde de l'impact se dissipe avant de bouger. Mais, le visage écrasé contre la surface rêche du polymère, il refuse d'accepter l'image que son nerf optique tente de communiquer à son cerveau.

La bière a été projetée entre les deux sièges avant pour se retrouver cul par-dessus tête, inclinée vers le haut à quarante-cinq degrés – comme une rampe de lancement. La partie supérieure a traversé le pare-brise, qui la retient prisonnière à environ soixante centimètres au-dessus de la tôle froissée du capot. Ce qu'il y a de très dérangeant dans ce tableau, c'est que le coffre du cercueil s'est descellé, sûrement au moment où il s'est renversé, et qu'il est à présent à demi ouvert. En levant juste les yeux, car sa nuque lui fait mal, le Tchétchène peut voir le bras raide de UPS qui tombe sur le côté, comme un accessoire grotesque, un diable mal rentré dans sa boîte.

Un affreux malaise l'envahit, amplifié par l'impossibilité dans laquelle il se trouve d'aller où que ce soit. Le souvenir brumeux d'une IRM lui revient en mémoire, et il sent son front se couvrir de sueur, ses tempes qui palpitent, son pouls qui s'accélère. Combien de temps était-il resté là-dedans avant de tourner de l'œil ?

Le volume de la radio a dû augmenter au moment du choc et lui fait mal à la tête. Sur France Info, la voix lugubre du ministre de l'Intérieur déclare comme tous les jours que l'enquête sur les attentats suit son cours, et que les services de sécurité ont la situation bien en main. Sous contrôle. Les mots et le ton sont toujours les mêmes. Il a l'impression nauséeuse d'entendre une bande enregistrée il y a des années.

Même s'il n'est pas superstitieux, force est de reconnaître que ce bras mort tendu dans sa direction ne ressemble pas à un bon présage.

Le wagon était presque vide quand Assan est monté en direction de Paris. Il voulait déambuler au bord de la Seine pour réfléchir, absorber les conséquences du retour de Zohra, ce que sa présence lui a fait et ce qu'elle lui a dit, il était immergé très loin en lui-même, dans un flot tumultueux d'espoirs et de terreurs, et il n'a pas remarqué qu'on s'asseyait en face de lui.

– *Da'wa*, c'est un mot que j'ai toujours bien aimé, dit l'homme au nœud papillon, sans chercher à couvrir son accent américain.

Assan réalise que la rame se propulse comme un missile à travers la plaine de Seine-Saint-Denis. Plus d'arrêt en zone 3 : épouvanté, le cœur tambourinant jusque dans sa gorge, il calcule qu'il doit rester quatre minutes avant l'arrêt devant le Stade de France. En balayant du regard la profondeur du wagon, il voit l'oreillette dans le cou des hommes plantés devant chacune des portes, parmi lesquels il reconnaît le blond aux joues de bébé qui a abattu Sélim sur l'aire d'autoroute.

– N'ayez pas peur, insiste l'Américain en souriant de toutes ses dents. Cela fait longtemps que nous vous suivons. Très longtemps, même. Nous avons mis beaucoup d'espoirs dans votre projet.

La CIA, se dit-il, abasourdi, en se rappelant la puissance obscure dont parlait Sélim.

– Que voulez-vous dire ?

– Que nous ferons de notre mieux pour que personne ne vous empêche de parvenir à vos fins. Personne, y compris les services français.

– Et Sélim ?

– Sélim Arif était un jeune homme en tous points remarquable. Je regrette beaucoup ce qui lui est arrivé, mais il ne nous a pas laissé le choix, à se mettre brusquement en travers de votre route comme un fou.

Depuis les avions du World Trade Center, Assan s'est toujours défié des théories complotistes, dans lesquelles il ne voit rien d'autre que le symptôme de l'amollissement moral qui frappe toutes les démocraties où il est permis de raconter n'importe quoi sans avoir jamais à répondre de ses paroles.

– Je ne comprends pas…

– Vous êtes un homme intelligent, coupe l'Américain en jetant un coup d'œil à sa montre. Je vais donc vous expliquer la chose brièvement. L'agence pour laquelle je travaille est fatiguée de toutes ces victoires secrètes, souvent acquises au prix fort, dont le public n'entend jamais parler. Notre gouvernement pense que la guerre se gagne désormais grâce à notre supériorité technologique. Le président, malgré ses beaux discours, est tout autant à la botte des industries de défense que ceux qui l'ont précédé, et il préfère investir dans les drones et les satellites plutôt que renforcer le renseignement sur le terrain. Vous n'avez pas idée du calvaire que c'est pour nous de trouver des gens qui parlent correctement l'arabe ! Pourquoi croyez-vous que nous recrutons en France, désormais ? Mais je m'égare… Nous n'avons pas voulu, ni imaginé, les attaques que vous préparez. Nous avons seulement décidé de ne pas les entraver, comme si nous n'en avions pas eu connaissance. En espérant que le pouvoir politique comprendra le message : voyez ce qui arrive quand nous n'avons plus les moyens de faire notre travail.

Ces hommes sont pires que Paoli, pense Assan, parce qu'ils ne poursuivent pas une vengeance personnelle : leur monstruosité est de raison. Il sent le train qui ralentit, et voit la soucoupe géante du Stade de France se profiler derrière la vitre. La pensée que son plan, quatre ans de sacrifices pour rendre justice à Kader et accomplir sa part de la revanche familiale contre la France, puisse servir les intérêts de la CIA, cette pensée-là lui donne envie de vomir, comme le jour où Al-Mansour a révélé à Leïla qu'il n'était pas son père. Se croire un homme libre, maître de son destin et sûr de son devoir, et se réveiller dans la main de l'Empire…

– Et si je refuse ?

– Vous serez livré aux services français, et votre père ira passer le peu de temps qu'il lui reste à vivre dans une des prisons fantômes que nous avons établies depuis une dizaine d'années chez nos amis est-européens.

– Mon père ?

– J'ai rencontré votre père en Somalie, dit l'Américain en se levant, juste après les attentats de Nairobi et de Dar es-Salam, en 1998. Nous connaissions mal à l'époque la structure d'Al-Qaida, et il a fait partie de ceux qui nous ont aidés à y voir plus clair. Je crois qu'il était quelque peu déçu par le dévoiement des mouvements nationalistes arabes. Comment lui en vouloir ? Plus tard, il nous a rendu service en Irak et au Yémen. C'est une chose tragique qu'il ait commencé à perdre la tête au moment où nous prenions le dessus sur les insurgés. Mais un de perdu, comme on dit dans ce pays : il nous aura au moins conduits à vous.

Le train s'arrête. Il étouffe. L'Américain lui tape sur l'épaule avant de sortir.

– Remettez-vous, old sport. Tout se déroule comme prévu. Vos bombes exploseront vendredi prochain, vendredi 13. Je vous félicite pour la date : vous avez le sens du spectacle.

Les fenêtres de l'appentis sont grandes ouvertes et la pluie tombe en rideau sur la pelouse, libérant une odeur de terre humide que Paoli ne sent pas. Le latex comme une deuxième peau sur ses doigts, les pièces du fusil devant lui, il sent l'âcre de la poudre se diluer dans l'éther des solvants ; l'éther épaissi par la poudre s'arrondir en douceur dans les effluves d'huile de bois. La poudre, l'éther et le vernis mélangés, c'est l'âme de son père qui revient, traversant la mort et le temps. Une fois par an, c'est le parfum de l'enfance et du bonheur qui échappe au néant.

Dans la ferme des Aurès, on démontait et on nettoyait les armes de chasse le dernier samedi de mars ou le premier du printemps : d'abord les carabines, ensuite les fusils. Quand Luce et lui ont acheté la maison début 1983, Paoli se les est fait expédier de Sartène, où elles hibernaient chez l'armurier, et il a repris la tradition paternelle, à la lettre, bien que la saison se termine un mois plus tôt dans l'Eure, généralement vers la fin du mois de février.

Il est le chasseur qui oublie, et le meurtrier qui ne peut pas.

Combien de temps lui reste-t-il avant que Marion découvre qui il est ? La mise au pilori sera grandiose, à la mesure de son imposture.

Plus que trois jours.

Bonnet leur a donné jusqu'à mercredi. Ensuite, la foudre de la République tombera sur le toit de Bakiri. La fenêtre de tir se rétrécit et le moment est venu de faire mouvement, il le sait, mais pour l'heure il ne veut rien d'autre que respirer l'odeur antalgique du passé.

L'hiver a été humide, nébuleux. L'accumulation de rouille dans l'âme du canon et dans la chambre est plus importante que l'an dernier. En remarquant la glaise qui s'est infiltrée dans le mécanisme, il repense au faisan qu'il a raté à l'envol le jour de la fermeture, parce que le fusil s'était grippé. Il regarde sa montre : le quart d'heure rituel que son père allouait à chaque pièce est écoulé, mais il décide de laisser tremper cinq minutes de plus. Les dépôts de poudre, de plomb et de plastique se détachent de l'acier et remontent en petits agrégats à la surface du bain d'éther.

Les glaçons ont fondu dans le verre de scotch qu'il avait oublié sur l'établi, et il n'a plus envie de boire. Dans l'atelier de la ferme, son père se tenait toujours près de la fenêtre, pour profiter de la lumière et parce qu'il aimait regarder au loin, vers les arbres de l'oued, en attendant que le solvant agisse. Le moment venu, il lui demandait de prendre la brosse de laiton au diamètre égal à celui de la chambre du fusil, un peu plus grand que celui de l'âme.

– Doucement, disait-il dans un murmure, comme pour ne pas réveiller l'arme endormie. Tu montes et tu descends à l'intérieur du canon, tout doucement, et tu tournes en même temps. Là. Tu n'arrêtes jamais de tourner la poignée.

Il lui tenait la main, au début, pour guider ses mouvements avec délicatesse. Au bout de deux ou trois allers-retours, les poils de la brosse commençaient à se couvrir des derniers résidus affaiblis par le bain. Les voir se séparer de l'acier lui procurait une joie souveraine, comme le nettoyage des chevaux, lorsque les morceaux de terre asséchée se délogeaient du sabot : on faisait du bien à l'arme et à l'animal. Le fusil retrouvait son lustre premier, et rien ne pouvait surpasser le plaisir d'en prendre soin comme il faut.

Une fois éliminées toutes les scories, son père lui faisait verser quelques gouttes d'huile épaisse, pour lubrifier l'âme et l'extérieur du canon – trois fois rien, car la formation de graisse peut être aussi fatale au fusil que la corrosion. En cas de surplus, l'écouvillon en laine permettait de rattraper le coup, et il pouvait présenter la pièce pour une dernière inspection.

On nettoyait les autres pièces avec une vielle brosse à dents et de la chamoisine, puis on passait au bois. La crosse et le fût étaient savonnés et vernis au Schaftol, une huile pour bois précieux que son père faisait venir de métropole plutôt que d'utiliser les concentrés de lin ou d'abrasin en vente à Constantine. La besogne terminée, ils laissaient sécher et absorber pendant toute une journée, avant de remonter l'arme le lendemain matin à l'aube – et ainsi de suite pour les autres fusils, comme pour les carabines.

Depuis ses six ans, son père le laissait ranger les différents calibres sur leur présentoir. Le soleil était haut dans le ciel quand ils refermaient la porte de l'atelier, et l'heure du déjeuner approchait. Ils traversaient la cour en s'étirant et en clignant des yeux à cause de la lumière blanche, fatigués et tranquilles comme deux hommes qui ont fini leur journée de labeur, sous le regard souriant de sa mère qui leur faisait signe de venir boire, à l'ombre de la maison.

Ton papa et ta maman t'attendent, fils.

Souviens-toi de mon nom.

La présence de son père finit de se dissiper dans le courant d'air ; le clapotis de la pluie a cessé sur le toit. Paoli jette un coup d'œil par la fenêtre et voit Franck apparaître au bout du champ, trempé comme un linge.

Derrière lui, la petite se tient bien droite sur sa selle, la bride sous le menton, les pieds dans les étriers. Merlin, son cob de douze ans, a la démarche juvénile et heureuse qu'il adopte toujours quand on lui met un enfant sur le dos.

– Ça arrive qu'il fasse beau par ici ? demande Franck par la fenêtre, en aidant la petite qui grelotte à mettre pied à terre.

– Il ne pleut plus, répond-il. Estime-toi heureux.

– Zoé, donne ton casque. On va le mettre à sécher.

– Ta bombe, Franck. On appelle ça une bombe. Tu t'es bien amusée, ma chérie ?

– Mais j'ai un peu froid, dit-elle en hochant la tête.

– On va faire du feu dans une minute. Je voudrais que tu raccompagnes Merlin à l'écurie.

Ils s'éloignent avec le cheval, laissant Franck rentrer seul dans la maison. Il ne sait pas si c'est une bonne idée de les accueillir chez lui à quelques jours du glas, il voit bien que Franck l'observe dans l'espoir de comprendre ce qu'il mijote, et puis la présence vivifiante de la petite est de nature à lui rappeler la douceur et le prix de ce qu'il va perdre, mais l'envie de les avoir une dernière fois en Normandie a été plus forte que ses craintes, ils en parlaient depuis longtemps, Franck avait promis à sa fille, et Laurence en a profité pour aller enquêter sur un sujet à Bruxelles. C'est tout de même stupéfiant, pense-t-il, d'avoir laissé partir une fille pareille. Cinq ans après, il se demande encore ce qui a bien pu lui passer par la tête. Même si c'est elle qui n'en pouvait plus et qui a demandé le divorce – et comment lui en vouloir quand on connaît l'animal – il fallait se jeter à ses pieds, demander pardon, la retenir coûte que coûte. Pour la petite, bien sûr, mais aussi pour lui, parce qu'il est impensable qu'une fille qui n'aurait même pas le quart de ses qualités veuille bien d'un type qui est autant à la ramasse. Il ne trouvera pas mieux, il le sait, et pourtant il n'apprend rien, il continue ses enfantillages comme en quatorze, le genre d'âneries qui le conduit à récolter des coquards en écumant les coupe-gorge du 93 ou à vouloir faire les cent cinquante kilomètres depuis Paris à moto, sur une route détrempée, avec sa fille dans le dos.

– Je ne t'ouvrirai pas si tu fais la route, a-t-il dû le menacer tard dans la nuit, au téléphone, pour qu'il accepte de prendre le train. Tu me fais chier, à la fin !

– C'est bon ! Je vais la mettre au garage.

– Bien. Et quand tu remontes, tu réserves deux billets en seconde comme si tu étais un bon père de famille. Il y a du monde le samedi. Je vous récupère à la gare après avoir fait les courses, on déjeune vite fait, et la petite pourra passer l'après-midi à cheval si tu n'oublies pas son K-Way.

– Qu'est-ce que je dis au Tchétchène ?

– Le Tchétchène à la rescousse de la République. On vit une époque formidable.

– Il est aussi tchétchène que toi et moi. Tu n'as pas lu sa fiche, ou quoi ?

– Bien sûr que tu vas le voir. Au point où on en est, on n'a rien à perdre. Mais à Paris, tu m'entends ? Tu passes trop de temps à Aulnay.

– Il veut me voir à Paris.

– Bien.

– Daniel ?

– Et n'oublie pas les billets de train.

– Tu veux qu'on les chope, ces mecs, ou tu t'en cognes ?

– Évite de me poser ce genre de questions ce week-end, si tu veux garder une bonne image de la Normandie.

La sonnerie de son portable le ramène au présent, agitant les chevaux à l'intérieur de leurs boxes. Il pose la main sur l'encolure de Merlin, au cas où, et se glisse entre son corps massif de cheval de trait et la petite. Le problème des week-ends à la campagne, c'est que le téléphone n'arrête pas de sonner. Il confie la bride à Zoé et soupire en découvrant le nom de Bonnet sur l'écran de son portable.

La petite boit son chocolat chaud devant la cheminée, les yeux dans le vague et la peau pâle de ses joues rougie par la chaleur.

– Qu'est-ce qu'il voulait ? demande Franck.

– Le corps de Sélim Arif a été repêché il y a deux heures dans une écluse du canal de l'Ourcq, répond-il, en pensant que les ennuis commencent. Avec une balle américaine dans la tête.

– Quoi ? Je vais préparer nos affaires, dit Franck. On dépose Zoé aux parents de Laurence et on file au frigo.

– Et pour quoi faire, je te prie ? Le mauvais temps est en train de filer par le sud. Avec un peu de chance, il fera beau demain. Je vous emmène déjeuner à Cabourg. L'air du large redonnera des couleurs à ta fille.

– Qu'est-ce que tu racontes ?

– Il est hors de question que j'écourte mon week-end, surtout si c'est pour finir à l'institut médico-légal. J'ai déjà bien assez de Marion sur le paletot pour m'emmerder avec ça.

– Surveille ton langage, dit Franck en lui rappelant la présence de sa fille d'un mouvement de la tête.

Paoli ne répond pas. Il pourrait souligner qu'il y a quelque paradoxe à recevoir une leçon de politesse de la part d'un professionnel de la grossièreté, avec ou sans enfants dans les parages. D'ailleurs, la petite est tellement cuite dans son jus qu'elle n'entend plus rien.

– Qu'est-ce qu'il te veut, Marion ?

– Des vérifications à la mords-moi le nœud pour son ministre, le coup de pied de l'âne de Beauvau. Rien de grave. Tu connais l'âne de Beauvau ? Il est encore plus con que l'âne de Buridan.

– J'aimerais quand même que tu m'expliques ce qui se passe. Tes mystères, Arif descendu, je trouve que ça fait beaucoup. Tu peux me dire quel intérêt les Américains ont à se débarrasser de lui ?

– Sers-toi un calva, veux-tu. Tu fais monter ma tension.

Il fixe le visage bienheureux de Zoé et songe que la pluie normande fait dormir les enfants, comme toutes les pluies, emportant au loin les souvenirs qui les affligent.

Minuit et demi.

En éteignant la télévision il entend des pleurs étouffés au deuxième étage, dans la chambre mansardée où dort la petite, juste au-dessus de la sienne. Matthias devait avoir le même âge qu'elle, il y a trente ans, et il pleurait souvent de peur au milieu de la nuit, même si la maison ne lui était pas étrangère. La plupart du temps, Luce se réveillait la première et allait le consoler, mais il arrivait parfois que ce soit lui qui se retrouve assis sur le lit de son fils à trois heures du matin, épuisé et énervé, sans la moindre idée des mots qu'il fallait dire pour qu'il se rendorme. Le pauvre gosse le fixait avec ses yeux remplis de terreur nocturne sans oser lui prendre la main, sûrement pour ne pas l'agacer davantage. C'était impardonnable, ce qu'il lui avait fait, de s'être soustrait ainsi à ses devoirs de père sous le prétexte indigne que Matthias ne devait pas s'attacher à lui, au cas où il lui arriverait malheur en service, et la vie l'avait bien puni, en lui remplissant le cœur de l'envie d'y revenir, à ces nuits sans sommeil, de serrer son fils dans ses bras pendant des heures, en attendant qu'il se rendorme.

– Qu'est-ce qui se passe, ma chérie ? demande-t-il en allumant la lampe sur la table de nuit.

– J'ai fait un cauchemar.

– C'est fini, tu es réveillée maintenant. Je suis là, et ton papa dort juste à côté.

– Maman dit qu'il faut raconter les cauchemars pour qu'ils ne reviennent pas.

– Raconte, alors. Je te promets que je n'aurai pas peur.

– Il y a une belette-sorcière qui rentre dans les maisons, la nuit, par le trou de la serrure. Elle vient près du lit des enfants endormis, sans faire de bruit. Quand elle a fini de sucer leur sang, elle retourne se cacher dans la forêt avant que le soleil se lève, comme un vampire.

– Tu as rêvé qu'elle venait te voir ?

Elle fait non de la tête. Cette petite fille est lumineuse comme l'aurore, avec sa peau douce et ses yeux tout gonflés de sommeil.

– Qui alors ?

– Maman.

– La sorcière-belette est rentrée dans la chambre de ta maman ?

– La belette-sorcière !

– Mais elle ne peut pas. Ta maman est une adulte, et elle ne s'attaque qu'aux enfants.

– Il y avait un bébé à côté de son lit. Il dormait dans son berceau.

– Un bébé ?

– C'est son sang à lui que la sorcière voulait boire.

– Viens voir, ma chérie, dit-il en soulevant le drap pour la mettre sur ses genoux. Tu le sais, que ta maman n'a pas de bébé.

– Je sais, mais je voudrais bien.

– Tu voudrais qu'elle ait un bébé, comme ça ?

– Un bébé avec papa. Je voudrais avoir un petit frère, comme mes copines, et une seule maison. Tu sais que j'ai deux maisons ?

Il la serre dans ses bras et se sent aussi désemparé qu'autrefois face à la logique impérieuse des enfants. En cherchant ce qu'il pourrait bien lui dire, il aperçoit un objet oublié depuis longtemps qui brille dans le spectre de la lampe, sur l'étagère.

– Tu sais comment on empêche les sorcières de rentrer dans les maisons, en Corse ?

– Là où tu habitais petit ?

Il acquiesce, et attrape le petit bijou doré.

– Qu'est-ce que c'est ? demande-t-elle.

– Les doigts d'une main qui fait les cornes. C'est comme ça qu'on se protège contre le mauvais œil, là-bas. Quand un bébé naît, on glisse les petites cornes dans son lit, et aucune sorcière n'ose s'en approcher.

– Même les belettes-sorcières ?

– Celles-là, et toutes les autres.

– C'est pratique, fait-elle en examinant le bijou.

– Un peu ! Je te le donne, si tu veux.

– C'était à toi ?

– À mon fils. Il est grand maintenant, il n'en a plus besoin.

– Il a quel âge ?

– Trente-six ans. Presque comme ton papa.

Elle le considère un instant, incrédule. C'est vrai qu'il ne lui a jamais parlé de Matthias, et il ne voit pas pourquoi Franck le lui aurait dit.

– Attends, dit-elle en allant ouvrir un coffre rempli de livres et de cahiers. C'est à ton fils, tout ça ?

Il y a des années qu'il n'a pas mis les pieds dans cette chambre. La femme de ménage range et aère quand des amis ou des enfants d'amis sont de passage, mais lui, il n'y va jamais.

– Il a une belle écriture.

Elle lui montre un vieux cahier de vacances de CE2, ouvert à la page d'un exercice de rédaction où il s'agissait de compléter la phrase « Quand je serai grand », et d'expliquer son choix. Il reconnaît les lettres droites et bien dessinées de Matthias.

« Je serai astronaute, et peut-être policier ou chasseur. »

– Et maintenant, avait demandé la maîtresse, qu'est-ce que tu veux être ?

– Heureux, c'est ce qu'il avait répondu.

Tout ce bonheur, pense-t-il, tout cet amour perdu à la poursuite d'une idée fixe. Il sent les larmes lui monter aux yeux. La petite pose la tête sur son oreiller, l'amulette dans le creux de sa main.

– Tu peux rester dormir ici, s'il te plaît ? Je crois que j'ai encore un peu peur.

Le bonheur, songe-t-il en éteignant la lumière, le bonheur est inévitable et long à semer quand on le fuit. Mais une fois qu'il a disparu, autant chercher à voir la comète de Halley entre deux passages : il n'y a plus qu'à attendre le prochain en espérant qu'on a encore assez d'années devant soi.

Attendue et redoutée depuis des semaines par le ministre, le cabinet et les directeurs centraux, la lettre de cadrage de Bercy pour le prochain exercice est là, en pièce jointe à un mot cordial et navré de sa correspondante au Budget. Le jour noir où cette lettre arrive dans les administrations, la sienne et toutes celles que le Premier ministre a coincées sous le rabot, les gens comme lui ont toujours l'impression de travailler au service des soins palliatifs. Comme l'an dernier, seule l'Éducation nationale aura été épargnée par les arbitrages, sanctuarisée comme on dit à Bercy, ce qui n'est pas inattendu, somme toute, au vu de la clientèle électorale de ce gouvernement et de sa vertueuse détermination à réduire la dépense publique. Ils se sont fait élire sur une illusion lyrique, comme toujours, mais quand la bête n'a plus que la peau sur les os, on ne fait plus de politique : on gère la dépression nationale, on pilote le déclin avec un gouvernail grand comme une pièce de cinq francs.

Alex devrait ouvrir le document avec angoisse, le faire passer immédiatement aux intéressés, comparer les inconvénients de sabrer dans tel budget plutôt que tel autre, entamer la rédaction de l'une de ces synthèses dont il a le secret. Il devrait relire le brief et les éléments de langages qu'il a fait préparer pour l'intervention télévisée du ministre, demain soir. Tant d'impuissance et de panique noyées dans ce discours timbré pour rassurer dans les chaumières, ces tournures volontaristes, ces paroles vagues dont nul ne sera dupe. Les bombes explosent, les gens meurent, et l'État n'y peut rien, parce que l'État n'a plus un sou. C'est comme ça, dans le monde asymétrique qui est le nôtre. Ils sont impuissants, lui, le ministre malgré tous ses roulements de mécanique, tous ceux de Beauvau et de Levallois.

Entre deux notes préfectorales, il reçoit un spam d'une agence en ligne pour un week-end à Copenhague. Il a beau n'être jamais allé là-bas, n'avoir pas d'attirance pour les pays nordiques, aujourd'hui il se voit bien en touriste dans une capitale étrangère, anonyme parmi les anonymes au bras de la jeune fille qu'il aime.

Car il l'aime, il aime Sibylle : même si l'être rationnel qu'il est se rebelle devant l'arbitraire des affects, il a fini par se rendre à l'évidence. Son image, son odeur et ses gestes occupent ses pensées à toute heure de la journée, quand il écrit, quand il écoute, quand il parle. Depuis leur verre au café, s'il peaufine une note sur la nouvelle frontière de la décentralisation, s'il règle l'agenda du ministre pour la semaine prochaine, il arrive toujours un moment où il se surprend à trouver dérisoires ces choses qui jusqu'à présent composaient le tissu de ses heures. Il est amoureux, bêtement, comme le premier crétin venu. Et c'est cela le plus déconcertant : au-delà du sentiment et de la nouveauté de ses manifestations en lui, il devient un autre homme. Lui qui rejetait toute idée de dépendance comme un amoindrissement de son libre-arbitre, il rentrerait sur-le-champ dans une servitude dont elle serait le motif et l'architecte. Il la trouve gracieuse, infiniment gracieuse, parce qu'elle donne l'impression d'ignorer la finalité de sa beauté. Elle avance dans le monde d'un pas léger et assuré, comme une enfant somnambule.

Il n'y a aucune raison de penser qu'elle lui dirait oui, évidemment. Hier soir, elle a bu et ri sans compter, mais ainsi sont les jeunes filles. Ardentes, attentives, généreuses de leur présence – et l'instant d'après elles vous ont oublié.

Il ferme les yeux une seconde et inspire profondément ; l'idée que ce bouleversement intime fait battre son cœur plus vite que l'or du pouvoir le sidère.

Mais Copenhague n'attend pas. Alex clique sur le lien de l'agence et réserve une chambre pour deux au Nimb, avec vue sur les jardins de Tivoli.

Son téléphone sonne, et son cœur se met à battre la chamade. Si c'était elle, se raisonne-t-il en décrochant, elle n'aurait pas masqué son numéro.

– Monsieur le directeur de cabinet, on compte sur vous pour le travail qui vous a été confié au sujet de Daniel Paoli. Ne vous trompez pas de dossier.

La voix est jeune, originaire du Sud-Ouest : il se figure un barbouze pêché par les gens de la SDAT dans le régiment de paras de Montauban. Comment la police secrète du ministre peut-elle être au courant de ses entrevues avec Hélène Faure ? Rambert, probablement : il aurait dû se méfier de lui.

– À qui ai-je l'honneur ?

– Ne vous trompez pas de dossier, et faites bien attention à qui vous parlez.

En réalité, il est encore vivant. Sur le chemin de l'abattoir, mais jeune, pense-t-il avec hébétude, et bien vivant. Assan ne veut plus penser qu'à elle, le temps d'un bref sommeil, et effacer dans la nuit mourante le visage de ceux qui le pourchassent.

En la voyant au café, il s'est rappelé que la chair a aussi le pouvoir de rendre heureux, furieusement heureux, une furie délectable et solaire, quand on est rempli d'allégresse et que l'avenir se résume à l'image de cet autre corps qu'on se languit d'empoigner, de posséder, à la pensée d'un visage, un seul, ce visage horizon qu'on pourrait contempler des journées et des nuits entières, comme le ciel au-dessus de la mer, débarrassé de soi, transi d'amour et frémissant tout entier de l'envie de donner ce qu'on a de bon.

Il suffit de vouloir vivre et de vouloir être un homme. La simplicité du constat est brutale, il se le répète comme s'il redoutait d'en oublier l'évidence : non, la chair n'est pas qu'une enveloppe destinée à mourir, une matière périssable qui finit par se décomposer au nom d'une loi qui scelle notre malheur. Comment a-t-il pu le croire aussi longtemps ? Bien sûr, qu'il est trop tard pour lui. Mais lui seul en a décidé ainsi.

Depuis combien d'heures a-t-il éteint la lumière ? Il sent la forme froide du pistolet sous son oreiller, l'aube qui vient, l'obscurité un peu plus claire derrière le rideau. Il ne dormira plus maintenant. Dans son ventre, le désir et la peur s'entrelacent et font se cogner ses organes les uns contre les autres ; il a trop chaud. Est-ce qu'il veut vivre ? Des heures après lui avoir dit oui, il s'étonne encore de la spontanéité de sa réponse, mais il ne doute pas d'avoir été sincère. Il veut vivre, vivre mille vies pour rattraper le temps perdu, et une seule, toujours la même, pour marcher à ses côtés dans Paris, lui faire l'amour, la regarder, parler avec elle, être toujours là où elle se trouve. Toutes ces choses qui lui semblaient hors d'atteinte hier encore, détails d'une vie en creux qu'il pouvait seulement se morfondre de ne pas avoir eue, il peut presque les sentir entre ses mains maintenant qu'elle lui est revenue. Comment pourrait-il fermer l'œil dans cette agitation ?

Si le nom de Zohra est écrit sur tous ses désirs, c'est la conscience nouvelle d'avoir quelque chose à perdre qui est le carburant de sa peur. Ses petits pantins, tout à coup, l'effraient plus encore que Paoli et les Américains, non, il ne faut pas qu'il pense à eux, mais il tremble en imaginant à quoi Bruno et les autres peuvent être occupés à cette heure-ci, et il voudrait savoir s'ils dorment, rêvant à la même mort que lui, celle qu'ils vont semer dans six jours, six, est-ce qu'ils se rendent compte de l'énormité de la chose et du peu de temps qu'il leur reste à vivre ? Il se demande si leur sommeil est lourd de fatigue ou de doutes, ou bien s'ils ont les yeux ouverts et vides, comme lui, et que rien ne les aidera plus à trouver le repos, jusqu'à ce qu'ils s'arrachent par la mort à cet état de servitude dans lequel il les a plongés.

Les chiens de la cité sont dressés pour tuer, dans ces combats de hangars où les propriétaires misent des milliers d'euros sur la victoire de leur pitbull, et leur prestige, leur virilité par procuration, comme jadis, au temps des plantations, les propriétaires terriens du

Delta avec leurs combats de nègres – les maîtres américains et leurs jouets qu'ils se plaisaient à casser, déjà. Le poil est arraché en épaisses touffes qui se coincent entre les crocs de l'agresseur, la peau déchirée, la jugulaire éclate. On nettoie le sang et les viscères au karcher, et on passe au match suivant. Le Tchétchène, s'il se souvient bien, a fait interdire ces jeux du cirque aux 3000. Mais lui, comment s'y prendra-t-il pour rappeler ses chiens enragés ? On ne siffle pas les clébards de la cité après les avoir jetés à l'attaque.

Et quand bien même, pense-t-il. Quand bien même il arriverait par des mots de paix à endormir la colère qu'il a soulevée par ses mots de haine ? Paoli sera toujours là avec son cœur qui saigne, sa vengeance haineuse qui ne peut pas s'éteindre. Paoli et Al-Mansour. Il les hait l'un et l'autre de la même haine, la haine que méritent les hommes vindicatifs, il hait la haine insensée qui a présidé à leurs destinées, et qui pèse sur la sienne comme une malédiction. Il hait Paoli, mais moins que son père, ce traître qu'il ne peut pas tuer, qui au lendemain de la mort de Kader a donc tourné le dos à la damnation familiale, aux dogmes dont il avait nourri ses propres rejetons, pour une poignée de dollars ou l'illusion interlope d'une vie d'expédients, Rimbaud à Aden, marchand de mort et agent double au fin fond du désert, au couchant de sa vie. Il hait le sadique aux dents blanches et au nœud papillon qui s'est vu dans le RER B comme Trotski à bord de son train blindé, et il hait les bébés baraqués aux yeux vides et gonflés à la créatine qui lui servent de porte-flingues. Mais qu'ils aillent tous au diable ! Il s'enfuira avec Zohra, au bout du monde, où ils ne pourront pas le retrouver. Nul ne lui fera endosser le rôle d'agent provocateur dans la mise en scène d'un djihad global contre Babylone, ni perdre la douceur de vivre qu'elle seule pouvait lui redonner, la possibilité enivrante de son amour, le secret qu'elle a promis de lui révéler.

Quel secret peut-elle avoir, elle qui ne connaît ni le vice ni la bassesse, ni la dissimulation ?

X

Momo peut aller se faire foutre, avec son championnat régional et ses Jeux olympiques. Sa réalité est triste et ses rêves indigents.

Sibylle se sent humiliée, hargneuse. Pour qui se prend-il ? S'il n'a pas encore compris ce qu'il avait à apprendre à son contact, comme elle a compris en le rencontrant tout l'intérêt qu'il y avait pour elle à marcher dans son sillage, loin des chemins balisés qu'empruntent les jeunes filles de bonne famille, elle ne peut rien pour lui, et ils n'ont rien à faire ensemble.

Il lui a appris la vie de ceux qui vivent de l'autre côté de la France, où les naissances ne sont pas heureuses mais inévitables, où les enfants ne sont pas des enfants et où ils ne disent pas bonjour dans l'ascenseur en partant à l'école le matin, où à six ans l'oreille sait distinguer un pétard d'un coup de feu, où quand ça tire on se demande qui, comme si les balles avaient un propriétaire et un petit nom, où on ne paye pas son passe Navigo et où les bus ne roulent pas mais brûlent, où les pots ne sont pas catalytiques ni les voitures hybrides, où il est inutile de se lever quoi qu'il en soit puisqu'on ne fait pas d'études et qu'il n'y a pas de travail, où on ne prend pas un café en terrasse à l'ombre des platanes à la fin de la journée, où l'eau coule rarement chaude des robinets et ne se boit pas minérale, pas davantage que les légumes ne se mangent organiques ni la viande fraîche, où le tri n'est pas sélectif, mais alors pas du tout, où les murs n'arrêtent pas le bruit affolant que font les voisins, le bruit et l'odeur qui bien sûr n'existent pas aux oreilles et aux narines tolérantes des niais qui n'ont pas besoin d'être passés par là pour donner leurs leçons d'œcuménisme, où les chiens ne se laissent pas caresser mais aboient en montrant les dents, comme la vie, où les parents ne peuvent rien promettre à leurs enfants, où les vieux n'ont plus dans le regard qu'une haine fossilisée, dure comme de la pierre, où aucun de tous ces misérables ne s'endort jamais l'esprit tranquille, et où même leurs rêves ont la couleur du béton.

Elle, elle aurait pu lui apprendre le sens de la beauté, et Paris, où vibrent des mondes inouïs et où s'entassent des trésors dont il n'a pas idée. Elle n'en veut plus pour son propre compte, c'est entendu, parce qu'elle estime en avoir fait le tour et qu'elle a la faiblesse de penser que l'herbe est plus verte ailleurs, mais lui, la richesse souterraine de cette ville aux mille visages l'aurait nourri et abreuvé de sensations nouvelles, et ses surprises l'auraient révélé à lui-même en faisant éclater le carcan de son existence, le tout petit univers de la cage d'escalier auquel le condamnent ses préjugés et ses complexes.

Comment peut-on vouloir autre chose pour soi que ce qui se trouve loin, aux antipodes, si loin qu'on a d'abord tendance à se croire hors de portée – ce qui est absolument étranger et que l'on ne risque pas de devenir, sous aucune circonstance ?

Au lieu de quoi, Momo refuse d'apprendre, et il la repousse pour avoir la paix avant un combat dont la gazette d'Aulnay publiera le résultat tout en bas de la rubrique sportive, s'il reste de la place. S'il tient tant à son quartier, s'il n'a rien d'autre en lui que ses ambitions plébéiennes, qu'il aille se faire saigner la queue par ces filles de la cité qui sucent avec les incisives.

Une imprimante se met en marche dans le bureau voisin – sûrement un fax en provenance de l'un de ces pays où le dimanche n'existe pas, ou bien où c'est déjà lundi matin. Elle regarde les tableaux abstraits accrochés aux murs de la salle de réunion, une suite dans un bleu foncé qui lui évoque la Californie, et elle se demande pourquoi diable l'acheteur a tenu à ce qu'ils se voient sur son lieu de travail, un cabinet de conseil en stratégie qui a la particularité de recruter davantage à Sciences Po que dans les écoles de commerce. C'est une étudiante de dernière année qui a servi d'intermédiaire – elle a fait un stage ici il y a deux ans, et ils sont restés en contact. Ancien élève lui-même, filière économique et financière, son client lui a dit avec une vanité très directe, très américaine, qu'il était le plus jeune senior manager de la boîte et ce que cela signifiait en termes de salaire et de bonus.

L'argent, sans autre forme de procès. Elle n'a rien contre s'il met le prix.

Il pose le liquide devant elle sur la table, des billets de cinquante, comme elle le lui a demandé. Elle lui fait les cent grammes à sept mille euros, 15 % de remise. S'il est satisfait, il y aura une autre commande d'ici un mois, pour sa fête d'anniversaire.

– Tire les rideaux, s'il te plaît.

– La lumière n'est pas allumée, objecte-t-il. Personne ne peut nous voir.

L'immeuble n'a pas de vis-à-vis immédiat, mais avant d'entrer elle s'est fait la réflexion que sa façade en verre attirait l'œil au milieu de tous ces bâtiments haussmanniens.

– Ça ne fait rien.

En sortant la coke de son sac, elle remarque qu'il ne porte pas d'alliance, et elle pense à la chevalière d'Alexandre Marion. La peau des creux entre ses doigts est blanche et douillette.

Le bruit saccadé de l'imprimante recommence à côté. Dehors, une alarme de voiture sonne dans le vide. Le compte y est.

– Tu vas passer les concours ? lui demande-t-il en se préparant un rail sur l'acajou brillant de la table.

– Je ne crois pas. On verra dans deux ans.

– Tu es la bienvenue ici si tu optes pour le privé. On aura de plus en plus besoin de spécialistes du droit communautaire.

– Je garderai ta carte de visite.

Elle range les billets dans son sac et se lève.

– Je t'en prie, dit-il en lui présentant la ligne de poudre.

– Non merci.

– Bien. On fait comment pour la suite ?

– Je repasserai dans quinze jours pour savoir si tu veux davantage.

Il se lève pour la raccompagner, mais elle l'arrête en lui serrant la main.

– Je connais le chemin.

Ils se sont retrouvés du côté d'Étienne-Marcel, dans un bistrot dont elle avait déjà entendu parler, ouvert le dimanche et toute la nuit. Il lui a dit qu'il y avait ses habitudes, parce que ce n'est pas si loin du ministère, à vélo, et que ses autres cantines ont fermé depuis longtemps les soirs où il finit tard.

Elle a hésité à faire demi-tour jusqu'au dernier moment, et puis, en traversant la rue de Rivoli, elle s'est sentie gagnée par une sorte d'euphorie à l'idée d'exploiter la faiblesse morale de la bourgeoisie parisienne. Les uns lui achètent de la coke ; les autres l'invitent à dîner. Au nom de quel puritanisme devrait-elle renoncer à ce qui lui revient sans effort ?

Le thon grillé était charnu, finement assaisonné. Il a commandé une bavette et, sans lui demander ce qu'elle voulait boire, une bouteille de côtes-du-rhône.

Elle l'a longtemps écouté, en buvant à petites gorgées, mais elle a beaucoup parlé, aussi. Son visage intelligent et compréhensif émettait comme des invitations. Il sait composer les expressions qui donnent envie de se confier à lui, ce qui est très étrange quand on a d'abord été frappé comme elle par la réserve qui émane de sa personne.

Momo, elle n'a pas pensé à lui pendant le repas, pas consciemment du moins. Il était là, dans un coin de sa tête, comme une ombre parmi les autres clients ou à l'entrée obscure du restaurant, sans que son image soit assez vive pour entraver la bêtise monumentale qui était en train de prendre corps à leur table. Vers le milieu du dîner, elle a réalisé qu'elle ne serait jamais venue s'ils n'avaient pas eu cette dispute stupide dans le square. Il était encore temps, alors, de remercier poliment et de rentrer chez elle. Mais sans le savoir, elle avait déjà capitulé.

C'est l'engrenage de la salope, a-t-elle songé à la fin de la deuxième bouteille, un peu ivre malgré les verres d'eau qu'elle s'obligeait à boire à intervalles réguliers pour garder les idées claires : en l'absence de ressource morale et d'incitation extérieure à se conduire mieux, il n'y a strictement rien pour empêcher la dégradation continue de ce qu'on pense être soi, et l'assouplissement simultané de ce qu'on juge acceptable.

Il a payé sans regarder l'addition, et ils ont marché dans la nuit froide jusqu'à son appartement de la rue de Bretagne.

La cuisine était impeccable et le mobilier japonais.

Il pourrait préférer les garçons, c'est ce qu'elle s'est dit en se laissant tomber sur son futon, les mains sur son torse lisse comme du lino.

Il aurait pu, mais il préférait les filles.

– Je peux fumer ? demande-t-elle en montrant la fenêtre.

Il n'y voit pas d'inconvénient et lui met la couette sur les épaules pour qu'elle ne prenne pas froid, avant de disparaître dans la salle de bains. Des éclats de peinture blanche se détachent du cadre quand elle ouvre ; le rebord de la fenêtre est glacial sous ses fesses en dépit du radiateur tout proche. Il fait nuit noire, et l'hiver n'en a pas fini avec Paris.

Tous les impératifs singuliers sur lesquels elle s'appuyait à défaut d'une éthique plus cohérente gisent éparpillés sur le parquet élégant de son prof de droit administratif, comme les quelques fenêtres encore allumées dans la nuit. Et maintenant qu'elle est nue chez lui, comment pourrait-elle ne pas avoir envie de le toucher, de l'embrasser et de se perdre dans ses yeux comme n'importe quelle amante comblée par la première nuit d'amour ?

Il revient caresser sa peau, plus grand et plus sec que sous ses habits.

– Souris, dit-il en ramassant son téléphone au pied du lit.

– Donne-moi ça.

Il prend une photo et lui rend le portable. Momo aussi sait être un amant attentionné. Mais il est terriblement sérieux et n'a pas ce genre de fantaisies, qu'on ne peut partager qu'avec les gens dont on parle la langue.

– Désolé, je ne peux pas te faire entrer.

– Tu as de la compagnie à l'heure des parapheurs ? dit Pelletier dans un sourire. Et moi qui hésitais à attendre demain ! Je n'ai pas fait le voyage pour rien.

Alex regardait Sibylle dormir quand on a frappé, et il a enfilé en vitesse un T-shirt, en suppliant le ciel que le bruit ne la réveille pas, et que ce ne soit pas la police politique du ministre sur le palier.

– Dis-moi donc ce qui t'amène.

– Tu te rappelles la fourgonnette mystère dans le parking de Kader Arrache ?

– Celle dans laquelle lui et ses copains avaient transporté les bidons d'essence ? Oui. Eh bien ?

– C'était un coursier fantôme.

– Un quoi ?

– Un véhicule qu'on utilise dans les opérations clandestines, sans qu'il soit répertorié nulle part. Officiellement, officieusement, ces bagnoles n'existent pas. Elles n'appartiennent même pas à notre flotte. La plupart sont mises à disposition par des anciens du service, ou des garages amis. Celle-là n'avait été utilisée qu'une fois avant mars 1996. Deux ans plus tôt, déjà dans l'Est, pour une mission dirigée par Paoli.

Il s'y attendait, bien sûr. Mais la confirmation qu'il avait vu juste assourdit, une fraction de seconde, son empressement de retourner auprès de Sibylle, et la peur qui ne le lâche plus depuis l'appel anonyme d'hier soir.

– Ça ne peut pas être une erreur ?

– Seuls les huit derniers chiffres du numéro de fabrication étaient lisibles sur le moteur, mais ils sont identiques à l'autre. La probabilité que ce ne soit pas le même véhicule doit être, je ne sais pas, de un sur cent millions.

– Tu viens de me dire que les codes moteur ne sont pas référencés.

– En principe, non. Mais le numéro avait été noté sur un rapport de la première opération, peut-être comme une sorte de garantie au prêteur, peut-être pour une autre raison. On s'en tape ! Tu te rends compte de ce que ça veut dire ? Oublie la sanction administrative, les juges vont le découper en morceaux.

– Merde, dit Alex en cherchant quelle folie passagère a bien pu s'emparer à l'époque de Paoli au point de le pousser à l'homicide volontaire.

– Tu étais sur le plateau avec le ministre, tout à l'heure ?

– On ne m'avait pas convié. J'ai dîné dehors.

– Pour ça, il n'a pas lésiné. On aurait dit Churchill ! Mais il se met tout seul dedans. Si les bombes pètent et qu'elles font un carnage…

– Ça commence où, le carnage ?

– Tu le sais aussi bien que moi : quand l'opinion a le sentiment qu'il aurait pu y avoir moins de victimes, ou pas du tout.

– Bonne nuit, Philippe. C'est du beau travail.

– Qu'est-ce qu'on va en faire ?

– Il faut que je réfléchisse.

Il revient se coucher, sans un regard pour le parapheur de décrets qui l'attend sur sa table de nuit. Sibylle dort sur le côté, la bouche entrouverte, la respiration lente et sereine ; son sommeil est pareil à un lac, calme, étal. Il voudrait s'endormir de la sorte, s'il le pouvait, mais il aime mieux encore la contempler, sa peau transparente, le blanc parfait de ses dents, suivre du doigt le galbe de son front et le chemin harmonieux que dessine l'arête de son nez vers ses lèvres pâles, les boucles blondes qui dévalent sur sa nuque, jusque dans le creux entre les omoplates.

Il ne la quitte pas des yeux, couché tout contre elle, et c'est une chose étrange, songe-t-il, de se sentir envahi d'amour tout en sachant que là, juste derrière la fenêtre, roule le fracas du monde et des affaires politiques. C'est écrit dans l'air glacial de la nuit : attentats ou pas, sauf coup de théâtre ou brusque changement de pied, son ministre atterrira à Matignon dans un mois, après le désastre des municipales, pour parer à celui des européennes. Et lui, où retombera-t-il ? On ne le laissera pas être le couteau suisse d'un troisième homme place Beauvau, et il n'est pas dit que son avenir soit davantage auprès d'Hélène Faure – si elle sait être assez tueuse pour s'en inventer un.

Que faire, alors ?

Dézinguer Paoli en bon sniper ministériel, pour s'éviter des ennuis, il ne peut s'y résoudre malgré le peu de considération que cet homme a pour lui. Sa fêlure le fascine. À Beauvau, il a toujours observé un vieux fond de catholicisme chez les baroudeurs corses arrivés au sommet de l'administration policière en s'acquittant du boulot dont personne ne voulait, et Dieu sait que la liste est longue depuis 1958. Quelles que soient les exactions qu'ils aient pu commettre au nom de la raison d'État, la culture de la faute reste ancrée au plus profond de leur psychologie, seule brèche dans leur armure de seigneurs calculateurs et cruels ; tout le monde les croit impitoyables, eux-mêmes les premiers, quand ce sont en réalité de grands sentimentaux.

Un gentleman's agreement, en revanche, après avoir expliqué à Paoli qu'il sait tout et que les preuves de son crime de 1996 sont en lieu sûr, ce serait une autre manière de sortir par le haut du ministère tout en mettant en échec les menées de son maître. Avec son entregent et son autorité, Paoli n'aura pas trop de peine à lui trouver un poste idoine au renseignement intérieur, et cette existence sera toujours plus exaltante que celle d'un chargé de mission lambda, ou que le morne ennui qui le guette au Conseil d'État en cas de retour à la case départ.

Mais s'il raisonne ainsi, songe-t-il dans un frisson d'angoisse, c'est donc qu'il vit désormais dans la peau d'un joueur – le genre d'homme, libre et décidé, très différent du prudent bureaucrate dont il avait jusqu'ici habité le costume avec naturel, le genre d'intrépide personnage qu'un inconnu appelle au milieu de la nuit pour lui faire des menaces. Est-il vraiment de taille ? Combien de temps, pour se justifier à lui-même ses propres écarts, pourra-t-il encore s'abriter derrière le credo républicain, toujours souverain à ses yeux légalistes sur les particularismes déontologiques de son poste, par nature fluctuants ? Et, plus prosaïquement, qui doit-il redouter le plus, des espions du ministre ou de ce Corse qui a mis le feu à tout un immeuble ? L'image du télégramme diplomatique de Damas au sujet d'Al-Mansour Arrache lui revient en mémoire, et il comprend avec terreur que Daniel Paoli obéit sans doute, depuis des années, à une loi transcendante qui a pris l'apparence de la raison d'État.

La jambe de Sibylle frémit sous ses doigts. Les membres chauds et engourdis de sommeil, elle répond à ses caresses en se frottant contre lui, et il sait qu'il n'y a que la transe animale où elle le met pour oublier, le temps qu'il faudra, les calamités effarantes qui se trament dans la nuit.

– Viens avec moi, lui souffle-t-il dans le creux de l'oreille.

– Où ça ?

– À Copenhague.

Elle se retourne pour l'embrasser, sans qu'il sache si c'est pour lui éviter de roucouler des platitudes ou parce que son envie de lui ne peut pas attendre.

Aussi robustes soient-elles, pense le Tchétchène en regardant les enfants gambader d'un jeu à l'autre, les preuves ne sont jamais que des faits, autrement dit des apparences, autrement dit des illusions ou des mensonges en puissance. Plus la preuve semble robuste, plus elle a de chances d'avoir été fabriquée ou d'être le fruit d'une erreur de jugement.

– Je crois ce que je vois, dit Carlos, assis à côté de lui sur le banc.

– Mais tu n'as rien vu, répond-il sans le regarder. Tu n'étais pas là.

– Je crois mes hommes, sinon ils ne seraient pas mes hommes. Et je me demande ce qui peut bien te garder d'en faire autant. Nabil ! Viens raconter au chef ce que tu as vu l'autre jour.

Le bon petit soldat traverse l'aire de jeu pour lui répéter docilement ce qu'il sait déjà, les faits et ce qu'ils veulent dire : si Momo a été relâché du commissariat d'Aulnay après une demi-journée de garde à vue, lundi dernier, c'est qu'il a passé un marché avec la police. Les truands, comme les flics et les petits enfants, ont le lien de causalité facile.

Il le renvoie à son poste d'un geste souverain.

– Bien sûr que je te crois, dit-il à Carlos en suivant l'ascension d'un tout petit gamin sur l'échelle du château fort. Je te crois et je n'en tire pas les mêmes conclusions que toi. Ni les mêmes raisons, d'ailleurs. Qui te dit qu'ils l'ont arrêté pour ça ?

– Et pour quoi d'autre alors ? Il a tapé la brique, il s'est fait serrer, il a pris le deal que les flics lui ont donné. Ouvre les yeux, boss.

Carlos a entièrement raison de voir les choses ainsi : il n'y en a pas d'autre quand on veut durer dans ce métier. Mais il est d'humeur nostalgique ce matin, le Cap-Vert lui manque, et il se sent de plus en plus étranger à cette manière de voir.

Le petit garçon pose le pied sur le dernier échelon et se hisse sur la plateforme. Il n'a pas plus de trois ans, bien que le Tchétchène n'y connaisse pas grand-chose en la matière. Ce qu'il voit, c'est que ce gosse regarde autour de lui avec un mélange de fierté et de déception, sans trouver nulle part les félicitations qu'il mérite pour sa hardiesse. Combien de minuscules virages comme celui-ci faut-il avant qu'un enfant tourne mal ? Combien de petits riens, de blessures invisibles ? Le manque d'attention est un poison que les parents administrent au goutte-à-goutte, dont les ravages ne se manifestent que des années plus tard.

– Quelqu'un veut bien me dire à qui est ce gosse ?

– C'est sa grande sœur, dit Nabil en lui présentant une adolescente aux traits gommés par la graisse, plus très loin de l'obésité. Elle était en train d'envoyer des SMS là-bas derrière.

– Ton nom, petite, lui demande le Tchétchène.

– Kandia, boss.

– Tu sais qui je suis, Kandia ?

Elle acquiesce en silence. Il faut dire que la question est de pure forme, vu qu'il y a des graffitis à son effigie un peu partout aux 3000. Président à vie et protecteur du petit peuple de la cité, comme un président tchétchène, un vrai de vrai, que le petit peuple le veuille ou non.

Il pose une main sur son épaule et elle se détend un peu.

– Si tes parents te font confiance pour surveiller tes frères et sœurs, c'est que tu dois être quelqu'un de responsable. Enfin, c'est l'impression que tu me donnes. J'ai tort ?

– Non, boss.

– Alors, écoute-moi bien. Je veux que tes parents puissent vraiment compter sur toi. Où sont les autres ?

Elle tend la main en direction des deux fillettes qui jouent dans le bac à sable.

– Ton petit frère est le seul garçon de la famille ?

– J'ai deux grands frères au pays.

– Mais lui il est ici et il a besoin de toi. Tu comprends ? Aide tes sœurs à faire leurs devoirs et ne laisse pas traîner ton frère.

– Je comprends, boss, dit-elle en hochant encore la tête.

Il la regarde récupérer le garçon perché sur son château. Les autres enfants continuent à jouer en piaillant, indifférents à leur échange ; les rares mères de famille font comme si elles n'avaient rien entendu.

– J'ai vu quelqu'un tourner autour de Momo deux soirs avant sa GAV, dit Carlos en le rejoignant. Ici même. Je n'ai pas bien vu son visage, mais je pense que c'était un stup.

– On les connaît tous. Si tu n'es pas sûr, c'est que ça n'en était pas un.

– Il n'était pas de la cité non plus.

– Tu te fais des films.

Il se tourne vers lui et le regarde sans répondre. Comme toujours, Carlos finit par baisser les yeux, en chien loyal et soumis.

– Tu te fais des films, mais on ne va pas courir le risque. Je veux que toutes les caves soient nettoyées d'ici ce soir. Tu transfères tout le stock sur les conteneurs.

– Il y en a pour au moins deux jours.

– Tu feras au mieux.

– J'ai besoin de plus de monde. Deux gars. Il faut remplacer UPS, et Baguette n'est pas là ce matin.

– Demande-leur de te trouver des intérimaires, répond le Tchétchène en pointant le menton vers Nabil et les autres. Tu me diras ce qu'ils valent.

– Et Momo ?

– Momo, tu l'oublies. Je vais m'en occuper personnellement.

Le ballon se stabilise en douceur à cent cinquante mètres au-dessus de la pelouse en bord de Seine, et l'homme de l'ombre, les mains sur la grille de sécurité, fait la fine bouche devant la cacahouète que le Tchétchène vient de lui lancer.

– Si vous l'avez vu venir, dit l'officier du renseignement, vous auriez pu convaincre ce Baguette de laisser tomber. Essayer, au moins.

– Je ne crois pas, non.

– Moi, c'est ce que j'aurais fait, ajoute-t-il sur un ton de reproche qui fait sourire le Tchétchène, parce que cette façon de voir les choses est exactement la raison pour laquelle un lascar finit par rentrer dans le rang et devenir flic.

– Vous avez remarqué que nous sommes des personnes très différentes.

Il y a longtemps que l'envie de monter à bord de ce ballon stationnaire se présente à lui, une ou deux fois par an, quand il l'aperçoit en voiture depuis le périphérique ou sur les quais, et l'idée de donner rendez-vous ici lui a paru amusante.

Le flic faisait les cent pas devant le guichet quand il est arrivé.

– Je n'ai pas assez, s'est-il plaint d'un air renfrogné, comme si la cherté des attractions parisiennes lui était imputable à lui, le Tchétchène. Vingt-quatre euros pour deux places !

– Mais Paris, a répondu le Tchétchène en sortant un billet de cent, c'est le paradis. Ça coûte cher, le paradis. Surtout vu du ciel.

Il aurait pu, c'est vrai, s'abstenir de cette entrée en matière humiliante. Dans un État où les frais d'enquête servent à financer les vacances du ministre et de ses directeurs centraux, il n'est pas illogique que les petites mains soient réticentes à en être de leur poche. Et dieu sait que celles-là, nerveuses et abîmées comme elles sont, doivent en avoir à revendre, du ressentiment contre les prébendiers de la hiérarchie.

– Je vais voir si ça capte mieux de l'autre côté, dit le flic en faisant le tour de la nacelle, son portable à la main.

Sous leurs pieds, le paradis est jaune et gris ce matin, comme les yeux d'un chat. Les tours de la Défense, serrées les unes contre les autres, ressemblent à des verres sales qu'on aurait oubliés sur un coin de table, plus au nord qu'il ne l'imaginait. Il fait frais, l'effet de l'altitude et de la brise qui fait gentiment tanguer la nacelle. On respire mieux, pense-t-il, sans le bruit des voitures. C'est ça qui est frappant vu d'ici, bien plus que le panorama : le silence de la ville, sa rumeur étouffée et son calme de plaine.

À la faveur d'une rafale, dans un éclat d'or faux, le dôme des Invalides surgit de derrière la modernité en bout de course du Front de Seine. Il a fait liquider un type, là-bas, il y a deux ans, une petite enflure qui pensait pouvoir lui décalquer toute son œuvre impunément, du haut de son vingt-cinquième étage. Un peu plus loin, Montparnasse. Il reconnaît aussi le toit de Beaubourg, la masse verte et touffue des Buttes-Chaumont. C'est bien beau, et bien pensé, tout de même, cet empilement des siècles au fond de la même cuvette. Les rondeurs byzantines du Sacré-Cœur apparaissent dans l'axe de son regard au moment où le ballon amorce sa descente. À la bibliothèque de la centrale, il a lu un jour que la basilique a été édifiée comme un acte de repentir, pour expier les péchés des communards et de tous les gueux qui avaient avant eux menacé l'ordre établi. C'est le problème avec la misère : elle ne sait pas se tenir tranquille, jamais assez longtemps. Quel mausolée, pense-t-il, quel totem colossal imaginera-t-on pour laver Paris de ceux qui la souillent aujourd'hui de leur colère et de leur pauvreté ? Est-ce que Baguette et ses acolytes, au moins, dans l'abrutissement de leur illumination, projettent de mettre à bas un de ces châteaux forts à l'ombre desquels les maîtres de tout temps se plaisent à piétiner le peuple ?

L'image d'une gigantesque table rase tombe un instant sur le panorama de la ville, et il se sent pris de vertige.

– Il est passé devant les assises pour un braquage il y a quatre ans, reprend le flic sans lever les yeux de son écran. Il y a un point d'interrogation sur deux autres actes de délinquance grave.

– C'est lui, dit le Tchétchène, en tâchant d'accrocher un point fixe à l'horizon.

– Une valeur sûre, dites donc.

– Mais pas un de ces minables qui se font le bar-tabac du coin en guise de baptême du feu. Vous comprenez ? Il voit plus loin et il a plus de corps, Bruno.

– Le procureur de Bobigny a accepté de renoncer aux poursuites à votre encontre, qui pourraient découler de ses aveux. Ne croyez pas que cela vaut carte blanche pour tout le reste.

Le Tchétchène croit deviner une pointe d'admiration dans ses dernières paroles, mais c'est peut-être le malaise qui brouille son attention. Il avale un grand bol d'air et s'aperçoit, non sans soulagement, que le ballon est déjà à mi-descente. Comme au début de l'ascension, les cris des enfants dispersés sur le gazon lui parviennent à nouveau de la terre ferme.

– Je peux vous faire confiance ? demande-t-il.

– À quel sujet ?

– Vous me garantissez que cette rencontre restera entre nous ?

– À part moi, il n'y a que le procureur qui soit au courant. Ce n'est pas un homme bavard.

– Ni un homme à faire donnant-donnant avec des truands ?

– Vous avez peur de vos collègues ?

– Je tiens à ma réputation. Vous travaillez, vous arrêtez, et il n'y a que le nom qui reste.

Il lui serre la main et détourne le regard, parce qu'il y a trop de trouble en lui à cet instant pour pouvoir le cacher à un homme dont c'est le métier de lire dans le cœur des salauds.

En observant cet homme frêle, vieux avant l'heure et emmitouflé dans son manteau, qui lui parle du passé dans un fast-food glauque de la gare du Midi, Laurence se dit qu'il aime encore la jeune femme qu'était Hélène Faure durant leur année de DEA.

Marc Beckers, son amour de jeunesse, et le père d'Antoine, son fils mort-né, le 5 mars 1985 : l'homme que Rambert l'a envoyée rencontrer à Bruxelles, qui a déballé son histoire à l'ami d'un ami au PS, éventé ce secret qui l'étouffait depuis près de trente ans, par amertume d'avoir été abandonné comme un chien à l'époque – ce sont les mots qu'il a employés.

– Je ne comprends pas, dit Laurence. Vous n'en vouliez pas, de cet enfant, vous m'avez dit que vous vous trouviez trop jeunes, tous les deux, et sans argent. Pourquoi la faire payer toutes ces années après, alors que vous avez l'un et l'autre refait votre vie ?

Il lui a parlé jusqu'ici en évitant son regard, et pour la première fois elle voit son œil terne, glacé par une tristesse plus forte que la vie, que toutes les révolutions intimes qui ont assez de traction pour jeter les grands malheurs à la casse du passé.

– Je ne savais pas si je voulais élever notre enfant, mais jamais je n'ai songé à lui dire d'avorter, même les premiers mois. Vous comprenez la différence ? Pour moi, il n'a jamais été question qu'il ne vive pas.

– Pour elle non plus, vous me l'avez dit. Inconsciemment, vous êtes sûr que vous ne lui en voulez pas de ce qui est arrivé, de ne pas l'avoir mené à terme, de ne pas avoir accouché d'un bébé bien portant ?

– Je lui en veux de m'avoir exclu de sa souffrance, à peine sortie de l'hôpital, et d'avoir décidé toute seule que ce serait sa façon de faire son deuil. On aurait dû affronter ça tous les deux. Quand je suis rentré à Paris ce matin-là, elle m'a dit qu'elle ne pouvait plus me voir, que c'était au-dessus de ses forces, et elle a organisé la crémation sans me demander mon avis, comme si elle était indifférente à mes sentiments. La même femme qui, trois jours plus tôt, m'avait embrassé en retenant ses larmes sur le quai de la gare routière. Je suis allé au cimetière sans savoir où les cendres avaient été dispersées. Du jour au lendemain, je n'étais plus personne. Vous comprenez ? Regardez, dit-il en tirant une photo de sa poche intérieure, regardez et dites-moi si vous voyez un homme et une femme qui ne s'aiment pas.

Le cliché date d'avant la grossesse, ou bien celle-ci n'est pas encore visible. On reconnaît aisément Faure, son visage dur, adouci néanmoins par la tendresse avec laquelle elle regarde le jeune homme blond et élancé qui la tient par la taille devant une entrée du jardin du Luxembourg. Lui, ce n'est plus le même, à tel point que Laurence, en lui rendant la photo, a l'impression de se trouver en face du père de ce garçon.

– Pourquoi êtes-vous allé voir son adversaire plutôt que la presse people ? Avec l'envergure que sa candidature est en train de prendre, ils vous auraient proposé une somme à cinq chiffres.

– Je ne veux pas d'argent. Voyez-vous, elle a ignoré toutes les lettres que je lui ai écrites, tous les messages que je lui ai fait passer par les rares connaissances que nous avions encore en commun. Je veux la forcer à reconnaître mon existence, je veux qu'elle sache que si elle s'en est remise, si elle est devenue ce qu'elle est aujourd'hui, je vis toujours, moi, à l'ombre de cette mort et de ce chagrin qu'elle m'a ravis à l'époque. Je n'en suis pas fier, mais c'est le seul moyen que j'ai trouvé pour qu'elle cesse de faire comme si nos vies ne s'étaient jamais rencontrées.

– Vous avez essayé de lui parler directement ?

– Je l'appelle parfois, dit-il après un long soupir. J'ouvre la fenêtre, je respire un grand coup et je compose son numéro, en espérant que je saurai trouver les mots. À chaque fois, c'est la même chose : je n'ai plus de voix quand elle décroche.

Laurence regarde sa silhouette fragile se perdre dans la foule. En réalité, pense-t-elle, lui et Faure ont fait comme ils ont pu avec cette blessure. On ne peut donner tort ni à l'un ni à l'autre. L'aigreur tenace de Beckers a quelque chose de monstrueux, sans doute, mais qui peut juger l'enfer que cet homme a enduré dans son coin ? Quand l'histoire sortira, il n'est pas impossible qu'elle provoque une vague de sympathie envers la candidate. Le public aime les écorchés. Mais la révélation n'en restera pas moins un viol, une mise à nu de ce qu'une femme a de plus privé, et ce n'est pas elle qui s'y collera, ça non, c'est impossible, se répète-t-elle pour se donner du courage, en composant le numéro de Rambert.

– Alors, ce voyage en Belgique ?

– Je ne le ferai pas. Allez vous faire foutre, avec vos belles saloperies.

Plus de film donc, cette fois c'est sans retour, de lendemains qui chantent sous la voûte glorieuse d'un documentaire qu'elle ne tournera pas. C'est idiot, absurde même, parce que les stratèges dont Rambert est la créature trouveront sans peine un journaliste moins regardant pour repeindre le portrait de Faure aux couleurs infamantes de la dissimulation. Elle ou quelqu'un d'autre, cela ne change rien.

Apaisée, bizarrement, par cette acceptation, bercée par le balancement du train qui s'ébranle en direction de Paris, elle finit par s'endormir à moitié, et dans sa somnolence naît une résolution inouïe au sujet de Franck, dont la pleine mesure ne lui apparaît que plus tard, sur le quai de la gare du Nord, alors qu'elle se demande si elle a le temps de passer chez elle pour déposer son sac et prendre une douche.

En passant la grille, le Tchétchène remarque que le jardinier n'est toujours pas venu tailler les haies. C'est amusant comme chez les riches la fainéantise des artisans est rampante, surtout s'ils ont un contrat de maintenance à l'année. À son époque dans le Val-de-Marne, les familles de Portugais se faisaient la guerre pour un bouchage de trou à cent balles. On travaillait vite, et bien. Maintenant qu'il vit de l'autre côté des rails, il faut qu'il rappelle son foutu paysagiste dix fois pour que le boulot soit fait. Le drame, pense-t-il, c'est que plus personne ne veut se donner du mal. Les pauvres d'aujourd'hui, ils choisissent entre la glande et la bombe, selon qu'ils aiment un tant soit peu la vie, ou qu'ils sont trop en colère. Ce pays n'a pas d'avenir.

La maison se dresse au bout du chemin, aussi splendide qu'au premier jour, symbole de tout ce qu'il n'aurait pas dû avoir. Même avec un DPE exécrable et les problèmes de drainage du terrain, il sait qu'il la revendra avec une jolie plus-value : un hôtel particulier dix-huitième dans le saint des saints à Senlis, les agents immobiliers se feront un plaisir de l'ajouter à leur catalogue dans la catégorie biens de prestige. Prix : nous consulter. Il fera une plus-value, mais aussi un sacrifice. De toutes les choses matérielles qu'il possède, il n'y a que ces murs qui comptent. Les résidences secondaires, les bagnoles, les deux ou trois bricoles contemporaines que Dalenda lui a fait acheter pour habiller leur intérieur austère – il se séparera de tout le reste sans un pincement au cœur. Quel que soit leur prix, ces objets n'ont pas d'âme ; ce sont des sources de plaisir aussi capiteuses que passagères. Mais la première demeure que se paye un homme qui a ruiné sa jeunesse à bâtir celles des autres, cette chose-là a le goût vrai et durable de l'accomplissement. Être maçon de métier et vivre au milieu de ces pierres en connaissant leur âge, leur agencement, leur respiration ; sans avoir à prendre la truelle soi-même quand un joint s'effrite. Il aurait pu couler des jours heureux ici, si le fisc n'existait pas.

Dans une semaine, son asset manager et son fiscaliste lui remettront un plan de liquidation de son portefeuille légal – leur cabinet d'optimisation est l'un des meilleurs sur la place de Paris. Ses actifs seront basculés un à un vers des comptes et des placements offshore, à Hong Kong et aux îles Vierges. Il investira dans les gisements de métaux en Afrique centrale, dans l'hydrate de méthane en Asie, dans le fret maritime entre l'Europe et la Chine via la route du cercle arctique. Il lui arrivera de prendre de mauvais paris et il subira des pertes, cela va de soi, mais il les vivra en toute sérénité depuis sa villa de Fogo, l'Atlantique devant lui et sans charognard dans le dos. Lentement, il retrouvera le sommeil et laissera ses cheveux grisonner sans les teindre, parce que la vieillesse est un hôte plus civilisé que l'angoisse, dont la nature est de tout dévorer du corps qu'elle habite. La vieillesse prendra son temps, et il apprendra à l'aimer, en vieillissant entouré des enfants qu'il aura eus avec Dalenda, autant qu'elle voudra bien lui en donner ; eux vivront loin du pays où leur père a fait fortune, ignorants de son passé et de ses crimes. Il ne parlera jamais à Carlos, à qui le business sera revenu, moins la part fixe allouée à la famille de JB. Carlos régnera par la force et la guerre là où Momo aurait utilisé la ruse, et le Tchétchène se demande combien de temps l'empire mettra à s'écrouler à force d'agressions prométhéennes et de volonté de puissance. La domination mythique sur les quatre banlieues – nord, sud, est, ouest – est un rêve insensé que tous les gangsters parisiens d'envergure ont caressé depuis un siècle. Ceux qui comme lui ont été assez sages pour y renoncer à temps ont vécu vieux et paisibles, et la plupart sont morts dans leur lit. Les autres ont cassé leur pipe ruinés, ou plus jeunes qu'ils n'auraient dû. Carlos, avec son tatouage d'Alexandre chevauchant Bucéphale sur les pectoraux, sera du nombre de ces conquérants jamais rassasiés qui finissent leur course le nez dans la poussière. Hélas pour lui, les empires ne sont plus ce qu'ils étaient, et même aux confins normands du 78 le soleil finit toujours par se coucher sur l'Île-de-France.

Pourquoi, en revanche, Momo s'est détourné du grand jeu, pourquoi il a choisi sans y être forcé de retourner à sa vie subalterne, le Tchétchène voudrait bien le lui demander. Maintenant qu'il a décidé de fermer la boutique, ce pauvre kilo de coke disparu ne l'intéresse plus, malgré ce qu'il a dit à Carlos. Ce qu'il brûle de savoir, si jamais il croise Momo avant de mettre les voiles, c'est ce qu'il peut bien y avoir aux yeux d'un lascar de plus désirable que le pouvoir, que la sainte terreur qu'il inspire et que la jouissance qu'il procure. Lui, il connaît la réponse, comme tous les rois fatigués : le repos, et l'oubli. Mais ce sont là des paradis auxquels Momo est bien trop jeune pour rêver.

Les deux labradors accueillent leur maître derrière la porte et le conduisent au salon d'hiver. Dalenda est assoupie un livre à la main. Les jours où elle rentre sur un vol de nuit, elle aime se rendormir ainsi en milieu de matinée ; c'est sa façon de rattraper le décalage horaire. Il s'approche, en veillant à marcher sur les lames du parquet qui ne grincent pas. Les chiennes se sont recouchées à ses pieds, contre le canapé. La lumière filtrée par les vitraux dessine des arabesques sur la moitié gauche de son visage. Sa poitrine se soulève à peine, son sommeil est calme. Elle est longue et brune comme une journée de juin, et il remercie tous les jours le ciel d'avoir mis une femme si belle et si jeune sur sa route.

Dalenda n'aime pas l'idée de s'installer au Cap-Vert. L'organisation des shootings à Miami et en Afrique du Sud deviendra un casse-tête pour son agence, avec des correspondances en plus et du sommeil en moins. Aussi loin des réseaux parisiens, sans possibilité de se rappeler à leur bon souvenir aussi souvent que leur mémoire frivole l'exige, les photographes et les directeurs artistiques finiront par oublier son visage. Et puis cette île pauvre, pour une fille née dans la Manouba et qui aujourd'hui encore fait des cauchemars dans lesquels des hommes masqués surgissent de la nuit pour lui arracher tout ce qu'elle a gagné, c'est un retour à la misère et au tiers-monde. Autant revenir à Tunis.

– Tu m'as manqué, dit-elle en ouvrant les yeux, sans la moindre idée de l'heure qu'il est.

– Je ne voulais pas te réveiller.

Il l'embrasse en lui caressant ses longues mèches noires, encore parfumées d'iode et d'huile solaire. Elle regarde l'heure sur son téléphone.

– Tu as regardé les photos du terrain ? Une fois que je donne le feu vert, ils peuvent construire la maison en trois mois. On prendra une suite avec vue en attendant.

– Il n'y a rien pour moi là-bas, dit-elle en se retournant, avec un air de contrition qui lui déplaît plus encore que ses mots. J'ai vingt-huit ans. C'est trop jeune pour devenir une femme au foyer.

– Il y aura moi. Je veux être parti d'ici quinze jours.

– Tu avais dit qu'on en parlerait à la fin de l'année.

– J'ai mes raisons d'anticiper. Ma chance est dans le rouge, ici. Je ne tenterai pas le diable.

– C'est décidé, alors ?

– Je t'ai demandé de venir avec moi.

— Tu me demandes de tout sacrifier dans ton intérêt.

– Notre intérêt. Et ça n'est pas un sacrifice. Tu verras, c'est un petit pays. Tout le monde se connaît. Tu peux compter sur ton voisin.

Elle lui sourit tristement et pose une main sur sa joue.

– Je ne veux pas que tu partes.

– Tu pourras revenir aussi souvent que tu voudras, insiste- t-il. Qu'est-ce que c'est, cinq heures de vol ? On achètera un pied-à-terre dans Paris. On le mettra à ton nom. Quand tout le monde m'aura oublié ici, je t'accompagnerai en touriste, incognito. J'irai aux courses, je visiterai les monuments.

– Ma mère ne supportera pas la distance.

– Alors on prend les plans et on rajoute une aile où elle sera comme chez elle, en plus grand. Je veux tout faire pour que tu sois heureuse. Je ne peux pas être heureux sans toi.

– Tu ne peux pas disposer des gens comme ça. Pas de moi. J'ai une vie qui m'appartient, tu comprends ?

– C'est tout le contraire. Je te supplie de partir avec moi.

– Je ne sais pas, dit-elle en montant l'escalier. Je suis en retard.

Il écoute les griffes des chiennes gratter sur les marches et le cliquetis de leur collier, de plus en plus ténu, à l'étage. Le ballon d'eau chaude qui se met en route dans la chaufferie ; l'eau qui jaillit dans les tuyaux à l'intérieur des murs – tous ces bruits domestiques, d'ordinaire sources de contentement, le désespèrent. Il se sent seul comme jamais depuis le soir où il a planté les deux légionnaires, cent fois plus seul que pendant les nuits les plus noires dans sa cellule à Poissy.

Les photos volées à la sortie du café ont beau être floues, nébuleuses à cause de l'agrandissement, Paoli a reconnu au premier coup d'œil la dureté magnifique de son regard, le noir de ses cheveux débordant du voile comme une rivière sortie de son lit, et sa taille extraordinairement gracieuse, aussi fine aujourd'hui qu'il y a dix-sept ans devant le cercueil de Kader, qui était décidément fou, bon à enfermer, de poursuivre la mort de ses avances alors que la vie l'attendait, heureuse, sous les traits de cette femme.

« Son sang retombera sur vous », avait dit Zohra Maktouf ce jour-là à la préfecture de Colmar.

— On ne la connaît pas, souffle Franck. Elle et Arkadin sont restés là une demi-heure, les autres clients n'ont pas entendu ce qu'ils se racontaient. La patronne dit qu'elle ne l'a jamais vue, contrairement à Arkadin qui vient lire le journal dans son café tous les samedis matin. Quand il est parti, elle a attendu cinq minutes pour sortir à son tour.

– Elle travaille ?

– Comme assistante maternelle dans une école d'Aulnay. Son nom n'apparaît dans aucun fichier, ni celui de sa fille.

– Elle a une fille ? coupe-t-il sans réprimer un mouvement de surprise qui fait froncer les sourcils à Franck. Quel âge a-t-elle ?

– Seize ans, elle l'élève seule. On ne sait pas qui est le père.

Bâtards de père en fils, songe-t-il en voyant l'image d'Al-Mansour jeune se dresser devant lui, et maintenant une fille, une pauvre gamine de seize ans que Kader a trouvé le moyen d'engendrer avant de passer l'arme à gauche. Quelle chose odieuse qu'une femme aussi sublime ait été souillée par le sang infâme des Arrache !

– Laisse tomber, dit-il en posant les photos. On n'a plus le temps de s'intéresser à elle.

– Mais s'ils ne veulent pas être vus ensemble, c'est qu'elle est dans le coup, non ? Au courant, au moins.

– Bonnet nous a laissé jusqu'à après-demain. Concentre-toi sur le dealer et le copain de ton boxeur. Ces deux gamins, ce sont les pistes les plus chaudes, et notre meilleure chance d'identifier les autres d'ici vendredi. À supposer qu'on ait déjà trois numéros de bon, Arkadin, l'étudiant, et le dealer, il nous en manque encore deux. Ton équipe est en place ?

– On y va dans deux heures.

– Fais attention à toi, je te prie.

– Tu es passé voir le corps d'Arif ?

– Pas le temps, Franck ! Qu'est-ce que je viens de t'expliquer ? Maintenant, tu m'excuses, je descends au tir.

– Tu n'as pas le temps de passer à la morgue, mais tu as le temps d'aller tenter ta chance à la Foire du Trône ?

– Les récréations ont tendance à se faire rares, une fois qu'on a passé soixante ans. Tu verras.

Franck s'éclipse sans un mot de plus, et l'idée douloureuse qu'il le voie sortir pour la dernière fois de son bureau l'étreint avec une évidence soudaine et glaçante, mais le cours de ses pensées est interrompu par sa secrétaire, qui annonce Alexandre Marion.

– Je ne vous dérange qu'une minute, dit-il en entrant. Une amie commune et influente pense que ces documents ont un meilleur avenir entre vos mains qu'entre les siennes ou celles de la justice. J'ai moi-même des raisons de croire qu'ils seront plus en sécurité ici que dans mon bureau.

En découvrant que les liquidités gazières de l'imam Ferhaoui financent la campagne du PS à Paris, ce qu'il savait par ouï-dire sans en avoir la confirmation écrite, Paoli se remémore la fin de sa conversation avec Hélène Faure, qui lui demandait si des collectivités locales étaient susceptibles d'être impliquées dans le Qatargate.

– C'est tout à l'honneur de cette amie, dit-il en lui offrant un fauteuil que Marion décline. Quant à vous, ma foi, ne laissez personne dire que vous n'êtes pas un homme de dossiers. Moi qui vous croyais sceptique sur les opérations financières de Ferhaoui... Comment disiez-vous, déjà ? « Digne d'une théorie du complot », c'est bien cela ?

– Les dossiers, tout le monde en a sur tout le monde, vous le premier. Ce qui compte, c'est de savoir les sortir au moment opportun. N'est-ce pas ? Ou les ranger, d'ailleurs.

– L'esprit d'à-propos ?

– Vous m'ôtez le mot de la bouche. Tenez, par exemple. C'est comme cette regrettable affaire dont la réouverture, par ses suites judiciaires et son retentissement médiatique, pourrait vous causer le plus grand tort. Voyez-vous de quoi je parle ?

– Il me semble, oui.

– Et verriez-vous un inconvénient à ce que nous trouvions un terrain d'entente pour éviter que cela ne s'ébruite ?

Cette autorité assumée est nouvelle chez Marion, plus habitué aux louvoiements et aux ruses pour atteindre son but. C'est étrange. Une lumière franche émane de sa personne, et on en finirait presque par le trouver sympathique.

– Quel est le problème ? dit Paoli en souriant. La députée-maire de Courbevoie vous a chassé de son lit ?

– Je couche où bon me semble, riposte Marion, et l'odeur des draps sales ne déteint pas sur moi. C'est le privilège de la jeunesse dans ce milieu : il y a toujours quelqu'un de plus vieux, qui a plus de choses à se reprocher que vous.

– Que puis-je faire pour vous, alors ?

– Vous le saurez lorsque notre ministre aura déménagé à Matignon. En attendant, je veux votre accord de principe.

– J'y penserai. Mais pourquoi le ministre ne vous emmènerait-il pas dans ses valises ?

– Parce que c'est le genre d'homme à punir le travail bien fait plutôt qu'à le récompenser, vous êtes bien placé pour le savoir. Cela dit, ne réfléchissez pas trop longtemps. Vous devez vous rappeler que le feu se propage à une vitesse folle sur une traînée d'essence.

– Vous avez ma parole.

– Bien. Du nouveau sur l'opération de ce soir ?

– Ça suit son cours.

– Alors je vous salue, monsieur le directeur.

Demain, ce sera donc demain, se dit-il dans l'ascenseur qui descend dans le souterrain réservé au champ de tir, savourant l'indifférence absolue que le fait de se savoir découvert provoque en lui, et sentant sa résolution bien en place cette fois, logée juste où il faut au fond de ses entrailles, entre la colère et le chagrin, trop heureux de pouvoir s'appuyer sur la date butoir qu'un juge a marquée d'une croix blanche sur son calendrier, pour ne pas reculer une fois de plus devant cette mort qu'il doit rendre au meurtrier de ses parents.

– Il y a la morphine, et nous savons aussi pour l'enfant que tu as eu avec le Belge. C'est fini, Hélène. Il faut que tu retires ta candidature si tu ne veux pas que ton intimité soit disséquée sur la place publique.

Rambert enfonce et tourne la lame de son poignard dans la plaie, et pourtant il la regarde avec cette expression protectrice qu'il a toujours eue depuis qu'il a rejoint sa campagne, dans laquelle Hélène voyait, elle, l'empreinte de sentiments presque paternels, comme s'il avait voulu lui faire comprendre qu'il serait toujours là, fidèle, la main sur son épaule. La blessure est mortelle, elle le sait, il a attendu qu'elle se déclare pour la porter, mais ce n'est pas ce qui compte dans l'immédiat. Elle fouille sa mémoire à la recherche des indices qu'elle aurait dû voir, des moments où il aurait laissé paraître son vrai visage, et elle n'en trouve aucun. C'est insensé, se répète-t-elle, comment a-t-elle pu se méprendre à ce point, se rendre aussi vulnérable ?

– Tu n'es pas le seul à fouiller les ordures, dit-elle en sachant que c'est vain, que la partie est jouée.

– C'est aux petits papiers d'Alexandre Marion que tu fais allusion ? Sans vouloir te faire de la peine, je crois que cette histoire n'ira pas bien loin. Pourquoi ruer dans les brancards si le système fonctionne, et si tout le monde, je dis bien tout le monde, en est satisfait ? Tu aurais dû faire comme les autres, prendre l'argent que

Valente t'a proposé. Les gens pour qui je travaille n'aiment pas qu'on leur fasse des misères, Hélène, et maintenant tu es une cause perdue.

– Tu veux dire que tu ne serais pas en train de me menacer si j'avais accepté ?

– Disons qu'ils auraient hésité plus longtemps. Jusqu'au premier tour, et ils auraient choisi leur cheval en fonction des résultats. Tu avais tes chances.

Il n'est pas le premier agent double dans l'histoire de la Vᵉ République – vil, abject, comme tous les traîtres, mais ordinaire. Ce qui est sidérant, se dit-elle en détaillant les plis de son cou, la peau adipeuse et légèrement grêlée de ses pommettes, ces défauts qu'elle associait jusqu'ici à ses manières chaleureuses, parfois un peu rudes et néanmoins toujours aimables, c'est qu'une puissance occulte l'ait placé là pour contrôler son destin, la même puissance qui tient au moins l'une de ses rivales dans le creux de sa main. Et pourquoi pas l'autre aussi, d'ailleurs ? Si les stratèges du PS, à qui elle fait donc si peur, avec sa candidature sans le sou et sans formation politique, terrifiés par la courbe des intentions de vote, la loi selon laquelle tout pouvoir a tendance par nature à perdre les élections intermédiaires, et l'impact de la situation nationale sur le vote des grandes villes – s'ils savaient quelles épouvantables servitudes les attendent au lendemain de cette victoire volée ! Ce pays, quoi que l'on fasse pour le sauver de lui-même, est pourri jusqu'à la moelle.

Elle relit le témoignage que Rambert a posé sur son bureau, et dont l'auteur, médecin de son état, explique qu'elle s'approvisionne depuis des années en morphine grâce à la complaisance de l'un des chirurgiens associés à la clinique où il travaille. Tout est vrai dans ce qu'il dit, il n'y a rien à contester. Et puis qui voudra entendre ses explications, à supposer qu'elle trouve la ressource de les produire, de livrer son passé et sa blessure à la vindicte populaire ? Même si elle vient battre sa coulpe devant une France sévère et déçue, demander pardon en direct comme les Arlequins de la politique américaine, elle restera à jamais une menteuse, la toxicomane qui donnait sans vergogne des leçons de morale et d'éducation tout en fuyant la réalité, des brumes anesthésiantes plein le sang.

Une image diabolique se présente soudain à son esprit : les paparazzis en maraude au cimetière, une meute sombre et bruyante traquant le fantôme d'Antoine qu'elle n'aura donc pas su protéger, pas davantage dans la mort que dans la vie. La suite n'est pas difficile à imaginer. Si elle ne se retire pas, Rambert orchestrera une de ces fuites dont il a l'art, les journalistes commenceront à l'accuser timidement, par insinuations, en espérant que ce soit vrai, puis ce sera la curée, la razzia sur sa vie privée, et il ne restera plus rien alors pour la faire tenir debout.

Trois jours. Sa candidature aura duré trois jours.

– C'est mieux pour toi et pour tout le monde. À Paris, bien sûr, mais il n'y a pas que Paris. Pense à ce qui serait arrivé si quelqu'un d'autre avait eu vent de tes turpitudes après ta victoire à la présidentielle. Hélène, tu m'entends ? Les ennemis d'un chef d'État ou d'un pays ont un pouvoir de nuisance bien plus grand que tes adversaires politiques. À travers toi, c'est la France qui aurait été éclaboussée. Dieu sait qu'elle n'a pas besoin de ça en ce moment.

– C'est vrai : elle n'a besoin que du Qatar et de son argent sale.

– Allons, allons. La déception t'égare.

De retour chez elle, sans aucune idée de l'heure qu'il peut être, elle sent la douleur saisir sa jambe, mâcher ses nerfs comme pour les rompre et, les yeux mouillés de larmes, elle se traîne jusqu'à la salle de bains, devant l'armoire à pharmacie où l'attend l'injection de morphine. Ce qui va arriver si elle se pique surgit devant ses yeux en une fraction de seconde, le bien-être tout de suite et le grand oubli des horreurs qui la tourmentent, bien sûr, mais aussi les effets secondaires, les divagations cauchemardesques de son esprit quand elle finira par perdre connaissance, la pâte blanche au coin des lèvres, demain au réveil, la peur de s'assoupir et les insomnies qui reviendront faire le siège de ses nuits tant qu'elle ne se sera pas fait une autre piqûre, et ainsi de suite jusqu'à ce qu'elle en perde la tête. Il n'y a pas de descente avec la morphine ; c'est la vie tout entière qui se remplit d'ombre et de recoins glauques, où les pensées les plus lumineuses finissent toujours par s'échouer.

Qu'est-ce qui est le plus terrible, de la déliquescence de son pays, du supplice politique qui la menace ou des rameaux vermoulus de l'inconscient que la morphine ramène à la surface ? Elle remet la petite boîte en place, referme le placard et éteint la lumière de la salle de bains. Ce qu'il y a de séduisant dans une retraite, pense-t-elle, si l'on n'est plus l'ennemi de personne, un risque pour des intérêts établis dans les crevasses de la République, c'est qu'on peut attaquer une cure de désintoxication sans crainte de se retrouver sur une photo sale à la une des magazines, dans l'œil avide et froid de la masse.

Franck le savait, pourtant, qu'il fallait le serrer chez lui, tant pis pour l'esclandre sur le palier, l'immeuble en ébullition, le retour inéluctable des émeutes dans la demi-heure. Il y a des situations où on n'a pas le choix. Mais, au moment où il quittait Levallois avec Farid et trois judokas des opérations clandestines, Paoli a appelé pour dire qu'il venait enfin de parler au juge et que l'arrestation devait avoir l'air d'un flagrant délit sur la voie publique.

L'idée, recevable sur le papier, était de faire croire aux 3000 que la justice recherchait Bruno alias Baguette, le coursier du Tchétchène, pour trafic de stupéfiants, activité que tous les habitants bien renseignés de la cité savent être sa principale source de revenus.

– Mais Daniel, a-t-il protesté, ça n'a aucun sens ! Le vrai motif de l'interpellation transpirera dès que son avocat sera mis au courant. À moins que tu veuilles jouer la comédie aussi pendant l'audition ? Je lui demande combien de kilos il a transportés ce mois-ci, et en même temps je lis dans ses pensées le nom de ses petits camarades de la vidéo ?

– On n'est pas obligés de lui refiler un avocat au pied levé. Bonnet nous couvrira, il sait qu'il y a des heures précieuses à gagner. Si les quatre autres comprennent qu'on est après eux, c'est foutu, on ne les reverra pas. Il faut entretenir le doute le plus longtemps possible.

Ils se sont mis en route alors que le soleil descendait entre les tours de la Défense, un brassard Police dans la poche, le but de la mise en scène étant qu'on les prenne pour des bouledogues de la BAC, figurants du tableau dont le gamin devait être le personnage central, immobilisé sur le ventre, joue écrasée contre le bitume. Le problème, Franck l'a compris aussitôt en l'apercevant devant sa barre d'immeuble, non loin de l'aire de jeu où il avait vu son boxeur pour la première fois, dix jours plus tôt, c'est qu'ils n'avaient pas à faire à un idiot, un de ces demeurés nerveux que les dealers et les terroristes utilisent au gré de leurs besoins, chair à grenaille, mulet ou bombe humaine. Contrairement aux lascars forts en gueule dont le gamin écoutait les exploits avec une expression lasse, Bruno avait tout du soldat calme et dur au mal sur qui Franck et Farid, après avoir lu ses états de service, redoutaient de tomber ici. L'œil de la rue, perpétuellement aux aguets, l'attention toujours au bon endroit, le choix des positions les moins exposées, tout comme Momo sur le ring : le Tchétchène, a pensé Franck, a beau ressembler davantage à un plaquiste qu'à un caïd, il ne doit pas se tromper souvent sur les hommes dont il s'entoure.

Mais il était trop tard pour reculer. En voyant cette troupe d'inconnus approcher dans sa direction, le gamin a battu en retraite derrière l'immeuble, et ils ont dû se mettre à courir, se précipitant tout droit dans la situation qu'il s'était promis d'éviter, une course-poursuite à l'intérieur des 3000, à la merci des projectiles lancés depuis les fenêtres et sans renforts de CRS au cas où les choses s'enliseraient. Par bonheur, et aussi parce que la géographie locale était encore fraîche dans sa mémoire, ils ont réussi à le manœuvrer sans créer trop de remous jusque sur le parvis à l'entrée de la cité. À découvert, Paoli aurait dit qu'il était fait comme un lièvre dans une clairière, il s'est retourné une dernière fois pour jauger la distance qui les séparait de lui, et Franck a eu l'impression qu'il levait les yeux sur les immeubles comme pour leur dire adieu. Puis il a allongé ses foulées en direction du centre-ville.

– Tu le vois ? demande la voix essoufflée de Farid.

– On ne peut pas l'avoir perdu. Il était juste devant nous.

– Là-haut ! crie l'un des hommes du service Action en pointant du doigt le quai du RER.

Franck lève les yeux, et, au même moment, il entend le souffle sourd de la rame sur le point d'entrer en gare.

– Il est du côté Roissy, leur lance-t-il en se ruant à l'intérieur de la station, beaucoup moins vite qu'il ne faudrait, ses muscles asphyxiés par la prémonition de ce qui est sur le point d'arriver. Prenez la caisse ! On se retrouve à Villepinte !

Il a compris, et c'est une connaissance affreuse. Le gamin n'est pas là-haut à défaut d'une autre issue, parce qu'ils l'ont poussé dans ses derniers retranchements, il est monté sur le quai de son propre chef, en sachant parfaitement ce qu'il allait y faire et que ses poursuivants seraient là, impuissants, pour assister à son suicide : sans bombe à la ceinture, mais la mort souveraine écrite comme une estafilade sur le front.

– Ne fais pas ça. Écoute-moi, chef ! Ça n'en vaut pas la peine. Dans dix ans, avant même, je te jure, tu comprendras que ça n'en valait pas la peine

Bruno est à une douzaine de mètres devant lui, les deux pieds sur l'étroite bande de peinture blanche qui signale l'extrémité du quai, les mains ouvertes vers le ciel. Il a l'œil fixe et ses lèvres bougent, il murmure quelque chose, mais oui, il est en train de dire sa prière, ce con-là, tandis que le train approche dans son dos avec la sidérante lenteur des choses qu'on ne pourra pas empêcher.

Les mots se figent soudain dans la gorge de Franck, comme l'eau dans un tuyau saisi par le gel. Sans se retourner, le gamin incline légèrement la tête du côté de la voie, pour apprécier le temps qu'il lui reste. On dirait qu'il sourit. L'instant d'après, il se laisse tomber à la renverse, et son corps n'émet aucun son en venant heurter les rails et la motrice. Le seul bruit qui parvient aux oreilles de Franck, c'est le grincement effroyable de la ferraille comme la rame s'en va terminer sa course au bout du quai.

La zone industrielle a beau n'être qu'à quelques encablures des 3000, c'est une marche pénible, dans la nuit et le froid. Le vent glacé s'engouffre sur les avenues désertes, les feux de circulation tanguent sous les rafales, changeant de couleur pour personne, et on se sent seul au monde, même quand on marche derrière son meilleur ami.

Sur tout le chemin, après avoir décidé de le suivre à la sortie du Palais Céleste, Momo se demande vers quelle destination improbable Soul se dirige comme un somnambule, et pourquoi il n'y va pas en scooter. Depuis leur dernière rencontre, ce matin blafard où il l'a pris pour un de ces zombies aux bras troués qui squattent le Dragon, il veut savoir ce que Soul trafique dans son coin, à traîner toute la journée au lieu de préparer ses examens, cette entrée en LLCE dont il l'entendait parler comme d'un fruit défendu il y a quelques semaines encore, mais il n'a pas pu se résoudre à le chouffer comme un vulgaire malfrat, comme il avait l'habitude de le faire avec les clients du Tchétchène avant un deal.

– Tu chouffes, disait le Tchétchène, pour t'assurer que les autres ne te chouffent pas. De jour, de nuit, il faut toujours que tu en aies le cœur net.

Maintenant, caché derrière son conteneur trente-trois mètres cubes dont la tôle déchirée offre une caisse de résonance aux bourrasques, il ressent une grande tristesse, et il se dit que pour cette fois il aurait peut-être mieux valu ne pas savoir.

Là-bas sur le parking devant le hangar, sous la lumière dure de l'halogène détecteur de mouvement, Soul a été rejoint par trois lascars de la cité qu'il connaît de vue, en proie à une agitation fébrile, que tente d'apaiser le Rebeu plus âgé qui était là avant tout le monde. Il est sûr d'avoir déjà vu sa tête quelque part, mais où ? Il ne comprend pas ce qu'ils se disent, seuls lui parviennent des éclats de voix incohérents, portés par le vent, mais il lui semble que cela n'a aucune importance. Soul, les trois lascars, le Rebeu qui leur parle avec un air d'autorité : il a devant lui les cinq encagoulés de la vidéo, cette bande de fous furieux qui ont juré de mettre Paris à feu et à sang au nom de l'islam libre, et malgré tout ce qu'il s'était imaginé de pire, toutes les éventualités sordides qu'il avait avancées pour expliquer le passage à vide de son copain, il n'en croit pas ses yeux.

La vibration de son portable le fait sursauter – les habitudes tenaces du dealer, qui ont parfois du bon, l'ont poussé à se mettre en silencieux quand il a emboîté le pas de Soul. Appel sans message, suivi d'un SMS signé Jean-Luc, dont il a séché l'entraînement ce matin, cloué au lit par le silence de Sibylle : « Demain 14 h à la salle, ou pas la peine de revenir ».

Que faire, se demande-t-il en rentrant, ne parvenant pas à chasser de son esprit l'image de Soul et des autres en train de pénétrer dans leur entrepôt, en file indienne, comme les adorateurs d'une secte apocalyptique, que faire pour le sauver de lui-même ? Un bruit de portière le tire de ses pensées. Il lève la tête, étonné d'être déjà arrivé, et trouve presque réconfortante la silhouette des 3000 qui se dresse devant lui. C'est ici qu'ils ont grandi, ici qu'ils vivent, probablement ici qu'ils mourront. Il y a de quoi désespérer, bien sûr. Mais on s'y fait. On fait le dos rond, on apprend à se satisfaire de peu. Et surtout, surtout, on n'a pas la faiblesse de se jeter dans ces idéaux guerriers que des menteurs agitent parce qu'ils servent leur volonté de puissance, ni de croire que la justice sera rétablie dans un autre monde où il faut gagner sa place en détruisant celui-ci.

– Viens dire bonjour, Momo.

Une force irrésistible lui tord soudain le bras derrière le dos et lui écrase la pomme d'Adam, avant de le balancer à l'intérieur d'un fourgon blanc dont il a tout juste le temps de lire le propriétaire : Morin Père & Fils, Artisans menuisiers. Portes, Fenêtres, Intérieurs. Un bref instant, en reprenant ses esprits dans la pénombre, il s'attend à voir le Tchétchène s'approcher pour lui coller un pistolet sur la tempe, mais si c'était le Tchétchène, se dit-il, il serait déjà mort, et il n'aurait rien vu venir.

– Je trouve que tu rentres bien tard, lance une voix familière, sur laquelle la peur qui lui gèle les artères l'empêche de mettre un visage. Tu sais que c'est dangereux, par les temps qui courent ?

– Il est clean, annonce l'armoire à glace qui l'a ceinturé sur le trottoir.

Ses yeux s'habituent peu à peu à l'obscurité. En plus du gros bras, il perçoit deux présences dans le camion, l'homme dont il a reconnu le filet de voix et une autre, moins imposante, qui se tient en retrait derrière lui, dans une posture qui lui semble féminine. Oui, s'étonne-t-il, il y a une femme à côté de ce gars qu'il est sûr de connaître, parce qu'il y a quelque chose dans sa façon de parler, un je-ne-sais-quoi de chaleureux et de rassurant qu'il associe à des moments agréables, et pas si lointains.

– Où il est, ton pote ? demande la fille en sortant de l'ombre, et il reconnaît aussitôt la keuf qui l'avait interrogé pendant sa garde à vue au commissariat.

– Qu'est-ce que vous me voulez ? Enlève tes mains, sale bâtard !

Des flics ! La découverte apaise un peu sa peur, il cesse de se demander combien de minutes il lui reste à vivre, et en même temps il se sent saisi de rage. Eh quoi ? Deux arrestations en une semaine, alors qu'il est devenu le citoyen le plus honnête des 3000 ? L'absurdité de la situation charge son ventre d'une révolte aigre, contre cette police aveugle qui poursuit toujours les mauvais chevaux, et contre lui-même, surtout, parce que c'est bien la preuve qu'il n'y a rien à attendre d'une vie menée en toute légalité.

– C'est bon, dit la voix, moins ironique à présent, inquiète, et Momo a la sensation de tomber dans un trou béant lorsqu'il reconnaît Franck, le Gaulois de la salle.

– On dirait qu'il est déçu de te voir, dit la fille.

– Momo, dit le Gaulois en s'accroupissant en face de lui. Est-ce que ton copain Souleymane t'a déjà parlé de son prof d'arabe, Assan Bakiri ?

Voilà, pense-t-il en s'efforçant de contenir les spasmes de panique qui se répandent dans ses bras : ils sont après Soul, et ils savent que le Rebeu est le cerveau de la bande. L'envie le traverse un instant de leur dire pour l'entrepôt, les cinq malades que vous cherchez sont à moins d'un kilomètre, dans leur tanière de tôle ondulée où ils doivent prier le Tout-Puissant de les soutenir jusqu'au bout de leur délire, en cinq minutes tout serait terminé, et le bon peuple de France pourrait se remettre à deviser tranquillement du problème arabe entre la poire et le fromage, étranger tu es la cause de tous nos maux, jusqu'au prochain arrivage d'analphabètes versés dans la pyrotechnie.

Mais Soul, là-dedans ? Il ne peut pas l'abandonner. Que la France et les Arabes, après tout, se débrouillent tout seuls pour régler leurs problèmes. Lui et Soul, leur amitié, ce qu'ils ont encaissé ensemble, ce dont ils rêvent, ça ne les regarde ni l'une ni les autres.

– Laissez-moi sortir, dit-il en se remettant sur pied.

Le Gaulois le dévisage un instant, avant de lui céder le passage.

– J'ai entendu dire que tu as volé un kilo de coke à ton ancien patron. Tu serais sage de nous filer un coup de main, sauf si tu veux que les stups retrouvent la brique chez tes parents. Les nouvelles circulent tellement vite par ici.

Il ne se retourne pas, mais regagne son immeuble avec plus d'empressement qu'il n'en a jamais eu, sans intérêt ni pour les cars de CRS revenus se poster autour de la cité, ni pour les colonnes de lascars sur la dalle qui se ruent dans les caves pour aller chercher leurs armes et leurs munitions. Il est encore arrivé malheur, mais ça n'est plus son affaire. Là, tout de suite, il aimerait juste tenir Sibylle dans ses bras.

Ce devait être le grand feu d'artifice, le 18 juin 1940 de la résistance musulmane, l'an I de l'anti-République, et eux, ils devaient être les démons fossoyeurs de cette laïcité tyrannique, les antéchrists qui allaient ouvrir la voie et mettre à genoux la France pour que d'autres bêtes noires s'en aillent à leur suite planter l'étoile et le croissant au sommet de la tour Eiffel. Comment pourraient-ils y renoncer ? Après leur avoir injecté le venin d'Al-Mansour, après les avoir dressés des mois et des mois dans le culte des représailles légitimes, cultivé leur psychose identitaire jusqu'à ce qu'elle devienne une réalité objective, la seule vision du monde qui explique à leurs yeux ignorants l'étendue de leur misère, comment Assan a-t-il pu espérer qu'il saurait les en faire sortir, simplement comme on se réveille d'un mauvais rêve ?

– C'est la première fois que Bruno ne vient pas, dit Karim. Il y a quelque chose qui cloche.

– On ne peut rien décider sans lui, dit Ali. C'est toi qui as fixé les règles, Moudir, rappelle-toi, toutes les décisions à l'unanimité.

– Avec ou sans Bruno, souffle Driss en fixant le mur, comme si leurs tractations n'étaient pas dignes de son intérêt, de toute façon on est contre. On va jusqu'au bout, point barre.

Le seul qui garde le silence, c'est Souleymane, le menton entre les mains, ses longues jambes repliées à hauteur du visage comme une barrière contre le monde. Il sait que son avis de novice n'influencera pas les autres, et de manière générale il n'a pas l'air d'avoir dans les paroles une foi à toute épreuve.

– Je ne vous ai pas dit qu'il faut faire une croix sur l'opération, répond Assan. J'ai seulement soulevé la question de son opportunité, d'un point de vue tactique, alors que nos derniers passages montrent que la surveillance a été renforcée sur toutes les cibles. Parfois il faut savoir retenir son poing pour faire plus mal le coup d'après.

La métaphore est malheureuse, leurs moues ironiques le lui font sentir tout de suite. C'est une erreur grossière d'oublier sa place devant eux. Que sait-il de la bagarre, la bagarre qui est leur horizon quotidien, lui le professeur qui enseigne la théologie médiévale ?

– Qu'est-ce que tu croyais, Moudir ? Après la vidéo qu'on leur a mise dans les dents, tu espérais qu'ils retirent leurs patrouilles et qu'ils démontent leurs caméras, allez-y les gars, faites comme chez vous, il y a un moment qu'on veut les démolir ces gares ? Tu vis dans quel monde ?

– Il n'a pas dit ça, dit Souleymane d'une voix serrée.

Ali lui jette un regard belliqueux, et l'espace d'un instant Assan croit qu'il va le saisir par le col pour le rouer de coups. Les pauvres, convaincus de marcher à l'avant-garde de l'Histoire, inconscients d'être du lot des imbéciles utiles que les Révolutions envoient périr au feu avant l'inévitable retour, sous l'apparence du Progrès, au statu quo ante.

– Mes frères… reprend-il.

– C'est bon, coupe Ali en maîtrisant son accès de colère. Mais tu dois comprendre qu'on ne veut pas lâcher l'affaire.

– Ce n'est pas ce que je vous demande.

– Plus on attend, intervient Driss, plus on s'expose. Aux keufs, et aux hésitations. Tu l'as toujours dit.

Soul, lui, reste figé dans son coin. Son expression évoque celle d'un enfant plus doué que les autres, qui s'ennuierait en classe. C'est une solitude qu'Assan connaît bien, et elle n'est pas étrangère, pense-t-il, à la tendresse que lui inspire sa dernière recrue. Lui qui croyait en avoir fini avec le sentimentalisme ! Zohra, en revenant, lui a remis au cœur toutes les émotions dont il s'était purgé dans les pas de son père, la compassion, la pitié, et la peur. Il se sent faible face à ces chiens damnés qui ne connaissent que la pulsion de mort, et en même temps il a envie de croire qu'il est l'homme le plus heureux de France.

– C'est vous qui avez raison, finit-il par leur dire. Faites ce que votre conscience vous dictera.

Le sous-entendu est assez clair, songe-t-il, en ne cherchant pas à se cacher sa mauvaise foi : qu'ils se jettent dans le néant, si c'est le néant qu'ils veulent. Lui, il n'en sera pas.

Personne ne réagit, il se voit un instant délivré de leur fanatisme lourd de spleen, chacun s'en allant de son côté, quitte, pour ainsi dire, et puis, comme les sinistres cloches du tocsin autrefois, tous leurs téléphones se mettent à vibrer et à sonner en même temps, le sien aussi, et il comprend qu'un dieu en colère en a décidé autrement.

La photo de l'accident vient d'être publiée sur Facebook par un jeune des 3000 qui se trouvait sur le quai. D'après les premières dépêches, la victime, de sexe masculin, n'a pas encore été identifiée. Son pronostic vital serait engagé. Des rumeurs circulent déjà selon lesquelles ce garçon aurait sauté sur la voie pour tenter d'échapper à un contrôle de police, et le téléphone arabe du 93 est saturé par les appels à l'émeute.

– Les bâtards, dit Karim entre ses dents.

Assan les regarde l'un après l'autre, aussi hébété qu'eux, aussi incapable d'accepter ce qu'il voit que ses disciples de détourner leurs yeux de ce corps en charpie, logé comme une monstrueuse figure de proue à l'avant de la rame, et du blouson Members Only que Bruno était si fier d'être le seul à porter dans la cité.

Driss se lève le premier, suivi d'Ali, Karim et Soul. Chacun ramasse son sac à dos, et ils sortent du boxe sans un mot ni un regard pour lui, sauf Soul qui s'arrête dans l'embrasure de la porte.

– Adieu, mon frère, lui dit-il en arabe, avec cette intonation douce et triste qu'Assan a aimée dès la première fois que Soul a posé une question pendant son cours.

– Dieu te garde, Souleymane. Je prierai pour que Dieu sauve ton âme.

L'autre sourit, comme un enfant qui n'est plus dupe des mensonges et des vantardises de ses aînés.

– Parle-moi de religion, de culture, parle-moi de coutumes. À la limite, je veux bien que tu me parles de peuple. Mais Dieu, ça non, mon frère. Dieu, tu sais aussi bien que moi que c'est walou.

XI

Voici donc le visage de la France de demain.

Aulnay, se dit Sibylle en remontant vers le Palais Céleste, c'est la fabrique du malheur français, ce qui nous attend si rien ne bouge, un précipité balkanique ou sud-africain de l'avenir que nous réservent les forces centrifuges déchaînées par la démographie et son corollaire dans la tête des hommes, l'intolérance élémentaire, crasse, vengeresse. Cinq siècles de centralisation pour en arriver là, d'un patient affermissement de l'État-nation et du vivre ensemble, à cette poudrière, cette guerre civile qui ne dit pas son nom, ce pathétique morcellement communautaire, autochtones contre allogènes, nomades contre sédentaires, de souche contre d'ailleurs, aigris du fond contre parasites de la forme, ces convulsions ethniques et religieuses d'un temps reculé, et à leur répression ferme mais proportionnée par une police qui n'est autre que le bras armé de ceux qui se croient dans leur bon droit, parce qu'ils étaient là les premiers. Ou plutôt, non, ce choc de surface n'est que la représentation médiatique de collisions à la fois plus profondes et plus ravageuses ; la tectonique des plaques, pense-t-elle en se remémorant les prophéties d'un vieux marxiste de Cambridge, c'est cette dialectique infernale, prérévolutionnaire pour ainsi dire, entre un establishment atlantiste, cosmopolite et ami « éternel » d'Israël, et la coalition improbable de tous les mécontents de l'Hexagone, les marioles de la quenelle et les hargneux à bonnet rouge, les vrais rentiers de la dissidence et les faux enculeurs du système, les prolos et les pauvres largués par le PS, les cathos agressés par les réformes libertaires du gouvernement, les Français moyens assommés par l'impôt parce que leur pouvoir de nuisance politique est considéré comme nul, et les Rebeus convaincus d'être persécutés par l'État, modernes huguenots après la révocation de l'édit de Nantes. On ne s'en sortira pas, il n'y a pas de clause de meilleure fortune, et il ne peut y avoir de remède contre une peste qui tourne l'énergie du sentiment national en quelque chose d'aussi infect, du moins pas tant que l'on vivra sous le règne des identités fabriquées, stigmatisation d'un côté et autosuggestion de l'autre, entre l'Arabe, le Basané, le Musulman, l'Étranger, le Fauteur de troubles et l'Envahisseur.

L'éruption a recommencé aux 3000 et des morceaux de lave retombent dans les rues d'ordinaire si calmes du centre-ville, où des bandes de racailles cachées sous leur écharpe et leur capuche attaquent au hasard les devantures des petits commerces, avant de s'éparpiller, pourchassées par les sirènes hurlantes des voitures bleu blanc rouge.

– Il ne faut pas rester là, mademoiselle, lui dit un gardien de la paix à la mine consternée, visiblement en proie à d'intenses déchirements intérieurs.

– Je ne reste pas, répond Sibylle.

Soul finit d'abaisser le rideau de fer quand elle arrive devant le fast-food. Il est encore plus maigre que dans son souvenir, avec son thorax creux et ses côtes saillantes, et il prend tout son temps, indifférent à l'agitation environnante.

– Qu'est-ce que tu fais là ? dit-il en la voyant.

– Tiens.

Elle lui tend le sac où elle a jeté les vêtements de Momo, gênée, n'osant pas l'embrasser comme elle en avait l'habitude, quand ils venaient la chercher à la sortie de Sciences Po. La vérité, qu'elle occulte tant bien que mal par un sourire forcé, c'est qu'elle redoute son jugement et que lui, qui a un pied dans les deux mondes, le ghetto et l'au-dehors, lui renvoie l'image du mépris que lui inspire la tournure prise par son existence au fil de ces dernières semaines.

– Qu'est-ce que c'est ?

– Toutes ses affaires qui traînaient chez moi.

– Je ne comprends pas, dit-il avant de se murer dans un silence hostile, la bouche figée par une drôle de grimace qu'elle prend pour de l'agacement, comme s'il lui en voulait de ne pas avoir les tripes de parler à Momo en face.

– Je suis désolée, fait-elle en s'avançant pour reprendre le sac, je ne sais pas ce qui m'a pris. Tu as mieux à faire. Je vais lui déposer moi-même.

– Maintenant ?

Il ne lâche pas le sac, et il pose sa main libre sur la sienne, avec une fermeté qu'elle n'a jamais ressentie chez lui.

– Rentre chez toi. Je m'en occupe.

– Tout va bien ? lui demande-t-elle, troublée par ce contact qui se prolonge.

– Hamdoullah, fait-il dans un sourire, avant de s'éloigner sans lui laisser le temps de lui dire au revoir.

Elle a envie de pleurer en montant les sept étages jusqu'à sa chambre de bonne. L'idée qu'elle va la trouver vide de toutes les traces de sa présence lui procure une peine inconcevable, d'autant plus cruelle qu'elle a creusé elle-même ce vide.

Le téléphone sonne au fond de son sac alors qu'elle tourne la clé dans la serrure. Elle décroche, trop tard

– c'était Momo. Elle va le rappeler sans attendre, car il ne faut pas qu'il croie qu'elle le fuit, une seconde, juste le temps de trouver son paquet de Kleenex, elle se mouche avec soulagement, les idées à nouveau en place, et c'est à ce moment-là, quand elle ouvre la porte, qu'une odeur affreusement familière lui cueille les narines, ce parfum écœurant dans le parking le soir où elle a ramassé la brique de cocaïne.

Le balafré dont c'est l'eau de Cologne est allongé sur son lit avec ce qu'il reste de poudre sur le ventre, affalé comme un beauf devant son grand prix de formule 1, ses chaussures sur la couette, elle ne voit que ça, le sachet de poudre sur son ventre et ses grosses chaussures de chantier, moisies sur les côtés, qui s'enfoncent dans la housse beige que sa mère lui a offerte l'an dernier quand elle est montée s'installer ici. Ce n'était pas la raison de sa visite, l'entend-elle dire en lui montrant la coke, mais c'est ce qui s'appelle avoir la main heureuse. La tête lui tourne, ses tempes cognent, et un instant avant de s'évanouir elle voit le colosse noir qui bloque l'accès du couloir avancer les bras pour la rattraper dans sa chute.

À présent, l'odeur de l'eau de Cologne flotte dans un air lourd, chargé d'humidité. Une cave, se dit-elle, ce que lui confirment l'aspect des murs, des parpaings couverts de tags, quand elle entrouvre les yeux. Ses bras et ses poignets lui font mal, sans que ce soit insupportable. Le bas du dos aussi. Elle devrait avoir plus mal, plus peur, mais tout est flou autour d'elle. À mesure que les contours de la pièce se dessinent, elle comprend qu'on lui a attaché les mains avec un cadenas métallique, suspendu au plafond par un croc de boucher.

– Je vous rembourserai tout, souffle-t-elle sans reconnaître sa voix. Je travaillerai pour vous, à Paris, aussi longtemps qu'il faudra, jusqu'à ce que le Tchétchène soit satisfait.

– Le Tchétchène ? dit le balafré en lui posant son index sur les lèvres. Mais le Tchétchène, petite, il ne sait même pas que tu existes. Je t'assure ! Et moi, personnellement, je n'ai rien contre toi, pas le début d'un reproche. Qu'est-ce que c'est, après tout, un kilo de coke ? Non, vraiment. Ton problème, vois-tu, c'est que je n'ai pas trouvé de meilleur moyen que toi pour faire payer à ton petit copain son manque de loyauté.

– On n'est plus ensemble, proteste-t-elle sans comprendre d'où lui vient la faiblesse qui ramollit tous ses muscles.

– Comment ?

– Momo et moi, on est séparés.

Le balafré éclate de rire, imité par le type qui l'a empêchée de tomber, chez elle, et un autre Noir tout aussi énorme, qui pourrait être son frère jumeau. Celui-ci, réalise-t-elle avec horreur, a la caméra de son téléphone portable braquée sur elle.

– Mais il n'y a que toi qui croies ça. C'est terrible ! Pauvre Momo, qui était si amoureux.

– Pauvre Momo, répète le deuxième Noir.

– Ne t'inquiète pas pour tes poignets, poursuit le balafré en lui passant une cagoule sur la tête. Ni pour le reste, d'ailleurs. Après la deuxième piqûre, le temps que l'héroïne remonte à ton cerveau, je te promets que tu ne sentiras plus rien.

Elle ne sent rien en effet et elle ne peut rien répondre, terrassée par une souffrance morale plus grande que tous les sentiments qu'elle a connus, l'imagination de ce qu'ils lui ont déjà fait pendant qu'elle était inconsciente, la contemplation de ce qui l'attend, et assaillie au beau milieu de cet enfer par un lointain souvenir de Momo couché auprès d'elle, qui lui raconte son initiation par Carlos, voilà le nom qu'elle cherche depuis le début en regardant le lieutenant du Tchétchène lui tourner autour, Momo donc, sac-poubelle sur la tête pendant une demi-heure, pendant que les lascars du gang se succèdent pour le frapper, au visage, sur la nuque et les tibias, dans les couilles. Il ne fallait rien dire, surtout ne pas faire de bruit, même pas un soupir. Momo n'avait rien dit, et elle, en sentant les larmes couler sur la laine rêche de la cagoule, elle se dit qu'elle est bien folle de s'être crue aussi forte que lui. Pourquoi, à cet instant précis, se demande-t-elle combien de temps a passé depuis la chambre de bonne, et si les bombes annoncées ont déjà explosé ?

C'est que la France des rues est douce, soudain, les trottoirs, les murs et le ciel gris, Paris, Paris, lorsqu'on se prépare à mourir comme un rat au fond d'un sous-sol oublié de tous, et qu'on n'a rien d'autre devant soi que l'effroi et le bulbe sale de l'ampoule qui vous brûle les yeux de sa lumière noire.

– Ça ne t'ennuie pas qu'on te filme, hein, petite ? Il faut que tu comprennes… Il y a des gens un peu dérangés qui achètent certains films très chers, beaucoup plus chers qu'une brique de coke. Des gens qui raffolent des exécutions violentes, bien sadiques, les membres sectionnés, les hémorragies, tu vois un peu le travail pour nettoyer après. N'aie pas peur : ça n'est pas le genre de la maison. Nous, on n'est pas des marchands de mort. Non, l'idée, c'est d'offrir un cadeau d'adieu à ton Momo. Un souvenir, si tu préfères. Et ce qu'il y a de bien, avec l'héroïne, comme tous les organismes sont différents, c'est qu'on ne sait jamais si l'overdose va prendre dix heures ou trois jours. La dernière fille attachée à ta place, elle n'était pas très solide, la pauvre. Une Moldave, ou quelque part par là-bas. Mauvaise hygiène de vie. Toi, je peux me tromper, mais tu me parais plus résistante.

– Toi qui séchais toujours les cours en labo, dit Momo en surprenant Soul dans son taudis du Dragon, fagoté comme un va-nu-pieds, occupé à shunter des fils rouges et noirs. Wesh, gros ! Tu vas te mettre à ton compte dans la réparation d'autoradios ? N'hésite pas si tu veux des tuyaux, mon père se fera un plaisir.

Soul le dévisage un instant, le temps pour Momo de voir la peur qu'il a eue en pensant que c'était quelqu'un d'autre, la police sûrement, puis il se remet à l'ouvrage sans faire attention à lui.

– C'est quoi le problème avec Sibylle ? lui demande-t-il sur un ton étranger, froid et railleur à la fois, un ton qui n'est pas celui de son ami.

– Il n'y a pas de problème.

– Regarde un peu dans le sac, là.

La découverte de ses affaires n'est pas une surprise, il a bien compris qu'elle ne veut plus de lui, même s'il continue à l'appeler, la dernière fois pas plus tard que ce matin, parce que entre comprendre et admettre il y a un monde que les petits bâtards butés, moitié rebeus moitié kabyles, se refusent à traverser.

Mais qu'elle les ait rendues à Soul, qu'elle soit venue à Aulnay sans l'en avertir, c'est ça qui lui fait mal.

– Elle est venue te trouver au fast-food ?

– Ce matin.

– Elle sait que je ne travaille pas le mardi.

– Je crois que c'était la raison de sa visite, répond Soul sans lever les yeux.

– Qu'est-ce qu'elle t'a dit ?

– Elle m'a juste donné le sac.

– Elle n'a rien dit, alors.

– Elle a changé d'avis en me voyant et elle a dit qu'elle allait te l'apporter elle-même, mais je lui ai pris des mains. Elle n'aurait pas fait dix mètres en rentrant ici.

– C'est trop galant, beau gosse. Tu ne m'as jamais dit que tu la kiffais.

Il a prononcé les mots sans y penser, par pure provocation, mais en les entendant Soul s'ouvre le pouce avec son cutter et redresse la tête pour le regarder de ses yeux qui ne savent pas mentir.

– Non, non. Dis-moi que tu n'as pas fait ça.

– Je n'ai rien fait, répond Soul, la main ouverte, son sang qui dégouline sur sa bombe de fortune.

Momo ne les voit plus, l'entaille sur le doigt, la bombe, la raison pour laquelle il est descendu ici, arracher ce fou aux démons qui l'ont ensorcelé. Tout ce qui reste dans la pièce, c'est le fait brutal et froid que son meilleur ami fantasme depuis dieu sait quand sur sa copine.

– Garde le linge, va. Tu en as plus besoin que moi.

Tant pis pour l'entraînement, pense-t-il en courant attraper le 13 h 51 direction Paris. Il trouvera bien le moyen d'embobiner Jean-Luc.

La porte de la chambre est entrouverte, et en humant l'odeur d'eau de Cologne qui flotte sur le palier Momo pense furtivement à Carlos, Carlos et ses menaces, pour l'oublier aussi vite, lorsqu'il comprend que l'odeur émane en fait de l'autre côté de la porte, du lit de Sibylle, et appartient donc à l'homme qui a couché ici, contre elle et dans ces draps. Jamais, se dit-il en remarquant les traces de coke sur le frigo, le rebord de la fenêtre, la table de nuit, jamais il ne l'aurait crue capable d'une chose pareille. La connaissait-il vraiment, malgré ce que son cœur lui disait ?

Ils se sont fourré de la coke dans le nez toute la nuit, là, là, et là, il se force à imaginer la scène, ils ont fait l'amour, trois, quatre fois, régénérés d'heure en heure par le coup de fouet de la drogue, puis ils sont sortis au petit matin, tellement défoncés et indifférents aux choses du quotidien qu'elle en a oublié de fermer sa porte.

Laminé par la désillusion, la conscience affreuse qu'elle s'est jouée de lui comme d'un parfait couillon, il ramasse son portable qui traîne sur le parquet. La batterie est presque à vide. Sur la liste d'appels, le numéro d'un certain Alex a été compté presque aussi souvent que le sien. Momo ouvre la fiche correspondante dans les contacts de Sibylle, note son adresse, avant de jeter un coup d'œil à la galerie de photos.

Sur la dernière, Sibylle est allongée sur un lit inconnu, drap remonté sous le menton, souriante mais sincèrement gênée, dans un geste de pudeur qui lui semble la chose la plus obscène au monde.

Et dire qu'il a pensé que Soul… Il cogne à la porte, moins fort qu'il ne devrait, impressionné malgré lui par ce bois dont l'aspect sombre et massif évoque la douceur de vivre que la France réserve aux gens de bonne naissance et à ceux qui s'y sont fait une place. Il est surpris de ne pas sentir l'eau de Cologne quand le gars apparaît, vêtu d'un costume gris à fines rayures et sans cravate, plus vieux qu'il ne l'imaginait, mais, l'étonnement dissipé, sa colère revient au-devant de ses émotions et il le pousse à l'intérieur en le tenant par le col, trouvant l'appartement plus petit lui aussi que ce que laissaient présager les dorures de la cage d'escalier et le bois de la porte, c'est bizarre mais bref, il lui colle le portable et la photo de Sibylle sur la joue, en hurlant qu'il a eu bien tort de la prendre, cette photo, et il perd complètement le contrôle de ses nerfs en arrivant dans la chambre, à la vue du lit défait, en voyant que ce sont les mêmes draps et le même oreiller, ils tombent à la renverse sur le matelas, et il se met à le frapper de toutes ses forces, silencieux à présent, sans insultes ni menaces, mais incapable de s'arrêter.

Quand il reprend ses esprits, il voit que l'homme est inconscient. Il a la pommette ouverte sur deux ou trois centimètres, les yeux tuméfiés, et un œuf de pigeon a commencé à se former sur sa tempe. Le nez saigne, mais les os ont l'air intacts sous la peau enflée. Il respire.

Le SAMU, il l'appelle sur le téléphone de Sibylle, indiquant l'adresse et l'étage, puis il se lave les mains et s'en va sans se presser, le poignet douloureux, ses pas alourdis par la conscience encore confuse d'avoir foutu sa vie en l'air, une fois de plus.

– Tu t'es blessé ? demande sa mère en voyant l'hématome qui gonfle son poignet. Comment est-ce que tu t'es fait ça ?

La douleur est de plus en plus vive. C'est cassé, pense-t-il, c'est sûr que l'os est cassé.

– Je boxe, OK ! Ça arrive tout le temps.

– Ne me prends pas pour une idiote ! Jean-Luc n'arrête pas d'appeler depuis ce matin, il dit que tu as raté deux entraînements. Il veut passer te voir cet après-midi. Momo, regarde-moi ! Qu'est-ce qui t'arrive ?

Il n'y a même pas pensé, en rentrant à Aulnay, qu'il va devoir faire une croix sur le championnat s'il a une fracture au poignet. Pas de combat samedi soir, pas de JO, pas de carrière pro – trois lignes de plus sur la longue liste de ses illusions perdues. Quelle importance à présent ?

– Je vais prendre un anti-inflammatoire et me reposer, ça ira mieux après.

– Quelqu'un a déposé ça pour toi, dit-elle en lui donnant une enveloppe kraft. Je l'ai ramassée sur le paillasson.

Il s'enferme dans sa chambre, parce qu'il n'aurait pas pu soutenir son regard plus longtemps, affronter la déception et le découragement qu'elle ne parvient plus à dissimuler. Il y avait tant de fierté dans ses yeux bleus comme les siens, il les revoit encore, quand elle l'emmenait à l'école après avoir déposé Sabrina chez leur tante, avant de partir au travail. Ses enfants étaient sa lumière, disait-elle à qui voulait l'entendre, les Rebeus de la cité et les Parisiens chez qui elle faisait le ménage, aux appartements élégants où il lui arrivait de l'accompagner le mercredi ou le week-end, si personne ne pouvait le garder. Où s'étaient enfuis ces bonheurs d'enfance, le temps où sa mère rayonnait, cette exaltation et ce luxe qu'ils avaient réussi, lui et sa sœur, à se fabriquer dans la pauvreté ?

L'enveloppe contient un DVD qu'il insère dans son ordinateur en appliquant une poche de glace sur son poignet. Un écran noir, les secondes qui défilent, puis l'image d'un corps masqué, suspendu par les bras au plafond d'une pièce aussi sinistre que les geôles militaires américaines en Irak. La caméra tremble un peu en s'approchant, on voit malgré le faible éclairage que le prisonnier a un corps de femme, et en découvrant ses longs cheveux blonds qui roulent sur les épaules, en se rappelant l'odeur d'eau de Cologne sur son palier, Momo la reconnaît bien avant qu'une grosse main noire soulève la cagoule pour découvrir le visage de Sibylle.

Elle sera aussi belle que sa mère, pense Assan en observant Leïla captivée par l'album de photos qu'il a sorti pour l'occasion, son doux profil, ses cheveux tressés en une longue natte qui découvre un front intelligent, ses membres fins de jeune fille – aussi belle, mais sans les yeux noirs paisibles de Zohra, les siens tirant vers une teinte plus claire, moins mate, traversée selon la lumière d'éclats marrons ou verts, comme ceux de Kader, dont ils ont aussi l'opiniâtreté jusqu'au-boutiste, si proche de l'égarement.

Elles sont arrivées à l'heure du déjeuner, Leïla n'a pas cours de tout l'après-midi et Zohra a pu prendre sa demi-journée. Il venait d'apprendre la mort à l'hôpital de Bruno, chez qui la police a trouvé un sac à dos rempli d'explosifs et un détonateur ; la nouvelle, plus accablante qu'il ne l'aurait cru, l'a empêché de s'abandonner à la joie de leurs retrouvailles pendant le repas. C'est Leïla, en lui posant une main sur l'épaule au moment où ils débarrassaient la table, qui a rompu le sortilège. Sa mère était sortie fumer une cigarette devant la maison, et elle a eu ce geste banal pour qu'il lui cède le passage devant l'évier, qu'elle puisse y déposer ses assiettes, un geste parfaitement anodin, peut-être même inconscient, mais dont la trivialité même signifiait pour lui qu'elle l'acceptait de nouveau dans son univers domestique, et que sa rancune envers lui appartenait au passé.

Et maintenant, songe-t-il alors qu'ils boivent le café turc de Zohra en jouant à se rappeler l'agencement et la décoration de leur premier appartement aux 3000, plus rien ne s'oppose à leur bonheur, plus rien, non, elles vont venir vivre ici, chez lui, Al-Mansour s'en ira dans une maison de fin de vie, et ils vivront comme n'importe quelle famille issue de l'immigration qui n'a pas trop mal réussi, même plutôt mieux que la moyenne à la vérité, jusqu'à ce qu'il ait économisé assez d'argent pour leur offrir un foyer loin de la cité, et qu'ils puissent laisser ici le nœud de leurs infortunes, comme un animal de compagnie inhumé au fond du jardin, dont on ne déterre pas les os en déménageant.

Puis il se rappelle Paoli, et l'Américain au nœud papillon.

– Elle voudrait voir ton père, dit Zohra, l'arrachant à ses pensées.

– S'il ne dort pas, acquiesce Leïla. Je ne veux pas le réveiller.

– Tu es d'accord ?

– Il n'y a pas de raison, dit-il en se levant pour l'accompagner à la chambre d'Al-Mansour.

– J'y vais seule.

– La dernière porte à gauche, en face de la salle de bains. Frappe avant d'entrer, s'il te plaît. Il s'en moque, mais ça fait une différence pour nous, je trouve.

Elle hoche la tête et disparaît dans le couloir. Il tend l'oreille, vaguement inquiet, mais en même temps, se dit-il, que pourrait-il lui arriver, quel mal Al-Mansour peut-il lui faire qu'il ne lui ait déjà fait ? Elle frappe trois coups, puis il l'entend refermer derrière elle.

– Alors, tu me le promets, lui dit Zohra en venant s'asseoir à côté de lui.

– Tu as ma parole. J'ai essayé de convaincre les autres, mais je ne peux pas parler en leur nom.

Zohra lui prend les mains, amoureusement, comme au café, et encore une fois il doit se retenir de l'embrasser.

– Ça n'est pas ta guerre, Assan, dit-elle en serrant ses mains très fort. Tu comprends ?

– Je t'ai donné ma parole. Je ne reviendrai pas dessus, ne t'en fais pas. Je veux que nous soyons heureux tous les trois.

– Mais que diras-tu à la police si les autres bombes explosent et qu'ils viennent te demander des comptes ? Même si elles n'explosent pas, d'ailleurs. Tu y as pensé ?

– Je n'ai pas eu le temps. Tout va si vite depuis samedi.

– Il faut que tu y penses. Qu'on parte loin, peut-être.

– J'ai jeté les disques durs et les cartes mémoire. Il n'y a plus rien qui puisse m'incriminer, rien à part les autres, et ils ne parleront pas, que les bombes explosent ou non.

– Tu irais mourir en prison pour une guerre qui n'était pas la tienne.

– Mais pourquoi dis-tu ça ? murmure-t-il en libérant une main de son étreinte pour lui caresser le visage.

– Assan ! Oh, Assan !

C'est elle qui pose des lèvres tremblantes sur les siennes, mais son baiser, pourtant plus doux encore qu'il ne l'avait rêvé, si tendre, si plein de consolation et de promesses qu'il pourrait mourir là, comblé, son baiser lui laisse le goût d'une infinie tristesse sur la langue, jusque dans la gorge.

En rouvrant les yeux, il s'aperçoit qu'elle pleure.

– Ne pleure pas, mon amour. Tout ira bien.

– Jure que tu ne m'en voudras pas !

– Mais de quoi ? Tu me remplis de bonheur et je ne comprends rien à ce que tu me dis !

– Jure.

– Je jure, je t'aime, tout ce que tu voudras.

– Tu n'es pas le fils d'Al-Mansour, Assan. Kader n'était pas ton demi-frère. C'est ta mère qui me l'a dit juste avant que nous partions à Paris, elle aimait un autre homme, et elle m'a fait promettre de te cacher la vérité jusqu'au jour où je te verrais marcher sur les chemins de la vengeance, ce sont les mots qu'elle a employés, elle avait tellement peur que ce jour finisse par arriver. Pardonne-moi, je t'en prie.

Les phrases échevelées du gamin fusent dans le brouhaha de l'interconnexion comme des feux de détresse dans le brouillard. Il a fallu que Franck vienne le retrouver aux Halles, ça ne pouvait pas attendre le soir. Il est donc parti de Levallois toutes affaires cessantes, en se demandant par quel bizarre coup du destin le garçon dense et frondeur qui se débattait hier à l'arrière du fourgon avait pu se liquéfier aussi vite, beaucoup plus tôt en tout cas qu'il ne l'espérait, et comme il traversait le grand hall des correspondances, il a aperçu un autre Momo qui l'attendait devant le bureau de presse, nerveux comme une pute à l'église, ahuri, déconfit, broyé par des circonstances qu'il a eu toutes les peines du monde à lui expliquer.

– Je croyais que c'était juste une rumeur, cette histoire de brique.

– Mais je n'ai rien volé, moi ! Je ne sais pas pourquoi ils croient que j'ai fait le coup. Si vous m'aidez…

– Non, je t'arrête tout de suite. Ça ne marche pas comme ça.

– Si vous m'aidez à la sortir de là, je vous dis qui sont les mecs que vous recherchez, et où ils se réunissent.

La politesse pavlovienne du lascar, songe Franck : insulter tous les flics en règle générale, les traiter comme des sous-hommes, et vouvoyer celui dont on espère quelque chose. C'est désespérant. S'ils veulent qu'on les respecte, qu'on les regarde comme des adultes, pourquoi faut-il qu'ils soient si puérils ?

– Ton copain, il fait partie de la bande ?

Le gamin délibère avec lui-même, un petit moment, puis finit par avoir un léger hochement de tête, comme s'il craignait que quelqu'un remarque leur conversation.

– Ça veut dire oui, ça ?

– Oui, souffle-t-il d'une voix atone.

– Voilà. Maintenant on peut parler.

N'empêche, aller jouer les justiciers chez les cannibales du 93, alors qu'on lui reproche déjà à demi-mot la mort de l'autre abruti sur le quai du RER ? À trois jours de la date fatidique fixée par le commando, les informations de Momo ont beau être un cadeau du ciel, parce qu'on n'a rien trouvé d'incriminant sur Arkadin ni les trois autres chez le suicidé, ce marché à prendre ou à laisser n'est pas seulement hors la loi, et contraire à tous les usages déontologiques de son service ; il serait aussi très aléatoire dans son exécution, pense Franck en frissonnant une fois de plus au souvenir des raids nocturnes à l'époque les stups, et fourbe vis-à-vis du Tchétchène, qui sans rien demander a décidément produit une impression durable sur lui. Mais voilà : le désarroi de ce petit voyou le touche.

– Bon, l'interpelle le gamin sur un ton plus maîtrisé. On fait quoi ?

– Attends une seconde.

La ligne de Paoli sonne dans le vide. Il essaie une autre fois, puis une autre encore, sans laisser de message. C'est maintenant qu'il faut prendre la décision, et il se sent comme un petit enfant, lui aussi, sans la voix rassurante de son maître pour lui dire qu'il n'y a rien à craindre dans la gueule d'ombre qui s'ouvre devant lui.

Et puis merde.

– Écoute-moi. Je le fais à deux conditions. Une, il n'est pas question que tu sois là. Deux, si ton pote est mouillé, il devra en répondre devant le juge. Tu me dis oui ou non, il n'y a rien de négociable.

– OK.

– Dès que ta belle est hors de danger, dès que tu l'auras vue, tu m'accompagnes à Levallois. Ce n'est pas une audition ni un témoignage sous X, il n'y aura pas de magistrats présents. Vois ça comme un briefing. Tu nous diras tout ce que tu sais, en répondant à toutes les questions, avec un maximum de détails et de clarté. Ça prendra le temps que ça prendra, et tu n'auras pas le droit d'être fatigué jusqu'à ce qu'on ait fini. C'est clair ?

– Oui.

– Maintenant, explique-moi ce que tu as au poignet.

– Je me suis fait ça au sac. Je n'ai pas fait attention, et puis ça a gonflé.

– Momo, dit-il en fixant ses yeux affolés, ne t'avise pas de te faire justice tout seul. Tu n'es pas de taille. Et si par miracle tu en réchappais, je ne serais pas là pour te tirer des pattes de la PJ.

Si jamais la chose s'ébruite, pense-t-il. Le danger n'est même plus un élément de réflexion. Le risque véritable, c'est qu'un juge ou un commissaire mal luné apprenne les circonstances de l'intervention. Ils lui feront la peau, comme il l'aurait mérité voilà cinq ans, et il aura perdu Laurence sans retour. Zoé aussi, peut-être. La puissance bienveillante de Paoli n'y pourra rien. Mais où est Paoli, d'ailleurs, toujours injoignable, lui qui a l'habitude de rappeler sur-le-champ ?

– La fille a été emmenée dans un bâtiment désaffecté à Sevran, annonce Delphine en le prenant à part dans le couloir. Votre copain des stups dit que ce Carlos a commencé à y monter sa petite entreprise parallèle, il y a six mois, à l'insu de son boss.

– Donc le Tchétchène n'a rien à voir avec cette histoire ?

– Apparemment, non. Pourquoi ? Ça vous aurait déçu qu'il ait commandité l'enlèvement ?

– En quelque sorte, oui. Tu es toujours partante ?

– Si vous me posez la question encore une fois, je crois bien que je vais changer d'avis.

Cette fille n'a pas froid aux yeux, s'est-il dit quand il lui a expliqué la situation en rentrant des Halles, après avoir demandé à ses anciens collègues si leurs mouchards de Seine-Saint-Denis n'avaient pas vu passer une jolie blonde aux mains d'un dealer balafré et empestant l'eau de Cologne, et c'est là que le souvenir lui est revenu de l'odeur qui flottait dans l'air le soir où il est tombé sur Momo aux 3000. Il avait besoin de quelqu'un pour surveiller ses arrières, et il se trouve qu'aujourd'hui et demain Farid est de corvée devant chez Arkadin. Elle a acquiescé sans réfléchir, comme s'il lui avait donné un ordre, comme si ça faisait tout simplement partie de leur boulot.

– Je veux que tu saches que ça peut mal tourner, et que tu peux me dire non. Ça ne changera rien à nos relations.

– Dommage, souffle-t-elle en levant vers lui son visage chiffonné de garçon manqué, éclairé tout à coup par une étrange lueur, plus ardente qu'à l'accoutumée.

– Comment, dommage ?

– Je ne veux pas que vous vous fassiez descendre. Vous comprenez ? Non, dit-elle en se cabrant, je vois bien que vous ne comprenez pas. Laissez tomber.

C'est vrai qu'il n'a jamais fait attention à elle depuis l'arrestation de la gamine dans le Xe, du moins pas comme on regarde une femme, un être doué de sentiments, quelqu'un susceptible d'avoir un faible pour lui. Il a vu d'emblée qu'elle était une bonne recrue, c'était là tout ce qu'il voulait savoir, puis les événements se sont précipités, et de toute façon il n'est pas du genre à mélanger bureau et vie privée.

– Je te revaudrai ça, dit-il en lui serrant le poignet d'un geste maladroit qu'elle n'aura pas tort d'interpréter comme un triste lot de consolation, puis il s'éloigne.

Partir au feu avec une fille éprise de lui, pense-t-il, peu fier de sa dérobade, ce n'est pas l'idéal, vraiment, mais vers qui d'autre pouvait-il se tourner, oui, qui d'autre, sans risque que le bruit de sa petite excursion ne revienne aux mauvaises oreilles ?

Ces pensées stériles sont balayées lorsqu'il aperçoit de la lumière chez son chef bien-aimé, et son cœur se gonfle d'espoir, comme si la réapparition providentielle de Paoli lui garantissait que tout allait bien finir.

– Où étais-tu ? Ça fait des heures que je cherche à te joindre !

En entrant, il réalise que le bureau est vide, éclairé seulement par le moniteur du PC, dont le fond d'écran projette sur les murs des motifs d'une abstraction lugubre, et il se sent à nouveau saisi par cette vague terreur qui le traque depuis deux semaines, cette même intuition que quelque chose d'effroyable est en train de s'accomplir, dont l'absence de Paoli est le prélude.

– L'assistante maternelle est arrivée à l'heure du déjeuner avec sa fille, dit Farid, estomaqué de le voir apparaître ici, la main posée sur le toit de la voiture de surveillance, sans avoir été averti de sa venue. Personne n'est entré ni sorti depuis.

– Bien, coupe Paoli. Sors de là, et fous le camp.

– Mais, patron…

– C'est un ordre.

Contrairement à Franck, Farid n'est pas homme à contester, demander pourquoi, ruer dans les brancards. Il descend de voiture, son étonnement et son indignation de conformiste au coin des lèvres, fait quelques pas à reculons dans la lumière cendrée du crépuscule, en le dévisageant, puis finit par tourner les talons.

Les doutes, les scrupules, les réserves d'ordre moral, sa sympathie envers le jeune Bakiri aussi, tout cela s'est envolé au moment où Paoli a appris l'existence de Leïla Maktouf. Qu'Al-Mansour, même à moitié fou, les méninges en ruines, ait joui du bonheur ultime que procurent à tout un chacun l'éclosion et l'épanouissement d'un petit-fils ou d'une petite-fille, du sentiment d'immortalité dont il gonfle l'âme, qu'il ait pu contempler à travers elle la pérennité de son sang sur terre, toutes ces années, alors que ses parents à lui n'auront rien connu de ces joies qui sont le miel de la vie – l'injustice, dans son cœur d'orphelin, est insoutenable. S'il n'y avait pas eu cette adolescente, et tous les avenirs radieux qui s'incarnaient en elle, qui sait ? Il aurait peut-être continué à tergiverser, à remettre au lendemain le règlement de cette dette vieille de cinquante ans, jusqu'à ce que la perspicacité de Franck finisse par le prendre de vitesse et mette ses projets en échec. Peut-être est-ce ce qu'il désirait, au fond ? Ne pas être à l'image de son ennemi, prisonnier de sa vengeance, laisser la justice faire son œuvre, la mémoire sereine, libérée enfin de la malédiction de la sale guerre, de l'Algérie, des empreintes indélébiles de la France en Algérie, de la rancune et de la rétorsion qui ne finissent jamais, du sceau détestable de la loi du talion. Mais Al-Mansour avait bel et bien une descendance au-delà de Kader et du gentil Assan, cet égaré dont le destin douloureux avait ébranlé sa résolution en lui apparaissant comme jumeau du sien. On lui en avait apporté une preuve dure comme le roc, en la personne de cette jeune fille qui était une insulte vivante au souvenir de ses parents à lui, à ce qu'ils avaient été, et à l'amour sans limites qu'il étouffait encore, à soixante ans passés, de n'avoir pu leur rendre.

D'abord, la gamine.

Bakiri.

Le borgne, pour finir, impuissant devant la chair de sa chair en lambeaux, saignée à mort par terre comme les bestiaux sur le ciment brut de l'abattoir.

En refermant la porte fraîchement huilée du jardinet aménagé devant le pavillon, Paoli se répète une dernière fois l'ordre dans lequel il a choisi d'abattre la lignée des Arrache. La même cruauté, à l'envers, que ce jour-là dans l'oued : il veut voir dans l'œil d'Al-Mansour le regard rempli de terreur du petit garçon des Aurès, et il veut le regarder, sans se presser, avec l'œil sauvage du dernier lion, comme le prédateur qui savoure la mise à mort autant que la proie, la nuque tétanisée de peur entre ses crocs patients, comme le chasseur qui n'oublie pas de prendre son temps, parce qu'il sait que tout son plaisir est ramassé dans cet instant-là, où l'index frôle le métal de la détente, sans appuyer encore. La copine de Kader, elle, il ne peut s'y résoudre, bien qu'il serait juste, c'est une évidence, de la tuer aussi. Quelle sorte de vie mènera-t-elle, jeune encore au milieu de tant de désolation, privée du droit de se venger, de la possibilité légitime de faire payer l'assassin de sa fille et de l'homme qu'elle aimait ?

Bavardages que tout cela.

La porte d'entrée cède au troisième coup d'épaule. Une voix de femme crie, puis une autre, plus lointaine, il entend qu'on appelle des noms familiers, de l'arabe et du français, des bruits de pas affolés et des pieds de chaise qui raclent le parquet, comme dans une scène répétée mille fois, exactement comme il se l'imaginait, et il se retrouve dans le salon, l'arme au poing, nez à nez avec la belle Zohra Maktouf qui s'est mise en travers de sa route pour protéger Bakiri, debout près du canapé, les revoyant tous les deux dans la cour de la sous-préfecture à Épinal, agrippés l'un à l'autre, se soutenant mutuellement devant le cercueil de Kader.

– Vous faites erreur, monsieur le policier. Assan n'est pas l'homme que vous cherchez, dit-elle d'une voix qui tremble un peu.

Il est fasciné par la beauté de cette femme qui arbore sur son visage toutes les séductions de l'Orient, douce et dure à la fois, mystérieuse et charnelle, sombre et langoureuse comme la Salomé de Gustave Moreau, et en même temps il sent bouillir en lui l'euphorie dévorante d'il y a dix-sept ans, celle de l'homme immobile, briquet à la main dans le parking sous la planque de Kader, ivre de sa puissance, comme s'il allait à lui seul faire disparaître la mémoire toxique qui s'empile sur les deux rives de la Méditerranée depuis le temps des colonies, empoisonnant les âmes et déchaînant les passions furibardes, Abd el-Kader, Bugeaud, le duc d'Aumale, Sétif, l'OAS, Charonne, de Gaulle, tous ces avatars de la fatalité franco-algérienne tourbillonnent autour de ses parents, puis à leur tour leurs fantômes l'entraînent dans une ronde insensée qui traverse l'Histoire et lui fait tourner la tête.

– Monsieur, s'il vous plaît. Je ne sais pas qui vous êtes. Nous n'avons rien contre vous.

Et soudain, il s'aperçoit que ce n'est pas la voix de Zohra qui tremble, mais sa propre main, cette main aride et blanche qui peine à tenir l'angle de tir. Depuis combien de temps ne s'est-il plus servi de son arme ? Pas dans le sous-sol aseptisé de Levallois, sur des silhouettes en carton propulsées par des vérins, mais pour de bon, le frein rongé et la peur au ventre, les deux pieds dans la réalité ?

– Si tu savais qui je suis, crois-moi, tu parlerais autrement.

– Maman !

Au son de sa voix, il déduit que la jeune fille doit se cacher dans le couloir qui part de l'autre côté du salon. Pauvre petite. Il l'imagine secouée par les sanglots, juste là, derrière l'arête du mur, cramponnée à l'espoir que le plâtre défraîchi sous le papier peint aura le pouvoir d'arrêter du 9 mm.

– Sauve-toi, Leïla ! Par le jardin !

– La porte au fond du couloir ! hurle Bakiri. Tu n'as qu'à ouvrir et courir. Cours sans te retourner !

– Maman !

Maman, crie-t-elle. Le mot lui provoque une brûlure insupportable, juste derrière la tempe, du côté de sa cicatrice. Il bloque sa respiration et, d'instinct, sans savoir pourquoi, oriente le canon d'un centimètre vers la gauche. La première balle atteint Zohra en plein cœur, un de ces tirs parfaits qui entraînent la fermeture instantanée et définitive de tout l'organisme – il l'a senti en appuyant sur la détente.

La deuxième balle se loge dans l'épaule de Bakiri, mais, d'un mouvement d'une vivacité stupéfiante, celui-ci parvient malgré le choc et la douleur à traverser la pièce pour s'engouffrer dans le couloir avant que Paoli ait pu faire feu à nouveau. Une porte claque à l'arrière de la maison, Bakiri et Leïla ont déjà atteint la palissade au fond du jardin quand il l'ouvre à son tour. Il fait nuit. Posté dans l'embrasure de la porte, il vide son chargeur d'une traite, remarquant les petits éclats de bois qui strient l'obscurité avant de retomber sur l'herbe gelée, et il entend la course des deux fuyards qui résonne sur le goudron de la voie de garage, définitivement hors de portée, tandis que les douilles roulent en arc de cercle à ses pieds.

– Qui es-tu ? demande une voix moribonde derrière lui, presque un râle, mais dont il reconnaît aussitôt le timbre sévère.

Le vieux lion borgne est là, derrière la dernière porte au fond du couloir, étendu sur son lit de douleur. Paoli s'approche à tâtons, effaré par son aspect squelettique. Toutes ces années à prier pour qu'il survive à son destin de soldat perdu, pour le tuer de ses propres mains, et le jour où il se retrouve enfin face à lui, l'assassin de ses parents n'est plus qu'un vieillard à l'article de la mort, un vieillard infirme qui ressemble à tous les vieillards, pathétique et désarmé, quelqu'un qu'on ne peut pas haïr.

– C'est moi, murmure Paoli en rangeant l'arme dans son holster et en prenant place sur le lit. Tu ne te souviens pas, Al-Mansour ? Moi, cela fait cinquante ans que je vis avec ton nom.

– Je ne te connais pas, fils. Celui que j'attends n'est qu'un enfant.

Il ouvre son blouson et en sort un couteau de chasse, dont il place le manche en cuir dans la main décharnée du vieux, avant d'amener la lame contre son estomac, à l'endroit même où elle avait déchiré la chair de son père.

– Ce n'est pas rien, la façon dont on meurt. Dis-le-moi, que tu t'en souviens.

Mais dans l'œil valide d'Al-Mansour, il n'y a rien que le vide sidéral de la maladie arrivée au bout de sa course, le regard vague et lointain d'un fauve de zoo dont l'âme erre, tout là-bas, dans la steppe d'où il est venu.

Anéanti, Paoli laisse tomber le couteau sur le drap et sort de la maison, sans un regard pour le corps de la belle Zohra qui gît sur le tapis du salon.

C'est un chantier arrêté sous une bretelle de l'A86, non loin de Bobigny.

Hier soir, en sortant de l'entrepôt après les autres, Assan a déposé le sac à dos contenant les explosifs et le détonateur dans l'Algeco qui devait abriter à l'époque le bureau du chef de chantier, au fond d'un grand bac en plastique, entre les rouleaux de plans, les casques de protection et les relevés topographiques. L'endroit, pensait-il, ferait l'affaire jusqu'à ce que les choses se tassent et qu'il puisse s'en débarrasser proprement.

Les choses ne se sont pas tassées et, au lieu d'explosifs et de détonateur, il y a maintenant une bombe parfaitement opérationnelle, dont il vient d'achever le circuit, sur la table du chef de chantier – l'Américain au nœud papillon ronronnerait d'allégresse en inspectant les branchements. Son épaule a cessé de saigner, mais le projectile coincé entre la clavicule et le deltoïde lui interdit de lever le bras sous peine d'être foudroyé par une douleur grinçante qui lui arrache des pleurs à chaque fois que ses pensées vagabondent en avant de son corps, et l'inflammation des tissus, déjà descendue dans sa poitrine, a déclenché une fièvre qu'il n'a aucun moyen d'enrayer.

Zohra, murmure-t-il en se palpant la nuque, moite et brûlante. Zohra morte d'avoir voulu le sauver, de lui-même et de ce fou, abattue comme un chien, il la revoit s'effondrer devant lui, un dernier mot sur les lèvres qu'elle n'aura pas eu le temps de prononcer. Cette parole était-elle pour lui ou pour Leïla ? Espérait-elle encore adoucir la colère aveugle de Paoli ? Savoir la petite indemne, en sécurité, ne lui apporte aucun réconfort. D'une certaine manière, c'est même la preuve qu'il a été incapable d'affronter son destin comme Zohra et Al-Mansour ont affronté le leur. Celui qui triche avec la mort ne connaît pas le bonheur de vivre, il aurait pu asséner ce genre de paradoxe péremptoire à ses disciples en leur racontant que c'était un hadith oublié par les théologiens. Mais, se rappelle-t-il soudain, si Al-Mansour n'était pas son père, si cet homme n'était qu'un étranger, comme Kader, alors qui peut dire quel était son destin ? Il y a de quoi devenir fou. Moins pour l'énormité de la méprise, l'illusion mortifère du sang qui ne ment pas, que pour ses conséquences : où serait-il, maintenant, lui, l'enfant calme et sérieux de la banlieue grenobloise, si la main du démon ne l'avait jeté dans cette famille d'enragés qui n'était pas la sienne, ciblée depuis des lustres par l'œil du Grand Satan ? Quelle aurait été sa vie, s'il l'avait menée libre, loin du traquenard franco-algérien et des revanches dont la soif ne s'éteint que lorsque tout est consumé ? Une chose est sûre : l'idée radicale d'attenter à la vie d'autrui et de mettre fin à la sienne, pour des raisons personnelles ou à des fins politiques, ne lui serait jamais venue, c'est impensable, du moins, se corrige-t-il dans un sursaut de lucidité qui le ramène au réel, jusqu'au jour où cette main démoniaque lui aurait arraché l'amour de sa vie.

Si c'est dans le deuil que l'on reconnaît les mauvais fils et les étrangers, quand les bons et les compatissants ploient sous le fardeau de la peine et du chagrin, alors non, Al-Mansour ne peut être son père, et il lui est doux de l'imaginer mort et refroidi, parce que Dieu ou le hasard ne peuvent avoir voulu reprendre la vie de Zohra en laissant la sienne intacte, ce serait par trop absurde : quelle sorte de monstrueux enfer serait un monde où les âmes innocentes périssent les premières, abandonnant la surface de la terre aux ailes noires de ces djinns vengeurs ? Oui, mais que l'on croie à Dieu ou à diable, à rien, comment a-t-il pu s'enfuir, lui, et laisser sa dépouille dans cette maison livrée aux forces du chaos ? C'est la seule question qui vaille, il le sait, et il est un pitoyable lâche de s'en inventer d'autres pour émousser le tranchant de son écho. Non qu'il ait eu peur de mourir, cela, il en est sûr, mais pourquoi n'avoir réagi qu'après coup, aiguillonné par l'instinct de protéger Leïla, quand il aurait fallu se jeter devant Zohra et recevoir de plein fouet cette mort qui lui était destinée – en héros, lui souffle l'esprit de sacrifice, l'exaltation chimérique de son cœur pétri d'amour ?

– Parce qu'ils seraient tous morts à l'heure qu'il est et que l'œuvre de Paoli serait accomplie, répond la voix presque éteinte du bon sens, à travers la fumée opaque de son délire. Si les liens du sang et la loyauté biologique ne sont qu'un mirage, alors les sentiments gratuits doivent être quelque chose, et il était juste, honorable même, de penser à Leïla, qui n'est donc rien pour lui, pas plus qu'Al-Mansour.

L'erreur irréparable, il n'en a commise qu'une, c'est d'avoir attendu la punition les bras croisés. Il aurait dû les emmener loin tout de suite, elle et Zohra, partir en oubliant tout le reste, à peine sortis du café samedi matin, ensemble, pas l'un après l'autre comme des voleurs, mais dans le doux élan de son retour, fausser compagnie aux Américains avant même de les avoir rencontrés, il aurait dû prendre une voiture de location et rouler jusqu'au bout du continent, jusqu'à ce que les panneaux routiers soient écrits dans des caractères incompréhensibles et portent le nom de lieux où on ne les aurait jamais cherchés.

Mais voilà, il a attendu, frappé par Dieu sait quelle inertie suicidaire, Paoli est venu comme il l'avait promis, inexorable comme les premières notes de la *Cinquième Symphonie*, aussi étranger à la clémence que la statue du Commandeur, et à présent personne ne punira plus Paoli, quand bien même la bombe sur la table aurait la puissance de cent Enola Gay armés par la CIA, que Paris et l'Île-de-France ne seraient plus qu'une zone radioactive hantée par des enfants brûlés et des loups aux yeux écarlates, parce que Paoli, il l'a vu dans son regard, n'a plus aucun intérêt pour les désastres susceptibles de s'abattre sur ce pays dont il a si longtemps été la première ligne de défense.

Quelle heure peut-il être ? Dehors, la nuit est immense et sans étoiles, le tueur blond au visage d'enfant gâté rôde. Il y a un vieux transistor branché sur le secteur. Assan met une fréquence au hasard, éteint la lampe de bureau et s'allonge dans un coin, écrasé de sommeil, par une fatigue plus grande que ses regrets et sa peur, plus forte que la douleur dans son épaule, plus intense que l'image de Zohra dans ses pensées. La sensation de repos est merveilleuse, il dort, des heures et des heures, le temps n'existe plus, il se sent partir et il se laisse glisser plus loin, avec bonheur, il ne pensait pas que c'était aussi simple de mourir, il voit le visage de Zohra et ses lèvres frémissent de la promesse de ses baisers, cette vie n'est qu'un rêve bruyant et bigarré, elle va finir quand il aura coulé tout au fond du sommeil, il n'y a qu'à se laisser tomber comme une ancre, si seulement cette voix voulait bien disparaître elle aussi, cette voix aimante mais qui n'est pas la sienne, mais qu'est-ce qu'elle raconte, non, il ne veut pas l'écouter, mon fils, mon fils, pour l'amour de Dieu il faut que tu te rendes, s'il te plaît, habibi, fais ça pour moi, les mensonges et la guerre t'ont fait assez de mal comme ça, mon cher petit, si tu savais comme je t'aime, tu es ce que j'ai de plus cher, je mourrai de chagrin si tu ne me reviens pas.

XII

Si tu n'es pas à table, dit la sagesse gouvernementale, c'est que tu dois être au menu.

Or ils sont tous là, même ceux qui ne devraient pas en être, constate Alex, le visage tuméfié et douloureux, les pensées en vrac, ils sont tous réunis en conseil de guerre dans le sous-sol de l'Élysée : le PR, le Premier ministre, les ministres de l'Intérieur et de la Défense, les hommes de la sous-direction antiterroriste, le chef d'état-major, le juge Bonnet que les événements des dernières heures ont poussé sur la touche et qui scrute le soupirail d'un œil distrait, comme si tout cela ne le concernait plus, et un grand sorcier de la communication à qui a été assigné en catastrophe le rôle ingrat de mettre la bombe Paoli sous une cloche de fonte, alors que les abeilles médiatiques butinent déjà autour du pavillon d'Aulnay. Seul Paoli manque à l'appel, et les convives n'ont pas attendu pour passer leur serviette autour du cou, la bouche humide, en se demandant qui va hériter de la pièce maîtresse : le pouvoir absolu que le Corse exerçait de fait sur tous les dossiers liés de près ou de loin à l'islam radical. Manifestement atterré de n'avoir vu venir son coup de bambou, le directeur de la DGPN a remis sa démission à l'aube sans que personne la lui ait demandée, mais ce départ n'est, de l'avis de tous, qu'un modeste amuse-gueule en attendant le grand nettoyage qu'on entend gronder dans les coursives de la République : l'homme avait beau être le supérieur hiérarchique de Paoli, tout le monde sait entre les mains de qui était concentrée l'autorité réelle au sein du renseignement intérieur.

Schiffmacher, le patron de la SDAT, vient d'ouvrir les hostilités en affirmant que ce périmètre lui revient en toute légitimité, soutenu dans son coup de force par les deux ministres. Avant de prendre la parole, il a longuement observé Alex, perplexe, les sourcils froncés, se demandant qui pouvait bien avoir brûlé la politesse à ses hommes chargés de lui démolir le portrait. Pour lui, pense Alex, pas question de partager les morceaux avec celui ou celle qui héritera du poste de Paoli. Mais c'est étrange, tout de même. Si la rivalité historique entre les deux services, antiterrorisme et renseignement intérieur, trop proches par leurs attributions et objets d'innombrables doublons, est connue, quel peut être l'intérêt des politiques à prendre position dans cette querelle de voisinage ?

– Il est bien évident, contre-attaque le Premier ministre, que nous ne saurions laisser une vacance du pouvoir s'installer au sommet du renseignement intérieur, a fortiori dans les circonstances actuelles. Cela étant, je vous rappelle que c'est moi seul qui ai l'imprimatur sur les nominations pour lesquelles beaucoup ici semblent éprouver un vif intérêt. « Le Premier ministre dirige l'action du gouvernement » : voilà ce que nous dit l'article 21 de…

– Monsieur le Premier ministre, interrompt le ministre de l'Intérieur, la direction que vous imprimez à l'action du gouvernement n'a pas toujours été très claire pour tout le monde.

– … de la Constitution. Et je vous prie de me laisser finir : « Il exerce le pouvoir réglementaire et nomme aux emplois civils et militaires. » Monsieur le ministre de l'Intérieur, si vous souhaitez conserver le vôtre, je vous recommande de vous en souvenir.

Vaguement ragaillardi par la fermeté du chef du gouvernement, mais toujours inquiet de l'ambiance à couteaux tirés qui règne dans la pièce, Alex s'arrête un instant sur le visage du PR, prostré dans sa résignation docile de président du conseil sous la IVe, puis sur l'aparté que les renégats ont entamé avec un mépris ouvert pour les remontrances de celui qui continue à leur résister, seul, quand soudain le vrai visage de ces Thermidoriens aux petits pieds lui apparaît dans toute sa crudité, et il se demande comment il n'a pas deviné leur manège plus tôt : ce qui est en train de se jouer sous ses yeux, à la faveur des heures turbulentes que le sommet de l'État traverse depuis que Paoli a dévissé en plein vol, ce n'est rien d'autre qu'une tentative de détournement du pouvoir exécutif. Pas un coup, non, ni une révolution de palais, leur méthode est plus subtile. L'image floue et faible du PR, à laquelle tout le pays est désormais habitué, et le remaniement attendu au lendemain des municipales font qu'il ne transpirera rien à l'extérieur de cet empêchement sauvage, de la régence de fait que cette poignée d'opportunistes entend exercer jusqu'à la prochaine présidentielle, quand leur leader de l'Intérieur se fera élire à la régulière après avoir montré de quoi il était capable à Matignon, vous allez voir ce que vous allez voir. Thermidor, après tout, c'est la ruse historique de tous les petits généraux qui se rêvent empereur.

– Je crois…, dit Alex dont le cœur bondit dans sa poitrine à l'idée que l'hématome alourdisse son élocution, je crois qu'une solution interne s'impose, à titre intérimaire, jusqu'à ce que toute la lumière ait été faite sur cette affaire.

– Qui vous a donné la parole ? demande son ministre en le fusillant du regard.

– Il ne vous aura pas échappé, lui répond le Premier ministre, que cette réunion ne saurait avoir un caractère strictement politique, puisque sont présents parmi nous des représentants des services de sécurité, des forces armées, et du parquet, au titre de leurs compétences respectives sur la crise qui nous occupe, et parce que leurs différents éclairages doivent nous aider à en sortir avec un minimum de casse.

– Je me permets d'insister. Si mon collaborateur…

– Et moi, monsieur, je ne vous permets pas. Taisez-vous ou sortez. Je prendrai volontiers la responsabilité de votre renvoi, comme m'y autorise la Constitution, ajoute-t-il en se tournant vers le PR.

Le ministre se tait, tandis que ses acolytes baissent les yeux, pensant qu'il vaut mieux laisser passer l'orage. Bonnet, remarque Alex, est de nouveau attentif à ce qui se déroule dans la pièce, et le PR a redressé les épaules, comme si ce rappel à l'ordre les avait arrachés tous deux à leur apathie.

– Reprenez, lui dit le Premier ministre.

– Si nous décidons de jouer la continuité, dit Alex, si nous voulons quelqu'un qui puisse se mettre tout de suite dans le bain, et soit bien accueilli par les hommes du service, mieux vaut éviter l'option préfectorale. Il y a un fonctionnaire de police que ses états de service désignent comme l'homme de la situation : le commissaire-divisionnaire Pelletier.

– Je ne le connais pas, dit le Premier ministre en interrogeant du regard son chef de cabinet.

– Il travaillait jusqu'à hier sous les ordres de Daniel Paoli, mais avec une indépendance d'esprit et d'action dont vous trouverez de nombreux témoignages.

– Si je puis me permettre, lance quelqu'un au bout de la table.

Un silence de cathédrale envahit la pièce quand les uns et les autres réalisent que c'est le chef de l'État qui vient de prendre la parole.

– Pelletier est un excellent choix, dit-il en souriant de ses lèvres minces. Un excellent choix. Collez-lui un préfet au poste de sous-directeur pour la forme, et mettez Pelletier à la place de Paoli.

– Alors, n'en parlons plus, réagit le Premier ministre, réjoui d'avoir retrouvé le temps d'une repartie son ami de jeunesse, celui qu'il a si longtemps aidé à pratiquer l'impossible synthèse des courants au PS, et qui l'en a remercié plus que généreusement, une fois élu, en l'appelant à prendre la tête de ce gouvernement, avant de sombrer dans une sorte d'inaction dépressive face aux malheurs qui s'amoncellent au-dessus du pays.

Et si, songe Alex, si sa veulerie devant les coups de boutoir de tout à l'heure n'avait été qu'une feinte, une nouvelle illustration de l'art du contre-pied que lui prêtent ses derniers soutiens ? Constatant qu'il était en position de faiblesse, le PR a attendu avec son sourire florentin que le ministre se mette tout seul à la faute pour reprendre l'ascendant, plutôt que de le rabrouer au risque de souder davantage les mécontents désireux de le transformer en reine d'Angleterre. Ou bien, se dit-il avec plus de tristesse qu'il ne l'aurait pensé, le PR se trouve à son aise dans la peau du monarque impuissant, gentil clown que tout le monde au gouvernement tutoie et appelle par son prénom.

– Tout cela est bien joli, reprend Schiffmacher, le patron de la SDAT, mais que fait-on pour retrouver Arkadin et ses kamikazes d'ici après-demain ?

– Si les services de police et de renseignement ont besoin d'aide pour passer les cités du 93 au peigne fin, je peux avoir dix bataillons de l'armée de terre sur place d'ici le début de l'après-midi, propose le chef d'état-major, jusqu'ici sur la réserve.

– Vous plaisantez, j'espère, s'interpose le juge Bonnet. Sauf si c'est la guerre civile que vous voulez ! Les blessures que provoquerait une telle initiative mettront des années à se cicatriser. Des années !

– Ce n'est pas parce que votre direction de l'enquête a été un fiasco, répond Schiffmacher, que vous devez souhaitez l'échec de ceux qui tentent comme ils peuvent de réparer vos erreurs. Je peux comprendre que le delirium tremens de votre ami Paoli vous ait un peu amorti, mais ce n'est pas une raison pour souhaiter que ces bombes explosent. L'heure n'est plus à vos finasseries sociétales.

– Mais elle n'est pas encore à l'action militaire sur le territoire de la République !

– Vous avez une meilleure idée ? Regardez dans quelle impasse nous a conduits votre attentisme !

– Le Parlement ne vous laissera pas faire.

– Le Parlement ? Mais qui vous parle du Parlement ? Au cas où vous l'auriez oublié, les députés sont partis en vacances, et on attend d'une minute à l'autre la démission de la présidente de la délégation sur le renseignement. Réveillez-vous, monsieur le petit juge !

S'ensuit un nouveau recadrage du Premier ministre qu'Alex n'écoute pas, abasourdi par ce qu'il vient d'entendre à propos d'Hélène Faure. Démissionner de son mandat ? Mais pourquoi, bon sang ? Se peut-il que Schiffmacher soit au courant, et lui, non ? L'homme est impétueux, mais il ne se serait pas hasardé à annoncer une pareille nouvelle s'il existait le moindre doute sur sa véracité. Paoli, le directeur de la DGPN, et maintenant Hélène Faure : c'est l'hécatombe, pense-t-il, comme si Arkadin et son commando étaient arrivés à leurs fins sans avoir eu à détoner un seul de leurs engins de mort.

– Si le président de la République le désire, dit le chef d'état-major, la base de Villacoublay est prête à l'accueillir pour qu'il soit en sécurité pendant toute la durée des opérations.

– Les opérations ? Mais de quelles opérations parlez-vous ? demande l'intéressé.

Et le général d'égrener un chapelet de mesures synonymes d'état d'urgence, à côté desquelles Vigipirate écarlate fait figure de plan de sécurité bon enfant : déploiement de l'armée de terre devant les cibles potentielles à Paris, patrouilles d'hélicoptères au-dessus des banlieues sensibles, fouilles au corps sélectives dans tous les lieux publics, instauration du couvre-feu. Le chef de l'État a beau repousser l'hérésie de quelques phrases dédaigneuses, Alex se sent saisi d'effroi à l'idée que de telles pensées aient pu naître dans l'esprit des hommes ayant la haute main sur la Défense nationale et la sûreté du territoire. Qui sait ce qui peut arriver, si les bombes explosent ?

– Monsieur le président, dit enfin le ministre de l'Intérieur, la voix comateuse, je dois vous rappeler que cette regrettable affaire est peut-être la dernière chance que nous ayons d'éviter un raz-de-marée de l'extrême droite aux municipales et aux européennes. L'électorat populaire saura récompenser les marques de fermeté que ce gouvernement n'a pas toujours montrées.

– Vous êtes fini, lui souffle le ministre sur le perron du palais. Profitez. Dans trois jours, une semaine, six mois : il ne restera plus rien de vous.

Les jambes tremblantes, la gorge étroite, Alex le regarde remonter en voiture avec Schiffmacher.

– Personne ne sait où est Paoli, dit Bonnet en s'approchant, même son homme de confiance. On a vérifié : il dit la vérité. Il a essayé de le joindre hier des dizaines de fois, avant et après le débriefing de l'agent qui était en poste devant chez Arkadin.

– Vous le connaissiez bien, dit Alex en s'efforçant de redevenir maître de ses émotions. Vous n'avez pas une petite idée ?

– Je croyais le connaître, répond le juge d'un air sombre. C'est incompréhensible. Et vous avez vu le résultat : laissez encore un peu de temps à ces cinglés, et on envoie la Légion sauter sur Alger.

Alex a un sourire désolé, envahi de nouveau par cette pensée qui le hante depuis qu'on l'a mis au courant des événements la veille : rien de tout cela ne serait arrivé si, au lieu de conclure son marché avec Paoli, il avait transmis à qui de droit les éléments exhumés aux archives.

Il avait le choix entre un fou et un salaud. Il a choisi le fou, et il n'est plus très sûr d'avoir eu raison.

– Que vous est-il arrivé, mon pauvre ami ? reprend Bonnet.

– Rien de grave. Disons que l'insécurité n'est pas qu'un sentiment, dans ce pays.

Ce n'est qu'en sortant de l'Élysée que l'image de Sibylle se glisse à nouveau dans le flux de ses pensées. Il n'a pas envie de porter plainte contre son petit copain, non, il veut seulement la serrer dans ses bras, lui donner les billets pour Copenhague, qu'elle sache qu'il ne plaisantait pas. Fuir dans le froid de la nuit, et ne plus revenir, jamais, dans ce pays frelaté.

– Monsieur le ministre est en réunion, lui dit la secrétaire pour faire barrage quand Alex se présente enfin place Beauvau. Souhaitez-vous laisser un message ?

– En réunion ? Il n'y en a aucune sur l'agenda. Avec qui ?

– Le directeur de la SDAT, et Alan G. Pearson, de la CIA.

Il eût été plus sage de se faire conduire : le 4 × 4 aurait attendu en double file sur le boulevard Haussmann, pendant qu'il achetait ses billets chez Silveira, l'agence de voyages portugaise, sans problème de parking. À l'heure qu'il est, il serait déjà sur la route de Senlis.

Ou il aurait pu faire la réservation sur le site Internet de l'agence, et il n'aurait même pas eu à sortir de chez lui.

Mais le fait est que le Tchétchène a toujours ressenti devant les ordinateurs et les téléphones intelligents un grand malaise, que ses trois doigts en moins expliquent en partie, avec sa méfiance de petit artisan envers les univers virtuels : un billet d'avion, selon lui, doit être un billet d'avion, pas un code barre qui pourrait tout aussi bien se trouver sur la couverture d'un magazine ou une bouteille de lait. Il en va de même de l'argent, pour lequel tous les zéros d'un compte en ligne ne remplaceront jamais une valise pleine de cash. Et cette nuit, quand il s'est enfin décidé à réserver son vol, il s'est dit que ce serait l'occasion de naviguer un peu en solitaire dans Paris, cette ville dont il connaît le pourtour comme sa poche, sans en connaître le cœur. Qui sait, a-t-il songé, quand il pourra revenir ici une fois installé au Cap-Vert ?

Il entre par la porte de La Chapelle et, en descendant vers les grands boulevards, constate une effervescence malsaine sur les artères commerçantes du XVIIIe. L'image du bras raide d'UPS sortant de sa bière comme un ressort cassé lui revient, puis celle du corps de Baguette déchiqueté sur les rails du RER. Songeant qu'il a bien raison de mettre les voiles, il allume la radio pour rompre ce silence qui commence à lui peser sur les nerfs, peut-être aussi pour se sentir moins seul au moment de forcer la main à Dalenda.

Dans les titres de la mi-journée, le présentateur revient sur l'appel lancé la veille par sa mère au dénommé Assan Bakiri, pour qu'il se rende avant qu'un grand malheur advienne ; les spéculations vont bon train sur la nature des mensonges auxquels la pauvre femme a fait allusion et de cette guerre qu'il aurait eu tort de croire sienne. Une quinzaine d'heures après la fusillade à son domicile, l'homme qui voulait détruire Paris court toujours, et les trois autres membres de sa cellule restent introuvables, ce qui fait dire à l'imam Ferhaoui, interrogé à la sortie d'un séminaire sur l'islam et la laïcité, que de graves dysfonctionnements existent au sein de l'appareil de renseignement français, il en a fait l'amère expérience lui-même, puisqu'il a tenté voilà deux semaines d'attirer l'attention des services sur la menace potentielle que représentait cet universitaire sans histoire – en vain.

Le journal se poursuit par les rumeurs de remaniements dans la haute administration policière, alors que l'ultimatum du commando Dawa expire dans moins de quarante-huit heures. Il jette un coup d'œil dans le rétroviseur, en proie à une désagréable impression d'être suivi depuis qu'il a franchi le périphérique, mais ne voit rien de suspect. De guerre lasse, il finit par entrer dans un parking souterrain sur la place de la Madeleine.

Les trois premiers niveaux sont complets. Au moment où il descend de voiture, au fin fond du quatrième, quelqu'un bondit derrière lui et le plaque contre la carrosserie, canif sous la gorge, et il comprend en se remémorant le bruit de moteur, ce moteur de scooter qui l'a accompagné durant sa traversée de Paris, que c'est Momo qui est là, pas un tueur à gages envoyé par un gang rival, Momo qui tremble de colère, qui profère des accusations incompréhensibles à propos de sa copine et qui hurle qu'il va mourir pour rien, parce que ce n'est pas lui qui a levé sa brique de coke.

C'est plus de temps qu'il n'en faut, dans les rues de Fogo, pour décider de la meilleure façon de désarmer un agresseur, et deux secondes plus tard Momo sent à son tour le froid de la lame sur sa pomme d'Adam, les moignons de ses doigts sur la peau tendre de son cou.

– Je n'ai rien fait à ta copine, dit le Tchétchène, ni rien ordonné. Pourquoi crois-tu que je te veuille du mal ?

– Parce que Carlos m'a dit l'autre jour que j'avais deux semaines pour rendre la coke, et que je n'ai rien rendu.

– Carlos a tendance à être un peu trop protecteur avec mes intérêts, il compense mon manque de dureté. Je sais, moi, que tu n'as pas volé la coke. Mais quelle importance, si tout le monde dans la cité est convaincu du contraire ?

– Donc c'est vrai.

– C'est faux, et je peux t'aider, si tu veux. Tiens, dit-il en lui rendant sa lame. Tu te débrouillais comme un chef avec un pistolet, Momo, mais tu ne connais rien aux armes blanches.

Momo le regarde avec l'air effaré de ces survivants de tornades ou de tremblements de terre dont la télévision exhibe le visage une ou deux fois par an, et qui semblent ne rien reconnaître du tas de décombres autour d'eux.

– Je t'aime bien, mon gars, dit-il en lui posant une main sur l'épaule pour le calmer. Tu comprends ? Jamais je ne ferais une chose pareille.

– Excusez-moi, bredouille-t-il.

— Et toi non plus, tu ne chercheras pas à me nuire ? Je peux te tourner le dos et dormir sur mes deux oreilles ?

– Oui, fait Momo en remontant sur son scooter, et il disparaît comme il était apparu.

L'estomac noué en arrivant chez lui, il se demande si c'est la perspective de rentrer au pays dans quelques jours, ou la peur de l'annoncer à Dalenda.

– Je croyais que tu étais sortie, dit-il en poussant la porte de leur chambre, le cœur qui s'emballe à l'idée qu'il ne peut plus reculer, trop anxieux pour remarquer l'odeur d'eau de Cologne qui flotte au-dessus du lit.

Elle est nue, la peau brune de ses jambes qui se détache comme un mystère sur le drap blanc. Ma beauté, pense-t-il, mon amour, en laissant tomber la pochette des billets d'avion et l'écrin des boucles d'oreilles qu'il vient de lui acheter place Vendôme, fou de bonheur et de désir pour elle.

Il s'approche, il veut lui demander pourquoi il y a tant de tristesse dans son regard. Au moment où il ouvre la bouche, un coup de feu brise le calme de la maison et une affreuse brûlure lui déchire la poitrine. En baissant les yeux il voit son polo inondé du sang qui se déverse entre ses paumes ouvertes comme un calice. Il se retourne, sans comprendre. Carlos est là, torse nu dans le couloir, son Glock à la main. Le tatouage d'Alexandre sur le dos de Bucéphale : c'est la dernière image qu'il voit avant que tout bascule dans les ténèbres, et que d'une région très lointaine de son enfance ne lui parvienne un vieux refrain de bossa-nova.

Tristeza não tem fin, felicidade sim.

On croit avoir bien vécu, pense-t-il en sentant la vie qui fuit ses veines comme une marée, on se persuade d'être invincible, et on meurt mécontent.

Et soudain, tout devient bleu et noir comme au pays, comme l'océan et le ciel à la tombée de la nuit.

Le capot de la GL est encore chaud quand Franck pose la main sur la tôle noire.

– Ils sont au moins deux, chuchote-t-il à Delphine. Son garde-chiourme, et celui-ci qui vient d'arriver.

Surtout, ne pas penser à Paoli, se dit-il en entrant dans l'immeuble muré où la copine de Momo a été logée par son contact aux stups, à la chasse à l'homme qui a commencé, à sa chère Normandie où Paoli a dû se réfugier, où il devrait leur dire d'aller le cueillir, au spectacle de danse de Zoé qu'il va rater, à Laurence qui ne le lui pardonnera pas.

Mais non, se reprend-il. Le spectacle de danse a été annulé par mesure de sécurité : elle lui a laissé un message pour le prévenir cet après-midi. Maintenant il faut éteindre ces pensées qui éclatent aux quatre coins de sa tête, sortir la fille du cloaque où ces ordures la retiennent et mettre Momo à table. C'est le seul chemin qui existe pour arrêter la machine infernale dont le tic-tac cogne de plus belle depuis hier soir.

Les numéros des caves défilent dans le couloir humide, plongé dans l'obscurité. Suivi par Delphine, Franck avance les deux bras en avant, pistolet dans une main, portable allumé dans l'autre, pour éclairer la voie. Le pistolet, et celui de Delphine, ils sont allés les récupérer au stock des armes saisies, et ils ont choisi un modèle dont la police ne se sert jamais, pour ne pas laisser de traces, au cas où ils auraient à faire feu. Arrivé à un croisement, il s'immobilise : il y a un rai de lumière sous une porte à sa gauche. Il s'approche, tendant l'oreille, et reconnaît la rythmique étouffée d'un morceau de rap diffusé dans un casque.

– J'y vais, dit-il. Où est l'interrupteur ?

– Ici, dit Delphine.

– Tu allumes dès que c'est nettoyé à l'intérieur, et tu restes en joue jusqu'à ce que je sorte.

– OK.

Il prend une longue inspiration, et entre.

Le géant noir assoupi sur son magazine de tuning, écouteurs sur les oreilles, n'a pas le temps de se réveiller : Franck lui assène un coup du lapin qui le fait s'affaisser sur sa chaise comme une grosse bête de cirque. La fille est inconsciente sur un tapis à l'autre bout de la pièce, les mains liées. Il ne remarque aucune trace de coup sur son visage, aucune violence apparente, mais en découvrant les marques sur ses bras, il comprend qu'il est inutile d'essayer de la ranimer. Son pouls est très faible, ses pupilles dilatées, la peau de ses lèvres presque transparente. Elle est aussi froide qu'une morte, accrochée à la vie comme à un fil guère plus épais qu'un seul de ses cheveux blonds. Il range son pistolet, enlève son blouson pour la couvrir, et la prend dans ses bras.

– Je te suis, dit-il à Delphine. Vite.

Quels animaux infâmes, pense-t-il, quels minables salopards peuvent mépriser leur propre humanité au point de s'abaisser à ça ? Des larmes de rage lui montent aux yeux. Même s'il faut pour cela retourner dans son ancien service, il se jure de faire un jour la peau à ce Carlos.

– Jette ton arme, dit Delphine sans élever la voix.

Franck regarde par-dessus sa ligne d'épaules. Au pied de l'escalier se tient la copie conforme du colosse qu'il vient d'assommer, sauf que celui-ci brandit un flingue identique au sien, une grosse pétoire bien m'as-tu-vu comme les aiment les gangsters.

– Jette ton arme, ordonne-t-elle encore, et tout se passera bien.

Le gros semble hésiter mais finit par décider que non, face à cette fille fluette et son partenaire rendu inoffensif par le fardeau qu'il porte, le rapport de force ne lui est pas défavorable. En une fraction de seconde, Franck voit tout, la jouissance luire dans les yeux du type, le prestige que ce porc retirera dans sa bande d'avoir fumé deux flics tout en empêchant l'évasion de sa prisonnière, et il sent son cœur se rompre à l'idée de mourir dans ce sous-sol, pour avoir secouru quelqu'un qu'il ne connaît même pas.

Une déflagration troue le silence humide, et le gros tombe à genoux en émettant des sons atroces ; il a un trou gluant à la gorge.

– Qu'est-ce qu'on fait ? demande Delphine, blanche comme un linge, en l'enjambant.

– On ne fait rien. Celui-ci n'en a pas pour longtemps, et l'autre ne nous a pas vus. On dégage.

Sur la D115, elle éclate en sanglots. Il lui passe la main sur l'épaule et l'attire contre lui.

– Tu n'as rien à te reprocher. On serait morts tous les trois si tu n'avais pas tiré.

– C'est la première fois que je tire sur quelqu'un, dit-elle entre ses larmes.

– Tu es une flic terrible, et tu m'as sauvé la vie.

Il dépose un baiser sur son visage mouillé, puis ils se taisent, et on n'entend plus que le frottement réconfortant des essuie-glaces durant le reste du trajet, le bruit régulier de la vie qui continue.

Momo attend avec deux médecins devant les urgences de l'hôpital, les yeux morts.

– Overdose d'héroïne, dit Delphine aux médecins que Momo veut suivre à l'intérieur avec le brancard.

– Toi, tu les laisses faire leur travail, lui dit Franck en le prenant par le bras, et tu viens avec moi.

Les tempes en feu, il avale deux cachets de Doliprane, tenant le volant d'une seule main, tandis qu'ils foncent vers le couchant, sur la bande d'arrêt d'urgence de l'A86.

– Dites, vous ne voulez pas conduire avec les deux mains ? demande Momo, accroché à la poignée au-dessus de sa fenêtre.

– Mais de rien, mon petit père. De rien ! C'était un plaisir.

– Excuse-moi, dit-il en retrouvant la voix délestée de son arrogance qu'il avait après leur deuxième séance de sparring. Merci, mon frère.

– Tu es prêt ?

Momo hoche la tête. C'est Pelletier en personne, le nouveau maître du jeu, qui décroche sur la ligne sécurisée de Paoli.

– On sera sur place dans vingt minutes, dit Franck. Momo va déjà vous donner les noms.

– Allez-y.

Et pendant que Momo épelle les noms de famille et de bâtiments, transgressant l'interdit absolu du lascar, ne jamais, quoi qu'il arrive, aider la police, trahissant sa tribu au nom de l'intérêt général, Franck se fait la réflexion que lui aussi est en train de trahir son ami le plus cher, celui qui lui tenait lieu de père, en faisant alliance avec l'un de ses ennemis déclarés pour défendre une cause qui les dépasse tous autant qu'ils sont, lui, Momo, Paoli, Pelletier et les autres.

– C'est noté, dit la voix de Pelletier. On vérifie les bases de données en vous attendant. Au fait : il n'y avait rien à l'entrepôt. Il y a eu, mais il n'y a plus rien.

Franck fronce les sourcils et jette un coup d'œil interrogatif à Momo, qui a le regard perdu dans le paysage.

– Franck ?

– Oui.

– Je tiens à ce que vous sachiez que j'ai écarté les dobermans de la SDAT et rappelé le juge Bonnet. Mettons le passé entre parenthèses, si vous voulez bien. Quels qu'aient pu être nos différends, quelles que soient nos affinités respectives, nous allons finir cette enquête que vous avez fort bien menée jusqu'à présent, en bonne intelligence. D'accord ?

– Si vous le dites.

En raccrochant, il cherche à nouveau le regard de Momo, mais une plaque de givre manque de les envoyer dans le décor.

– C'est quoi, cette histoire d'entrepôt ?

– J'ai appelé ton adjoint tout à l'heure, dit Momo, et je lui ai dit où les mecs s'étaient réunis avant-hier, quand je les ai vus.

– À Garonor ? Pourquoi tu as fait ça ?

– Parce que j'avais confiance.

– Et pourquoi pas les noms ?

Momo hausse les épaules et se met à fixer un point au loin, tout au bout de la route.

– Tu n'as pas donné le nom de ton pote, reprend Franck après un silence.

Momo le regarde avec étonnement.

– Ils étaient cinq sur la vidéo. Baguette, vous l'avez eu. Le prof a disparu dans la nature. J'ai donné trois noms, pour les trois qui manquent.

– Arrête, Momo. Tu m'as dit que ton pote faisait partie de la cellule. Pourquoi tu n'as pas donné son nom ?

– Parce qu'il n'en fait pas partie.

– Tu te fous de ma gueule ?

– Je t'ai répondu oui hier quand tu m'as posé la question, parce que tu sais très bien que tu ne m'aurais pas aidé sinon.

Son téléphone se met à sonner, un 02. La Normandie, se dit-il. Pourquoi maintenant ? Soit Paoli a complètement perdu les pédales, soit il veut qu'on sache où il se trouve.

– J'imagine qu'on ne doit pas être seuls sur la ligne, alors je ferai sobre, dit Paoli de cette voix enrouée que Franck aime tant. Tu m'entends ?

– Daniel…

– Arkadin est vivant, il a dû perdre beaucoup de sang, il n'a pas pu aller bien loin, mais ne croyez pas qu'il va crever dans son coin comme un vieux chat. Où en êtes-vous avec les autres ?

– On a les noms. Je ne peux pas…

– Beau travail. Il faut mettre le paquet sur Arkadin, dis-le à Pelletier, je parie que c'est lui qu'ils ont mis à ma place. Ce n'est pas un mauvais bougre. Il n'a fait que son boulot à l'époque, tu ne peux pas lui en vouloir.

– Tu n'es pas franchement dans la position de me faire la morale.

– Écoute-moi, Franck. C'est inutile de te ronger les sangs en cherchant à comprendre. J'ai cru faire ce que j'avais à faire, voilà tout. Je me suis trompé. Quand tu connaîtras le fin mot de l'histoire, n'en déduis pas que je t'ai menti. Mais tout homme a droit à ses secrets. Ne laisse jamais les tiens prendre le contrôle de ta vie, et prends soin de ta famille. Adieu, fils.

Il a mille choses à lui répondre, coincées en travers de la gorge, mais il est trop tard. Il n'y a plus qu'un silence abrupt, non, même pas le silence, il n'y a plus rien à l'autre bout de la ligne.

En remettant le téléphone à sa place dans la cuisine, Paoli remarque deux mouches mortes sur le rebord de la fenêtre. Putain de mouches, se dit-il. Pendant trente ans, il les a vues apparaître vers la fin de l'été, dans les chaudes journées du mois d'août. Ainsi va le monde : la météo connaît des renversements extrêmes tous les trois jours, et même son coin de Normandie n'est pas à l'abri du dérèglement climatique. Des spéculateurs immobiliers, oui, et des parvenus britanniques que la flambée des prix du rural, chez eux, a poussés il y a quinze ans de l'autre côté de la Manche pour acquérir leur respectabilité foncière, parce que cette Normandie-là n'est pas le joli pays de bocage vallonné où ils peuvent sans peine s'imaginer dans le Dorset ou en Cornouailles. Ici, c'est le bout du plateau, la terre est pauvre, limoneuse, et les petites parcelles d'antan ont été démembrées pour faire place à de grandes exploitations – l'endroit rêvé quand on fuit le sublime escarpé du sud de la Corse, la tête de géant endormi qu'on voit depuis le large, à hauteur de Cavallo, dans le relief des montagnes.

Dehors, l'air s'est radouci, on sent presque le printemps dans le vent du soir qui fait frémir les feuillages naissants. Un grand calme enveloppe le village, un grand silence ponctué à intervalles réguliers par les bêlements des moutons dans le champ voisin. Au fond du jardin, entre les arbres éclaboussés par les dernières taches de soleil, les brumes de beau temps commencent à se faire plus denses, elles qui faisaient toujours le bonheur de sa femme, et déjà une rosée épaisse recouvre la pelouse.

– Qu'est-ce que c'est que cette purée de pois ? avait-il dit en découvrant ce phénomène atmosphérique, peu après l'achat de la maison. On se croirait dans *Jack l'Éventreur*.

– Ça signifie qu'il fera beau demain matin, avait répondu Luce. Mon père disait que c'étaient des brumes de beau temps.

L'expression l'avait beaucoup fait rire, et puis il s'était rappelé que son oncle disait quelque chose de semblable à propos de la Sardaigne :

– Si tu en vois la côte, le soir, tu sais qu'il va pleuvoir le lendemain.

Il y avait eu beaucoup de douces soirées comme celle-ci, en Corse et en Normandie. Et c'est cette douceur même, songe-t-il en caressant le bois des colombages comme le poil d'un vieux chien fidèle, d'un cheval méritant, c'est la conscience qu'elle existe en dépit de tout le reste qui rend douloureux le choix de quitter ce monde, de ne plus en faire partie. Les branches se balancent doucement dans la brise, on ouvre grand ses poumons pour avaler les odeurs du soir, la peau se hérisse du plaisir d'être là, et l'idée de ne plus se laisser griser par toutes ces sensations devient tout à coup illicite. En même temps, se reprend-il pour raffermir sa volonté, il ne veut pas voir ça : le glas de la République, annoncé par le carillon du clocher qui martèle une note funèbre dans l'air, le grand malaise, la guerre civile qui vient, cette guerre que nul ne saura arrêter parce qu'elle est sans autre motif que l'aberrante folie de l'identité, nous sommes la France et vous êtes des barbares, non, c'est nous qui sommes chez nous maintenant et vous qui allez payer pour nos malheurs, tous bêlant et tous belligérants, on n'y échappera pas, il ne veut pas voir ce merdier qu'il n'a pas su empêcher, il en est responsable même, comme chacun est responsable de sa haine, avec ou sans la main noire de l'Amérique pour truquer le jeu, à preuve le beau visage sans vie de Zohra Maktouf, figé dans la même immobilité que celui de sa mère il y a cinquante ans, il a perpétué cette chose infâme aussi vieille que la France, qu'un sang impur abreuve nos sillons, l'étranger c'est le mal, le mal c'est l'Arabe, tout a commencé là-bas, en Algérie, Algérie française et France arabe aujourd'hui, le retour de manivelle est grandiose, la France, il vaut mieux la voir en peinture qu'y vivre, et lui, con qu'il est, il a été l'un de ceux qui ont bouclé cette boucle, comme cet affreux vieillard qu'il n'a pas su achever et délivrer de sa misère.

Qu'est-ce qui nous est arrivé, bon Dieu ? Mais qu'est-ce qui nous est arrivé ?

Non : comment aurait-t-il pu en être autrement ? On n'oublie personne, ni ceux qui nous aimaient, ni ceux qui nous ont fait du mal. On reste tout seul avec son deuil, on voit les pierres, pendant que les amis qui étaient là au début perdent patience et disent qu'on a été triste assez longtemps, que ça va bien comme ça, qu'il serait peut-être sage de passer à autre chose maintenant. On se dit que le temps guérit tout, mais tôt ou tard la mémoire trouve une aspérité pour déchirer la croûte encore fragile de la blessure et faire jaillir le mauvais sang qu'on croyait tari.

Il fait presque nuit quand il rentre dans la maison, sans refermer la porte. Le fusil de chasse est posé sur la grande table en chêne devant la cheminée, à côté de son verre de calva et du testament qu'il a fini de rédiger tout à l'heure au bénéfice de la petite Zoé, sous la tutelle de Franck. Il se les représente un instant en forêt, l'été prochain, lui tenant le cheval par la bride, elle bien assise sur sa selle, pendant que Laurence visionne ses rushes sur la télé du salon. Puissent-ils se retrouver, c'est tout ce qu'il leur souhaite, vivre dans des temps ennuyeux, et ne jamais se perdre ; que les amers vengeurs comme lui s'entretuent en laissant le monde tourner, et que le Dieu caché des religions révélées disparaisse une bonne fois pour toutes, en cessant de faire croire aux têtes un peu branlantes qu'il existe.

Sur le buffet que Luce avait acheté à la brocante, en 1984 ou en 1985, coiffé de la casquette rouge des Philadelphia Phillies, souvenir d'une escapade dans la cité de Benjamin Franklin à l'occasion d'une collaboration avec l'antenne locale du FBI, le buste de Charles de Gaulle le fixe d'un air inclément. Désolé, Général : tout le monde n'a pas l'étoffe d'un sauveur de la nation. Il s'approche du grand miroir sculpté, et décoince la photo logée entre la glace et le cadre. C'est une photo de famille devant la ferme des Aurès, prise en mai 1961, la dernière qu'il ait de ses parents. Le garçon sourit jusqu'aux oreilles, brandissant fièrement l'oiseau qu'il vient d'abattre, sa mère arbore elle aussi une mine réjouie, pour faire bonne figure, comme toujours, tandis que son père a le regard perdu dans le vague, loin derrière l'objectif, comme s'il scrutait la poussière de la guerre qui se rapproche, le malheur et la désolation qui cavalent à sa suite, attentif au grondement d'une menace dont il est le seul à connaître la gravité et l'imminence. Combien de soirs, s'interroge Paoli, cet homme sombre s'est-il endormi l'esprit torturé, en se demandant si l'heure était venue de partir ? A-t-il hésité à les mettre en sécurité à Constantine, jusqu'à ce que la guérilla s'éteigne dans l'oued ? Il a beau scruter l'horizon, il ignore de quel côté la mort viendra, par quel chemin. Le savoir, c'est un privilège, et une malédiction.

Le verre est vide maintenant ; il attrape le fusil, glisse une cartouche dans le magasin, et sort sur le perron. En entendant les hennissements de ses chevaux à l'autre bout du pré, il comprend que les gendarmes seront là dans moins de cinq minutes. Cinq ou six voitures, tout ce qu'ils auront pu trouver dans l'urgence, roulant à tombeau ouvert sur la départementale. Voilà, il entend lui aussi leurs sirènes portées par le vent. Il pourrait se livrer et, pour éviter le scandale, on l'enverrait finir ses jours à Sainte-Hélène. Non, rien ne vaut l'herbe normande. Il voit le grand saule qui penche vers l'est et il sent la longue robe glacée de la mort qui tombe sur ses épaules.

Une dernière balade, se dit-il en armant le fusil, pas trop longue, avant de se coucher. Son père finissait toujours par dire oui. Juste une dernière balade, avant que la nuit tombe.

XIII

Au réveil, Sibylle a la sensation qu'il s'est écoulé un mois depuis qu'elle a perdu connaissance dans la cave. Sa mère dort sur le fauteuil installé à côté du lit, les paupières gonflées et la peau luisante, la télécommande de la télévision en équilibre sur le bord de l'accoudoir. L'écran est allumé sur une chaîne d'information, volume en sourdine. En liaison avec un correspondant planté devant l'entrée des 3000, et une autre journaliste qui fait le pied de grue non loin du siège du renseignement intérieur à Levallois, le présentateur de la matinale relate les événements de la nuit, le coup de filet dans la cité qui a permis l'arrestation de trois autres membres présumés du commando Dawa, leur mise en examen immédiate pour association de malfaiteurs en relation avec une entreprise terroriste et la saisie des bombes qu'ils projetaient de faire exploser demain dans Paris. Seul le chef du réseau, un enseignant du supérieur dont le visage et le nom apparaissent sur l'écran, court toujours, et il se confirme de source policière qu'il serait grièvement blessé. Un avis de recherche a été lancé dans toute la zone Schengen.

La cité est calme pour le moment, annonce le correspondant aux 3000, comme s'il volait à bord d'un dirigeable au-dessus d'un volcan, puis le ministre de l'Intérieur apparaît en duplex dans la cour de l'hôtel de

Beauvau, entouré par une forêt de caméras et de micros aux couleurs criardes. L'opération, dit-il de sa voix volontaire, menton en avant, a été menée avec un minimum de dommages matériels par les unités d'élite de la police, et il est raisonnable de penser ce matin que c'est un franc succès ; l'interpellation d'Assan Bakiri ne serait plus qu'une question d'heures. Et les rumeurs de suicide du patron du renseignement intérieur ? interroge un journaliste. Sont-elles liées à l'affaire Dawa ?

– Aucun commentaire, répond le ministre avant de s'engouffrer dans sa berline.

Sibylle réalise que le jeune homme au visage esquinté qui se tenait derrière lui n'est autre qu'Alex, son Alex.

– Je vais éteindre, dit l'infirmière qui entre une minute plus tard, chuchotant pour ne pas réveiller sa mère. Vous avez besoin de repos.

Elle a la peau hâlée et chante ses syllabes comme une Espagnole.

– Je m'appelle Sandra. Comment vous sentez-vous ?

– J'ai l'impression de tomber, dit Sibylle en cherchant ses mots, sans aucune force en moi pour ralentir ma chute. Ma tête pèse une tonne et je vois des taches de lumière quand je ferme les yeux. J'ai froid, puis l'instant d'après j'étouffe sous la couverture. Vous pouvez me donner à boire s'il vous plaît ?

– Ces symptômes se dissiperont quand votre organisme commencera à éliminer le narcotique qu'on vous a injecté. Le docteur vous expliquera en détail tout à l'heure. En attendant, il faut que vous mangiez pour reprendre des forces, même si vous n'avez pas faim. Est-ce que je peux vous faire une prise de sang ou vous préférez attendre demain ?

– Une prise de sang ? Mais pour quoi faire ?

– De simples vérifications, c'est normal après une overdose. Et un test HIV.

Sibylle serre ses cuisses l'une contre l'autre. Elle sent un vide immense à la place de son estomac, comme si elle était aspirée dans un trou d'air sans fin.

– Vous n'avez pas été violée, dit l'infirmière en la voyant sur le point de s'évanouir. C'est juste la routine. Reposez-vous et tout ira bien. Mademoiselle ? Mademoiselle ?

La chambre reste enveloppée dans un épais brouillard ; le fauteuil où somnolait sa mère se trouve maintenant contre le mur. À sa place, c'est Momo qui est penché au-dessus de son visage. Il a les joues mouillées, remarque-t-elle ; il pleure en la regardant. Malgré ces pleurs, sa présence irradie une chaleur agréable sur le lit et jusqu'en elle et sans pouvoir l'exprimer elle a la sensation confuse que le pire est passé, que plus rien de grave ne peut lui arriver. Momo, disent ses lèvres. Momo, qu'elle a cru pouvoir repousser pour voler de ses propres ailes, et qui est là, quand même, pour recueillir le petit oiseau blessé que son inconscience a fait d'elle. Elle veut tendre les bras, les accrocher à son cou, lui demander pardon, mais il y a dans ses membres tant de faiblesse qu'il est inutile de chercher à les commander. Il essuie ses larmes et lui donne un baiser dont la douceur recèle une consolation puissante ; elle ferme les yeux, la main rassurante de son amour sur le front, et se laisse tomber dans un sommeil calme et sans menaces.

Il se tient près de la porte, comme s'il hésitait à entrer, un pauvre bouquet de fleurs à la main. En le voyant la tête bizarrement orientée, dans un angle incommode, elle se rappelle soudain les images dans la cour du ministère, l'horrible hématome sous son œil gauche. Si jamais Momo revient, pense-t-elle, le cœur saisi d'effroi, comprenant que c'est lui qui a cassé la gueule d'Alex, bien sûr, il n'y a que lui pour avoir fait ça.

L'infirmière entre avec ses mots charmants. Alex s'écarte pour la laisser passer, en veillant à ne pas croiser son regard.

– On refera un test dans quinze jours, dit-elle en lui donnant une enveloppe. Vous avez besoin de quelque chose ?

– Ça va.

– Je suis là jusqu'à dix-neuf heures. Je passerai avec l'infirmière de nuit avant de partir, d'accord ?

– Merci.

De nouveau il baisse les yeux quand elle sort.

– Va-t'en, s'il te plaît.

– Sibylle, murmure-t-il d'une voix qu'elle a peine à reconnaître.

– S'il te plaît…

Il ouvre la porte, hésite un instant sur le seuil, comme s'il cherchait quelque chose du regard, puis il pose son bouquet sur le fauteuil et disparaît dans le couloir.

Elle met un temps infini à se redresser contre la tête du lit. L'enveloppe n'est pas scellée, et le papier en sort trop vite, avec le bruit sec d'une exécution sommaire au petit matin. Au-dessous de son nom et d'une série de paramètres, il y a un seul mot :

NÉGATIF

– Le Tchétchène s'est fait fumer ! Mouss ! Le Tchétchène !

La voix qui monte depuis l'aire de jeux et lui parvient par la fenêtre de la cuisine a quelque chose d'irréel, surtout dans les vapeurs du tajine auquel sa mère est en train de mettre la dernière main. Momo passe la tête à l'extérieur et voit un lascar courir vers l'entrée du bâtiment voisin.

– Sur la vie de ma mère ! Ils ont eu le boss !

– Tu peux fermer la fenêtre, mon fils. J'ai un peu froid.

– C'est une belle soirée, dit-il. On sent le printemps qui vient.

– Quand même. Ferme la fenêtre, s'il te plaît.

Le Tchétchène est immortel. Le Tchétchène ne peut pas mourir. Et pourtant, pense-t-il, il faut bien que cela soit vrai : s'il était encore vivant, qui serait assez fou pour hurler la nouvelle de sa perte au cœur de son royaume ?

Sur le chemin de la tanière de Soul, tous ceux que Momo croise ne parlent que de ça, comme si c'était JFK qu'on venait d'assassiner : les gamins qui tapent dans le ballon, les lascars qui palabrent adossés au béton, les mères de famille qui se hâtent pour aller parler aux petits, parce qu'elles pressentent la violence anarchique qui vient juste après les fins de règne, les vieux qui attendent la prière du soir. La cité a la mémoire courte. Ce matin, ils n'avaient que les arrestations de la nuit à la bouche, et il a ressenti un profond malaise en sortant rendre visite à Sibylle, comme si tôt ou tard l'un d'entre eux allait le confondre et dire à tous les autres qu'il était responsable du raid de la police. Ce soir, c'est à croire que les attentats et le commando Dawa sont déjà de l'histoire ancienne. Le Tchétchène mange les pissenlits par la racine : rien ne peut surpasser l'importance de cette nouvelle-là. Il aime mieux ça, d'une certaine manière, parce qu'il n'a rien à voir avec ce qui est arrivé. Il aurait pu, c'est vrai, mais en définitive il n'y est pour rien, et personne ne viendra le lui reprocher. En même temps, l'idée que son ancien patron n'est plus de ce monde l'attriste plus qu'il ne l'aurait imaginé. Retrouver Sibylle saine et sauve l'avait apaisé ; la mort du Tchétchène assombrit sa sérénité, il savait bien en son for intérieur que ce n'était qu'un état passager, et la mort à laquelle a échappé la fille qu'il aime a donc frappé une autre de ses connaissances, comme un avant-goût de ce qui l'attend, lui, ce soir ou demain.

Son portable sonne – encore Jean-Luc, ou peut-être le Gaulois, qui voudra savoir s'il a retrouvé Soul. Momo laisse l'appel passer sur messagerie et quelques secondes plus tard Soul apparaît dans le soleil rasant du crépuscule, son sac à mort sur le dos.

– Salam aleykoum, gros.

– Laisse-moi.

– Je ne suis pas là pour t'empêcher de faire ce que tu as à faire, dit-il en lui emboîtant le pas.

– Tant mieux.

– Seulement, il faudra que tu le fasses avec ton pote Momo dans les parages.

L'heure de pointe est passée dans le RER, et ils s'installent sur une banquette à quatre. De l'autre côté du couloir, un jeune type qui arrive de Roissy pianote sur son iPad.

– Tu te rappelles la dernière fois à Madeleine ? dit Momo en le regardant avec le sourire. Ça, c'était la belle époque.

Mais Soul fait mine de ne pas entendre, les yeux rivés au paysage de friche industrielle qui rougeoie dans le couchant.

– Tu trouves que c'est si beau que ça ?

– Lâche-moi.

– Tu sais quoi ? Je t'aimais mieux avant.

– Je m'en bats les couilles.

– Bien, gros, tu parles comme un bonhomme maintenant. Je me tais, mais je reste avec toi.

Autour des Halles les rues piétonnes sont aussi calmes que pendant les grandes vacances, plus calmes, même, car aucun groupe de touristes ne traîne devant les boutiques de posters et de fripes. En cette veille du jour fatidique, les gens savent qu'il reste une bombe, quelque part dans Paris. Le gouvernement leur a demandé de rester chez eux jusqu'à ce que le prof de fac soit mis hors d'état de nuire. Mais lui, Momo, il sait qu'il y a une autre bombe, et contrairement à ce que ferait n'importe qui à sa place, il a choisi de l'escorter jusqu'au terminus.

– Tu vas me coller longtemps comme ça ? demande Soul.

– Le temps que tu changes d'avis, gros, ou que tu te décides à nous envoyer au paradis, nous deux et quelques autres. Je t'ai expliqué la situation.

– Pourquoi tu veux mourir ? Ça ne te regarde pas.

Momo est au pied de sa pudeur, devant une immense muraille faite de toutes les choses qu'il n'a jamais voulu dire depuis la lettre de l'école primaire, à Soul, à son père, à sa mère, à Sibylle, aussi, parce que leur ouvrir son cœur, pire qu'un aveu de faiblesse, aurait été une chose honteuse. On ne dit pas ses sentiments, on se mure, on souffre et on rêve en silence.

– Je ne veux pas mourir, bredouille-t-il, les yeux sur le trottoir. Mais tu es mon ami, et je ne veux pas que tu meures non plus.

Il sent le regard de Soul sur son profil, de longues secondes, sans avoir le courage de tourner la tête pour voir sa réaction. Dire tout haut ce qu'il ressent lui a coupé le souffle, et maintenant il a besoin de se taire, oui, pense-t-il, vidé par cet effort suprême contre sa propre nature, il n'y a plus qu'à marcher en silence, à s'enfoncer dans la nuit comme deux sucres dans le café, deux sucres un peu foncés, d'accord, dans cette ville qui leur est plus étrangère que jamais.

L'entretien a été monté en un tournemain, une glorieuse et fort lucrative exclusivité pour sa chaîne : la mise au point d'Hélène Faure, attendue par tout le Landerneau depuis vingt-quatre heures que les réseaux sociaux annonçaient son retrait de la course. Les journaux de ce matin, en l'absence de sources solides, s'interrogeaient prudemment. On parlait d'une conférence de presse, une de plus, six jours seulement après l'annonce de sa candidature, d'une apparition au vingt heures ; on commençait à se gausser de ce revirement, tout en affûtant ses questions. Au lieu de quoi, en milieu de matinée, juste après la première conférence de rédaction, le téléphone a sonné dans son bureau et Laurence a entendu cette voix basse, voilée et familière, lui dire qu'elle ne voulait parler qu'à elle et ce soir même, en direct, parce qu'il était hors de question qu'elle fasse des adieux enregistrés.

– Je sais bien qu'il y a eu pire depuis, dit Faure, mais ça m'ennuierait, tout de même, que la postérité m'associe à ce pauvre Giscard.

– Mais le contexte ? a-t-elle objecté un peu vulgairement, se gardant bien d'employer le mot timing, de peur de se faire raccrocher au nez. Les gens seront collés à leur écran en espérant vivre le dénouement de la traque de Bakiri.

– Je ne suis plus candidate à quoi que ce soit, donc le contexte et les scores d'audience ne m'importent pas plus que les résultats du Loto. Je veux juste dire ce que j'ai à dire avant que le microcosme se mette à spéculer, puis je m'en irai loin, très loin.

La voilà donc de nouveau face à cette conquérante au regard froid qui lui avait si brillamment exposé ses vues, il y a deux semaines à peine. Laurence ne connaissait d'elle que la femme publique, alors, elle ignorait tout de son passé, de la blessure ultime que la vie lui avait infligée, et où elle avait pourtant trouvé la matrice de son avenir, l'énergie de se relever, alors que tout devait l'inviter à se laisser mourir. C'était stupéfiant, à la lumière de ce deuil primitif, de revisiter les montagnes qu'elle avait renversées depuis à force de volonté. Alors, non, se dit Laurence en observant son profil toujours aussi intimidant en dépit des circonstances, rien ne lui aurait résisté, ni Paris ni la France, sans les manœuvres du camp adverse, dont Rambert n'était que l'instrument, un Lee Harvey Oswald du cru.

– C'est étrange – avant même de vous demander pourquoi –, c'est étrange de vous retirer de la vie politique alors qu'une actualité brûlante tendrait plutôt à renforcer votre grille de lecture de nos maux postrépublicains.

– Vous voulez parler de l'affaire Dawa ? Celui qui prétend prédire les implosions personnelles qui conduisent à ce genre de drames est un charlatan. Il y en a beaucoup en politique, je vous le concède. Ne me comptez pas à leur nombre. Mais vous verrez : ces événements serviront d'autres intérêts que les miens.

Elle n'en a plus rien à faire, en effet. Elle n'a formulé aucune requête durant la préparation, pas une condition, ni sujet hors cadre ni axe de caméra, juste qu'on s'en tienne à un quart d'heure de parole, parce qu'elle est à bout de forces. Il est évident qu'elle n'est pas venue pour ramasser les dividendes, même symboliques, de sa clairvoyance. Elle ne se forcera pas à sourire, et elle n'en dira pas plus, elle ne précisera pas sa pensée pour se faire comprendre, pour qu'on la prie aujourd'hui de rester ou de revenir demain. Peu importe s'il y a péril en la demeure : elle n'a pas l'intention de s'éclipser à Baden-Baden pour rejouer les trois jours du Christ au tombeau. Le caractère irrévocable de sa décision se lit dans la sècheresse à vif qui lui aiguise le visage et lui raidit le maintien, plus encore qu'au naturel. C'est quelque chose de très douloureux qui ressurgit, et qui fait peine à voir.

– Vous comprenez que les Français veuillent savoir pourquoi vous avez pris cette décision, les électeurs parisiens en particulier. Pourquoi renoncer aussi brutalement à ce qui était toute votre vie jusqu'à aujourd'hui ? Aux possibles victoires que vous réservait l'avenir ?

– Je comprends, et vous en retour devez comprendre qu'il y a des décisions publiques qui ont leur origine dans les aléas de la vie privée. Cela étant, au-delà de ces raisons qui ne regardent que moi, il en est une autre, fondamentale, pour laquelle j'ai décidé de démissionner de mes deux mandats et de retirer ma candidature aux élections municipales. La politique était toute ma vie, vous l'avez dit : la conquête du pouvoir, son exercice, les responsabilités qui en découlent. Ce n'est pas une chose légère que de tirer un trait sur vingt-cinq ans de politique, locale et nationale.

– Cette raison, quelle est-elle ?

— J'ai fait une découverte très déplaisante, tout récemment, quelque chose dont je n'avais pas idée la dernière fois que nous nous sommes parlé. Cela va vous paraître d'une affreuse naïveté, mais je me suis rendu compte que, tout ce temps-là, depuis le jour où je suis entrée au RPR, j'avais poursuivi un mirage, une chimère. La politique ne transforme pas le monde, voyez-vous, elle fortifie l'état des choses. Sauf dans des temps extraordinaires, où l'adversité et l'urgence confèrent à certains actes une puissance tragique. C'est cela que j'ai compris et, à vrai dire, je ne m'en remets pas. La politique ne peut rien par les temps mous où nous vivons, cette époque moyenne en tout point, sans panache, où nous croyons la République en danger parce qu'une poignée de vauriens joue les croquemitaines sur Internet, alors que le grand péril se situe au cœur du système. Je me retire, car l'idée de jouer un rôle conscient dans cette faillite m'est insupportable. Je ne connais pas un collègue qui ne soit pas entré en politique pour changer le monde. Toute la question, c'est ce qu'on fait de sa désillusion.

– Tu ne vas pas la laisser s'en sortir comme ça, lui crie son rédacteur en chef dans l'oreillette. Ce ton moralisant ! Enfin, Laurence ! Rentre-lui dans les côtes ! Dis-lui que la droite a trouvé son Delors, non, attends – son Rocard !

Mais non, Laurence n'a aucune envie de lui rentrer dans les côtes, pas avec ce qu'elle sait. Elle a bien ressenti une brève jubilation, en préparant l'entretien, à voir les hiérarques de la chaîne descendre de leurs étages pour venir lui manger dans la main, très impressionnés qu'elle ait obtenu cette exclusivité. Un fameux coup, vraiment ! Puis ce sentiment a fait place à la tristesse qui ne la quitte plus depuis Bruxelles, et qui lui rend Faure si sympathique aujourd'hui, si admirable. Des puissances souterraines décident de notre destin, et les purs qui refusent de transiger avec elles mordent la poussière. Lui rentrer dedans ? Maintenant que cette femme détruite est là, face à elle, visiblement minée par une souffrance insoutenable, tant morale que physique, elle a seulement envie, comme le bourreau compatissant, de montrer sa tête au peuple : elle en vaut la peine.

– Ils viennent de le débrancher, dit la voix en larmes de Franck. C'est pas possible… J'ai dit que je voulais le voir, ils ne veulent pas.

Depuis hier soir, Paoli était en état de mort cérébrale au CHU de Bernay.

– Je viens te chercher. Franck, il faut que tu te calmes. Ne bouge pas. Le temps de laisser Zoé à mes parents, je viens te chercher.

– Ça va aller, dit-il en reniflant. Je vais rentrer. Je n'ai plus rien à faire ici.

– Laisse la moto là-bas, je t'en supplie. Je t'attendrai à Saint-Lazare.

– J'ai l'impression de l'entendre.

– Franck ?

– Ne t'inquiète pas, ça va aller.

– Viens à la maison, s'il te plaît.

Ils ont fait l'amour furieusement, sans rien se dire quand il est arrivé, affamés par le temps et la distance qu'ils avaient mis entre eux, toute la tristesse, toute cette colère transformée en appétit, la conscience immédiate, au premier contact avec sa peau, de n'avoir jamais cessé d'être à lui, un réconfort si doux dans la force de son baiser contre ses lèvres, sur son corps, et maintenant il dessine des formes de pays dans le creux de son dos, comme avant, des pays réels ou imaginaires, la géographie n'a jamais été son fort, et la sensation du métal froid de son alliance la remplit d'un bonheur dont il n'a pas idée.

– Un jour, dit-il, on regrettera la solitude.

– Ce jour-là, tâche de te rappeler la misère qui va avec.

– Mais si je ne te rends pas heureuse…

– Fais-moi confiance pour ne rien te passer, dit-elle en se retournant pour l'embrasser.

Être dure, elle le sait, étrangère à l'indulgence, c'est la seule manière pour une femme de ne pas trop mal vieillir.

– Si Bakiri arrive à faire sauter sa bombe, tu te rends compte que ce sera la faute de Paoli ?

S'il a changé, pense-t-elle en scrutant les orages qui dorment au fond de ses yeux sombres, s'il a vraiment changé et s'il est prêt à revenir, il ne se mettra pas en colère.

– Depuis le début, dit-il après un long silence, il disait que ça finirait mal, et je crois que c'est ce qu'il voulait, en un sens. Farid m'a raconté qu'ils ont retrouvé le père de Bakiri dans sa chambre, complètement à l'ouest, en train de psalmodier une sourate quelconque, agrémentée d'un refrain sans queue ni tête : « L'enfant est revenu, l'enfant est revenu. »

Dans la chambre voisine, leur fille parle dans son sommeil.

– Tu te souviens dans le train pour Lyon ? *La Marseillaise* ?

– Aux armes, citoyens !

Zoé avait deux ans et demi, tout le compartiment était hilare. Combien y en a-t-il, des souvenirs de la sorte, perdus dans le flou du temps ? La machine à ne pas mourir qu'ils avaient inventée tous les deux. Le jeu de la coupure de courant, pas de télé, d'ordinateur, rien, jusqu'à ce qu'il répare la panne, toujours à l'heure du grand match. Il y a quelques mois encore, Laurence ne se rappelait que les réveils nocturnes, leur amour vaincu par la fatigue, comment avait-elle pu oublier ces instants de grâce dont les réminiscences les avaient finalement ramenés l'un vers l'autre ?

C'est incompréhensible, comme les frissons de bien-être qu'elle ressent dans ses bras et l'émotion qui la remplit tandis qu'elle effleure la peau encore un peu tuméfiée sous son œil droit.

– Et puis, dit Franck en fronçant les sourcils, il y a l'autre bombe.

– Quelle autre bombe ? Franck ! Quelle autre bombe ?

Momo vient de s'endormir, enfin. Le bout de ciel dans le velux a commencé à s'éclaircir il y a une demi-heure, et Soul a fermé les yeux, immobile comme Papa Polo, le cannibale bété qui dort en crocodile, en attendant que son copain baisse la garde. La comptine le terrifiait quand il était petit. Ce matin, c'est lui la source de la terreur. D'ici quelques semaines, songe-t-il sur l'aile de l'une de ces divagations inspirées par le manque de sommeil, quand la légende aura contaminé la vérité de ses actes, il aura peut-être droit lui aussi à son zouglou dans les maquis d'Abidjan : « Souleymane, roi des puceaux, djeh, il portait la mort comme une bosse sur son dos. »

Ils ont erré des heures sur la rive droite, aussi fourbus l'un que l'autre, ils ont vu la ville s'éteindre lumière après lumière, jusqu'à ce qu'il accepte de finir la nuit dans la chambre de bonne de Sibylle, dont Momo avait encore la clé.

– Où elle est ? a-t-il voulu savoir.

Momo a maugréé quelque chose d'incompréhensible, absorbé par le documentaire sur la mer d'Aral qui passait à la télé. Affalé à côté de lui, il est resté seul avec ses pensées amoureuses, dangereusement seul avec ses images d'elle, tandis que l'autre zappait entre les chaînes musicales et les rediffusions des émissions de téléréalité. Plus tard, ils sont tombés sur un autre documentaire, « Les Secrets du boson de Higgs », dans lequel un scientifique expliquait avec le sourire que notre univers est condamné à disparaître, et que cette disparition se produira à la vitesse de la lumière, lorsqu'il entrera en contact avec une « bulle de vide catastrophique ».

– C'est pas bon, ça, a dit Momo.

– Cela dit, le système solaire aura cessé d'exister depuis longtemps quand cette collision aura lieu, ce qui signifie que les probabilités que des êtres humains y assistent est voisine de zéro. Nous avons largement le temps d'être les victimes d'une myriade d'autres morts avant que les calculs du Grand Collisionneur de Hadrons se réalisent.

– Alors on peut pioncer tranquilles, a-t-il ajouté, et c'est là qu'il a commencé à se frotter les yeux.

Il fait jour quand Soul arrive place de la Madeleine. Il remarque que l'horloge sur le boulevard est arrêtée, et il lui semble que le monde est devenu tout petit et que la vie n'y réservera plus de surprises : le vendredi 13 mars n'est plus une attente, une date sur le calendrier, il est là, inexorable, aussi immobile que ces aiguilles figées sur leur cadran, aussi réel que ces gens qui s'engouffrent dans la bouche de métro devant lui. Il a vomi dans une poubelle en sortant de chez Sibylle, sûrement une crise de panique, il s'est perdu plusieurs fois en chemin, mais marcher tout le trajet dans l'air du matin lui a fait du bien. Où peut être Assan à l'heure qu'il est ? À gare du Nord, conformément au plan ? Dans une autre gare ? Lui, c'est ici et pas ailleurs qu'il a décidé d'en finir, peu importe ce que disaient les consignes. Il a armé sa bombe calmement, il s'est assis en bout de quai, le ciel de faïence au-dessus de sa tête, et maintenant il regarde passer les rames, de plus en plus chargées, en attendant on ne sait quoi pour y aller.

Si les Américains ne l'ont pas achevé, si Dieu ne l'a pas laissé mourir par terre dans son préfabriqué, sur ce chantier désaffecté où les chiens errants auraient fait un festin de ses ossements, s'il s'est réveillé, livide et faible comme au lendemain d'une saignée, après quarante-huit heures dans le coaltar, ça ne peut être que pour terminer ce qu'il a entrepris. Son épaule ne le fait plus souffrir. Tout le côté droit de son corps est inerte, sourd aux injonctions de son cerveau. Assan est en train de mourir, il meurt, il est déjà mort. Est-ce pour cela que personne ne fait attention à lui, tout juste comme il se l'était imaginé, alors que la rue est encombrée et qu'il doit avoir bien piteuse allure, avec sa patte folle et son sac sur une épaule ? Il est déjà mort, se répète-t-il à défaut de tous les hadiths dont il ne se rappelle plus le premier mot, peut-être parce qu'ils ne peuvent être dits que par les vivants, mais il a encore le temps d'achever son œuvre, de finir sa mission, avant que Dieu ou le diable vienne reprendre ce torchon d'âme qui suinte et qu'ils ont oublié dans la nuit.

Aller jusqu'à gare du Nord, il y a renoncé d'emblée, il n'aurait pas eu la force. Une idée de fortune lui est venue à l'entrée de Bobigny, devant le métro Pablo-Picasso. Une idée monstrueuse, absurde et parfaitement logique, dans la lignée de tout ce qui est arrivé ces derniers jours, l'assassinat de Sélim par les Américains, le retour inespéré de Zohra, aussitôt retrouvée aussitôt perdue, le démoniaque acharnement de Paoli, cet homme chaleureux avec qui il aurait pu discuter des heures dans une autre vie, et cette autre vie, justement, que s'est révélée être la sienne, si loin de la malédiction de la famille Arrache, des fatwas meurtrières que son patriarche avait prononcées jadis contre la France, de ce dieu des enfers amnésique et reclus régnant comme un tyran sur sa descendance, et des mortelles surenchères dans lesquelles sa folie avait entraîné ses fils, avant qu'il se vende à l'ennemi, reniant en une seconde ce qui l'avait fait lui durant des décennies.

N'ayant rien à voir avec Al-Mansour ni avec Kader, il est d'une imparable logique, dans ce monde voué au chaos et échappant à tout principe directeur, qu'il se tue en leur nom, lui le faux frère, comme Antigone était morte pour son frère de sang, et que le vieillard dément qui a gouverné sa vie soit le dernier survivant de cette histoire, sans qu'il s'en rappelle le début du commencement, les giclures du sang versé, oui, vraiment, tel un dieu aveugle et mû par le désir furieux de se venger de sa Création.

Pourquoi, en ce matin si doux, printanier, se revoit-il dans les pas de celui qu'il prenait pour son père, une neige épaisse craquant sous leurs semelles ? Ce sont les vacances de Noël, les vitrines brillent de mille splendeurs sur le marché. On a tendu les guirlandes d'un immeuble à l'autre au-dessus de la rue. Il doit avoir cinq ou six ans, et il est heureux. Al-Mansour se retourne ; il lui sourit comme n'importe quel père à son enfant. Pour la première fois dans un de ses souvenirs, la guerre n'est nulle part, ni à découvert ni latente. Pourquoi cette image lui revient-elle maintenant, tout au bout de la course, alors que dans trente secondes il va faire exploser tout ce qui est ?

– Alors c'est d'accord ? dit le père de famille devant lui, dont la voix le ramène à la réalité. Tu réussis le contrôle, et demain soir je t'emmène au match.

Son petit garçon l'embrasse en lui passant les bras autour du cou, puis il rejoint le flot des enfants qui entrent dans l'école primaire devant laquelle Assan s'est arrêté, comme une boule aveugle en suspens, prêt à tout faire valser dans le néant.

Sur le trottoir d'en face il aperçoit le blond de la CIA, un portable à la main – un détonateur à distance qu'ils auront bricolé sur sa bombe pendant qu'il était dans le cirage. Mais qui tient le fil, cousu dans la bride du sac à dos ? Il tire dessus une fois, pour activer le mécanisme, et la dernière chose qu'il se dit/

Dix, peut-être quinze secondes jusqu'au bout du couloir. L'escalier. En bas, combien de temps pour trouver Soul sur ce quai bondé ? Momo se fraie un chemin à contre-courant, entre les voyageurs pressés du matin, en protégeant son poignet blessé. C'est l'heure de pointe. Les visages et les odeurs se succèdent, les contacts sont rudes quand il ne les évite pas. Une voix hargneuse lui grogne de faire attention, aussitôt engloutie dans le magma des pas et des conversations. Il ne voit rien, il ne sent rien, il n'entend rien ; il pense juste qu'il arrivera trop tard. Trop étroit, le couloir. Trop de monde. Trop engourdi par le froid et la fatigue. À chaque seconde qui passe, Soul peut décider que c'était la dernière, et alors ce sera trop tard, définitivement.

Momo se faufile plus vite encore. Il y a une rame à quai : c'est elle qui déverse toute cette marée humaine. La sonnerie de départ vibre sous ses pieds, puis la rame s'ébranle dans un fracas métallique. Il s'arrête en haut de l'escalier, il sait que Soul n'est pas monté dedans. Soul est resté sur le quai, il n'a pas le choix. L'endroit où toute cette embrouille doit finir, c'est ici. Métro Madeleine, ligne 8, direction Balard. Leur terrain de jeu favori pour lever les portables. C'est comme un rendez-vous entre eux, des coordonnées secrètes. Soul ne peut pas être ailleurs, non. Momo descend une marche. Il s'efface sur le côté, le temps que les derniers voyageurs remontent vers le couloir. Il reprend son souffle. Comme entre deux rounds, il inspire par le nez, laisse son ventre se gonfler comme une voile, puis il expulse l'air par la bouche. Son poids se balance d'une jambe sur l'autre, en attendant que son corps s'élance, comme quand il repart vers le centre du ring. Il se passe la main sur le poignet. Ce matin, une force étrangère le tient à l'arrêt, quelque chose d'autre que le froid et la fatigue. Il baisse les yeux et, pour la première fois depuis très longtemps, il voit ses mains qui tremblent. Un mouvement presque invisible, que personne à part lui ne peut avoir remarqué. Le sentiment qui le commande, Momo le reconnaît instantanément, stupéfait de le savoir en lui, maître de ses nerfs comme dans le vestiaire avant un combat. Lui, le guerrier des 3000, le fiston de Tizi Ouzou, Tamurt n Leqbayel – Aulnay direct sans arrêt : ce matin, Mohamed Belkacem a peur.

Il pourrait faire demi-tour, courir vers la sortie, puis à l'hôpital, et monter dans cette chambre où Sibylle somnole en pleurant, les poings serrés. Il se voit assis au bord du lit. Il lui caresse les cheveux, ses longues boucles blondes qui roulent sur les oreilles. Un spasme de rage lui secoue toute la carcasse. Il regarde ses mains, encore. Il y a la peur, et il y a tout ce qu'il ne pourra pas faire s'il descend sur le quai. Il pourrait faire demi-tour, emprunter un Glock au souk, à la demi-journée, et fumer ce bâtard de Carlos après l'avoir saigné comme un mouton dans une baignoire. Homicide volontaire avec préméditation, vu ses antécédents, c'est sûr qu'il prendra un maximum. Le Gaulois sera déçu, autant que Jean-Luc. Mais qu'est-ce que ça peut lui foutre ? Lui, Soul, tous les lascars de la cité, ils étaient morts à la naissance : zéro chance de s'en sortir, inutile de se fatiguer. Rien à perdre, ça sonne garçon garçon mais ça ne remplit pas une assiette. Il y a le monde et la vie, dehors, et puis il y a la cité. La vie sans le hasard, sans une petite probabilité que les choses s'améliorent, ça ne s'appelle pas la vie.

Déjà, une autre rame approche, il entend ses dizaines de tonnes grincer en freinant sur les rails. Où est Soul ? De là où Momo se tient, dans l'escalier, on ne voit que le début du quai. Il dévale les dernières marches au moment où la rame surgit du tunnel, et les néons qui se reflètent sur les carreaux blancs de la voûte lui font plisser les yeux. Il cherche une capuche rouge dans la foule qui s'agglutine contre les portes, le mètre quatre-vingt-dix de Soul au-dessus de la mêlée. Ça grouille. Le flux de voyageurs quittant le train s'écoule en étroites colonnes, la sortie d'une fourmilière, et lui il cherche une fourmi un peu plus grande que les autres. Une fourmi noire au milieu des fourmis blanches, l'idée le fait sourire furtivement. La voix de l'automate annonce le prochain train dans deux minutes. Momo jette un coup d'œil sur l'écran d'informations. Huit heures vingt-cinq. Deux minutes, puis trois jusqu'au suivant.

Il remonte de quatre marches pour mieux voir, juste dans l'axe d'une caméra de surveillance. Devant lui, les manteaux et les costumes composent une mer sombre, opaque. Son regard s'envole à l'autre bout du quai, par-dessus la masse, vers la dernière rangée de sièges. Un groupe de Japonais masque un peu la vue, mais il l'aperçoit tout de suite. La capuche rouge rabattue largement sur la tête, les épaules rentrées, les longues échasses, la posture élastique. Ce sac à dos noir qui contient leur mort à tous les deux.

Il redescend sur la plateforme et progresse au milieu de la meute. Les visages défilent à droite, à gauche. Il a déjà atteint le milieu du quai. Des secrétaires maquillées en vitesse, leurs grands yeux cernés et remplis des illusions pas encore perdues. Des commerciaux qui donnent des ordres fort dans leur téléphone pour qu'on sache à quel point le monde a besoin d'eux. Des ados rougies par le stress et les hormones, trop de Red Bull, pas assez d'exercice. Des enfants qui trépignent parce qu'ils ont trop chaud et que c'est trop long, leur mère qui n'en peut plus et fait semblant de ne pas entendre. Des étudiants en jean skinny, pas un centimètre carré de muscle sur le corps. Des Renois et des Rebeus qui ont l'air d'avoir cent cinquante ans, avec leur bonnet élimé sur la tête, leur tristesse et leur laine à deux balles, dormant debout après une nuit à nettoyer les chiottes et passer l'aspirateur dans les bureaux de la PME du coin. Tous ces visages qui ne savent pas. Ainsi va la France : blême, étriquée, aveugle. Il n'y a que lui et Soul qui connaissent l'avenir. Dans une minute, dans cinq minutes, il n'y aura plus rien qu'un amas d'atomes disloqués qu'on ne pourra pas remettre en place.

L'idée que tous ces gens vont mourir, il ne l'envisage pas à vrai dire. C'est juste une conséquence de la décision de Soul. Et l'idée que lui, Momo, il tient leur sort entre ses mains, l'idée qu'il pourrait les sauver ne lui a même pas traversé l'esprit. Il est venu parce qu'il doit être là avec Soul, son raisonnement ne va pas plus loin : à la vie à la mort, depuis l'école et le carreau cassé. Soul prend sur lui. Soul va toujours jusqu'au bout. Soul ne se plaint jamais. Impossible de faire demi-tour sans le trahir et se trahir soi-même : leur amitié vaut mieux qu'un petit arrangement avec la fatalité.

Il n'est plus très loin maintenant, mais ceux qui descendent de la rame lui bloquent le passage. Son portable vibre dans sa poche. Le Gaulois, encore. Il attend que la cohue se disperse. Soul n'a pas bougé. Il ne voit pas son visage, mais il devine son regard fixe, par terre. Il l'imagine en train de faire le vide. Les portes du train claquent. Soul est un train lancé à toute vitesse, et maintenant il n'y a plus que lui pour le faire dérailler.

La rame s'éloigne. Momo se retourne pour vérifier l'horaire de la suivante. Il a deux minutes devant lui. Il s'approche encore un peu, les mains dans les poches, la tête baissée. La fourmilière est moins dense à présent, il sera bientôt à découvert. Voilà. Momo s'immobilise. Soul a tourné la tête, lentement, et le regarde en silence. Pas de surprise dans ses yeux, rien. Il a fait le vide. En contemplant ce néant qui s'est emparé corps et âme de son copain, Momo comprend que Soul l'attendait. C'est Soul et ce n'est plus Soul. Tout ce qu'ils sont se trouve condensé là, leurs vies de galériens et leurs ardoises de rêveries, dans les trois mètres qui les séparent et les secondes qui leur restent, et en même temps le poids de ce qui va arriver écrase tout de son imminence. La peur, l'hésitation, les regrets – tout a disparu. Le monde autour d'eux s'est dissous comme un rêve. Momo sent sa main ferme au fond de sa poche, moite mais ferme, et il plonge ses yeux dans les yeux de Soul.

– Tu te sens comme un dieu, là, tonton ? Avoue.

– Reste où tu es, fait Soul d'une voix à peine audible.

– Hamdoullah mon frère. C'est toi le boss.

Et il fait un pas de plus vers Soul, qui se redresse par réflexe. Son sac à dos heurte le dossier du siège. Soul tressaille. Un rictus que Momo ne lui a jamais vu déforme sa bouche. Le masque du néant. Un filet de sueur coule le long de sa tempe. Il crève de trouille parce qu'il ne se rappelle plus les raisons qui l'ont conduit jusqu'ici, il n'arrive plus à se rappeler. Un train fantôme lancé dans le vide, un cheval fou sans cavalier. Momo fait un autre pas en avant. Lui, il sait pourquoi il est là.

– La vie de ma mère…

Lentement, Soul passe la main droite dans son dos et attrape le bout de lanière qui pend sous le sac. Il se lève avec une précaution de vieillard. Ils se font face maintenant.

– Je suis prêt, gros, dit Momo. Toi, on dirait que tu as moyennement envie de partir.

Quelqu'un passe entre eux, en bousculant Momo, puis quelqu'un d'autre. Du coin de l'œil, il se rend compte que le train est à quai. Les gens descendent. Les gens montent. La fin est là.

– Allez, c'est bon. Emmène-moi au pays des vierges aux yeux noirs. Je vais leur mettre plein tarif à ces salopes. Y en a combien déjà ? Soixante, soixante-dix ? Heureusement que j'ai l'éternité devant moi.

– Ta gueule, supplie Soul. Ferme ta putain de gueule.

Le sac. Soul tire sur la lanière, c'est la dernière chose que Momo voit avant de fermer les yeux. Il ferme les yeux, et à cet instant précis lui revient en mémoire ce que le Tchétchène lui disait à l'époque où il a commencé à faire le coursier pour lui.

– Tant que tu peux, tu fais du biz, tu prends tout ce qu'il y a à prendre, haram ou pas on s'en bat la race. Les jours sont longs dans la cité, mais la vie est courte.

Le Tchétchène est mort, dix-neuf signes dans un texto.

Sibylle est vivante.

Les jours sont longs. La vie est courte. S'il avait su à l'époque ce qu'il sait maintenant.

Un guerrier ne redoute pas la mort même si la vie est courte.

Même le guerrier ne peut aimer mourir.

Que faut-il faire ?

Mourir, sire.

La vie est courte, la vie est courte.

Dieu, que la vie est courte.

La bombe a explosé juste avant la sonnerie, à l'heure où parents et enfants se pressaient devant l'école. Pas à Paris, songe Franck en garant sa moto à proximité du cordon de police, pas dans un centre névralgique ou un lieu symbole de l'emprise judéo-chrétienne sur la France. À Bobigny, bordel, chez les prolos et les métèques, devant une putain d'école élémentaire. Où est la logique, le message ? Où est la plus-value politique et religieuse de cette boucherie ?

Le trottoir est jonché de fragments humains que les pompiers sont en train d'escamoter comme ils peuvent, tandis que la police scientifique sème ses numéros morbides et que les blessés non critiques reçoivent les premiers soins dans les ambulances. De l'autre côté de la rue, les vitrines des commerces environnants ont été pulvérisées en minuscules éclats de verre, sur le bitume et la carrosserie des véhicules en stationnement. Il ne voit pas d'enfants, rien que des adultes. Une jeune femme au visage couvert de poussière pleure en silence, ses talons élégants plantés dans le caniveau, une autre va et vient entre les gravats en criant le prénom de son fils, un homme de son âge jette des regards effondrés à qui veut bien lui rendre, les mains sur les hanches comme un coureur de fond qui cherche l'oxygène après la ligne de finish, incapable de comprendre pourquoi le ciel lui est tombé sur la tête.

– Ne regarde pas, dit une voix de femme derrière lui, étrangement ferme et sereine, quelque part dans le hurlement des sirènes.

– Mais je veux voir !

– Eh bien, non, tu ne verras pas, il y a des choses que les enfants ne doivent pas voir.

Les hommes non plus, pense-t-il en apercevant le ministre de l'Intérieur et Pelletier près de la brèche que la déflagration a ouverte dans la façade en brique. Un peu plus loin, immobile sous la fenêtre de la loge, une longue silhouette flottant dans un imperméable clair attire son attention : Alexandre Marion, prostré au-dessus du cadavre d'une fillette comme un ange désolé, Marion l'ennemi juré qu'il pourrait prendre dans ses bras comme un frère devant cette horreur dont le caractère définitif abolit toutes les haines, toutes les rancœurs d'État.

Il se sent terrassé et stupide, lui aussi, et n'a pas la moindre idée de ce qu'il est censé faire.

– Où es-tu ? demande-t-il en entendant la voix de Laurence dans son téléphone.

– On a fait la grasse matinée, répond-elle, et il comprend qu'elle n'est pas au courant de ce qui vient de se passer. On arrive à l'école, je vais récolter un beau savon de la directrice.

– Rentrez à la maison, tout de suite. Je te rappelle.

Il ne lui laisse pas le temps de demander pourquoi. Quatre sonneries dans le vide, et il tombe encore une fois sur la messagerie de Momo. Momo, implore-t-il en pensée, une incantation bien pathétique mais qui est tout ce qui lui reste, Momo le petit vaurien, la France tout entière devrait prier pour le salut de ce gamin, son dernier ressort, puisque tous les garde-fous de la République sont à terre, les bras en croix – lui le premier.

Une plage de rêve, mer indigo et cocotiers, quelque part dans l'océan Indien. Le couple de toubabs marche au bord de l'eau, main dans la main, les cheveux caressés par la brise du large. Ils ont la quarantaine, lui peut-être un peu plus. La mer est tranquille. Ils sourient, en regardant le soleil se coucher à l'horizon. Derrière eux, au loin, on devine des montagnes dont l'imposant relief est adouci par la lumière du soir. Le nom de l'agence de voyages se dessine en lettres rondes sur le sable fin comme de la gaze. 1 499 euros pour sept nuits, tout compris. Juste au-dessus, il y a écrit :

LA VIE EST BELLE À LA RÉUNION

Soul pose les paumes de ses mains de chaque côté du siège. L'armature métallique est collante, glacée. Sans quitter la publicité des yeux, il étire ses jambes devant lui, ses bras en l'air, en prenant soin que son sac à dos n'entre pas en contact avec le dossier. *Scarface*, *Carlito's Way*, il les a vus cent fois tous ces films. Quand le gars se retrouve devant le paradis terrestre en panneau grand format, c'est le bout du chemin. Welcome to paradise. The world is yours. La vie est belle à La Réunion. La vie est belle tout court, gros, dommage de pas y avoir pensé plus tôt.

Huit heures vingt-trois. Le prochain train arrive dans trois minutes. Il ne se rappelle plus depuis combien de temps il est là, combien de rames sont passées déjà, combien de passagers il a vus monter et descendre. Ça n'a pas d'importance. Il suffit d'une seule rame, qui peut être la prochaine. À lui de voir. Les paroles d'Assan lui reviennent en mémoire : cinq kilos au bon endroit, au bon moment, ça fait cinquante morts minimum. Cinquante et un, Soul répond dans sa tête, en se revoyant lui et les autres dans le box du hangar. Le bon endroit, c'est la troisième voiture, au milieu du train. Le bon moment, c'est quand les portes viennent de s'ouvrir et que la densité de corps est maximale. Mais tout à l'heure, au lieu de s'arrêter au milieu du quai, il a continué jusqu'au bout. Trop de monde, justement. Trop de regards, trop de voix. Il a senti une faiblesse impérieuse tout au fond de son estomac, il a eu peur que la panique revienne et il ne s'est pas arrêté.

Un sifflement strident annonce l'arrivée du train. Les rails vibrent. Soul tourne la tête vers la gauche, côté avenir. Une série de chiffres rouges luit dans la bouche noire du tunnel. L'un d'entre eux indique l'heure, mais la signification des deux autres lui échappe. Il les considère l'espace de quelques secondes, avant de se rappeler que c'est lui le maître du temps, et ses yeux reviennent se poser sur l'affiche. Une semaine au paradis. Cinquante et une victimes pour cinquante et une semaines en enfer : la belle indemnité pour une année de merde. Le bon chemin, dans la vie future, comme dit Assan. Il compte jusqu'à trois. Tout est là, intact, le paradis en face de lui et le quai tout autour. Le train entre dans la station. People get ready. Dieu est au ciel, et lui il va mourir sous la terre.

Ce qui est dur à accepter, c'est d'avoir laissé voir son mal de vivre comme si la vérité sur lui-même était contenue tout entière dans les revers qu'il a subis, dans sa colère d'avoir été défait par la vie. Assan a tout vu : les vannes de Chérif et d'Abou ; les espoirs déçus de la vieille, ses regards pleins d'une morne compassion, pendant que ses deux frères font leurs affaires par SMS, sous la table ; la douleur secrète qui lui lacère les entrailles, depuis le jour où Momo a ramené Sibylle à la cité, comme un trophée, et qu'il se trouve bien puéril d'appeler amour. Mais qu'est-ce que c'est, si ça n'est pas de l'amour ? Momo l'a vu, aussi, il sait, maintenant. Sibylle et sa peau transparente, Sibylle et son odeur de chair, Sibylle qu'il n'aura jamais. La hantise de mourir sans avoir connu ça. Vingt-trois ans dont il ne reste rien qu'un goût avarié entre les dents, comme au matin d'une mauvaise cuite. Pauvre petit Renoi imbibé d'Amérique et d'Occident, pense-t-il, pris à la gorge par le dégoût de soi, les lumières de la grande ville et l'amour comme un rêve enfui dans les yeux, sommé par Dieu sait quel instinct sinistre d'annihiler ce qui se refuse à lui, identique à ces bande-mous fonçant sur les tours dont la démesure insultait leur impuissance d'hommes. Assan et Momo ont vu toute cette boue dans son cœur, cette eau stagnante, et maintenant Soul se sent nu devant eux. Pourtant Assan le maître a tort, tout clairvoyant qu'il soit. La force qui le poussera à déclencher la bombe, dans une, dans cinq minutes, ce n'est pas une soif de vengeance contre toutes ses humiliations. Dans le puits de ses idées noires, tout au fond, il entrevoit quelque chose de plus pur, fait de lassitude et de résignation : le désir souverain de ne plus ressentir cette honte atroce, qui est la seule chose, somme toute, avec laquelle il ne peut pas vivre. La honte se confond désormais avec sa vie, comme la moisissure qui infecte tout dans une cave inondée. La honte doit finir aujourd'hui. Sa vie aussi.

Une nuée de Japonais s'éparpille à la sortie du couloir de l'interconnexion, sur sa droite. Ils sont une quinzaine de petits vieux et leur guide, une fille aux cheveux attachés en chignon et au parapluie trop grand pour elle.

– Excusez-moi, monsieur…

Soul l'a regardée s'approcher sans comprendre qu'elle s'adressait à lui, et maintenant il l'entend lui demander si c'est la bonne direction pour Invalides. Un très léger accent, pas celui qu'il imaginait. Il fait oui de la tête, pétrifié par ces regards touristiques qui témoignent d'une curiosité dont il n'a pas l'habitude, sans arrière-pensées, empreinte de bienveillance. Son aspect fantomatique et sa raideur n'ont pas l'air d'entamer la gaieté qui règne au sein du groupe. Il essaie de se détendre. La fille le remercie et se retourne pour expliquer la suite du parcours. Est-ce que la pince du détonateur est bien plantée dans la pâte ? S'il tire sur la bride du sac et si rien ne se passe, il sait qu'il n'aura pas le cran de recommencer. Il essaie de respirer calmement mais ses poumons le brûlent ; l'air cramé des souterrains lui assèche la gorge. Il se racle la gorge et se penche sur le côté pour cracher, en espérant que les Japonais ne remarqueront rien. Une fourmi se promène entre les chewing-gums écrasés et les paquets de chips qui traînent par terre. Elle s'arrête un instant pour considérer les bulles de salive qui se dissolvent sur le revêtement, puis reprend son chemin. La proximité de l'insecte et de son mollard l'écœure, plus encore la pensée qu'il doit y avoir un nid quelque part sur le quai. Il soulève le pied, sans décoller le talon, et l'écrase sous sa semelle. Les pattes se rétractent lentement : les nerfs, c'est ce qui meurt en dernier. Le reste du corps ressemble à un grain de raisin éclaté, comme lui vu du ciel dans quelques instants. Elle était vivante, et maintenant elle est morte. Il y a juste une virgule entre ce qu'on est et le néant. Tiens, les Japonais sont partis dans le train qui s'en va. Soul se gratte les poils de barbe dans le cou, et pour la première fois depuis qu'il est assis sur le quai, il pense qu'il n'a pas fait sa toilette de purification. Sale, impur mais encore vivant. Il voudrait que Momo soit là pour dédramatiser la situation. Pour présenter les choses simplement. Finis le travail, gros. C'est juste un travail à finir.

Il jette un coup d'œil sur sa droite, en direction du panneau d'information. Momo. Momo est là, et Soul se sent partir comme pendant son anesthésie générale, à la fin de la troisième, quand le chirurgien a commencé à compter. Quatre-vingt-dix-neuf, quatre-vingt-dix-huit, puis le grand flottement. Il ne sent plus ses jambes, mais il sait qu'il ne rêve pas. Momo est là, pour de vrai. Ses lèvres bougent. Il lui parle, même.

Un Rebeu et un Renoi sont dans le métro. Comme dans toutes ses histoires à deux centimes, il n'y a pas de mystère sur la chute.

– Tu te sens comme un dieu, là, tonton ? Avoue.

Il est là mais ses mots n'ont aucun sens, comme si leur son se projetait dans une autre réalité, un autre monde. Tout bas, Soul lui dit de rester où il est. Momo répond quelque chose, un sourire moqueur aux lèvres, mais sa voix se perd dans le vacarme du train qui entre dans la station. Qu'est-ce qu'il fout, là ? Soul l'implore de ne pas s'approcher, encore, sans qu'aucune parole sorte de sa bouche. Il se sent pris au piège. Dos au mur. Il faut qu'il se lève, tout de suite. Putain de sa race. Le sac a tapé contre quelque chose de dur. Jamais de choc, même pas un frôlement. Jamais. Normalement il devrait être mort, Momo et tous ces gens aussi. Mais Momo continue à avancer vers lui en souriant, sans prêter attention au train qui s'arrête derrière lui. Est-ce qu'il sourit, ou est-ce que c'est juste une ombre au coin de sa bouche ? Soul a du mal à faire le point. La lumière fluorescente lui transperce les yeux comme une lame brûlante.

– La vie de ma mère…

Il rassemble toutes ses forces pour se mettre debout, tandis que les portes du train s'ouvrent. Sa main tâtonne sous le sac à la recherche de la bride. Ça y est, il la tient dans le creux charnu entre le pouce et l'index – son pouce entaillé par l'amour de Sibylle. Momo le fixe et lui demande ce qu'il attend. L'image fugitive de leurs parties de poker à un gramme le point passe devant ses yeux. Momo a toujours cru qu'il suffit de bluffer pour se jouer du destin. Soul n'entend pas sa dernière provocation, trop concentré qu'il est sur la tension du fil à l'intérieur de la bride. Un coup pour amorcer le mécanisme. Deux coups secs pour libérer la charge. Vous ne sentirez rien, c'est comme un rideau noir qui tombe sur vous et tout le reste. Une bulle de vide catastrophique. Quatre-vingt-dix-sept, quatre-vingt-seize. La vie est belle à La Réunion. Vivant, mort comme la mer d'Aral, l'univers dans des milliards d'années-lumière. Quatre-vingt-quinze, quatre-vingt-quatorze. La fourmi écrasée. Cinq kilos de mort et de désolation. Dieu est au ciel et il va mourir sous la terre.

Momo a fermé les yeux. Momo a vu sa pourriture exposée en pleine lumière et il est resté là, avec lui. Il sourit. Il sait que sa vie ne lui appartient plus, qu'il est en son pouvoir, et pourtant il sourit, les yeux fermés. Les passagers descendus de la rame slaloment entre leurs deux corps immobiles. Momo abandonné comme un enfant, Momo à la confiance aveugle. Soul se revoit sur le siège passager d'une 207 volée, à l'époque des rodéos autour de la cité, devant ce mur qui s'approche à grande vitesse. De temps en temps Momo tourne la tête et d'un regard lui fait comprendre qu'il gère, tranquille cousin. Au dernier moment il donnera un coup de volant et ils éclateront de rire, Momo tout fier d'avoir attendu une demi-seconde de plus que la fois d'avant, et Soul simplement soulagé, heureux d'être l'ami de ce petit Rabza qui vit selon ses propres règles. Momo la tête brûlée, Momo l'invulnérable, Momo ce matin aussi fragile que lui ces nuits-là. Momo, son ami. Soul sent une décharge électrique à l'arrière de son cerveau. L'ami, c'est celui qu'on protège. Une joie ancienne vient de se réveiller, enfouie très loin dans sa mémoire, et elle emporte tout sur son passage en remontant vers la surface. Les après-midi sans fin de mai. L'odeur de la pluie printanière sur la grille des platanes dans la cour. Le linge qui sèche aux fenêtres des Gémeaux, en face de la sienne, recouvrant le gris de la banlieue sous une mosaïque solaire, aux couleurs de Treichville et d'Abobo. Tous les printemps qui viendront encore. La honte et la haine de soi s'effritent et se désagrègent, délogées par la vague claire de ses sensations d'enfance qui jaillit dru par tous ses neurones, chargeant ses pensées d'une énergie nouvelle. Toute cette douleur obscène s'écoule de son cœur comme une eau souillée dans un drain. Un centimètre après l'autre, il laisse filer la bride du sac. Le monde n'explose pas. La sonnerie du départ, les portes du train qui se referment. C'est l'heure de disparaître, d'aller tenter sa chance là où on ne le connaît pas. En passant à côté de Momo, paupières closes, il voit ses lèvres qui frémissent comme pour lui dire quelque chose, un peu de vapeur blanche qui s'échappe de sa bouche. Quand se reverront-ils ? L'hésitation le ralentit sans l'arrêter. Il s'engouffre dans le couloir des correspondances, un voyageur parmi d'autres dans le roulement des jours, le ressac du matin.

Épilogue

L'ombre des marronniers s'allonge plus vite maintenant sur la pelouse, le bourdonnement laborieux des insectes s'est assourdi, un ballon de basket rebondit au loin et les feuillages balancés par le vent du soir murmurent la beauté, le charme de ce monde qu'il lui est si doux d'aimer, à Paris en été.

LES ÉTATS-UNIS ET L'IRAN
RENOUENT LE FIL COUPÉ EN 1979

Hélène regarde la date au-dessus de la une du journal, comme si c'était une chose impossible : cela fera seize mois, demain, qu'elle ne se pique plus. Ni morphine ni cortisone, plus aucun poison. Seize mois, une vie à l'intérieur d'une vie. La douleur va et vient, plus rude l'hiver, plus mordante dans l'air sec – il y a encore des matins où se lever lui semble une chose herculéenne, qu'elle doit accomplir pas à pas, un muscle après l'autre, au point qu'elle peut y passer un quart d'heure, parfois davantage. Mais elle est libre, et ses nuits sont calmes. C'est le repos et le sommeil qui rendent possible le courage – la persévérance.

Dans le cahier de politique intérieure, la maire de Paris se félicite de la baisse sensible des actes de petite délinquance dans la capitale, l'un des grands chantiers ouverts au lendemain de son élection. Quelques pages plus loin, une photo montre l'ancien hidalgo de la Place Beauvau, promu à Matignon après la déroute nationale de la majorité aux municipales, tout sourire au côté de l'ambassadeur du Qatar, Montblanc en main, pour conclure l'entrée de l'émirat au capital d'EDF. Matignon, ça use, pense Hélène en s'attardant sur ce regard qui sait où il va, l'Élysée dans moins de deux ans. C'est long, deux ans, ça laisse le temps de commettre beaucoup d'impairs et de subir autant de croche-pieds. Il y a l'éclat impénitent du sourire et du regard, oui, il sait en jouer comme un comédien, et puis il y a les symptômes qu'il ne maîtrise pas, les cheveux grisonnants, les rides au front, les cernes qui lui creusent les yeux, et toutes les angoisses invisibles dont le poids lui courbe les épaules, plus voûtées qu'au temps de sa splendeur policière. Qui sait s'il tiendra la distance ? Peut-être, à l'image d'un prédécesseur de sinistre mémoire, aurait-il dû rester contre son gré dans son costume de premier flic de France, le regard fixe sur ce palais tant désiré, parlant vrai et dur, prenant les coups que personne ne voulait prendre, affermissant sa stature de chef tout en se préparant à traverser une fois pour toutes la rue du Faubourg-Saint-Honoré ?

Hélène s'en moque, à vrai dire. Sur la photo, derrière le dignitaire qatari, elle a reconnu l'imam Ferhaoui, dont le nom n'est pas légendé, le visage un peu flou mais non moins rayonnant que celui du Premier ministre.

Paoli avait raison, pense-t-elle avec tristesse : ces hommes-là sont venus faire main basse sur tout ce qu'ils pourront rafler, tout en continuant, de l'autre main, à entretenir le feu qui couve sur les terrains vagues de la République. Paoli avait raison sur le diagnostic, de vouloir démasquer ces pompiers pyromanes, et il avait raison aussi sur les causes du mal qui nous brûle. L'illumination religieuse, l'escalade dans le puritanisme et les piétés anachroniques dont elles s'accompagnent, ce ne sont que des symptômes, une série d'étincelles qui met en marche la mécanique latente de ce qui ne va pas au fond de ce pays. Les pauvres diables, plongés dans l'effroi combustible d'une vie qui commence mal, les simples d'esprit, les fifrelins, les arsouilles, les effrontés et les sans illusions, les désemparés et les feux follets, les demeurés et les hyperactifs, les zozos et les benêts, les cloches et les gorets, les tristes sires et les râleurs en folie, les chiens galeux et les vandales, les petits merdeux du quotidien et les casse-pieds de service, bref, le ban et l'arrière-ban des insurgés de l'islam, tous se croient musulmans fervents, alors qu'ils sont seulement misérables. On n'a pas avancé d'un pouce depuis Hugo. La société est injuste avec eux comme avec tant d'autres, et l'État ne fait rien pour réparer cette injustice. Au nom de quelle raison masochiste n'iraient-ils pas se jeter dans les bras des faux prophètes qui leur donnent, non, même pas le paradis, ni la promesse d'une vie meilleure, mais la colère enivrante des guerriers, la chaude solidarité des braves qui se serrent les coudes ? Au nom de quoi des puissances extérieures comme le Qatar ne devraient-elles pas exploiter le filon et répandre le chaos ici ? Le grand dawa, comme on disait à l'époque ?

La France, peut-être, est une chose révolue, et la chose cabossée qui en porte aujourd'hui le nom ne mérite peut-être pas qu'on se ruine la santé à la remettre d'équerre. Quand elle tient ce genre de discours, les quelques relations qu'elle a conservées à l'Assemblée ont un rire embarrassé, à gauche comme à droite, et on lui dit qu'en renonçant à tout mandat électif elle est devenue révolutionnaire. En réalité, ce n'est pas elle qui a trahi ses idéaux ; c'est tout un système politique qui a renoncé à l'idée même de réforme, autrement dit à la possibilité d'améliorer, même à la marge, la réalité sinistre où se débat le plus grand nombre.

– Voilà.
– Qu'est-ce que c'est ?
– Un gâteau au chocolat, dit le petit garçon crotté, ses cheveux châtains en nage, qui la regarde en fronçant les sourcils.
– Merci, mon chéri. Tiens.
– Quoi ?
– Ramasse tes affaires, s'il te plaît.
– Pourquoi ?
– Parce que le parc va fermer et qu'il est l'heure de rentrer à la maison. Tu entends les sifflets des gardiens ?
– Non.
– Ramasse tes affaires quand même.
– Je veux rester. Je n'ai pas fini de jouer.
– On reviendra demain.
– Non !

Il trépigne, épuisé par sa journée dehors, tape du pied, soulevant un nuage de poussière qui lui pique les yeux, et il se met à pleurer.

C'est compliqué, se dit-elle en le prenant dans ses bras, le cœur gonflé de bonheur. Si la France était un pays plus juste, moins gouverné par les castes et moins sujet aux passe-droits, si elle ne connaissait pas qui elle connaît ici et là, bref si elle ne s'appelait pas Hélène Faure, est-ce que le bureau d'aide sociale à l'enfance aurait délivré son agrément à une célibataire qui certes ne fait pas ses cinquante-deux ans, mais qui n'avait pas la première notion de ce que sont les trois huit de l'éducation et de la vie familiale, comme le lui a lancé un jour celle qui présente maintenant le journal de vingt heures ?

– Maman, bredouille-t-il en se blottissant contre elle, tout ensommeillé déjà.

L'amour tendre d'un petit garçon, il n'y a que ça de vrai, sans quoi nous sommes nus sur terre. Tout le reste, la gangrène des êtres et le sadisme anonyme des institutions, les fureurs et les emportements, les soubresauts et les fièvres de ce monde voué à la fin au grand vide, quand il ne restera plus rien ici qu'une vaste zone périurbaine, tachetée de centres commerciaux, de plateformes d'appel et de concessionnaires de voitures, quel que soit l'entêtement des enragés de tout poil à ce que cette planète sans âme s'embrase auparavant, tout le reste n'est que le songe falot dans la tête d'un infortuné, qui ne portait plus les hommes dans son cœur après les avoir trop aimés.